Carolyn Niethammer

Töchter der Erde

Carolyn Niethammer

Töchter der Erde

Legende und Wirklichkeit der Indianerinnen

Aus dem Amerikanischen von Volker Bradke

Lamuv Taschenbuch 38

CIP-Titelaufnahme der Deutschen Bibliothek

Niethammer, Carolyn:
Töchter der Erde : Legende u. Wirklichkeit d. Indianerinnen /
Carolyn Niethammer. (Aus d. Amerikan. von Volker Bradke.) –
Bornheim-Merten : Lamuv Verlag, 1985.
(Lamuv-Taschenbuch ; 38)
Einheitssacht.: Daughters of the earth <dt.>
ISBN 3-88977-022-3
NE: GT

Bitte fordern Sie unser kostenloses Gesamtverzeichnis an:
Lamuv Verlag, Düstere Straße 3, D-3400 Göttingen

1. Auflage, Februar 1985
4. Auflage, 16.–18. Tsd., Dezember 1989
Lamuv Verlag GmbH, Düstere Straße 3, D-3400 Göttingen

Umschlaggestaltung: Gerhard Steidl unter Verwendung eines Fotos
von Edward Sheriff Curtis
Gesamtherstellung: Steidl, Göttingen
ISBN 3-88977-022-3

Inhalt

Für meine Schwestern,

die auf der Suche nach Antworten
für heute und morgen vielleicht innehalten
und auf gestern schauen

Danksagung

Wenn auch das Gros des Materials zu diesem Buch historischen Darstellungen und Berichten entnommen ist, haben mich doch etliche heutige Indianerfrauen an ihrem Leben teilhaben lassen, so daß ich ein tieferes Gespür dafür entwickeln konnte, was es bedeutet, eine eingeborene Amerikanerin zu sein. Ich möchte in erster Linie Veronica Orr (Colville), Annette Wilson (San Ildefonso), Dorothy George (Hopi), Marian Hufford (Navajo), Edna Baldwin (Kiowa), Pauline Good Morning (Taos) und Roberta Hazel Begay (Navajo) danken.

Ferner schulde ich Constance Schrader Dank, die mich zu diesem Buch angeregt und durch ihren unverbrüchlichen Glauben an den Sinn und Wert des Vorhabens ermutigt hat; Daphne Scott, Bibliothekarin am Arizona State Museum, leistete wertvolle Hilfe bei den Recherchen; und Kate Cloud und Julie Szekely unterstützten mich nach Lektüre des Manuskriptes durch hilfreiche Kritik.

Insbesondere möchte ich die Hilfe des – leider schon verstorbenen – Dr. Thomas Hinton würdigen. Er wies auf Quellenmaterial hin, stand mir mit seinem Engagement und seinem Wissen zur Seite und hat das Manuskript auf anthropologische Genauigkeit geprüft. Seine Freundschaft und Hilfe werden mir fehlen.

»Beim Sammeln von Büffelbeeren« – Fotografie aus einer Serie, die Rodman Wanamaker im neunzehnten Jahrhundert von Plains-Indianern angefertigt hat. *(American Museum of Natural History)*

Einführung

Wenn der Durchschnittsamerikaner oder -europäer den Begriff Indianer, die Bezeichnung für die ursprünglichen Einwohner Nordamerikas hört, denkt er gemeinhin an eine wohlgestalte, kühne Erscheinung im Federkopfschmuck, die auf einem prächtigen Roß einhergeritten kommt; oder an einen spärlich bekleideten roten Mann mit Gesichtsbemalung, der schreiend um ein Feuer tanzt; oder, wenn er genauer Bescheid weiß, vielleicht an das verwitterte, dunkle Gesicht eines betagten Medizinmannes, dessen tiefliegende Augen Wissen um die Rätsel und Geheimnisse des Universums ahnen lassen.

Die wenigen, die beim Wort Indianer auch an Frauen denken, haben dabei zweifellos entweder eine königliche Pocahontas im Sinn, oder sie denken an eine Lasten schleppende gebeugte Elendsfigur, die hinter – und immer hinter! – ihrem Krieger-Ehemann hertrottet.

In der Tat war das Leben der überwiegenden Mehrheit eingeborener amerikanischer Frauen ungefähr in der Mitte zwischen diesen beiden Extremen angesiedelt, wenn es auch schöne und mächtige Prinzessinnen wie Pocahontas ebenso gegeben hat wie weibliche Packesel in einzelnen Stämmen, in denen Frauen grundsätzlich miserabel behandelt wurden. Die Frauen zogen die Kinder auf, sammelten Nahrung, bereiteten Mahlzeiten, errichteten Behausungen, betreuten die Kranken, schliefen mit ihren Ehemännern – und bisweilen auch mit anderen Männern –, beteten zu den Göttern und betrauerten die Toten. Faszinierend daran ist nur, daß sie diese alltäglichen Verrichtungen in so überaus vielfältiger Weise praktizierten.

In den zwei Jahren, in denen ich dieses Buch recherchiert und geschrieben habe, bekam ich allenthalben zu hören: »Haben sich die Indianerfrauen ihren Männern gegenüber nicht schrecklich unterwürfig und servil verhalten?«, und umgekehrt: »Die meisten Indianerstämme waren doch Matriarchate, in denen die Frauen die beherrschende Rolle spielten?« Tatsächlich waren die Verhältnisse von Stamm zu Stamm unterschiedlich, und die eingeborenen amerikanischen Frauen haben als Individuen wie als Gruppen ihr Leben weitgehend selbst bestimmt. Männer und Frauen arbeiteten partnerschaftlich zusammen. Es gab Männeraufgaben, und es gab Frauenaufgaben, und beide waren gleich wichtig notwendig, um das Überleben zu gewährleisten.

Natürlich möchten im Zeitalter des erwachten Selbstbewußtseins der Frau die Feministinnen unter uns gern glauben, es habe früher Matriarchate gegeben. Doch die Anthropologen – und auch diejenigen unter ihnen, die sich als feministisch begreifen – halten nicht viel von den mageren Belegen, auf die sich die Theorien historischer Matriarchate stützen. Manche Stämme kann man als matrifokal einstufen (Stämme, in denen die Mutterrolle kulturell hoch entwickelt ist, sich großer Wertschätzung erfreut und strukturell im Mittelpunkt steht), manche als matrilinear (die Abstammungslinie wird über die Mutter hergeleitet), und manche lassen sich als matrilokal bezeichnen (die Tochter nimmt einen Mann und lebt mit ihm bei der Mutter). Hingegen gibt es bisher kaum stichhaltige Belege für Gesellschaftsformen, in denen Frauen *öffentlich anerkannte* Macht und Autorität besaßen, die die der Männer *übertraf.*[1]

Dr. Michelle Zimbalist Rosaldo schreibt in ihrem Beitrag zu dem feministisch orientierten Buch *Women, Culture and Society,* dessen Mitherausgeberin sie ist: »Frauen können bedeutend, mächtig und einflußreich sein, doch hat es allen Anschein, daß es den Frauen – verglichen mit Männern ihres Alters und Sozialstatus – allerorten an allgemein anerkannter und kulturell gewichtiger Autorität fehlt.«[2] Sie wird in dieser Auffassung von Dr. Sherry B. Ortner unterstützt, die im selben Buch behauptet: »Der zweitrangige Status der Frauen in der Gesellschaft ist eine der wenigen Allgemeingültigkeiten, ein pankulturelles Faktum.« Ortner fährt fort: »Und dennoch sind innerhalb dieses universellen Faktums die spezifischen kulturellen Auffassungen und Darstellungen von Frauen außerordentlich vielfältig und sogar widersprüchlich. Ferner variieren die tatsächliche Behandlung, die Frauen erfahren, und ihre relative Macht und ihr Einfluß enorm von Kultur zu Kultur und über verschiedene Perioden und Kulturepochen. Diese beiden Punkte – das universelle Faktum und seine kulturell vielfältige Ausprägung – werfen Probleme auf, die erläutert werden müssen.«[3]

Die Fakten sprechen für sich. Selbst in den amerikanischen Eingeborenenstämmen, in denen Frauen in erheblichem Umfang Macht und Ansehen besaßen, ihnen das wirtschaftliche Wohlergehen der Familie oblag und sie sakrale, zeremonielle Ämter innehatten, stießen sie immer an einem Punkt an ihre Grenzen: Das sogenannte heilige Bündel durfte nicht von einer Frau gehandhabt werden – schließlich konnte sie gerade menstruieren und es dadurch entweihen –, bestimmte Opfergaben an ausgesuchte übernatürliche Wesen durften nur von Männern dargebracht werden, und gewisse Ämter durften nur Männer ausüben, wenn auch vielleicht Frauen die Amtsträger bestimmten und sie abwählten, sofern sie sich als unwürdig erwiesen.

Aber wie war die Stellung einer eingeborenen amerikanischen Frau im Vergleich zu der einer weißen Durchschnittsfrau jener Zeit? In der Tat ähnelte das Leben der Indianerfrau weitgehend dem der Pionier-Urgroßmutter. Beide verbrachten den Großteil ihrer Zeit, sowohl was die Arbeit wie was das Spiel betrifft, mit Kindern und anderen Frauen. Selbst bei gemischten Zusammenkünften neigten Männer und Frauen dazu, sich getrennt zu gruppieren. Doch obgleich ihr Alltagsleben in vielen Aspekten gleich war, genoß dennoch die Indianerfrau erheblich mehr Unabhängigkeit und Sicherheit als ihre weiße Geschlechtsgenossin.

Die Anthropologin Nancy Lurie schreibt: »Ob verwöhnter Liebling der Oberschicht oder abgearbeitete Pionierfrau, die weiße Frau war kläglich abhängig, denn ihr Leben hing von den Launen und Geschicken eines einzelnen Mannes ab: erst des Vaters und dann des Ehemannes. Praktisch aller politischen Rechte bar, fehlte ihr überdies die Sicherheit eines Stammes, der verpflichtet gewesen wäre, für sie zu sorgen, wenn sie verwaiste oder verwitwete. Traditionell war die weiße besitzlose Frau der erniedrigenden Peinlichkeit ausgesetzt, von Almosen leben zu müssen.«[4]

Die wohl gründlichste Information darüber, was es bedeutete, im frühen Amerika Indianerfrau zu sein, wäre die gewesen, die man von eingeborenen amerikanischen Frauen selbst erhalten hätte. Leider aber verfügten die sehr frühen Amerikaner über keinerlei Geschichtsschreibung. Die frühesten Darstellungen, die wir über die eingeborenen Amerikaner besitzen, stammen von europäischen Missionaren und Forschungsreisenden. Da es sich bei ihnen fast ausschließlich um Männer handelte, konzentrierten sich diese Autoren auf die Männerrolle in der amerikanischen Eingeborenengesellschaft. Gewiß haben sie nicht bewußt Informationen über Frauen ausgespart; sie haben diese andersartigen

Gesellschaften schlicht durch die Brille ihrer eigenen Kultur betrachtet, einer Kultur, in der die Taten der Männer die einzigen bemerkenswerten Ereignisse darstellten.

Moderne Anthropologen – wiederum zumeist Männer – haben die Tendenz zementiert, weibliches Handeln im Vergleich zum kopflastigen Bereich männlicher Politik und männlichen öffentlichen Lebens als uninteressant und unbedeutend einzustufen. Überdies stammt viel Material, das über weibliche Aktivitäten gesammelt worden ist, von männlichen Informanten; mit anderen Worten, eingeborene amerikanische Männer haben berichtet – zweifellos so wahrheitsgetreu, wie sie es vermochten –, wie sie *glaubten,* daß die eingeborenen amerikanischen Frauen dächten und fühlten. Gelegentlich haben männliche Anthropologen auch mit Frauen gesprochen, doch müssen wir annehmen, daß die Situation einer bezeichnenderweise scheuen Indianerfrau, die mit einem weißen Mann spricht, ihre Darstellung leicht gefärbt haben mag – vielleicht ohne daß es ihr überhaupt bewußt gewesen ist.

Es gibt einige erwähnenswerte Fälle, in denen weibliche Forscherinnen mit weiblichen Informanten gearbeitet haben (Landes, Underhill, Lurie, Bunzel, Bailey, Reichard und andere), und, besser noch, einige Fälle, in denen heutige, aber traditionsverhaftete Indianerfrauen ihre Geschichte erzählt haben (Qoyawayma, Sekaquaptewa, Shaw). Ich habe mich bemüht, diese Berichte in den Vordergrund zu stellen.

Selbstverständlich wäre es unmöglich, die Geschichte eingeborener amerikanischer Frauen zu erzählen, ohne auf eingeborene amerikanische Männer Bezug zu nehmen. Indianerkinder erfuhren ähnliche Fürsorge und Ausbildung, ob es sich nun um Jungen oder Mädchen handelte. Wenn die Kinder zu jungen Männern und Frauen heranreiften, gingen sie eheliche, wirtschaftliche und sexuelle Partnerschaften ein.

Wenn ich auch die Rolle, die die Männer im Leben der Frauen gespielt haben, gerecht darzustellen versucht habe, so habe ich mich doch bemüht, bei den Erfahrungen eingeborener amerikanischer Frauen von der Geburt an über die Werbung, das junge Erwachsenenalter und die Reifejahre bis zum Tod immer den weiblichen Standpunkt in den Vordergrund zu stellen.

Im Bemühen um Genauigkeit habe ich auch versucht, die Bräuche eines jeden Stammes oder jeder Gesellschaft so darzustellen, wie sie gewesen sind, als der weiße Mann sie entdeckte und bevor ein stärkerer Kontakt mit Europäern die traditionellen Lebensweisen veränderte. Deshalb ist der abgedeckte Zeitrahmen nicht für alle Gruppen der gleiche. Zu der Zeit, da auf den Großen Ebenen die Büffelkultur blühte – Anfang des neunzehnten Jahrhunderts –, waren bereits viele der Ostküstenstämme von landhungrigen Siedlern aus ihren angestammten Gebieten verdrängt worden, und ihre Kulturen begannen zu zerfallen.

Nicht einmal bei den frühesten amerikanischen Eingeborenenkulturen fällt es immer leicht, sie isoliert vom weißen Einfluß zu betrachten. Die Büffelkultur zum Beispiel war eine Folge weißen Siedelns auf dem amerikanischen Kontinent. Viele der Stämme, die diese kurze, ruhmreiche Kulturphase prägten, waren ehemalige Waldlandindianer, die durch die ständige Westwanderung der Europäer aus ihren vorherigen Lebensräumen im heutigen Michigan, Illinois und Indiana verdrängt worden waren. Überdies wären die Gruppen, die in die Großen Ebenen auswichen, ohne das Pferd, das die Spanier nach Amerika gebracht hatten, niemals in der Lage gewesen, die Büffelherden in dem Maße zu jagen, in dem sie es getan haben. Eingeborene Amerikaner haben Büffel gejagt, ehe es Pferde gab, aber die Zahl der Tiere, die ein Jäger zu Fuß töten kann, steht in keinem Vergleich zur Anzahl der Tiere, die berittene Jäger erlegen können.

Im gleichen Sinne waren die Navajo, deren Kultur so eng mit Schafzucht verknüpft ist, ursprünglich Jäger und Sammler gewesen, die im Laufe vieler Jahre von Kanada nach Süden gewandert waren. Sie betrieben in geringem Umfang Ackerbau, bis die Spanier in den Südwesten vordrangen und Schafe und Ziegen mitbrachten. Die Tiere sollten den Nahrungsbedarf der Spanier dekken, doch gelangten einige Exemplare in die Hände der Navajo.

Wenn auch die Sitten und Bräuche, die das Leben amerikanischer Eingeborenenfrauen prägten, von Stamm zu Stamm beträchtlich variierten, so ergab sich diese Variationsbreite keineswegs zufällig. Benachbarte Stämme pflegten oft ähnliche Bräuche, was darauf zurückgeht, daß sie gemeinsame Vorfahren und ähnliche Behausungen hatten, untereinander Handel trieben und Ehen schlossen. Die Hunderte von Stammeskulturen im Eingeborenen-Amerika lassen sich zu verschiedenen Zonen mit relativ gleichförmigen Kulturen zusammenfassen; die Zahl dieser Zonen hängt davon ab, wie scharf man die Unterscheidungsmerkmale handhabt. Diese Zonen fallen tendenziell mit Gebieten relativer klimatischer und vegetationeller Gleichförmigkeit zusammen. Viele Anthropologen haben die Kulturzonen Nord- und Südamerikas beschrieben, und während die meisten von ihnen sich in den Grundauffassungen einig sind, unterscheiden sich die verschiedenen Gebiete je nach den einzelnen Theorieansätzen. Eines dieser Schemata teilt das Territorium nördlich von Mexiko – das Gebiet also, das in diesem Buch behandelt werden soll – folgendermaßen in zehn Kulturzonen ein:

Nordosten: Ein Großteil dieses Gebiets war stark bewaldet, weshalb ein Teil dieses Bereichs auch »Östliches Waldland« genannt wird. Die Menschen dort lebten in kleinen Ansiedlungen und bestritten ihren Lebensunterhalt durch Jagen, Fischen und Sammeln sowie, wo die Vegetationszeit es gestattete, durch Ackerbau. Die Ojibwa und andere Stämme der westlichen Großen Seen ersetzten das Sammeln von wildwachsendem Reis durch Maisanbau. Im fünfzehnten oder sechzehnten Jahrhundert bildeten die Seneca, Cayuga, Oneida, Onondaga und Mohawk die Irokesen-Konföderation. Anfang des achtzehnten Jahrhunderts traten die Tuscarora dem Bündnis bei, das schließlich durch innere Zerwürfnisse zerbrach. Man konnte sich nicht einigen, welche Seite man im Amerikanischen Unabhängigkeitskrieg unterstützen sollte.

Südosten: Diese Menschen waren vorwiegend Ackerbauern, nutzten aber auch die üppige Vielfalt wildwachsender Pflanzen. Teilnehmer von Hernando de Sotos Expedition durch den Südosten in den Jahren 1539–1542 beschreiben in ihren Tagebüchern die indianischen Städte und Tempel in diesem warmen, gastlichen Gebiet. Als die Weißen diese Landstriche eroberten, wurden die meisten südöstlichen Völker in das Indianerterritorium in Oklahoma gepfercht.

Plains (Große Ebenen): In diesem riesigen Gebiet waren sowohl Ackerbauern als auch nomadisierende Jäger heimisch. Die seßhaften Bauern – etwa die Mandan und die Pawnee – errichteten befestigte Dörfer aus Erdhütten und bauten Mais, Kürbis und Sonnenblumen an. Diese Kost ergänzten sie durch Büffelfleisch und anderes Wild, das sie im Sommer und Winter erlegten.

Die Nomadenstämme – etwa die Sioux und die Cheyenne – lebten hauptsächlich von den Produkten, die der Büffel hergab.

Die meisten Stämme hielten sich an strenge Jagdgesetze, die dazu dienten, die großen Büffelherden als Quelle von Nahrung, Kleidung und Behausung zu erhalten. Der berittene Plains-Indianer lebt heute noch als der Prototyp des nordamerikanischen Indianers fort; tatsächlich jedoch blühte seine Kultur nur ein knappes Jahrhundert lang, nämlich vom späten siebzehnten bis zum späten achtzehnten Jahrhundert.

Arktis: Sie ist das Land der Eskimo, eines Volkes, das Erfindungsreichtum genug bewiesen hat, um der eisigen, schroffen nördlichen Umwelt die Grundlage für menschliches Leben abzuringen. Die Eskimo unterscheiden sich in Körperbau, Sprache und Sitten von anderen amerikanischen Eingeborenengruppen. Sie jagten das Karibu, wo sie konnten, und fischten in Seen und Flüssen; ihre Hauptlebensgrundlage aber waren Meeressäugetiere. Die Eskimo lebten normalerweise in kleinen Hordenverbänden und folgten jahreszeitlich ihren Beutetieren.

Subarktis: Das große nördliche Transkontinentalgebiet des Koniferenwaldes war ein Land mit knappen Nahrungsressourcen und infolgedessen dünn besiedelt. Das kalte Klima ließ Ackerbau nicht zu, und die dortigen Völker mußten weit verstreut leben, um vom vorhandenen Wild leben zu können. Da die Menschen selten Gelegenheit hatten, zusammenzukommen, bestand keine wirkliche Stammesorganisation, gab es kaum eine organisierte Kriegführung und wenig zeremonielles Leben. Und da diese Völker sich darauf konzentrieren mußten, genügend Nahrung zusammenzutragen, blieb ihnen kaum Zeit für den Luxus künstlerischer Selbstdarstellung.

Nordwestküste: Reichlich vorhandene Meeresnahrung machte den Stämmen entlang der Nordwestküste das Leben leicht. Infolge ihres Wohlstands und Müßiggangs befaßten sich diese Völker vornehmlich mit dem Ansammeln materieller Güter. Hauptzweck des Anhäufens großer Eigentumsbestände war der Erwerb sozialen Ansehens und Einflusses, indem man seine gesamte Habe bei Geschenkverteilungsfesten – Potlach genannt – hergab.

Hochebenen: Sammlervölker lebten in weit verstreuten Gruppen in diesem Gebiet, das Halbwüsten, dichte Wälder und schneebedeckte Gipfel umfaßte. Die Vegetationszeit war zu kurz für den Ackerbau, daher ernährten sich die Menschen von Fisch, Wild, Beeren und Wurzeln. Die Stämme der Hochebenen führten ein einfaches Leben in Frieden und Harmonie. Männer wie Frauen suchten übernatürliche Erfahrungen und unterzogen sich häufig im Streben nach religiösen Visionen langer Fastenzeiten in der Einsamkeit.

Großes Becken: In dieser trockenen Region mit ihrer sengenden Hitze und extremen Kälte lebten die Menschen als Sammler und Nomaden. Sie ernährten sich von wilden Samen, kleinen Tieren, Wurzeln und Insekten. Die meisten Stämme unternahmen zyklische Wanderungen, um ihre lebensfeindliche Umwelt optimal auszubeuten. Die Kultur dieser Völker war einfach, und kultureller Wandel vollzog sich sehr langsam.

Kalifornien: Entlang der Pazifikküste westlich der Sierra Nevada waren die Umweltbedingungen freundlich und das Leben angenehm. Dort kannte man keine Landwirtschaft, ebensowenig aber Hunger, denn es gab überreichlich Meerestiere und Pflanzen. Die Hauptnahrung kalifornischer Stämme bestand aus Eicheln und Bucheckern. Die Frauen stellten kein Tongeschirr her, waren aber meisterhafte Korbflechterinnen. Das Leben nahm für die meisten dieser Küstenvölker einen trägen, unbeschwerten und im allgemeinen angenehmen Verlauf.

Südwesten: Dieses Gebiet war, insbesondere in den tiefergelegenen Wüstenregionen, größtenteils sehr trocken. Die Wüstenstämme, die in der Nähe der großen Flüsse lebten, konnten ein wenig Ackerbau treiben; ansonsten führten die Menschen eine ziemlich prekäre Existenz, indem sie die wildwachsenden Früchte der Wüste sammelten. In den mittleren Höhenlagen machten die Sommerregen den Maisanbau möglich. Der nördliche Abschnitt dieses Gebiets war das Land der Pueblos, großer, fester Stadtsiedlungen, die aus Lehmziegeln oder Steinen gebaut waren. Diese Pueblos pflegten ein hochentwickeltes zeremonielles Leben. Dies Gebiet ist von Ethnologen gründlich erforscht worden, denn viele dieser Eingeborenenkulturen haben sich bis weit ins zwanzigste Jahrhundert hinein fast unverändert erhalten können.

Ich meine, abschließend ist eine Bemerkung darüber angebracht, wie der Leser bei der Durchsicht des hier dargebotenen

Materials verfahren sollte. Viele der dargestellten Sitten und Bräuche unterscheiden sich wesentlich von denen unserer westlichen Zivilisation. Ich habe mich bemüht, die Fakten so objektiv wie möglich darzulegen, und habe, so gut es ging, auf Wertungen verzichtet. Doch gibt es gewiß Stellen, in denen meine Einstellung zwischen den Zeilen durchscheint. Ich bitte daher den Leser, mit mir im Auge zu behalten, daß jede Frau – zähle sie nun zu den Lebenden oder den Toten – nur danach angemessen beurteilt werden kann, inwieweit sie den ethischen und sozialen Normen ihres Volkes entspricht, und nicht nach unseren ethischen oder sozialen Maßstäben.

1. KAPITEL

DER ANBRUCH DES LEBENS

Rose Emerson, eine junge Yuma-Mutter, mit ihrem Baby. *(Rodman Wanamaker, American Museum of Natural History)*

Als der nordamerikanische Kontinent jünger war und noch zahllose wilde Tiere und dunkle Geheimnisse die Wälder, die Ebenen und die Berge beherrschten, waren die Frauen beim Ritual der Geburt unter sich. Bei ungewöhnlich schweren Wehen oder wenn die Zeit für bestimmte notwendige Zeremonien gekommen war, konnte ein Medizinmann hinzugezogen werden, um hilfreiche Getränke zu verabreichen oder inbrünstige Gebete zu sprechen, doch im allgemeinen nahmen Männer selten teil. Es waren die Frauen, die die praktischen und zeremoniellen Dinge regelten, das Kind auf das Leben vorbereiteten und ihm den Status eines eigenständigen Wesens verliehen. Ihrer Häufigkeit nach waren diese rituellen Verrichtungen alltäglich, besaßen aber für jede neue Geburt tiefe Bedeutung, denn sie waren entscheidend für die Existenz der Frauen im frühen Amerika.

Die Mutterrolle und die Aufzucht einer gesunden Familie waren Bestimmung und Erfüllung der Frau in den nordamerikanischen Indianergesellschaften. Die Rolle der Frau war klar umrissen, und man kannte nur sehr wenige andere Formen der weiblichen Existenz. Viele Indianerfrauen erwarben sich Ansehen als Handwerkerinnen oder auf dem Gebiet der Krankenpflege, aber dies hatte auf ihre Rolle als Gebärerin und Erzieherin keinerlei Einfluß.

Frauenleben beeinflußte das, was als natürliche Ordnung des Universums begriffen wurde. Mutter Erde war fruchtbar und erneuerte sich ständig selbst im fortlaufenden Zyklus von Geburt, Aufwachsen, Reife, Tod und Neugeburt. Die Eingeborenenfrauen des amerikanischen Kontinents begriffen sich selbst als integralen Bestandteil dieser immer wiederkehrenden Muster und akzeptierten eine Rolle, in der sie die irdische Ausprägung der spirituellen Mutter und der Schlüssel zur Fortpflanzung ihrer Rasse waren. Nicht losgelöst von ihnen, sondern als integraler Bestandteil lag diesen tiefreligiösen Gefühlen die praktische Überlegung zugrunde, daß viele Kinder benötigt wurden, die bei der Arbeit halfen und für die Eltern sorgten, wenn sie älter wurden. Kinder waren das Sparkonto und die Lebensversicherung eines Ehepaars.

Die Frauen in den meisten amerikanischen Eingeborenenkulturen wußten ziemlich genau, was sie schwanger machte; allerdings waren auch hier die Ansichten hinsichtlich mancher Einzelheiten unterschiedlich.

Die Gros Ventre in Montana und die Chiricahua-Apachen in Südarizona gehörten zu den Gruppen, die glaubten, eine Schwangerschaft könne nicht durch einen einzelnen Geschlechtsakt verursacht werden. Eine Apachen-Frau erklärte, ein Kind könne gezeugt werden, wenn ein Paar zwei oder drei Monate lang dreimal wöchentlich Verkehr miteinander habe. Aber die Frau sagte auch: »Ich kenne ein Mädchen, das in einer Nacht vielfach mit einem Mann geschlafen hat. Wenn ein Mädchen es in diesem Tempo treibt, kann jederzeit ein Kind gezeugt werden.«[1] Von einer anderen Apachen-Frau stammt die Äußerung: »Wenn ein Mann mit einer Frau Verkehr hat, dringt etwas von seinem Blut (Samen) in sie ein. Doch beim erstenmal geht nur wenig in die Frau hinein, und es ist nicht soviel, wie sie schon angenommen hat. Das Kind beginnt sich noch nicht zu entwickeln, weil das Blut der Frau dagegen ankämpft. Das Blut der Frau ist dagegen, das Kind zu bekommen; das Blut des Mannes ist dafür. Wenn sich genug davon sammelt, zwingt das Blut des Mannes die Frau, das Kind zu bekommen.«[2] Obwohl viele sexuelle Vereinigungen für notwendig erachtet wurden, um ein Kind zu zeugen, gaben die Apachen-Frauen bei den ersten spürbaren Anzeichen einer Schwangerschaft jede geschlechtliche Aktivität auf, um das in ihnen reifende Kind vor Verletzungen zu bewahren.

Die Hopi in Nordarizona hingegen vertraten die Auffassung, die Fortsetzung des Geschlechtslebens nütze sowohl der Schwangeren wie dem Kind; die Frauen schliefen die gesamte Schwangerschaft hindurch weiter mit ihren Männern, damit der fortgesetzte Verkehr das Kind wachsen lassen konnte. Eine Hopi-Frau hat dies einmal mit dem Begießen von Pflanzen verglichen: Wenn ein Mann anfing, ein Kind zu machen, und dann mittendrin aufhörte, bedeutete dies für seine Frau, daß schwere Zeiten auf sie zukamen.

Die Kaska im nordwestlichen Kanada behaupteten ebenfalls, wiederholter Sex während der Frühschwangerschaft entwickle den Embryo, meinten aber zugleich, allzuviel Nachgiebigkeit bringe Zwillinge hervor. Sobald bei den Kaska eine Frau Lebensregungen in ihrem Schoß verspürte, wurde sie ermahnt, ihr Sexualleben einzustellen. Mütter rieten ihren schwangeren Töchtern, sich in ihre eigenen Decken zu hüllen und von ihrem Mann abgewandt zu schlafen, um nicht seinen Reizen zu erliegen.

Bei den meisten Stämmen jedoch setzten die Frauen ihr Geschlechtsleben bis in die Spätphase der Schwangerschaft, wenn auch gemäßigt fort, wie es viele Frauen auch heute tun. Nur in wenigen Gruppen untersagte der Sittenkodex jeden Geschlechtsverkehr während der Schwangerschaft. Im heutigen Wisconsin enthielten sich die Fox-Frauen während der gesamten Schwangerschaft jeden Verkehrs, weil sie fürchteten, ihr Kind könne »schmutzig« geboren werden. Und in der Nähe der Mündung des Colorado River in den Golf von Kalifornien schliefen die schwangeren Cocopah-Frauen allein, um ihre Kinder nicht als Steißgeburt zur Welt zu bringen.

Junge oder Mädchen?

Die meisten indianischen Mütter freuten sich auf jedes Kind, ungeachtet seines Geschlechts. Sie wünschten sich in erster Linie, das Kind möge kräftig und gesund sein. Doch fragen sich die Frauen überall in der Welt während der Schwangerschaft, ob ihre Wehen nun einen Jungen oder ein Mädchen hervorbringen. Wollte eine Omaha-Frau draußen auf den Great Plains sich vergewissern, welchen Geschlechts ihr ungeborenes Kind war, nahm sie einen Bogen und einen Lastengurt und ging damit zum Zelt einer Freundin, die ein kleines Kind hatte, das noch nicht sprechen konnte. Sie hielt dem Kleinkind beide Gegenstände hin; wählte es den Bogen, mußte das Ungeborene ein Junge sein; wandte das Kind aber seine Aufmerksamkeit stärker dem Lastengurt zu, war klar, daß die Frau ein Mädchen bekommen würde.

Hingegen war manchen Gesellschaften – insbesondere im hohen Norden, wo das Leben hart war – ein Überschuß an Töchtern nicht willkommen. Aber es heißt auch, die Huronen, die nördlich des Ontariosees lebten, hätten sich mehr über die Geburt einer Tochter gefreut, denn Mädchen wuchsen zu Frauen heran und konnten weitere Kinder bekommen. Die Huronen wünschten sich eine zahlreiche Nachkommenschaft, die im Alter für sie sorgen und sie gegen ihre Feinde beschützen konnte.

In den matrilinear organisierten Gesellschaften der Hopi im Südwesten, in denen die Frauen einen hohen sozialen Status innehatten, wünschten die Frauen sich zahlreiche weibliche Kinder, denn die Führung des Haushalts und des Clans der Hopi-Frau erfolgte durch die Töchter. Ein Junge war nicht unerwünscht, denn auch er gehörte zum Clan seiner Mutter, aber wenn er heiratete, gehörten seine Kinder dem Haushalt und Clan seiner Frau an.

Allgemein wurde das Geschlecht eines Kindes dem Schicksal überlassen, aber wenn bei den Zuni – den Nachbarn der Hopi in den reizvollen, jedoch trockenen und windgepeitschten Wüsten des Südwestens – ein Paar sich ein weibliches Kind wünschte, besuchte es die »Mutter Felsen« in der Nähe seines Pueblos. Der Fuß des Felsens wurde mit Symbolen der Vulva bedeckt und mit kleinen Aushöhlungen versehen. Die schwangere Frau schabte ein kleines Stückchen von dem Felsen ab, tat es in eine Vase und stellte diese in eine der Aushöhlungen. Dann betete sie darum, eine Tochter zu gebären, die gut, schön und tugendhaft sein und in den Künsten des Webens und Töpferns Geschick beweisen sollte. Wurde das Kind dennoch ein Junge, machte man der Mutter Felsen keine Vorwürfe. Statt dessen glaubte man, das Herz eines der beiden Elternteile sei »nicht gut«.

Vorgeburtliche Gesundheitsvorsorge

In jenen frühen Tagen war die Kindersterblichkeit beängstigend hoch, und viele Frauen starben bei der Niederkunft. Werdende Mütter wandten alle verfügbaren Mittel an, um sicherzustellen, daß die Niederkunft glatt verlief und das Kind gesund geboren wurde. Da aber die medizinischen Mittel außerordentlich primitiv waren, stützten die Frauen sich auf Maßnahmen, die heute unter die Kategorien »Aberglaube« und »Sympathiezauber« fallen, darunter ein weitgefächertes Feld von Tabus. Schwangere Indianerfrauen wurden fast überall davor gewarnt, mißgebildete, verletzte oder blinde Menschen anzuschauen oder über sie zu spotten, weil man fürchtete, ihre Kinder könnten mit den gleichen Defekten geboren werden; sich bei sterbenden Menschen oder Tieren aufzuhalten, galt als gleichermaßen ungesund für Mutter und Kind. Bei den Flathead-Indianern in Montana durfte weder die Mutter noch der Vater rückwärts aus der Hütte treten, wenn es nicht zu einer Steißgeburt kommen sollte, und die werdenden Eltern durften auch nicht aus dem Fenster oder zur Tür hinaus schauen. Wenn sie sehen wollten, was draußen vor sich ging, mußten sie vor die Tür treten und sich umschauen, damit das Kind nicht tot geboren wurde.

Auch bestimmte Nahrungsmittel waren mit einem Tabu belegt. Einige typische Kostvorschriften für schwangere Indianerfrauen verboten den Verzehr von Tierfüßen, damit das Kind nicht mit den Füßen zuerst geboren wurde; von Tierschwänzen, damit das Kind nicht bei der Geburt steckenblieb; von Beeren, damit es kein Muttermal bekam; und von Leber, weil sie angeblich die Haut des Kindes dunkel machte.

Die Lummi-Indianer im heutigen Nordwesten Washingtons waren eine einigermaßen wohlhabende Gruppe, der in dem üppigen Küstenlandstrich ein reichhaltiges Nahrungsangebot zur Verfügung stand. Dieser Überfluß ermöglichte ihnen, eine Vielzahl von Nahrungsmitteln zu tabuieren, unter anderem den Heilbutt, von dem sie glaubten, er rufe in der Haut des Kindes weiße Flekken hervor; Forellen, auf die die Lummi das Entstehen von Hasenscharten zurückführten; und Seemöwen oder Fischreiher, durch deren Verzehr das Kind angeblich zur Heulsuse wurde. Darüber hinaus mußte die werdende Mutter auf Alse und Dorsch verzichten, weil man meinte, sie würden beim Kind Krämpfe auslösen; ferner auf Wild, weil es vermeintlich Geistesabwesenheit hervorrief; und auf den Biber, weil man glaubte, bei seinem Verzehr bekäme das Kind einen abnorm großen Kopf.

In Gruppen, die über weniger reichhaltige Nahrungsquellen verfügten, beschränkten sich die Verbote auf bestimmte Teile von Tieren. Schwangere Frauen waren gehalten, keine Zunge zu essen, weil sonst die Zunge des Babys heraushängen würde, und bei Verzehr von Tierschwänzen befürchtete man Komplikationen bei den Wehen.

Wenn auch viele Nahrungsmittel tabuiert waren, spricht einiges dafür, daß Indianerfrauen früher ebenso wie heutige Frauen während der Schwangerschaft Appetit auf ausgefallene Nahrung entwickelten. Reverend John Heckewelder, der seine Schriften Ende des achtzehnten Jahrhunderts verfaßt hat, berichtet, er habe »ein bemerkenswertes Beispiel für die Bereitschaft der Indianer beobachtet, ihre Frauen zu verwöhnen«. Offensichtlich wurden die Irokesen im Winter 1762 von einer Hungersnot heimgesucht, doch eine schwangere Frau hatte Verlangen nach etwas Mais. Als ihr Mann hörte, daß ein Händler in Lower Sandusky etwas von der begehrten Ware besaß, machte er sich zu Pferd auf den Hundertmeilenritt. Er brachte gerade so viel Korn heim, wie sein Hut faßte, und kehrte zu Fuß zurück und trug seinen Sattel über der Schulter, denn er hatte für das Korn sein Pferd hergeben müssen. »In den ersten Phasen ihrer Schwangerschaft verlangen Frauen im allgemeinen nach Eichhörnchen, Enten und anderen Leckerbissen, wenn diese am schwierigsten zu bekommen sind. Der Ehemann wird in jedem Fall hinausziehen und keine Mühe scheuen, bis er das Gewünschte beschafft hat. Je mehr ein Mann für seine Frau tut, desto höher wird er geachtet, insbesondere von den Frauen.«[3]

Jeder Stamm hatte bestimmte Kräuter und Tees, die die Schmerzen und Beschwerden werdender Mütter lindern und deren Gesundheit stärken sollten. Eine Crow-Medizinfrau namens Muskrat verwandte zwei Wurzeln, die ihr ein übernatürliches Wesen offenbart hatte, das ihr zweimal im Schlaf erschienen war. Bei der ersten Vision wurde sie angewiesen, ein bestimmtes Kraut zu kauen, wenn sie ohne Schmerzen gebären wollte. Später bekam sie eine andere Pflanze gezeigt und gesagt, diese sei noch besser als die erste. Eine andere Crow-Frau zahlte einem Seher ein Pferd für eine Rezeptur, die aus bestimmten Wurzeln und getrockneter, zerstoßener Krötenechse angefertigt wurde. Mit dem so gewonnenen Puder wurde der Rücken eingerieben.

Bears Medizin für schwangere Frauen
(Hupa)

Als sie in der Mitte der Welt umherwanderte, bekam Bear dieses Mittel. Junges wuchs in ihrem Körper. Den ganzen Tag und die ganze Nacht aß sie. Nach einer Weile wurde sie so schwer, daß sie nicht mehr laufen konnte. Da begann sie zu überlegen, weshalb sie in diesem Zustand war. »Ich frage mich, ob es ihnen in der Indianerwelt genauso geht wie mir?« Sie hörte hinter sich eine Stimme, die sagte: »Stecke mich in den Mund. Du bist um der Indianer willen in diesem Zustand.« Als sie sich umschaute, sah sie eine vereinzelte Sauerkleepflanze. Sie steckte sie in ihren Mund. Am nächsten Tag merkte sie, daß sie gehen konnte. Sie dachte: »So wird es sein in der Indianerwelt mit dieser Medizin. Dies soll meine Medizin sein. Am besten, wenn nicht viele über mich erfahren. Ich werde es in der Indianerwelt lassen. Sie werden mit mir darüber reden.«[4]

Über die Einnahme von Kräutermedizinen, den Verzicht auf bestimmte Nahrungsmittel und die Einhaltung von Verhaltensmaßregeln hinaus mußten manche Indianerfrauen sich hüten, während der Schwangerschaft nicht der Hexerei zum Opfer zu fallen. Matilda Cox Stevenson, die Ende des neunzehnten Jahrhunderts viele Jahre bei den Zuni-Indianern im Nordwesten Neumexikos gelebt und sie erforscht hat, schrieb, sie habe einer schwangeren Zuni-Frau geholfen, die unter Husten und Schmerzen im Unterleib litt. Obwohl die Frau sich nach Einnahme von Mrs. Stevensons Hausmitteln besser gefühlt habe, hätten ihre Angehörigen dennoch den Medizinmann des Stammes gerufen. Als er die Schwangere zu behandeln begann, zog er – so hatte es den Anschein – zwei Gegenstände aus ihrem Unterleib, von denen er behauptete, es handle sich um Mutter-und-Kind-Würmer. Mrs. Stevenson schrieb, der eine habe etwa die Länge ihres längsten Fingers gehabt, der andere sei kürzer gewesen. Der Doktor erklärte, dies sei der Beweis, daß die Frau behext worden sei, und er versicherte der Familie, es sei gut, daß man ihn so rasch gerufen habe, denn mit der Zeit hätten diese Würmer das Kind gefressen und getötet. Als die darauf herauszufinden versuchte, wer sie behext haben könnte, erinnerte sich die Frau, einige Wochen zuvor habe sie beim Mahlen neben der Schwester einer Hexe gekniet, und diese Frau habe sie am Unterleib berührt. Sie kam zu dem Schluß, die Würmer seien ihr wahrscheinlich bei dieser Gelegenheit eingeschoben worden.[5]

Geburtsbräuche

Da in manchen Gruppen die älteren Frauen nicht über den eigentlichen Geburtsvorgang sprachen, waren viele junge Indianerfrauen auf die Geburt ihres ersten Kindes bemerkenswert schlecht vorbereitet. Pretty-shield, eine Crow-Frau, deren Geschichte in dem Buch *Red Mother* wiedergegeben ist, berichtet, wie sie während ihrer ersten Schwangerschaft mit einigen Freundinnen spielte und ein flüchtiger kleiner Schmerz sie überkam. Als sie sich hinsetzte und darüber lachte, erriet eine ihrer Freundinnen, was es mit dem Schmerz auf sich hatte, und benachrichtigte

Pretty-shields Mutter, die sich sofort mit einer Medizinfrau namens Left-hand beriet. Die Mutter und Left-hand mußten Pretty-shield überreden, mit ihnen in die eigens für die Geburt errichtete Hütte zu gehen. Vor der Hütte sah Pretty-shield eines der besten Pferde ihres Vaters angepflockt, das einige wertvolle Kleidungsstücke auf dem Rücken trug – eine Vorauszahlung an die alte Left-hand für ihre Dienste. Pretty-shield berichtet, die Medizinfrau habe ihr Gesicht mit Lehm beschmiert und ihr Haar zu einem großen Knoten vor die Stirn gebunden gehabt; in der Hand habe sie Büschel von »Gras-das-die-Büffel-nicht-essen« gehalten.

In dem Tipi brannte ein Feuer, und eine Matte aus einem weichgewalkten Büffelfell lag gefaltet mit der Fellseite nach oben auf dem Boden; sie diente als Bett. Dem Brauch gemäß waren zwei Pflöcke in den Boden getrieben und weitere Büffelfelle zusammengerollt gegen die Pflöcke gelehnt, so daß Pretty-shields Ellbogen auf den Fellrollen ruhten, wenn sie sich auf der Matte hinkniete und an den Pflöcken festhielt.

Als erstes nahm Left-hand vier brennende Scheite aus dem Feuer und legte sie in gleichen Abständen zwischen dem Eingang und dem Bett auf den Boden. Dann wies sie ihre Patientin an, über die Scheite hinweg zum Bett zu gehen. Left-hand hatte sich ein Büffelfell übergeworfen und muhte wie eine Büffelkuh; sie folgte Pretty-shield auf dem Fuße und wies sie an, sie solle »gehen, als ob sie es eilig habe«, und strich dabei der jungen Frau mit dem Schwanz des Fells über den Rücken.

»Ich war gerade über das zweite Scheit hinweggestiegen, da merkte ich, daß ich rennen mußte, wenn ich das Bettfell noch rechtzeitig erreichen wollte. Ich sprang über das dritte und vierte Scheit, kniete mich auf das Fell, ergriff die beiden Pflöcke, und da war mein erstes Kind, Pine-fire, auch schon da«, schließt Pretty-shield ihre Schilderung.[6]

Eine ähnliche Geschichte berichtet die Anthropologin Ruth Underhill in *The Autobiography of a Papago Woman.* Die Papago-Frau Chona aus dem Süden Arizonas schildert, wie sie ihr erstes Kind zur Welt brachte, als sie selbst noch ein Teenager war. Sie wußte nicht genau, wann sie mit dem Kind zu rechnen hatte, aber als sie eines Tages – sie trat gerade in gebeugter Haltung durch die niedrige Tür in ihr Grashaus – einen Schmerz verspürte, vermutete sie, nun sei der Zeitpunkt der Niederkunft gekommen.

Wie von den Frauen vieler anderer nordamerikanischer Indianerkulturen wurde auch von den Papago-Frauen dem Brauch gemäß erwartet, daß sie ihre Kinder in einer besonderen, vom Hauptwohnhaus abgesonderten Hütte bekamen. Chona wußte, daß es an der Zeit war, zu dem »Kleinen Haus« zu gehen, und sie wollte nicht, daß ihr die Unannehmlichkeit widerfuhr, im regulären Wohnhaus von der Niederkunft überrascht zu werden. Sie teilte der Tante ihres Mannes ihr Ziel mit – ihre erste Erwähnung der Wehen – und machte sich auf, um den Bach zwischen dem Haupthaus und dem Kleinen Haus zu durchqueren.

»Als ich das diesseitige Bachufer erreichte, hatte ich das Gefühl, es sei höchste Zeit«, erzählt Chona. »Ich lief schnell; ich wollte es richtig machen. Aber ich bekam mein erstes Kind mitten in dem Bach. Meine Tante kam und trennte die Nabelschnur mit dem Fingernagel durch. Dann gingen wir zu dem Kleinen Haus weiter.« Später fragte eine ihrer Schwägerinnen sie, weshalb sie denn nichts von ihren Schmerzen gesagt habe. Die anderen Frauen hätten gar nicht gemerkt, daß sie litt, weil sie sie lachen gehört hätten. »Mir hat ja auch nicht der Mund weh getan«, lautete Chonas Antwort, »sondern der Bauch.«[7]

Chona und ihr Kind mußten einen ganzen Monat in der abgesonderten Hütte bleiben, und sie durfte in dieser Zeit nicht baden, weil man fürchtete, sie könnte Rheuma bekommen. Ihre Angehörigen brachten ihr Nahrung, die sie ohne Salz kochte. »Als der Mond an die gleiche Stelle zurückgekehrt war«, war die Zeit für die Reinigungszeremonie gekommen. Chona, ihr Mann und das Kind gingen zu einem Medizinmann oder Schamanen, der Fachmann für Namengebung war. Der Schamane bereitete eine Mixtur aus Lehm, Wasser und zerstoßenen Eulenfedern, die beide Eltern und das Kind einnehmen mußten; dann gab der Schamane dem Kind einen Namen. Wenn Papago-Eltern es versäumten, diese Zeremonie vornehmen zu lassen, gefährdeten sie die eigene Gesundheit ebenso wie die des Kindes.

Nicht alle Indianerfrauen brachten ihre Entbindung so leicht wie Pretty-shield und Chona hinter sich; trotzdem wurde von ihnen erwartet, daß sie die Schmerzen ertrugen, ohne zu schreien. Huronen-Frauen, die während der Wehen viel Aufhebens machten, wurden gescholten, sie seien feige und gäben anderen ein schlechtes Beispiel. Eine Huronen-Frau bewies ihren Mut durch tapferes Verhalten bei der Entbindung, so wie ein Mann seinen

Mut im Kampf bewies. Die Gros Ventre in Montana glaubten, eine Frau, die schrie, treibe das Kind zurück, und eine Gebärende, die sich vor Schmerz wand, könne das Kind in die Nabelschnur verwickeln.

Bei den Wehen wurde die Indianerfrau normalerweise von ihren weiblichen Verwandten oder anderen Frauen ihres Stammes unterstützt, die sich mit den Geburtsbräuchen besonders gut auskannten. Sie stützten die Frau, während sie kniete oder hockte, massierten ihr den Rücken, drückten ihr auf den Unterleib, um das Kind herauszupressen, sprachen ihr Mut zu und versorgten sie und das Kind unmittelbar nach der Entbindung. Ein gutes Beispiel dafür, wie sich die Frauen gegenseitig halfen, findet sich bei den Kwakiutl in Britisch-Kolumbien. Bei gutem Wetter konnte eine Frau draußen im Freien entbinden, bei schlechtem Wetter aber blieb sie im Langhaus. Gewöhnlich kamen zwei geübte Hebammen, um ihr zu helfen. Zuerst hoben sie eine Grube aus und legten sie mit weicher Zedernrinde aus. Dann setzte sich eine der beiden auf den Rand des flachen Loches und streckte die Beine darüber aus, so daß ihre Füße und Waden auf dem gegenüberliegenden Rand ruhten. Die Schwangere setzte sich rittlings auf die Beine der Helferin, also auf deren Schoß, so daß ihre Beine in die Grube hingen. Die beiden Frauen verschränkten die Arme fest ineinander, und die zweite Hebamme hockte sich hinter die Gebärende, drückte ihr die Knie gegen den Rücken, schlang die Arme um ihre Schultern und bog ihren Nacken nach unten, um so eine rasche und leichte Geburt herbeizuführen. Das Kind fiel in die Grube und blieb dort liegen, bis auch die Nachgeburt gekommen war. Danach verbrachte die junge Mutter vier Tage im Bett.

Manche der Hebammen besaßen beachtliche Fertigkeiten, und vielfach gelang es ihnen sogar, das Kind noch im Mutterleib zu wenden und so die Geburt sicherer und leichter zu machen. Sie waren auch gute Psychologinnen und wußten genau, wie sie einer Frau, die sehr litt, Zuspruch geben, sie beruhigen und trösten konnten. Aber bisweilen reichten in sehr schwierigen Fällen die Macht und die Fertigkeiten der Hebammen nicht aus, und es mußten Medizinmänner mit mehr Macht hinzugezogen werden. Eine Gros-Ventre-Frau hat berichtet, wie ihr ein solcher Arzt bei einer ihrer Schwangerschaften geholfen hat. Der Mann war alt und blind, und er setzte sich mit einem Topf Medizin, den er neben sich stellte, zu der leidenden Frau. Als die Frau vor Schmerz schrie, berührte er sie mit dem Ende eines Stabes, und die Krämpfe ließen nach. Als die Frau klagte, sie sei müde, redete die Geburtshelferin ihr zu, es wäre alles bald vorüber, aber der Arzt war anderer Meinung. Die Wehen dauerten noch einige Stunden an, bis der Arzt sagte, das Kind werde nun bald geboren werden, und er hatte recht. Man glaubte, die Macht des Medizinmannes ermögliche ihm zu wissen, was vor sich ging, ohne die gebärende Frau zu sehen oder zu berühren.

Zwar taten sich die Frauen im allgemeinen zur Geburt eines Kindes zusammen, doch in manchen nordamerikanischen Gesellschaften hatte die werdende Mutter den Geburtsvorgang auch allein zu bestehen. Die Frauen der Caddo-Gruppe in der Nähe der Grenze der heutigen Staaten Mississippi und Arkansas waren, wenn der Zeitpunkt der Niederkunft nahte, gehalten, zum Ufer des nächstgelegenen Baches zu gehen und ein kleines Schutzdach zu bauen, in dessen Mitte ein starker, gegabelter Ast in den Boden getrieben wurde. Auf dies Gabelholz gestützt, gebaren sie ganz allein und wateten dann, selbst wenn sie dazu Eis aufbrechen mußten, in den Bach und wuschen sich und das Kind; danach kehrten sie heim und setzten ihr normales Alltagsleben fort.

Aus dem Jahre 1790 ist ein Bericht über vier Tukabahchee-Frauen (ein Stamm der Creek-Konföderation in Alabama) überliefert, die in einer kalten, regnerischen Dezembernacht zu den Weißen kamen, um ihnen Seile aus Pferdehaar zu verkaufen. Infolge des schlechten Wetters blieben die Frauen über Nacht, und gegen Mitternacht bekam eine von ihnen die Wehen. Ihre Mutter wies sie an, Feuer mitzunehmen und zum Rand eines etwa 160 Meter entfernten Sumpfes zu gehen. Sie ging allein und brachte ihr Kind ohne Hilfe zur Welt; am nächsten Morgen packte sie sich das Kind auf den Rücken und kehrte mit den anderen Frauen durch Regen und Schnee nach Hause zurück.

In vielen nordamerikanischen Eingeborenenkulturen war es Brauch, daß die Mutter und das neugeborene Kind nach der Geburt – von allen Männern abgesondert – in Abgeschiedenheit verblieben; diese Zeitspanne reichte von einigen Tagen bis zu drei Monaten. Die Frauen der Nez Percé im nördlichen Idaho bezogen dazu zwei oder drei Monate vor der Niederkunft eine besondere unterirdische Hütte und blieben dort bis zwei Wochen nach der Geburt. Meistens wurden die Frauen in ihrer Abgeschiedenheit gut versorgt. Sie hatten ein schweres Leben, und statt darüber erbittert zu sein, von der Gruppe ausgeschlossen zu leben, kam ihnen eine Zeit der Erholung, ehe sie sich wieder ihren anstrengenden Alltagspflichten zuwenden mußten, zweifellos gelegen.

Geburtszeremonien

In manchen indianischen Gesellschaften war jede Geburt von umfangreichen Ritualen begleitet. Hopi-Kinder wurden in eine Gesellschaft geboren, in der ausgeklügelte religiöse Zeremonien das Dorfleben beherrschten. Jedes neue Baby wurde sofort in die geheiligten Traditionen einbezogen, die auf diese Weise sein Leben umfassend prägten. In den Pueblos der Hopi war eine werdende Mutter im Augenblick der Geburt oft allein, aber sobald das Kind auf das dazu ausgestreute Fleckchen warmen Sand geglitten war, trat die Großmutter mütterlicherseits in den Raum, um die Nabelschnur zu durchtrennen und abzubinden und ihre Tochter und das Enkelkind zu versorgen. Nachdem sie das Baby gewaschen hatte, rieb sie seinen Körper mit Asche aus der Feuerstelle in der Ecke ein, damit seine Haut immer glatt und frei von Haaren bleibe. Dann nahm sie die Nachgeburt und trug sie auf einen besonderen Plazentahaufen am Dorfrand.

Gleich darauf kam die Großmutter väterlicherseits und übernahm ihre Pflichten als Zeremonienmeisterin bei all den Ritualen, die während der zwanzigtägigen Wochenbettphase zu vollziehen waren. Ihre erste Aufgabe bestand darin, eine schwere Decke vor die Tür zu hängen, damit kein Sonnenlicht in den Raum eindrang, in dem Mutter und Kind lagen. Man nahm an, Licht schade neugeborenen Kindern, und so begann das Baby sein Erdenleben in einem Raum, der fast so dunkel war wie der Mutterleib, dem es gerade entschlüpft war.

Achtzehn Tage lang ruhten Mutter und Kind in dem abgedunkelten Raum. Jeden Tag wurde ein Zeichen an der Wand über dem Bett des Kindes gemacht und unter jede Markierung ein vollkommen geformter Maiskolben gelegt. Am neunzehnten Tag stand die Mutter auf und verbrachte den Tag damit, Mais zu geweihtem Schrotmehl zu mahlen, das für die besondere Zeremonie am nächsten Tag bestimmt war.

Am nächsten Morgen kamen noch weit vor Tagesanbruch die

weiblichen Verwandten der jungen Mutter zu ihrem Haus. Sie waren in ihre farbenprächtigsten Tücher gekleidet und brachten Gaben in Form von Maismehl und Maiskolben. Wenn alle Gäste eingetroffen waren, begann die feierliche Zeremonie. Zuerst wurde die Mutter rituell gereinigt. Ihr Haar und Körper wurden mit einer Lösung gewaschen, die aus Wurzeln der Yucca-Pflanze gewonnen wurde, und dann nahm sie ein Dampfbad, indem sie sich über eine Schüssel mit heißem Wasser stellte. Danach beteiligten sich die Großmütter und Tanten reihum daran, das Kind in Yucca-Lösung zu baden und ihm einen Namen zu geben.

Während all dies im Hausinnern vonstatten ging, wurde der Kindesvater, der seit der Geburt des Kindes im Kiva, dem unterirdischen Zeremonienraum seiner Glaubensgemeinschaft, gelebt hatte, auf dem Flachdach des Steinhauses postiert, wo er den Sonnenaufgang erwartete. Sobald der »geheiligte Vater Sonne« zu erscheinen begann, gab der Vater den Frauen Bescheid, die eilig das Kind an den Rand der Bergebene trugen. Die Großmutter, die das Kind trug, beugte sich tief über es, damit kein Licht auf den Säugling fiel. Wenn dann die Sonne über dem Horizont auftauchte, hob die Großmutter das kleine Bündel hoch und drehte das Kind, so daß die Sonnenstrahlen direkt auf das winzige Gesicht fielen. Sie nahm eine Handvoll Gebetsmehl, streute etwas davon über das Kind und sprach dabei ein kurzes Gebet. Den Rest des Mehls warf sie in Richtung der Sonne über den Rand der Bergebene. Das Kind, das nun ein Vollmitglied der Familie war, wurde jetzt nach Hause getragen und schlafen gelegt, während der Rest der Familie ein Frühstücksfest abhielt.

Für die Zuni war das Geschlecht eines Neugeborenen Anlaß für eine Zeremonie, die bald nach der Geburt vorgenommen wurde: Das neugeborene weibliche Kind bekam einen Kürbis auf die Vulva gelegt, damit seine Geschlechtsteile groß wirkten, und der Penis eines männlichen Säuglings wurde mit Wasser besprenkelt, damit das Organ schrumpfte. Selbstverständlich wurde diese Zeremonie von den Frauen vollzogen, die der jungen Mutter beigestanden hatten; so spiegelte sie die weibliche Idealvorstellung von den physischen Proportionen der Geschlechtsorgane.

Infolge der extrem hohen Kindersterblichkeit bei den frühen eingeborenen Amerikanern wurden Zeremonien häufig hinausgeschoben, bis das Kind ungefähr ein Jahr alt war.

Bei den Omaha wurde ein neugeborenes Kind nicht als Mitglied des Stammes oder der Sippengruppe erachtet; es galt vielmehr bloß als ein weiteres Lebewesen, dessen Eintritt ins Universum angekündigt werden mußte, damit es einen anerkannten Platz in der Lebensmacht bekam, die alle beseelte und unbeseelte Natur vereinte. Am achten Lebenstag des Kindes wurde ein kleines Ritual abgehalten, bei dem für seine Sicherheit ein Gebet an die Mächte der Himmel, der Luft und der Erde gesprochen wurde; das Kind wurde darin als das Wesen genannt, das im Begriff stand, den rauhen Weg des Lebens zu gehen, der sich über vier Hügel erstreckte, die die vier Lebensalter der Kindheit, der Jugend, der Erwachsenenjahre und des Alters bezeichnen.

Wenn das Kind größer geworden war und laufen konnte, wurde ein weiteres Ritual vollzogen, durch das das Kind schließlich als richtiger Mensch und Stammesmitglied anerkannt wurde. Es bekam dabei einen neuen Namen und ein neues Paar Mokassins. Diese Mokassins hatten immer ein kleines Loch, damit das Kind, wenn der Große Geist rief, sagen konnte: »Ich kann jetzt nicht auf die Reise gehen, meine Mokassins sind abgelaufen.«

Gebet für neugeborene Kinder
(Omaha)

Ho! Ihr Sonne, Mond, Sterne, ihr alle, die ihr euch
in den Himmeln bewegt,
Ich bitte euch, hört mich!
In eure Mitte ist ein neues Leben getreten.
Willigt ein, ich flehe euch an!
Ebnet ihm den Weg, damit es den Abhang des ersten Hügels
erreichen kann!
Ho! Ihr Winde, Wolken, Regen, Nebel, ihr alle, die ihr
euch in der Luft bewegt,
Ich bitte euch, hört mich!
In eure Mitte ist ein neues Leben getreten.
Willigt ein, ich flehe euch an!
Ebnet ihm den Weg, damit es den Abhang des zweiten Hügels
erreichen kann!
Ho! Ihr Hügel, Täler, Flüsse, Seen, Bäume, Gräser, ihr alle,
die ihr auf der Erde seid,
Ich bitte euch, hört mich!

In eure Mitte ist ein neues Leben getreten.
Willigt ein, ich flehe euch an!
Ebnet ihm den Weg, damit es den Abhang des dritten Hügels erreichen kann!
Ho! Ihr Vögel groß und klein, die ihr im Wald wohnt,
Ho! Ihr Insekten, die ihr zwischen den Gräsern kriecht und in der Erde grabt,
In eure Mitte ist ein neues Leben getreten.
Willigt ein, ich flehe euch an!
Ebnet seinen Weg, damit es den Abhang des vierten Hügels erreichen kann!
Ho! Ihr alle von den Himmeln, ihr alle in der Luft, ihr alle von der Erde:
Ich bitte euch alle, hört mich!
In eure Mitte ist ein neues Leben getreten.
Willigt ein, willigt alle ein, ich flehe euch an!
Ebnet seinen Weg – dann soll es über die vier Hügel hinaus wandern.[8]

Die Omaha im Osten von Nebraska glaubten, bestimmte Leute hätten die Gabe, die verschiedenen Geräusche zu deuten, die ein Säugling macht; wenn ein Kleinkind dauernd schrie und sich nicht trösten ließ, wurde daher eine solche Person gerufen. Manchmal kam sie zu dem Schluß, daß das Kind schrie, weil ihm sein Name nicht gefiel; in diesem Fall wurde der Name geändert.

Natürliche Kinderpflege

Für eine heutige Mutter wäre es eine gräßliche Vorstellung, ein Kind aufziehen zu müssen, ohne auf eine Drogerie voller Puder, Lotionen und Wegwerfwindeln zurückgreifen zu können; Indianermüttern dagegen ist es jahrhundertelang gelungen, ihre Babys ausschließlich mit den Materialien großzuziehen, die Mutter Erde bereitstellte. Darüber hinaus stützten sie sich auf bestimmte magische Riten.

Da alle Indianermütter ihre Babys stillten, mußten sie ihre Brüste und Brustwarzen in gutem Zustand halten. An der Küste von Washington rieben sich Lower-Chinook-Frauen während des Wochenbetts die Brüste mit Bärenfett ein und wärmten sie mit heißen Steinen oder Dampf, und im nordöstlichen Washington häuften sich Salish-Mütter heißgemachte Kiefernnadeln auf die wunden Brüste. Anscheinend vertraten viele Indianergruppen die Auffassung, das Kolostrum, die gelbe Flüssigkeit, die nach der Niederkunft austritt, ehe der Milchfluß einsetzt, sei nicht gut für das Kind, und in manchen Fällen wurde das Kind erst gefüttert, wenn die Milch kam. Kulturen, die jungen Müttern solche Beschränkungen auferlegten, mußten Möglichkeiten bieten, den schmerzhaften Druck zu lindern, der sich daraus ergab. Yurok-Frauen an der Küste Nordkaliforniens erleichterten sich diese Phase, indem sie ihre Brüste über einem Dampfbad mit Kräutern weich massierten, bis das Kolostrum ausfloß. Gros-Ventre-Mütter ließen sich normalerweise von jemand anderem die Vormilch absaugen, und wenn sie bei der Geburt allein waren, legten sie oft einen Welpen an, der das Kolostrum heraussaugte. Eine Gros-Ventre-Frau erzählte, ihrer Tochter habe bei deren Erstgeburt eine alte Frau angeboten, die Vormilch abzusaugen, aber die Tochter habe dies abgelehnt; infolgedessen habe die Tochter dann nur aus einer Brust Milch geben können.

In der Geschichte ihres Lebens erläutert Delfina Cuero, eine Diegueno-Indianerin von der kalifornischen Südküste, die natürlichen Mittel, die sie anwandte, um den Nabel eines Neugeborenen zu versorgen.

»Damit der Nabel rasch heilte und sich in drei Tagen abstieß, umwickelte ich ihn zweimal mit Schnur und band ihn ab und legte dann einen sauberen Lappen darauf. Ich machte vor unserer Hütte ein heißes Feuer, um Schlamm zu erhitzen, den ich in ein Tuch einschlug. Dies legte ich auf den Nabel und wechselte es Tag und Nacht, um ihn warm zu halten, bis der Nabel heilte. Damit der Nabel sich nicht entzündete, röstete ich Kuhhaut oder irgendwelche andere Haut, bis sie knusprig war, und zerstieß sie dann. Dieses Pulver tat ich auf den Nabel. So machte ich es, und meine Babys bekamen keine Entzündung. Manche Frauen wußten dies nicht, und wenn ihre Babys eine Entzündung bekamen, half ich ihnen, sie auf diese Weise zu heilen.«[9]

Die Mütter puderten und ölten ihre Säuglinge mit dem, was sie gerade hatten. Die Mandan, die auf den nördlichen Great Plains lebten, zerstießen getrockneten Büffelmist zu einem Pulver, wärmten dieses Puder mit heißen Steinen und rieben es dem Kind in die Analfalte, in die Achselhöhlen sowie zwischen die Beine, Zehen und Finger. Außerdem wurden Mandan-Babys mit rotem

Ocker bemalt und gefettet, damit sie nicht wund wurden. Die Natchez im Süden entlang dem Mississippi rieben ihre Kinder mit Bärenfett ein, damit ihre Sehnen geschmeidig blieben und sie nicht von Fliegen und Mücken gestochen wurden.

Die Frauen im frühen Nordamerika verfügten über eigene Arten von Einmalwindeln. Bei den Natchez wurde dem Baby bartflechtenartige Tillandsie an die Schenkel und den Po gebunden, ehe es in sein Wiegegestell geschnürt wurde. Droben, im heutigen Saskatchewan und Manitoba, wurden die Cree-Babys in einen Beutel eingewickelt, der mit getrocknetem Moos, morschem und zerbröckeltem Holz oder zerstoßenem getrocknetem Büffelmist, unter den Teichkolbenfasern gemischt wurden, ausgestopft war. Wenn das Kind in dem Beutel näßte, wurde das Moos herausgeschüttelt und frisches Saugmaterial hineingetan. Hopi-Babys wurden mit zarter Zedernrinde gewickelt, die vorher weich gemacht wurde, bis sie saugfähig wie ein Schwamm war. Näßte das Kind in die Windel, wurde sie in sauberem Sand ausgerieben und zum Trocknen in die Sonne gelegt. Nachdem die heiße Arizona-Sonne die Windel getrocknet und geruchlos gemacht hatte, wurde sie ausgeschüttelt, weichgeknetet und wieder benutzt.

Berichten zufolge waren die Huronen, die im Südosten von Ontario lebten, sogar noch einfallsreicher. Sie banden ihre Kinder in Felle auf ein Wiegegestell und wickelten sie dabei so ein, daß der Urin abfloß, ohne daß das Kind naß wurde. Jungen wurden so eingewickelt, daß die Spitze des Penis gerade hervorsah, und bei Mädchen brachte man zum gleichen Zweck ein Maisblatt an.

Das Wiegegestell, ein praktisch bei allen Indianerstämmen gebräuchliches Gerät der Babypflege, war der Vorläufer der heute weitverbreiteten Babytragetasche aus Kunststoff. Die Form der Wiegegestelle variierte von Stamm zu Stamm erheblich, aber alle Formen wiesen einen festen, schützenden Rahmen auf, auf dem sich die Kinder behaglich und sicher fühlten. In dem Wiegegestell konnte das Baby aufgestellt oder sogar in einen Baum gehängt werden, so daß es sehen konnte, was drumherum vor sich ging, und es das Gefühl hatte, am Familienleben teilzunehmen. Die Fox-Indianer erachteten es als notwendig, ihre Babys im Wiegegestell aufzuziehen, damit sie keinen Langkopf, Buckel oder O-Beine bekamen.

Infolge der vielen Zeit, die sie in ihren Wiegegestellen zubrachten, entwickelten Indianerkinder eine liebevolle Beziehung zu ihnen. Eine Apachen-Mutter erzählte, wenn ihr kleiner Sohn müde oder erregt sei, hole er sein Wiegegestell, nehme es auf den Rükken und laufe damit herum.

Wiegenlied für Mädchen
(Zuni)

Kleines Mädchen-Kind!
Kleine Süße!
Kleines Mädchen!
Du bist zwar noch ein Baby,
Aber bald
Wirst du auch
Mit einem Baby spielen.
Kleines Mädchen!
Entzückende kleine Frau![10]

Säuglingstod

Häufig überlebte der anfällige Säugling trotz aller sorgsamen Pflege und magischen Zeremonien nicht. Indianermütter mußten damit rechnen, mindestens die Hälfte ihrer Kinder im Säuglings- oder Kindesalter zu verlieren; trotzdem litten sie bei jedem Todesfall. Die meisten Gesellschaften veranstalteten beim Tod von Kindern nicht im gleichen Umfang Trauerzeremonien wie beim Tod von Erwachsenen; so mußten die Mütter ihren Schmerz vielfach still ertragen. Yokaia-Mütter in Nordkalifornien, die ihr Baby verloren hatten, gingen ein Jahr lang jeden Tag zu der Stelle, an der das Kind gespielt hatte, oder zu dem Ort, an dem seine Leiche verbrannt worden war. Am Ort der Verbrennung preßten sie ihren Brüsten Milch ab, jammerten, weinten und riefen voller Leid das tote Kind an, es möge doch zurückkehren.

Junge Hopi-Frauen verloren oft ihr erstes Kind, weil sie im ersten Ehejahr die meiste Zeit vor dem Mahlstein knieten und die Mengen Maismehl herstellten, mit denen sie ihre Hochzeitsgewänder bezahlten. Kinder, die tot geboren wurden oder das Säuglingsalter nicht überlebten, wurden unterhalb der Pueblos an den Hängen der steilen Tafelebenen in Felsspalten beerdigt. Man glaubte, bald nach der Beisetzung käme die kleine Seele aus den

Felsen hervor und geistere in der Nähe der Mutter umher, bis diese ein neues Kind gebar; dann könne die Seele in den Körper des Neugeborenen eintreten und erneut leben. Die kleinen Stöße und das Knirschen im Gestein, die oft um das Haus zu hören waren, hielt man für einen Beweis, daß die Seele in der Nähe sei. Starb das letzte Kind einer Frau, meinten die Hopi, seine Seele bleibe in ihrer Nähe, bis sie selbst »fortging« und die Seele auf der Wanderung zur Sonne mitnahm.

Das Problem der Unfruchtbarkeit

Für manche Indianerfrauen bestand die Schwierigkeit nicht darin, ihre Säuglinge am Leben zu erhalten, sondern darin, überhaupt schwanger zu werden. Wenn eine Salish-Frau im heutigen östlichen Washington und nördlichen Idaho nicht in angemessener Zeit nach der Heirat schwanger wurde, ging sie zu einer der alten Frauen des Stammes, die in solchen Dingen kundig waren, und nahm die Kräuter ein, die die Medizinfrau ihr verschrieb. Blieb sie dennoch weiterhin unfruchtbar, so trennte sich ihr Mann nicht von ihr, nahm aber eine zweite Frau, sofern er sich das leisten konnte.

Die Mandan in Norddakota glaubten, es gebe »Baby-Hügel«, deren Inneres genau den Erdhütten entspräche, in denen sie lebten, und viele Leute behaupteten, sie hätten an den Hängen und auf der Kuppe solcher Hügel die Spuren winziger Kinderfüße gefunden. Angeblich lebte ein alter Mann in dem Hügel und sorgte für die Babys, die sich dort befanden. War eine Frau nach etlichen Jahren Ehe immer noch kinderlos, ging sie zu einem der Hügel und betete um ein Kind; wünschte sie sich eine Tochter, nahm sie Mädchenkleidung und einen Ball mit, wünschte sie sich einen Sohn, nahm sie einen kleinen Bogen und Pfeile mit zu dem Hügel.

Die Frauen der Paiute, die in der Nähe der Nordwestecke Kaliforniens beheimatet waren, wandten eine etwas riskantere Methode an. Hatte eine Frau ein normales Geschlechtsleben und wurde sie dennoch nicht schwanger, griff sie bisweilen zu einem sonderbaren Mittel: Sie trank rote Ameisen mit Wasser. Die Auffassungen darüber, wie wirksam diese Behandlung sei, waren recht unterschiedlich. Sie reichten von Berichten, Frauen seien auf diese Weise schwanger geworden, bis zu skeptischeren Darstellungen, in denen behauptet wurde, auf ihrem Weg in den Magen hätten die Ameisen die Frauen gebissen und sie im Normalfalle getötet. Eine weniger gefährliche Methode der Paiute-Frauen bestand darin, kleine graue Vögel zu fangen, die in den Felsen lebten. Wurden die Vögel lebendig gefangen und von einer Frau dicht an der Hüfte unter dem Kleid getragen, dann erhöhten sie angeblich die Chancen einer Empfängnis. Und im Südwesten des heutigen Arizona konnte eine Yuma-Frau bei Empfängnisschwierigkeiten die Hilfe eines guten Arztes suchen. In der Yuma-Folklore ist die Geschichte eines Paares überliefert, das zu solch einem Doktor ging. Er hieß sie beide, sich auf einer freien Fläche auf den Boden zu legen, packte sie nacheinander unter den Achseln und hob sie an. Dabei kam er zu dem Schluß, daß der Frau »Samen« fehle, grub seinen rechten Arm in den Boden und holte etwas groben Kies hervor, mit dem er die Frau am ganzen Körper einrieb; darüber hinaus blies er Rauch auf ihren Bauch. Nicht lange nach dieser Behandlung stellte die Frau fest, daß sie schwanger war.

Die Havasupai im Grand Canyon erachteten es als so wichtig, daß ihre Frauen Kinder bekamen, daß jede unfruchtbare Frau damit rechnen mußte, von ihrem Mann verlassen zu werden. Daher griffen kinderlose Havasupai-Frauen zu ziemlich ausgefallenen Mitteln, um eine Schwangerschaft herbeizuführen. Eine der radikaleren Kuren gegen Kinderlosigkeit bestand darin, Wasser zu trinken, in dem ein Rattennest gekocht worden war; außerdem war das Wasser reichlich mit Urin und Fäkalien versetzt.

Die Ojibwa im westlichen Ontario dagegen nahmen unfruchtbaren Frauen gegenüber eine aufgeklärtere Haltung ein. Wie andere frühe nordamerikanische Völker sahen auch sie die Hauptaufgabe einer Frau in der Hervorbringung von Nachwuchs; Sterilität war eine Abweichung vom Normalen, und die Schuld daran lag immer bei der Frau. Trotzdem setzte Sterilität bei einer Frau, wenn sie auch ein Unglück war, die Frau in den Augen ihres Mannes nicht unbedingt herab. Ruth Landes, die Autorin des Buches *The Ojibwa Woman*, führt viele Fälle von Frauen an, die glückliche Ehen führten, obwohl sie unfruchtbar waren. Unter den Beispielen, von denen Landes berichtet, ist das von Thunder Cloud, die in den zehn gemeinsamen Jahren mit ihrem ersten Mann keine Kinder bekam und auch in der achtjährigen Ehe mit ihrem zweiten Mann kinderlos blieb. Trotz ihrer Unfruchtbarkeit sorgten beide Männer herzlich für sie, und ihr dritter Mann, mit dem sie schließlich ein Kind bekam, hat sich durch ihre scheinbare Unfruchtbarkeit von einer Verbindung mit ihr ebenfalls nicht abschrecken lassen. Eine andere Ojibwa-Frau, Gaybay, war fünfmal verheiratet und brachte nur ein Kind zur Welt; dennoch galt sie trotz ihrer Unfruchtbarkeit nie als unattraktiv.[11]

Geburtenkontrolle

Wenn auch das Ziel der meisten Indianerfrauen eine große Familie war, gab es doch viele Situationen, in denen Frauen nicht zu empfangen wünschten. Es konnte sein, daß eine Frau bereits mehr Kinder hatte, als sie durchfüttern oder versorgen konnte, oder sie wollte ihre Kinder lieber in größerem zeitlichem Abstand, um sich jedem einzelnen Baby besser widmen zu können, oder ihr waren so viele Kinder weggestorben, daß sie weitere Trauer nicht ertragen konnte. Und wenn es auch außerordentlich selten vorkam, so gab es doch hier und da vereinzelt Frauen, die kinderlos zu bleiben wünschten und es vorzogen, ihr Leben auf andere Interessen auszurichten.

Die primitiven Methoden der Geburtenkontrolle waren weitgehend magischer Natur und wahrscheinlich nicht allzu zuverlässig. Man meinte, die Art, in der man sich der Plazenta entledigte, habe Einfluß auf die zukünftigen Schwangerschaften einer Frau. Die Paiute glaubten, es stelle sich Unfruchtbarkeit ein, wenn man den Mutterkuchen mit der Oberseite nach unten vergrabe oder ihn von einem Tier fressen lasse. Ältere Kaska-Frauen, die ihrer Tochter bei einer schwierigen Geburt geholfen hatten, füllten bisweilen die abgestoßene Plazenta mit den Stacheln eines Stachelschweins und versteckten sie in einem Baum, weil sie Mitleid hatten und der Tochter das Trauma einer weiteren Schwangerschaft ersparen wollten.

Im Nordwesten des Staates Washington hingen Lummi-Mütter, die keine Kinder mehr bekommen wollten, die Nachgeburt des letzten Kindes in einen gespaltenen Baum; sie hofften dabei, ihr Schoß werde sich ebenso schließen, wie der Baum wieder zusammenwuchs. Oder sie warfen die Nachgeburt ins Meer oder in einen Flußstrudel, damit sich ihr Schoß wie die im Wasser wirbelnde Plazenta in eine Stellung drehte, in der eine Empfängnis nicht möglich war.

Es herrschte die Vorstellung vor, daß die richtige Beseitigung der Plazenta über die völlige Verhinderung von Schwangerschaften hinaus auch dazu beitragen konnte, die Abfolge der zukünftigen Geburten zeitlich zu strecken. Salish-Frauen an der Küste Britisch-Kolumbiens, die sich ein paar Jahre lang vom Gebären erholen wollten, ließen die Plazenta in einer Kammuschelschale vergraben. Bei den Cherokee im Südosten beseitigte der Vater des Kindes die Plazenta, indem er zwei, drei oder vier Hügelkämme überquerte und das Organ dann tief im Boden vergrub. Er und seine Frau waren zuversichtlich, daß die Zahl der Jahre, die bis zur Geburt des nächsten Kindes vergehen würden, der Zahl der überquerten Hügelkuppen entspräche.

Auch bestimmte Zeremonien galten als Hilfe bei der Empfängnisverhütung. Vielfach waren die Rituale nur den alten Medizinfrauen eines Stammes bekannt, die die Riten im geheimen für verzweifelte Frauen vollführten, die im Schutz der Dunkelheit zu ihnen kamen. Apachen-Mädchen, die keine Kinder bekommen wollten, konnten zur Zeit ihrer ersten Menstruation in aller Stille eine Frau aufsuchen, die ein seltenes und häufig verurteiltes Ritual durchführte, das Schwangerschaft verhindern sollte. Es hieß, zuweilen hätten Apachen-Mütter, die die Schmerzen und Leiden der Wehen erfahren hatten, diese Zeremonie für ihre Töchter abhalten lassen, ohne daß die Betroffenen zugestimmt oder auch nur davon gewußt hätten. Angeblich wurde bei dieser Zeremonie ein kleiner Feigenkaktus verwandt.

Ferner bedienten sich Indianerfrauen allerlei Gebräus, um Schwangerschaften zu verhindern oder abzubrechen. Quinault-Frauen brauten aus einer besonderen Distelpflanze ein Abtreibungsmittel, und die Salish-Frauen im Südosten setzten einmal wöchentlich einen Empfängnisverhütungstrank aus Hundstodwurzeln *(Apocynum androsaemifolium L.)* und Wasser an. Wenn der Hundstodtrank nicht wirkte, griffen sie auf einen Abtreibungstee aus den Blättern und Stengeln der gemeinen Schafgarbe *(Achillea millefolium L.)* zurück. Die Havasupai töteten ein Erdhörnchen, trockneten es und zerrieben es zu Pulver. Während der Menstruation nahm eine Frau ein wenig von dem gepulverten Fleisch in die Hand, ging an einen Ort, an dem sie allein war, leckte sich das Pulver nach und nach aus der Hand und betete dabei darum, nicht zu empfangen. Yuma-Frauen verließen sich teilweise auf eine Mixtur aus Asche vom Holz des Mesquitstrauchs und Wasser, aber sie glaubten auch eine Schwangerschaft verhindern zu können, indem sie regelmäßig auf einen Ameisenhaufen urinierten oder indem sie beharrlich und mit aller Kraft jeden Wunsch nach einem Kind in sich unterdrückten.

Bei den Gros Ventre in Montana bekamen Leute, die über Empfängnisverhütung Bescheid wußten, ihr Wissen entweder unmittelbar von einem übernatürlichen Wesen oder von Angehörigen ihrer Familie übermittelt. Jeder, der wußte, welche Wurzeln oder Pflanzen sich zur Schwangerschaftsverhütung verwenden ließen, konnte für sein Wissen ein hohes Entgelt beanspruchen – vielfach bis zu zwei oder drei Pferden. Eine Gros-Ventre-Frau namens Coming Daylight berichtete Regina Flannery, ein übernatürliches Wesen habe ihr in einem Traum angeboten, ihr beizubringen, wie Empfängnisverhütung möglich sei; als aber das übernatürliche Wesen begonnen habe, ihr zu zeigen, wie dazu aus einem auf Holz wachsenden Moos eine Medizin herzustellen sei, habe sie sich geweigert, dies Wissen anzunehmen.[12] Den Gros Ventre war klar, daß ihren Verhütungsmedizinen Grenzen gesetzt waren, und eine Frau, die sie nahm, mußte bestimmte Regeln einhalten; so durfte sie niemanden, der bereits Kinder hatte, ihr Kleid tragen lassen, durfte sich nie auf den bloßen Boden setzen, nie einen Säugling halten, sich nicht auf jemand anderes Bettstatt setzen und mit niemand außer ihrem Ehemann Geschlechtsbeziehungen unterhalten. Brach sie eine dieser Regeln, wurde die Medizin unwirksam.

Offenkundig versagten viele dieser Verhütungsmaßnahmen, und wenn dies geschah, konnte die Frau allenfalls noch dies oder jenes andere pflanzliche Mittel ausprobieren oder sich mit Steinen auf den Bauch schlagen – was ebenfalls nicht immer zum Erfolg führte.

Der Spielraum, der einer Indianerfrau hinsichtlich der Begrenzung der Größe ihrer Familie zur Verfügung stand, hing weitgehend von der Gesellschaft ab, in der sie lebte. Allgemein betrachtet, scheinen die Gruppen, die im äußersten Norden des Kontinents lebten, und diejenigen, die im Südosten der heutigen Vereinigten Staaten heimisch waren, hinsichtlich der verschiedenen Methoden der »Familienplanung« die liberalsten gewesen zu sein. Andere Gruppen pflegten in Sachen Geburtenkontrolle außerordentlich konservative Bräuche. Die Cheyenne, die im Gebiet von Wyoming und Süddakota lebten, hielten die Abtreibung für eine regelrechte Menschentötung, und eine Frau, die ihr ungeborenes Kind tötete, mußte damit rechnen, als Mörderin verfolgt zu werden. Die Papago in Südarizona andererseits kritisierten Frauen, die keine Kinder wünschten, zwar scharf, sahen aber keine öffentlich sanktionierten Strafen für Frauen vor, die abtreiben wollten. Die einzigen Strafen bestanden in Mißbilligung und Kritik, und wenn der Tadel auch bisweilen so streng ausfiel, daß der betreffenden Frau keine Freunde blieben, hielt doch niemand einer schwangeren Papago-Frau vor, sie *dürfe* keine Abtreibung vornehmen. Die Papago meinten, niemandem stehe das Recht zu, sich in die Angelegenheiten der Frau und ihrer Familie einzumischen.

Kindestötung

Infantizid war den eingeborenen Amerikanern keineswegs unbekannt, und zahlreiche Gründe veranlaßten Frauen, auf dies extreme Mittel der Bevölkerungskontrolle zurückzugreifen. Bei den Eskimo am äußersten Nordrand des Kontinents stellte jedes neue Kind eine enorme Belastung für die Mutter dar; insbesondere während des Sommers wurde von ihr erwartet, daß sie ihre Haushaltspflichten voll erfüllte und das Baby dauernd dabei mit sich herumtrug. Es war nahezu unmöglich, für ein Neugeborenes zu sorgen, solange das voraufgegangene Kind noch nicht ohne fremde Hilfe über weite Entfernungen laufen konnte. Wenn daher ein Kind zu früh geboren wurde, steckte man ihm Moos in den Mund, damit seine kläglichen Schreie nicht zu hören waren, und setzte es der Kälte aus.

Bei den Kaska, die in den subarktischen Wäldern Nordwestkanadas unter schwierigen Bedingungen lebten, gelang es bisweilen nicht, für ein verwaistes Kind Pflegeeltern zu finden. Das unerwünschte Baby wurde in ein kleines Kanu aus Fichtenrinde gesetzt, und man ließ es einen breiten Fluß hinabtreiben. In der Stammesüberlieferung heißt es, ein Kind habe einmal eine solche Reise überlebt und sei von einem Biber aufgezogen worden.

Bei den Creek gehörten alle Kinder der Mutter, die während ihres ersten Lebensmonats die Vollmacht besaß, über ihr Leben oder ihren Tod zu entscheiden. Es kam nicht selten vor, daß eine Frau, die von einem Mann geschwängert worden war, der sie später hatte sitzenlassen, ihr Kind kurz entschlossen tötete. Auch für

Mütter, deren Nachwuchs so zahlreich geworden war, daß sie ihn nicht mehr ernähren konnten, war dies der letzte Ausweg. Doch mußte das Kind getötet werden, ehe es den ersten Lebensmonat vollendete, denn wenn die Tat später begangen wurde, drohte der Mutter die Todesstrafe.

Bei den südöstlichen Salish gingen Frauen bisweilen allein in den Wald, um ihre Kinder zur Welt zu bringen. Wollte eine Frau ihr Kind nicht behalten, konnte sie dies tun, denn das Alleingebären gab ihr die Möglichkeit, ohne den Säugling ins Lager zurückzukehren und zu behaupten, das Kind sei bei der Geburt tot gewesen. Wurde festgestellt, daß die Frau ihr Baby getötet hatte, ließ der Häuptling sie scharf auspeitschen, aber augenscheinlich genügte auch diese schmerzhafte Strafe nicht immer, Frauen davon abzuhalten, die Größe ihrer Nachkommenschaft auf diese Weise zu regulieren.

Die amerikanischen Eingeborenenstämme konnten es sich im allgemeinen nicht leisten, Kinder aufzuziehen, die nie in der Lage sein würden, zum Erhalt der Gesellschaft beizutragen; daher stellten Kinder, die mißgestaltet oder krank zur Welt kamen, für sie eine schwere Belastung dar. Die Eyak, ein Volk im äußersten Norden, hielten ihre Bevölkerung von untauglichen Mitgliedern frei, indem sie deformierte Babys unmittelbar nach der Geburt öffentlich verbrannten. Diese Regel wurde unnachgiebig eingehalten, und jeder Mutter, die solch ein Kind zu retten versuchte, drohte selbst der Tod.

Über das Schicksal eines verkrüppelten Komantschen-Kindes wurde von den Medizinfrauen und den anderen Frauen, die bei der Geburt zugegen waren, entschieden. Die Komantschen lebten auf den südlichen Plains, und wenn ein Baby als lebensuntüchtig galt, trug man es auf die Prärie hinaus und ließ es sterben. Manche Familien hielten Zwillinge für eine Schande, und eine Frau, die zwei Kinder auf einmal bekam, setzte manchmal eines von ihnen aus. Dr. George Hollis, ein weißer Reisender, fand einmal einen solchen Säugling, der von seiner Mutter im Sand eingegraben worden war, und rettete ihn.

Die Hopi, im allgemeinen ein sanftmütiges und mitfühlendes Volk, töteten verkrüppelte Babys nicht. Ihre Medizinmänner bemühten sich indessen auch nicht, sie am Leben zu erhalten, da sie es für grausam hielten, ein Kind dem Spott, der Mißachtung und den Härten auszusetzen, die ein körperlicher Defekt mit sich brachte. Dieses Pueblo-Volk mußte hart arbeiten, um seiner felsigen, sandigen und trockenen Heimat ein erträgliches Leben abzuringen, und abgesehen von alten Leuten, die in jüngeren Jahren gearbeitet hatten und die nun für ihren Lebensunterhalt zahlten, indem sie ihr Wissen vermittelten, stand denjenigen, die nicht arbeiten konnten, auch keine Nahrung zu.

2. KAPITEL

DAS INDIANISCHE KIND

Zwei Navajo-Mädchen in vorspanischer Tracht und in Kleidung aus neuerer Zeit.
(Roger Pfeuffer)

Solange das Indianermädchen noch ein Baby war, wurde es verwöhnt und umsorgt, und sie durfte tun und lassen, was sie wollte. Aber sobald sie das Alter erreicht hatte, in dem sie begreifen und sich dessen erinnern konnte, was ihr gesagt wurde, begannen die Älteren, ihr sanft, aber bestimmt beizubringen, was es hieß, in der bestehenden Gesellschaft eine Frau zu sein. Besondere Bildungseinrichtungen gab es nicht; das gesamte Dorf und Stammesgebiet bildeten die Schule des Mädchens. Das Lernen verlief nicht nach formellen Richtlinien, sondern verteilte sich über den ganzen Tag und umfaßte nicht nur wirtschaftliche Belange wie Handarbeiten, häusliche Verrichtungen, das Sammeln wildwachsender Nahrung und Ackerbau, sondern auch die Sitten, Etikette, soziale Verpflichtungen und Folklore des Stammes.

Die Ausbildung des Mädchens lag nicht immer ausschließlich in den Händen der Mutter. In vielen Stämmen arbeiteten alle Frauen der Familiengruppe bei der Aufzucht ihrer Kinder zusammen. Die Navajo in Nordarizona waren und sind heute noch eine matrilokale Gesellschaft; wenn eine junge Frau heiratet, nehmen sie und ihr Mann ihren Wohnsitz in unmittelbarer Nähe der Mutter der Ehefrau. Infolgedessen lebten Schwestern auch als Erwachsene noch dicht beieinander und teilten sich in die Verantwortlichkeit der Kinderversorgung. Ein Außenstehender hätte kaum erraten können, wer in diesen ausgedehnten Familienverbänden nun die leibliche Mutter eines der Kinder war, denn obwohl jede Frau ein Lieblingskind hatte, war dieses Kind normalerweise nicht ihr eigenes, sondern häufig eine Nichte oder ein Neffe.

Auch bei den Komantschen bestanden sehr enge Bande zwischen einem Mädchen und den Schwestern seiner Mutter. Das Mädchen nannte die Tante »Mutter«, und ihre Beziehung zueinander war eine Mutter-Tochter-Beziehung, die allerdings weniger förmlich war als die zwischen leiblicher Mutter und Tochter. Die Kultur der Hopi ist ebenfalls matrilokal, und vielfach wohnten Schwestern ihr Leben lang zusammen im gleichen vielräumigen Haus. Hopi-Kinder benutzten dasselbe Wort für Mutter und Tante, und die Frauen riefen alle Kinder mit der gleichen Verwandtschaftsbezeichnung. Die Bande waren so eng, daß man Berichten zufolge in traditionsverhafteteren Zeiten nicht selten

Menschen mittleren Alters begegnete, die zwischen ihrer leiblichen Mutter und ihren Tanten mütterlicherseits keinen Unterschied machten.

In vielen Kulturen wurden Kinder von ihren Großmüttern aufgezogen, während die Mütter sich Aufgaben widmeten, die Jugend und Kraft erforderten. In diesen Gruppen fühlten sich die kleinen Mädchen ihren Großmüttern normalerweise enger verbunden als ihren Müttern.

Die Methode der Kinderaufzucht in der erweiterten Familie brachte systematische Vorteile sowohl für die Kinder als auch für die Mütter mit sich. Die Wärme und der Geist des Teilens und Teilhabens, die aus dieser Lebensform erwuchsen, brachten glücklichere Kinder hervor und ließen keinen Platz für die Frustrationen und Gefühle der Verlassenheit, unter denen heutige Mütter leiden, die das Opfer der Isolation ihrer Familie in den modernen Schlaf- und Wohngettos geworden sind.

Kleinkindererziehung

Hätten die ersten Weißen auf dem amerikanischen Kontinent eine Vorstellung davon gehabt, wie penibel die Erziehung der Indianerkinder in Fragen der »Tischmanieren« und der körperlichen Reinlichkeit war, sie hätten nie daran gedacht, diese Ureinwohner als »unzivilisiert« zu bezeichnen. Viele Gruppen hielten die Kinder ungeachtet des Wetters zu täglichem Baden an. Im Gebiet von Montana wurden Gros-Ventre-Kinder im Sommer um drei Uhr und im Winter um sieben Uhr morgens geweckt, und sie mußten baden, ehe sie ihren Tag begannen. Noch weiter im Norden bestand man bei den Gruppen der Tlingit und Salish darauf, daß die Kinder bei Morgengrauen aufstanden und sommers wie winters in kaltem Wasser badeten. Die Creek im gemäßigteren Klima des heutigen Georgia und Alabama hielten alle körperlich nicht behinderten Männer, Frauen und Kinder an, allmorgendlich viermal in einen Bach einzutauchen oder sich viermal im Schnee zu wälzen, ehe sie sich um das Feuer versammelten. Den Papago in ihrer trockenen Wüstenheimat fiel es oft schwer, genügend Trinkwasser zu beschaffen, von Waschwasser einmal ganz abgesehen; den Kindern wurde beigebracht, sich morgens mit sauberem Sand abzureiben, dem man eine dem Wasser gleichwertige Reinigungswirkung zuschrieb.

Hinsichtlich des bei den Mahlzeiten erwarteten Benehmens nahmen es Chiricahua-Apachen-Mütter im Südwesten allen Berichten zufolge sehr genau. Die Kinder wurden ermahnt, es den Erwachsenen beim Essen gleichzutun, zu warten, bis die verschiedenen Gänge aufgetragen waren, statt danach zu grabschen, und nicht mit dem Essen oder Trinken anzufangen, bevor die Älteren ihr Mahl begonnen hatten. Sie durften während der Mahlzeit auch nicht herumlaufen und sich nicht überessen, denn Nahrung war eine geheiligte Gabe und nie im Übermaß vorhanden.

Die Yurok im Norden Kaliforniens hielten es noch strenger; sie hatten eine festgelegte Sitzordnung für alle Personen, die an einem Mahl teilnahmen. Zwischen den beiden Elternteilen blieb immer ein Platz für einen eventuellen Gast frei. Mädchen saßen neben der Mutter, Jungen neben dem Vater. Die Mutter brachte den Mädchen die Eßsitten bei; sie durften nur wenig Nahrung auf einmal nehmen und mußten sie langsam zum Mund führen. Während der Mahlzeit durfte nicht geschwatzt werden. Wenn ein Kind zu schnell aß, wurde sein Eßkorb kommentarlos beiseite gestellt und erwartet, daß das Kind sich schweigend erhob und das Haus verließ. Waren sie nicht wegen schlechter Manieren vom Tisch gewiesen worden, hatten die Töchter nach einer Mahlzeit bei Tisch sitzen zu bleiben, bis zuerst der Gast und dann der Vater, gefolgt von den Söhnen, den Raum verlassen hatten. Sie durften erst nach draußen gehen und spielen, wenn die Mutter die Körbe mit Muschelschalen gereinigt, sie in kaltem Wasser gespült und den Boden, über den die männlichen Familienangehörigen gegangen waren, in Richtung auf das Feuer gefegt hatte.

Die Erziehung kleiner Mädchen

Da die Rollen eingeborener amerikanischer Männer und Frauen sich so stark unterschieden, wurde auch die Trennung der Kinder nach Geschlechtern schon früh vollzogen. Das Alter, in dem diese Trennung vorgenommen wurde, variierte von Stamm zu Stamm; bei den Salish im Nordwesten der Vereinigten Staaten und bei den Chickasaw im Südosten wurden Jungen und Mädchen bereits im Alter von vier oder fünf Jahren voneinander getrennt. In anderen Stämmen durfte die Jugend bis zum Alter von etwa elf Jahren oder bis etwa zum Einsetzen der Pubertät miteinander spielen.

Kleine Mädchen wurden bei allen Stämmen durch Spielen auf die Frauenrolle vorbereitet, und die Mütter achteten darauf, daß ihre Töchter in der »Puppenstube« genaue Miniaturnachbildungen von Haushaltsgeräten zur Verfügung hatten. Bei einigen Plains-Stämmen – etwa den Arapaho, Cheyenne, Crow und Omaha – hatten die Töchter wohlhabenderer Familien sogar eigene Zelte aus Büffelhäuten als »Puppenstube«. Wenn die Zeit kam, den Büffeln zu folgen und das Lager abzubrechen, packten die Mädchen ihren eigenen Haushalt – Tipi, Spielzeug und Kleidung – und machten ihn für die Wanderung fertig.

Die Crow-Frau Pretty-shield berichtet über solch ein Kindheitserlebnis in dem Buch *Red Mother:*

»Einmal bauten wir uns zu mehreren Mädchen ein Spieldorf aus unseren kleinen Tipis. Natürlich waren Puppen unsere Kinder und Hunde unsere Pferde, aber trotzdem gelang es uns, unser Dorf sehr echt wirken zu lassen, so echt, daß wir meinten, wir brauchten nur noch ein bißchen Fleisch zum Kochen. Wir beschlossen, es selbst zu erjagen. Ein Mädchen namens Beaver-that-passes und ich wollten die Jäger sein; wir wollten zu einer Büffelherde hinausziehen, die in Sichtweite war, und ein Kalb töten. Da wir wußten, daß wir nicht mit Pfeil und Bogen umgehen konnten, lieh sich Beaver-that-passes den Speer ihres Vaters aus, der sehr scharf und länger war, als wir beide zusammengenommen groß waren. Wir fingen und sattelten zwei sanftmütige Packpferde; und diese beiden alten Narren spielten verrückt. Ich half, so gut ich konnte, aber es war Beaver-that-passes, die ein großes Kalb verwundete, das uns eine Menge Schwierigkeiten machte, ehe wir es schließlich in die Knie zwangen und töteten. Ich verletzte mich am Bein, und Beaver-that-passes schnitt sich mit der Lanze in die Hand. Das Kalb selbst sah ziemlich übel zugerichtet aus, als wir es endlich zu unserem Spieldorf geschafft hatten. Aber wir veranstalteten ein großes Fest und vergaßen unsere Schrammen.«[1]

Die Hinführung vom Spielen mit Puppen auf die Mutterschaft ging allmählich vonstatten, da die kleinen Mädchen vielfach auf ihre jüngeren Geschwister aufpaßten und sie versorgten. Dies war keine allzu beschwerliche Aufgabe, da die Jüngeren bei den Spielen des Spielhauses gut die Rolle der Babys einnehmen konnten.

Eine Gros-Ventre-Frau schränkte allerdings ein, manche kleinen Mädchen seien rasch müde geworden, wenn sie babysitten sollten, und hätten ihre Mütter gewarnt: »Beeile dich und nimm dein Baby, sonst lasse ich es fallen.«

Die lebhafte Pretty-shield weiß auch eine spannende Geschichte zu berichten, wie sie und einige andere Crow-Mädchen eines Nachmittags ein Baby »ausliehen«. Es war Sommer, und das Dorf zog wieder einmal weiter. Eine Gruppe von etwa zehn jungen Mädchen zog gemeinsam ein beträchtliches Stück hinter der Hauptgruppe her, deren Packpferde und Travois auf den trockenen Plains Staubwolken aufwirbelten.

Die Kinder hatten angehalten, um in einem Bach zu baden, als eine Crow-Frau des Weges kam, die ein Packpferd führte, das ihre Habe und in einem Wiegegestell ein Mädchen im Säuglingsalter trug. Als sie sahen, daß die Frau bemüht war, die anderen einzuholen, erboten sich die Mädchen, das Packpferd mit dem Säugling in ihrer Gruppe mitzunehmen. Die junge Mutter nahm das Angebot rasch an und ritt davon. Die Mädchen fanden so viel Vergnügen daran, mit dem Baby zu spielen, daß sie nicht auf die Zeit achteten, bis die Nachmittagssonne schon zu verschwinden begann. »Die Sonne stand schon dicht über dem Horizont, als ich daran erinnerte, welch weiten Weg wir noch vor uns hatten«, erzählte Pretty-shield. »Das löste eine ziemliche Unruhe bei den anderen Mädchen aus. Man mußte nämlich immer aufpassen, daß man nicht den Lacota (einem feindlichen Stamm) oder einer Büffelherde in die Quere kam. Wir meinten, es sei nun höchste Zeit, daß wir aufhörten, mit dem Kind zu spielen, und unsere Leute einzuholen. Wir banden also das Baby in seinem Gestell fest und brachen auf. Anfangs ritten wir in mäßigem Tempo. Ich weiß nicht, wer damit anfing, aber es dauerte nicht lange, da ritten wir im Galopp. Ich konnte den anderen kaum folgen, denn ich führte das Packpferd, das auch das Baby trug. Zuerst schaute ich, bis mir der Hals weh tat, immer wieder hinter mich, um nachzusehen, ob das Baby noch da und mit ihm alles in Ordnung war. Als wir aber in Galopp verfielen, vergaß ich eine ganze Weile lang nachzuschauen. Als ich dann wieder daran dachte und mich umsah, war das Baby nicht mehr da!«

Pretty-shield bekam einen fürchterlichen Schreck und rief den anderen Mädchen zu, sie sollten anhalten. Alle waren aufgeregt und weinten und gaben sich gegenseitig die Schuld an dem Verlust. »Benommen vor Angst, machten wir kehrt«, fuhr Pretty-shield fort. »Büffel kamen näher. Eine große Herde stob so auf uns zu, daß sie die Spur kreuzen mußten, die unsere Pferde hinterlassen hatten. Wir waren selbst in Gefahr. Aber was war mit dem kleinen Kind? Wenn es auf den Weg gefallen war, den die Büffelherde nahm, würde es in die trockenen Plains gestampft werden und von ihm kaum etwas übrigbleiben.«

Die Mädchen beeilten sich, den Weg abzusuchen, den sie genommen hatten. Sie ritten immer weiter zurück, ohne das Baby zu finden. Als die Sonne fast ganz untergegangen war, stießen sie schließlich auf einige junge Männer ihres Stammes, die Büffel gejagt hatten. Die Mädchen erläuterten ihnen ihre schlimme Lage und baten sie um Hilfe. Die jungen Krieger fanden die Geschichte natürlich erheiternd und neckten die Mädchen; sie malten ihnen düster aus, sie würden alle wegen ihrer Unachtsamkeit getötet werden, sollte das Baby tot gefunden werden.

Wie sich dann herausstellte, hatten die jungen Männer das Baby schlafend und unbeschadet in seinem Wiegegestell gefunden. Pretty-shield nahm es an sich und ritt los, um Anschluß zur Hauptgruppe zu finden. Es war schon sehr dunkel, als sie endlich bei den anderen eintraf, und die Mutter des Kindes war besorgt und verärgert. »Ich habe nie wieder versucht, ein Baby auszuleihen«, schließt Pretty-shield ihren Bericht, »und ich habe auch nie eines von meinen eigenen verliehen.«[2]

Indianische Mädchen wurden behutsam auf ihre Mutterrolle vorbereitet, und auch die Einführung in andere Aufgabenbereiche der Frau erfolgte zumindest für die ganz kleinen Mädchen schrittweise. Sie begleiteten ihre Mütter oder älteren Schwestern, wenn diese Wildfrüchte sammeln gingen, den Garten jäteten oder Wasser und Holz holten. Wenn die Mädchen älter wurden, erwartete man mehr von ihnen. Eine Fox-Frau, die im Gebiet des heutigen Arkansas und Wisconsin lebte, erzählte, wie sie im Alter von etwa neun Jahren angehalten wurde, ein paar Pflanzen zu setzen und Unkraut zu hacken. Dann wurde ihr beigebracht, wie man das zubereitete, was sie angebaut hatte, und sie erntete reiches Lob für ihre Bemühungen. Während des Sommers, in dem sie zehn Jahre alt war, erlaubte ihr ihre Mutter nur dann im Fluß schwimmen zu gehen, wenn sie auch einige Kleidungsstücke zum Waschen mitnahm. Lehnte sie sich gegen diese leichten Arbeiten auf, erklärte ihr die Mutter, sie zwinge sie nur dazu, weil sie sich um die Tochter Sorgen mache, denn sie wolle, daß das Mädchen für sich selbst sorgen könne, wenn es groß geworden sei.

Die unglückliche Frau
(Omaha)

Meine Tochter, wenn du nicht lernst, die Arbeiten gut zu verrichten, die einer Frau obliegen, und wenn du nicht auf die Lehren der Älteren hörst, wirst du am Haus eines Fremden anhalten, und dein Platz wird nahe der Kesselstange sein, und ohne daß man dich dazu auffordert, wirst du Wasser holen gehen, und wenn du das Wasser geholt hast, wirst du wehmütig in den Eingang der Hütte schauen, und sie werden dich auffordern, ein Bündel zu öffnen, damit sie ihre Mahlzeit kochen können. Beim Öffnen des Bündels wirst du ein bißchen getrocknetes Fleisch herausnehmen und es verstohlen in deinen Gürtel stecken und mitnehmen und es heimlich essen, aber es wird dich nicht sättigen. Denn Essen, das man in Angst ißt, stillt nicht den Hunger.[3]

Bei den verschiedenen südöstlichen Salish-Gruppen war den kleinen Mädchen die Erledigung verschiedener Aufgaben zugewiesen, doch der größte Teil ihrer Zeit stand ihnen selbst zur Verfügung, um kleine Lachsfallen und Spielhütten zu bauen. Mit der praktischen Ausbildung begannen die Mädchen erst im Alter von etwa neun Jahren. Eine Salish-Gruppe, die Sinkaietk, errichtete in ihren ständigen Siedlungen ein Mädchenhaus, das einem zweifachen Zweck diente: Es hielt die Mädchen von den Jungen fern, und es bot ihnen Gelegenheit, die Fertigkeiten zu erlernen, die für die Haushaltsführung erforderlich waren. Tagsüber gingen die Mädchen in dieses Haus, und die alten Frauen brachten ihnen bei, wie man Taschen, Körbe, Matten und Flechtwerk sowie Perlenverzierungen und Stickereien herstellt. In manchen Dörfern wurden die angefertigten Gegenstände draußen an Büschen aufgehängt, damit man sie gebührend bewunderte. Die Teilnahme an dieser Unterweisung war wahrscheinlich unregelmäßig und hing von der Arbeit ab, die die Mädchen daheim zu erledigen hatten, aber jedes junge Mädchen nahm so lange an dem Unterricht teil, bis es wenigstens Grundkenntnisse erworben hatte. Salish-Familien hielten überdies ein kleines Familienfest ab, um die ersten von der Tochter gesammelten Wurzeln und Früchte gebührend zu bewundern. Dies Fest veranstalteten die Frauen des Haushalts und dabei wurden die Nahrungsmittel gereicht, die das kleine Mädchen gesammelt hatte. Das Mädchen bediente die Gäste – vornehmlich Verwandte –, und es durfte selbst von den Nahrungsmitteln nichts essen. Einige der älteren Ehrengäste sprachen mit dem Kind und hoben dabei die Tugend harter Arbeit hervor, die zu großem Erfolg im Erwachsenenalter führe.

Bei den Jicarilla-Apachen wurden junge Mädchen von den Eltern und älteren Verwandten ständig ermahnt, sich nicht als Kinder, sondern als Frauen zu betrachten, die in der Lage waren, Frauenarbeit zu leisten. Zwar mußte eine Frau wissen, wie man Nahrung sammelt und Getreide mahlt, aber nicht die gesamte Unterweisung des jungen Mädchens hatte mit Hausarbeit zu tun. Das Jicarilla-Mädchen lernte auch, wie man Pferde pflegt, und es konnte nicht nur reiten, sondern war auch in der Lage, sich auf dem Pferd zu halten, wenn es Arroyos (trockene Flußläufe) und andere Hindernisse übersprang. Überdies wurden die Apachen-Mädchen angehalten, Körperkräfte und Ausdauer zu entwickeln; insbesondere lernten sie gut schwimmen. Man erklärte ihnen, wenn sie nicht täglich schwämmen, wüchse ihnen dichtes Haar zwischen den Beinen – eine wirksame Mahnung in einer Kultur, in der jegliche Körperbehaarung als abstoßend galt.

Bestrafungen

Generell gingen die eingeborenen Amerikaner sanft mit ungehorsamen Kindern um, wenn auch die Strafpraktiken in den verschiedenen Gruppen unterschiedlich streng waren. Die Papago in der Wüste des Südwestens bestraften Kinder unter zehn Jahren kaum, weil man meinte, man solle Kinder nicht leiden lassen. Ruth Underhill, eine Anthropologin, die die Papago intensiv erforscht hat, schreibt, selbst bei den geheiligten Tänzen hätten die Kinder zwischen den Tanzenden ungehindert herumlaufen, reden und schreien dürfen. Die Erwachsenen hätten dies Verhalten ignoriert, weil sie voraussetzten, die Kinder begriffen nicht, um was es ging. Da laute Kinder die Erwachsenen, die sie zu erziehen hatten, nicht blamierten, wie es in unserer Kultur der Fall ist, bestand auch kaum Anlaß, die Kinder zurechtzuweisen, erläutert Dr. Underhill.[4]

Die Cheyenne und mit ihnen alle Plains-Gruppen stellten höhere Erwartungen an ihre Kinder, aber auch sie tadelten oder schlugen sie nicht, um sie zum Gehorsam zu zwingen. Wenn das Geschrei eines Babys die Leute im Lager störte, wurde der kleine Schreihals in den Wald getragen und in seinem Wiegegestell in einen Baum gehängt. Dort ließ man das Kind allein, bis es aufhörte zu schreien; erst danach wurde es wieder ins Lager geholt. So wurde dem Kind die wichtige Lektion erteilt, daß Selbstbeherrschung und Zurückhaltung in Gegenwart Erwachsener Liebe und Zuwendung einbrachte, wohingegen Nörgeln und Schreien nur Ablehnung und Einsamkeit eintrug.

Wenn bei den Crow ein Kind ohne ersichtlichen Grund längere Zeit weinte, legten die Eltern es auf den Rücken und ließen ihm etwas Wasser in die Nase rinnen. Gewöhnlich genügte es, diese Bestrafung ein- oder zweimal anzuwenden; danach reichte schon die Drohung: »Hol das Wasser«, um ein unartiges Kind zur Ruhe zu bringen. Auch die Menominee im Gebiet der Großen Seen und die Irokesen-Mütter wandten diese Behandlung bei Kindern an, die nicht ruhig sein wollten, indem sie weinenden Kindern einfach ein wenig Wasser ins Gesicht spritzten, »um ihren Kummer fortzuspülen«. Die Menominee meinten, wenn man ein Kind schlug – insbesondere am Kopf –, würde es taub und dumm werden. »Nur Weiße sind zu solch einer Barbarei fähig«, lautete die Auffassung einer Angehörigen dieses Stammes.

War bei den Fox und den Winnebago ein kleines Mädchen unartig, schlossen die Eltern es von einer Mahlzeit aus, so daß die Kleine hungrig über ihre Missetaten nachdenken konnte; darin dürfte eine frühe Entsprechung zu der heutigen Praxis zu sehen sein, Kinder ohne Abendessen ins Bett zu schicken.

Kinder zu schlagen war bei den Indianern praktisch unbekannt. Die Franzosen, die als erste Weiße auf die Huronen im Süden Ontarios stießen, reagierten schockiert darauf, daß diese Menschen ihre Kinder nie schlugen; sie meinten, solche elterliche Zurückhaltung könne nur die Respektlosigkeit der Kinder fördern. Aber die Huronen-Mütter nahmen gegenüber dem Schlagen die typische Haltung eingeborener Amerikaner ein: daß es normalerweise dem Kind mehr schade als nütze. Die Quinault an der Küste von Washington meinten, Kinder unter fünf Jahren könne man für ihr Handeln überhaupt nicht verantwortlich machen; daher wurden Kinder dieses Alters nie bestraft. Ältere Kinder wurden zwar bisweilen getadelt, aber nie geschlagen, denn man vertrat die Auffassung, daß kleine Mädchen, die mißhandelt wurden, wahrscheinlich zu Müttern heranwuchsen, die ihrerseits ihre Kinder mißhandelten.

In Gesellschaften, in denen härtere Strafmaßnahmen zulässig waren, wurden diese nicht von den Eltern ausgeführt. Diese Völker nahmen zutreffend an, daß strenge elterliche Dominanz in den Kindern Haß schüren mußte; daher wurde die Ausführung härterer Strafen jemand anders übertragen. Bei den Sanpoil im Nordosten von Washington übernahm ein alter Mann die Rolle des Strafausführenden für das ganze Dorf. Er peitschte nicht nur die unartigen Kinder leicht aus, sondern auch gleich noch ihre Spielkameraden mit.

Bei den Pueblo-Gruppen im Südwesten standen Mütter, die ihre Kinder zu streng bestraften, in schlechtem Ansehen; es gab viele alte Geschichten von Mädchen, die gepeitscht oder geschlagen worden waren und die daraufhin das Pueblo verlassen hatten und nie zu ihren trauernden und reumütigen Eltern zurückgekehrt waren. Dennoch hatten Kinder, die sich nicht anständig benahmen, einiges zu fürchten. Alle Zuni-Kinder kannten Su'ukyi, eine furchterregende und strubbelhaarige Hexe, die einen Lastkorb auf dem Rücken trug, um unartige Kinder fortzuschleppen. Dieses weibliche Schreckgespenst mußte mit den Müttern in Kontakt stehen, denn die Hexe warf den Kindern genau die Vergehen vor, die sie auch wirklich begangen hatten. Die Mütter setzten sich bei ihr immer für die Kinder ein und versprachen, sie würden sich bessern, und die Kinder wußten genau, daß die schreckliche alte Hexe wiederkommen würde, wenn sie nicht artig waren. Die Hopi, die in den Second-Mesa-Dörfern Mishongovi und Shipaulovi leben, kennen eine ähnliche Schreckensfigur, die sie die »Schwarze Dame« nennen. Augenscheinlich lebt ihr Ruf in der Geschichte »About the Black Lady«, die Janet Hyeoma, ein Hopi-Kind von heute, geschrieben hat, immer noch fort:

»Die Schwarze Dame kommt im Februar oder März. Sie sagt den Jungen, sie sollten für sie jagen gehen. Sie sagt den Mädchen, sie sollten Mais für sie mahlen.

Wenn du nie deiner Mutter hilfst, das Geschirr abzuwaschen oder den Boden zu fegen, mußt du vor der Schwarzen Dame fegen oder abwaschen, ehe sie deine Gaben akzeptiert. Sie geht von Haus zu Haus und holt diese Dinge ab.

Die Schwarze Dame sagt, ich helfe nie meiner Schwester beim Abwaschen. Das gleiche hat sie auch meiner Schwester gesagt.«

Älteren Indianerkindern erzog man – dies war die verbreitetste Methode – Gemeinschaftsnormen an, indem man an ihren Stolz appellierte. In kleinen Mädchen erweckte man nicht Hoffnung auf einen Himmel oder Furcht vor einer Hölle, sondern man machte ihnen klar, daß ein gehorsames Kind sich die Achtung und Sympathie des ganzen Dorfes erwarb, ein unartiges dagegen riskierte, sich die Ablehnung und Verachtung seiner Mitmenschen zuzuziehen. Lob weckte den Stolz auf gutausgeführte Arbeit, und wie die meisten Menschen strebten die Indianerkinder nach Anerkennung durch andere.

Mythen als Lehrer

Die weniger greifbaren Momente ihrer Kultur, also die Moralvorstellungen und Ideale der Gruppe, lernten die Indianerkinder kennen, wenn die Familie am Abend um das Feuer versammelt war. Dann hörten die Kinder die Legenden und Geschichten ihres Stammes: Wie ihr Volk auf die Erde gekommen war, woher es seine Nahrung bezog und wie seine frühen Vorfahren all das gelernt hatten, was sie wußten. Viele der Geschichten handelten von Tieren aus der Zeit, da sie noch sprechen konnten. Die Geschichtenerzähler waren normalerweise Großväter und alte Männer, aber auch viele alte Frauen waren gute Geschichtenerzähler. Die langen Mythen und Legenden, die sie zum besten gaben, dienten dazu, die praktischen Lehren zu unterstreichen und auszumalen, was geschehen konnte, wenn ein Kind ungehorsam war.

Die klatschsüchtigen Mädchen
(Tlingit)

Es waren einmal zwei Männer aus verschiedenen Häusern, aber aus derselben Sippe. Einer von ihnen wurde sehr krank und träumte in seinem Fieberwahn, der andere Mann betreibe Hexerei, um diese seine Krankheit herbeizuführen. Am darauffolgenden Tag erzählte der Kranke seiner Frau von dem Traum. Seine kleine Tochter hörte das Gespräch mit. Später geriet dies kleine Mädchen in einen Streit mit der Tochter des anderen Mannes, und diese schlug es. Erzürnt erzählte das beleidigte kleine Mädchen, was sein Vater gesagt hatte, und das andere kleine Mädchen trug die Geschichte seinem Vater zu. Als er hörte, daß sein Clanbruder ihn der Hexerei beschuldigte, zog er seine Kriegskleidung an und ging zu dem kranken Mann, der wie er selbst ein schwergezeichneter Veteran des Krieges gegen die Haida-Indianer war. Der kranke Mann legte ebenfalls seine Kriegsausrüstung an, und da er zu schwach war, um aufzustehen, ließ er den anderen Mann sich auf eine Kiste setzen. Unter dem Beistand ihrer Neffen, die als Sekundanten fungierten, stachen die beiden Männer aufeinander ein, bis sie ohnmächtig wurden. Als sie das Bewußtsein wiedererlangten, setzten sie den Kampf fort, bis sie beide starben. Die beiden Neffen waren darauf und daran, den Kampf fortzuführen, als endlich jemand, der mit keinem von ihnen verwandt war, es ihnen ausredete. Die Moral: Die Tochter des einen machte den Fehler, zu erzählen, was ihr Vater gesagt hatte. Das andere Mädchen beging den Fehler, es weiterzutragen. Und beide Elternpaare hatten den Fehler gemacht, ihre Kinder nicht besser zu erziehen.[5]

Die ungehorsamen Mädchen
(San Juan)

Eines Tages vor langer Zeit hatte der Häuptling allen jungen Mädchen befohlen, Zwiebeln zu sammeln. Die beiden Yellow-Corn-Mädchen jedoch spielten und vertrödelten ihren Aufbruch, bis die anderen schon wieder nach Hause kamen. Es war schon ziemlich spät, und sie sammelten Zwiebeln, als einer von den *tsabiyu* (maskierte Figuren aus der Weihnachts-Folklore) daherkam; er hatte einige lange Ruten bei sich, die aus den scharfrandigen Blättern der Yucca-Pflanze hergestellt waren. »Ihr gehorcht nicht dem Häuptling«, sagte er. Dann zog er seine Peitschen hervor und schlug erst das eine Mädchen und dann das andere.

Weinend und schreiend flüchteten die Mädchen, aber die maskierte Gestalt lief hinter ihnen her und schlug weiter auf sie ein. Die Schnürbänder an den Mokassins der Mädchen rissen, und sie verloren ihre Fußbekleidung, aber sie ließen sie liegen und rannten weiter. Sie verloren ihre Umhängetücher und ließen ihre Zwiebeln fallen, aber verfolgt von dem gräßlichen übernatürlichen Wesen rannten sie immer weiter. Schließlich hatte der *tsabiyu* alle seine Yucca-Peitschen verbraucht, da rief er den Mädchen zu: »Yellow-Corn-Mädchen, das nächste Mal tut ihr das nicht wieder. Wenn Leute hinausgehen, sollen sie alle gemeinsam hinausgehen. So ergeht es Mädchen, die dem Häuptling nicht gehorchen. Geht jetzt nach Hause.« Die Mädchen kehrten heim ohne Zwiebeln, ohne Mokassins und ohne ihre Umhängetücher.[6]

Sexualerziehung

Die indianischen Mädchen wurden im allgemeinen schon in sehr jungem Alter mit den sogenannten Tatsachen des Lebens konfrontiert. Das Zuhause bestand gewöhnlich aus einem einzigen Raum, und engbemessene Schlafecken ließen sexuelle Praktiken innerhalb der Familie nur begrenzt zu. Normalerweise erlaubte das Gedränge des Dorflebens so wenig Ungestörtheit, daß die Sexualität weitgehend nur nachts betrieben werden konnte, wenn der Schutz der Dunkelheit zumindest eine Illusion von Abgeschiedenheit erlaubte. Wenn aber die Familie nachts vollzählig in den Betten lag, unternahmen die Eltern gewöhnlich keine großen Anstrengungen, um zu verhindern, daß die Kinder Zeugen ihres Beischlafs wurden. Manche Eltern meinten, kleine Kinder, die ihr Geschlechtsleben beobachteten, wüßten nicht, was da vor sich ging, und die größeren Kinder wüßten ohnedies über alles Bescheid.

Bei vielen Gruppen, insbesondere bei den Wüstenstämmen, liefen die Kinder bis zur Pubertät nackt herum, und natürlich führte das allgemein verbreitete Spiel »Spielhaus«, das bei den Kindern damals so beliebt war wie heute, zu sexuellen Spielereien. Ferner waren viele der Mythen, die an den abendlichen Lagerfeuern erzählt wurden, voller humoriger sexueller Anspielungen, und diese Geschichten haben zweifellos die Neugier der Kinder geweckt.

Einige Stämme verfuhren in sexuellen Dingen – insbesondere hinsichtlich der Masturbation – ziemlich streng mit ihren Kindern. Die Kaska im heutigen Nordkanada glaubten, Masturbation bedinge Blindheit und Geistesgestörtheit, und wenn bei ihnen ein Kind bei solchem Tun ertappt wurde, bekam es die Hände mit einer Weidenrute ausgepeitscht. Die Apachen unterdrückten jede Neigung zur Masturbation so streng, daß viele Stammesangehörige beharrlich behaupteten, dieses ansonsten allgemein verbreitete Verhalten komme bei ihren Kindern niemals vor. Sogar in Mythen wurde das Unglück beschworen, das ein Mädchen befallen konnte, wenn es masturbierte. Solche Strenge in der Kindererziehung war allerdings die Ausnahme. Im allgemeinen war die Haltung der Indianer gegenüber kindlicher Sexualität permissiv und billigend.

Das Mädchen, das sich selbst mit einem Kaktus mißbrauchte (Jicarilla-Apache)

Es war einmal ein Mädchen, das sehr gut aussah, und viele Männer wollten sie heiraten. Aber immer wies das Mädchen die Männer ab, obwohl ihre Verwandten wollten, daß sie heiratete. Sie wollte sich einfach für keinen Mann interessieren.

Eines Abends nahm das Mädchen ein Seil und ging hinaus, um Holz zu holen. Ein Mann, der sie heiraten wollte, folgte ihr und verbarg sich im Gebüsch, so daß sie ihn nicht bemerkte. Nachdem das Mädchen ein bißchen trockenes Holz gesammelt und es sorgsam aufgehäuft hatte, blickte es sich vorsichtig in alle Richtungen um. Dann legte sie einen kleinen runden Kaktus frei, den sie unter etwas Kiefernrinde verborgen hatte. Von dem Kaktus waren alle Stacheln und die äußere Haut abgeschält, und die junge Frau hockte sich über den Kaktus und masturbierte.

Da wußte der Mann, weshalb das Mädchen ihn nicht heiraten wollte. Später kehrte der Mann zu der Stelle zurück und schnitt den Kaktus an seinem Fuß rundherum mit einem Messer an. Er war jetzt sehr schwach und brach fast ab, sah aber immer noch kräftig aus.

Am Abend des nächsten Tages beobachtete der Mann das Mädchen wieder. Wie am Vortag ging sie wieder Holz sammeln, und nachdem sie eine ganze Ladung zusammengetragen hatte, ging sie zu derselben Stelle. Bald nachdem sie sich auf den Kaktus gesetzt hatte, brach er ab und blieb in ihrer Scheide stecken. Sie versuchte, ihn herauszuziehen, aber vergeblich.

Der Mann kam aus seinem Versteck hervor und fragte das Mädchen, was ihm fehle. Da gestand das Mädchen, in welcher Lage es steckte.

Der Mann sagte: »Ich werde dich heilen.«

Er fertigte einen kleinen Bogen und einige kleine Pfeile an und hieß das Mädchen, sich mit gespreizten Beinen hinzusetzen. Er schoß zwei Pfeile in ihre Scheide, deren einer den anderen kreuzte. Er nahm die Pfeile in beide Hände und zog sie heraus, und mit ihnen kam das Stück Kaktus. Daraufhin besserte sich das Mädchen.[7]

3. KAPITEL

VON DER MENARCHE ZUR MENOPAUSE

Ein junges Hopi-Mädchen, das das Haar in den traditionellen Schmetterlingslokken trägt, die ihren Status als unverheiratete Jungfrau bezeichnen. (Mit freundlicher Genehmigung der *Arizona Historical Society*)

Die erste Menstruation beim jungen Indianermädchen bedeutete das Ende ihrer glücklichen, sorgenfreien Kindheitstage und den Beginn ihres Lebens als voll entwickelte Frau ihres Stammes.

Die Menschen der frühen nordamerikanischen Eingeborenengesellschaften begriffen nicht die vielschichtigen physiologischen Prozesse, die die Menstruation auslösen, aber sie wußten, daß diese Vorgänge mit der Fruchtbarkeit in Zusammenhang stehen. Schon die oberflächlichste Beobachtung ließ keinen Zweifel daran, daß eine Frau nicht schwanger werden konnte, ehe sie nicht zu menstruieren begonnen hatte.

Obwohl alle Frauen den monatlichen Ausfluß der Menses erlebten, fiel es weniger klarsichtigen Leuten schwer, diesen regelmäßigen Blutverlust – gewöhnlich waren ja Blutungen ein Anzeichen von Krankheit oder Verwundung – im Rahmen normaler Logik zu erklären. Um dieses sonderbare Phänomen in das Gebäude der anerkannten Glaubensauffassungen einzubauen, nahmen die eingeborenen Amerikaner eine Erklärung in ihre Mythen und Legenden auf. Darin wurde erläutert, weshalb Frauen Menstruationsperioden haben, und eine Verhaltensanweisung für den der Menarche folgenden Lebensabschnitt gegeben.

Weshalb Frauen menstruieren
(Havasupai)

Vor langer Zeit, als die Welt noch naß war – ehe es also die menschliche Rasse gab – und als die Tiere noch wie Menschen waren, lebte Squirrel in den San Francisco Mountains. Eines Tages nahm er das Schienbein eines Rehs und malte einen Entwurf darauf. Nach Sonnenuntergang warf er den Knochen nach Osten und sprach dazu ein Gebet, es möge mit dem nächsten Sonnenaufgang ein junges Mädchen zu ihm kommen. Das junge Mädchen kam, genau wie Squirrel es in seinem Gebet gewünscht hatte. Sie lebte eine Zeitlang glücklich in dem Lager mit ihrem Beschützer Squirrel und ihren Brüdern Coyote und White Dog.

Eines Tages rief Coyote seiner Schwester zu: »Schwester, du mußt hierbleiben, während ich auf die Jagd gehe.« Nachdem das Mädchen eine Weile gewartet hatte, kehrte Coyote zurück und brachte ein Kitz, das er erlegt hatte. Das Mädchen freute sich über das Kitz, setzte sich dicht daneben und dachte daran, wie gut das Fleisch schmecken werde. Während Coyote das Tier zerlegte, fühlte sie das weiche Fell des Kitzes und berührte seine Ohren und sein Gesicht. Alsbald bat Coyote das Mädchen, ihm etwas herüberzureichen, und als sie sich umwandte, um danach zu greifen, tauchte Coyote seine Hand in das frische Blut des Kitzes und spritzte es auf die Schenkel des Mädchens nahe ihrer Scheide. Dann rief Coyote aus: »Oh, Schwester, du menstruierst. Jetzt kannst du kein Fleisch essen, bis du wieder rein bist, ehe vier Tage vergangen sind.« Das Mädchen war verärgert, weil es kein Fleisch essen konnte. Coyote sagte zu ihr: »Von nun an wird dies einmal jeden Monat mit dir geschehen. Nach vier Tagen mußt du baden.«

Das Mädchen ging unglücklich zu Bett, und als sie am nächsten Morgen erwachte, war sie immer noch böse auf Coyote; so verließ sie früh das Lager, ohne ihren Verwandten etwas zu sagen. Sie lief fort in ein Land im Westen, wo sie fortan lebte.[1]

Pubertätszeremonien

Der Ausfluß ihres Blutes – ihres Lebens – zwischen ihren Beinen ist für viele heranwachsende Mädchen ein tief beunruhigendes Erlebnis, aber für eine junge Indianerfrau war das Einsetzen der Menarche auch der Auftakt zu einer kurzen, aber hervorragenden Rolle hinsichtlich der Pubertätsriten, die vielfach ein stark gefühlsbehaftetes Drama waren.

In vielen Gesellschaften waren die Tage und Wochen nach der Menarche eine besondere und gefährliche Zeit, in der die Zukunft des Mädchens weitgehend von der genauen Einhaltung bestimmter Verpflichtungen und Rituale abhing. Diese Rituale unterschieden sich von Stamm zu Stamm, scheinen aber alle eines oder mehrere von drei Grundelementen beinhaltet zu haben. Über die Durchführung dieser Aufgaben hinaus wurde von dem Eingeborenenmädchen die Einhaltung vieler Tabus erwartet, die in der Mehrzahl darauf abzielten, Gesundheit, Lebenskraft und Schönheit des Mädchens nicht nur während der Zeremonien, sondern ihr ganzes Leben lang zu schützen.

Eines dieser Grundelemente, ein weitverbreiteter Brauch, bestand in der Isolierung des pubeszenten Mädchens von der übrigen Gesellschaft. Eine Fox-Frau erinnert sich an eine Mahnung, die sie als Kind erhielt: »Du kannst deine Brüder ins Unglück stürzen, wenn du nicht vorsichtig bist. Das Entwicklungsstadium, in dem sich eine junge Frau befindet, ist von Übel ... Sobald du zur jungen Frau herangereift bist, mußt du dich verbergen.«[2] In vielen anderen Stämmen bekamen junge Frauen im wesentlichen das gleiche zu hören – daß sie sich nämlich bei Einsetzen der Menstrualblutung von anderen Menschen, insbesondere Männern, fernzuhalten hätten, um den anderen nicht durch ihre starken und möglicherweise böse wirkenden Kräfte Schaden zuzufügen. Dies bedeutete normalerweise, daß das Mädchen bei Einsetzen der Menarche zwischen vier Tagen und einem Monat in einer kleinen Hütte aus Zweigen oder in einem Zelt zu leben hatte, die in einiger Entfernung vom Hauptdorf errichtet wurden. Einige Gruppen gestatteten es auch dem Mädchen, in einem eigens abgetrennten Raum im eigenen Heim zu verbleiben, wobei es allerdings die Mahlzeiten für sich allein einnahm und mit den anderen Familienangehörigen keinen Kontakt pflegte, weil man fürchtete, es könnte sie verunreinigen.

Manche Stämme bezogen auch Schulung und Erziehung in die Pubertätsriten ein. Die pubeszenten Mädchen bekamen beigebracht, was von ihnen als Frauen erwartet wurde; vielfach wurden diese Unterweisungen während der Jungfrauenisolation gegeben.

Das dritte Element im einschlägigen Brauchtum bestand in einem Freudenfest, bei dem der Statuswechsel vom Mädchen zur Frau gefeiert wurde. Bisweilen wurde dieser Statuswechsel als privater Familienritus begangen, aber manchmal nahm auch das gesamte Dorf an den Feierlichkeiten teil.

Rituelle Tabus

Man hat quer über den nordamerikanischen Kontinent eine große Ähnlichkeit in den Pubertätsriten festgestellt, und dies sogar zwischen Kulturen, die ansonsten nur wenige Bräuche und Sitten gemein hatten. Viele Gesellschaften verboten ihren pubeszenten Mädchen, sich während der betreffenden Zeit mit den Fingernägeln zu kratzen, weil man glaubte, dem Mädchen würden die Haare ausfallen, sein Gesicht würde mit dauerhaften schwarzen Striemen überzogen oder sein Körper würde mit Narben übersät. Man hielt die Mädchen dazu an, zum Kratzen einen eigens dazu angefertigten Kratzstab zu benutzen.

Ein anderes weitverbreitetes Tabu bezog sich auf das Wassertrinken; manche Stämme erlaubten dem Mädchen das Wassertrinken nur, wenn es die Flüssigkeit durch einen Strohhalm oder einen Röhrenknochen einsog. Tlingit-Mädchen an der Südküste Alaskas durften als Saugrohr nur einen Flügelknochen eines weißköpfigen Seeadlers benutzen. Die Tlingit bestanden überdies darauf, daß die pubeszenten Mädchen, die bis zu einem Jahr lang vom übrigen Dorf abgesondert leben mußten, ihre Hütten oder Räume nur bei Nacht verlassen durften und selbst dann noch einen breitkrempigen Hut tragen mußten, damit sie nicht die Sterne mit ihrem starrenden Blick verunreinigten.

Weiter im Süden, in Arizona, gab es bei den Yuma Tabus gegen das Sprechen, um Geschwätzigkeit zu verhindern; gegen das Lachen, um Leichtsinn und Gedankenlosigkeit zu unterbinden; und gegen das Baden, um Kraftverlust zu verhindern. Die Yuma standen zu jener Zeit mit ihrem Badeverbot nicht allein; allerdings gehörte für viele Gruppen zeremonielles Baden unmittelbar zum Pubertätsritual selbst, und dies sogar in Fällen, in denen an einem Bach oder See das Eis aufgebrochen werden mußte, um ans Wasser zu gelangen. Die Mädchen der Lower Chinook mußten in den fünf der Menarche folgenden Monaten täglich baden, um in Zukunft Kraft und regelmäßiges Einsetzen der Menses zu gewährleisten. Ein Chinook-Mädchen, dessen erste Periode im Herbst einsetzte, hatte Pech, denn ihr stand ein tägliches Bad im Freien den ganzen nassen, kalten Winter an der Küste von Washington hindurch bevor. Die jungen Mädchen bei den Fox mußten beim rituellen Bad noch größere Härten in Kauf nehmen. Während sie mitten in einem Bach standen, wurde die Haut ihres Rückens gestachelt und durchstochen, bis das Blut lief; dadurch sollte sichergestellt werden, daß sie keinen übermäßig heftigen Menstruationsfluß erlitten.

Bei den verschiedenen Stämmen gab es noch zahlreiche andere überlieferte Schutzmaßnahmen: Die Mädchen durften nicht auf ein Holzscheit oder einen Stock treten, weil man Schlangenbisse befürchtete (bei den Nisenan); sie durften nicht ins Feuer schauen, damit ihre Sehkraft bis ins hohe Alter erhalten blieb (bei den Quinault); sie durften ihre Nahrung nicht selbst wählen, weil man befürchtete, sie würden habsüchtig und gefräßig werden (bei den Flathead); sie durften sich nicht mit kaltem Wasser waschen oder es trinken, weil man befürchtete, sie könnten sich erkälten (bei den Pomo); sie durften sich nicht mit heißem Wasser waschen, weil man sich sorgte, sie könnten Falten bekommen (bei den Havasupai); sie durften sich nicht selbst kämmen, weil man befürchtete, sie könnten sich eine Erkrankung der Kopfhaut zuziehen (bei den Pomo); sie durften aus Angst vor frühzeitigen Falten nicht lächeln, und sie durften ihre Zähne nicht berühren, damit diese nicht ausfielen (bei den Cocopah).

Die Absonderung von der Gesellschaft

Zahlreiche Berichte liegen darüber vor, wie junge Indianerfrauen die Isolation während ihrer rituellen Einführung in die Frauenrolle empfunden haben.

Für Mountain Wolf Woman, eine Winnebago, war ihre erste Menstruation ein Trauma. Ihre Mutter hatte ihr gesagt, was ihr eines Tages widerfahren würde, und hatte sie gewarnt: »Wenn dir dies geschieht, lauf in die Wälder und verstecke dich irgendwo. Du sollst niemanden ansehen, auch nicht einen Augenblick lang. Wenn du einen Mann ansiehst, verunreinigst du sein Blut. Schon ein einziger Blick hat zur Folge, daß du zu einem schlechten Menschen wirst.«[3]

Es war an einem der ersten Frühlingsmorgen, und es lag immer noch Schnee, als Mountain Wolf Woman feststellte, daß sie menstruierte. Erschreckt über die Kräfte, die es nunmehr besaß, lief das junge Mädchen rasch in den Wald, zog sich seine Decke über den Kopf und saß weinend und allein da. Schließlich wurde sie von ihrer Schwester aufgefunden, die sie vermißt hatte und ihren Fußspuren im Schnee gefolgt war. Die Schwester und eine andere junge Frau errichteten einen kleinen Wigwam, entfachten ein Feuer für das weinende Mädchen und führten es dorthin. Die Hütte lag etwa fünfhundert Meter von Mountain Wolf Womans Heimstatt entfernt, und augenscheinlich verbrachte sie die meiste Zeit der erforderlichen vier Tage dort weinend, verängstigt und hungernd, denn dem Brauch nach mußte sie fasten.

Wie andere amerikanische Indianerfrauen bekamen auch die jungen Mädchen der Ojibwa im südlichen Ontario beigebracht, daß sie mit Einsetzen der Menarche ein Ärgernis für sich selbst und andere seien und ihre Anwesenheit alles Junge und Lebende am Gedeihen hindere. In abgerissene Kleider gehüllt, mußten sie in einer winzigen Hütte im Wald hocken, die Augenlider mit Ruß beschmiert, traurig und voller Furcht vor sich selbst. Sie hatten den Blick zu Boden gerichtet zu halten, und wenn sie ihre Hütte verließen, mußten sie Laub hinter sich verstreuen, um Männer, schwangere Frauen und Kleinstkinder zu warnen, da man meinte, sie seien für die bösen Kräfte, die das in der Menarche befindliche junge Mädchen umgaben, besonders empfänglich. Als »neue Frau« durften sie nur zwei Kategorien von Besuchern empfangen: Frauen, die die Menopause bereits hinter sich hatten, und andere »neue Frauen«. Die Mädchen verbrachten einen Großteil ihrer Zeit damit, ihre neue sexuelle Qualifikation und ihren sich herausbildenden Erwachsenenstatus zu erörtern. Wenn eine junge Frau zufällig ihre Isolationszeit in der Hütte im Frühling oder Sommer zu absolvieren hatte, wenn die Ojibwa-Familien in großen Gruppengemeinschaften lagerten, mußte sie mit ungebetenem Besuch rechnen. Gruppen junger Männer durchstreiften in warmen Nächten regelmäßig die Wälder. Stießen sie in einer Menstruationshütte auf ein Mädchen, vergaßen sie alle Ermahnungen und Tabus. Manchmal wollten die Jungen das Mädchen nur erschrecken und dann bei ihm bleiben und mit ihm plaudern; aber bisweilen hatten sie auch Verführung oder sogar Vergewaltigung im Sinn. Und wenn man auch meinen möchte, daß die Mädchen solche Besuche als willkommene Ablenkung begriffen, dürfen wir doch nicht vergessen, was ihnen beigebracht worden war: daß zu dieser Zeit schon ihr Blick tödlich sei. Nur wenige Mädchen ließen sich auf das Risiko ein, sich an den Späßen zu beteiligen, und die meisten von ihnen vergruben den Kopf in den Armen, wenn ungebetene Gäste nahten.

Die Anthropologin Ruth Landes, die die Pubertätsriten der jungen Ojibwa-Mädchen mit ähnlichen Riten verglichen hat, die für junge Männer abgehalten wurden, bemerkt mit leichtem Zorn: »Seine Zeremonie ist ein hoffnungsvolles Streben nach weiteren Horizonten, ihre (die des Mädchens) hingegen ist ein vom schlechten Gewissen bestimmter Rückzug auf das eigene schändliche Selbst.«[4]

Die Erziehung zum Erwachsenenleben

Während seiner Isolationsphase leistete dem pubeszenten Mädchen seine Mutter, Großmutter oder eine andere ältere Frau von gutem Ruf Gesellschaft, die es im Verhaltenskodex erwachsener

Frauen und in den Fertigkeiten unterwies, die die Frauen des Stammes beherrschen mußten.

So bestimmte es auch der Brauch bei den Flathead, die in Montana lebten. Die Mutter eines Flathead-Mädchens, dessen Pubertät bevorstand, wählte eine weise alte Frau aus, die ihrer Tochter während deren erster Menstrualperiode als Lehrerin und Gesellschafterin beistand. Die alte Mentorin, die ausgewählt war, weil sie die Flathead-Vorstellung von der idealen Frau verkörperte, und das junge Mädchen verbrachten vier Tage miteinander. Im Laufe dieser Zeit kamen sich die beiden Frauen sehr nahe, und die besonderen Gefühle der Intimität, die sich während der Tage der rituellen Interaktion herausbildeten, blieben normalerweise bei beiden lebenslang erhalten. Insbesondere wenn die Mentorin bejahrt und schwächlich wurde, erwies die jüngere Frau ihr jede Hilfe.

Die Flathead glaubten, die Initiationsphase sei eine kritische Zeit in der Persönlichkeitsbildung eines Mädchens; daher wurde es angehalten, keine schlechten Gewohnheiten anzunehmen, sondern Sparsamkeit zu üben und Handfertigkeit in allen Belangen zu entfalten, die sie später als Frau wahrzunehmen hatte. Man erwartete von ihr, allmorgendlich vier Ladungen Feuerholz zu sammeln, davon jedem Haushalt im Dorf etwas abzugeben und danach in der Hütte ihrer Eltern ein Feuer zu entzünden. Während dieser vier Tage verrichtete sie sämtliche Küchenarbeiten für ihre Familie, aß aber selbst nichts von den Gerichten, die sie zubereitete. Statt dessen nahm sie ihre Mahlzeiten im Haus ihrer alten Mentorin ein. Sofern es gerade nicht arbeitete, wurde das junge Mädchen von der alten Frau gepflegt, die ihm das Haar kämmte und das Gesicht bemalte. Die Flathead-Indianer schätzten große Füße nicht; daher wurden die jungen Mädchen angewiesen, ihre Füße mit einem Stein zu zerstampfen, damit sie nicht mehr wuchsen. Sie wurden überdies angehalten, sich eine große Laus vom Kopf zu nehmen und sie auf eine Kiefernnadel zu spießen. Die Laus wurde über dem Lagerfeuer langsam geröstet, und sollte auf diese Weise verhindern, daß das Mädchen im Erwachsenenalter von Läusen befallen wurde.

Auch in den Ritualen der Diegueno spielte die Erziehung eine gewichtige Rolle. »Alles, was ein Mädchen wissen mußte, um eine gute Ehefrau zu sein, wie man Kinder bekam und sie versorgte, wurde mittels der Zeremonie zu der Zeit vermittelt, als ein Mädchen zur Frau wurde«, berichtet Delfina Cuero in ihrer Autobiographie. »Wir wurden die ganze Zeit über von unseren Müttern und Großmüttern unterwiesen, wie man mit Nahrungsmitteln und Kräutern umgeht und nützliche Gegenstände herstellt. Doch nur während der Zeremonie für Mädchen war die angemessene Gelegenheit gegeben, die besonderen Fakten zu vermitteln, die eine Frau wissen mußte. Niemand sprach über diese Dinge, sie waren alle in den Liedern enthalten.«[5]

Als jedoch Delfina in die Pubertät kam, so um 1911 oder 1912, waren die alten Zeremonien bereits im Verfall begriffen, was auf das Drängen christlicher Missionare zurückzuführen ist, und sie wurde nicht in der Lebens- und Denkweise ihres Volkes unterwiesen. Sie war erst dreizehn Jahre alt, als sie heiratete und schwanger wurde; sie wußte nicht, was in ihr vorging, und niemand klärte sie darüber auf. Infolge ihrer völligen Unwissenheit über Schwangerschaft und Gebären brachte sie ihr erstes Kind verängstigt und allein zur Welt, als sie außerhalb des Dorfes Nahrungspflanzen sammelte. In ihrem Eifer, sämtliche heidnischen Zeremonien zu unterbinden, zerstörten die Missionare das erzieherische, moralische und ethische System, das in die religiöse Zeremonie integriert war, was zur Folge hatte, daß viele Diegueno-Frauen jener Zeit ihre erstgeborenen Kinder verloren.

Wenn auch die große Mehrheit der nordamerikanischen Stämme harte Arbeit in die Pubertätsriten des jungen Mädchens einbezog, so blieb doch eine ganz andere Ethik in der Oberklasse der Stämme entlang der Nordostküste des Kontinents erhalten, die Sklaven besaßen. Dort war es den Mädchen nicht gestattet, während seiner Isolation irgendwelche Arbeit zu verrichten; statt dessen wurden sie von Dienern versorgt, die zuweilen – Geste der Großzügigkeit – am Ende des Rituals vom Vater des Mädchens freigelassen wurden. Bei den Coast-Salish-Stämmen wurden junge Mädchen aus gutem Hause angehalten, die Eheschließung mit einem reichen Herrn als ihr höchstes Lebensziel anzusehen, und die Restriktionen, denen sie während der Pubertät unterlagen, galten als Hilfestellung zur Erreichung dieses Ziels. In manchen Dörfern wurde das junge Mädchen, ob es nun seine erste Menstruation bereits erlebt hatte oder nicht, in einem bestimmten Alter in einem kleinen Abteil in dem hölzernen Langhaus, in dem ihre Familie lebte, eingeschlossen. Mehrere Jahre lang wurde sie nun ohne Umgang mit anderen Menschen gehalten und durfte nur bei Nacht nach draußen gehen – und dies auch nur in aller Heimlichkeit und in Begleitung der Mutter. Sie tat den ganzen Tag über nichts; die fortgesetzte Untätigkeit und Abgeschlossenheit ließen sie blaß und schwach und letztlich unfähig werden, irgendwelche körperlichen Arbeiten zu verrichten. Diese Jahre verkrampften Sitzens riefen bisweilen eine teilweise Verkrüppelung der Beine des Mädchens hervor, und Frauen der Oberklasse hatten vielfach als Erwachsene Schwierigkeiten mit dem Laufen. Nichtsdestoweniger wurden diese körperlichen Gebrechen als Zeichen wahrer Aristokratie gewertet, und gerade solche Mädchen wünschten sich adlige Familien als Frauen für ihre Söhne. Diese Mädchen wurden derart gewissenhaft im Verborgenen gehalten, daß sie eine Aura des Geheimnisses umgab, was sie für mögliche Bewerber zusätzlich attraktiv machte.

Doch wie bereits erwähnt, setzte solche Behandlung junger Mädchen den Luxus von Sklaven voraus, daher war sie bei den nordamerikanischen Eingeborenen nicht häufig zu finden. Die meisten Stämme werteten Fleiß und handwerkliche Kompetenz als höchste Tugenden.

Freudvolle Pubertätsfeierlichkeiten

Bei vielen Stämmen folgte auf die Disziplinierungs- und Indoktrinationsphase in den Pubertätsriten des jungen Mädchens eine festliche Zeremonie. Chona, eine Papago-Frau, die ihre Erinnerungen an die Anthropologin Ruth Underhill weitergegeben hat, berichtet folgendes über ihre Erlebnisse:

Sobald sie sich über ihren Zustand klargeworden war, bezog Chona Wohnung in einer sehr kleinen Hütte, dem sogenannten »Kleinen Haus«, hinter dem Wohnsitz der Familie. Ihre Mutter fertigte ihr eine besondere Schüssel und Tasse aus Ton an, ihr Vater schnitzte ihr einen Kratzstock, und man wählte eine ältere, hochgeschätzte Verwandte als ihre Lehrerin aus. Chona mußte vier Tage in der Hütte bleiben, und jeden Morgen wurde sie von der älteren Frau geweckt, die sie drängte, sie solle aufstehen und Wasser und Feuerholz holen gehen. Chonas Dorf lag in beträchtlicher Entfernung von der Wasserquelle; daher mußten die Frauen die Wüste durchqueren und zu den Bergen gehen, und sie mußten das Wasser ins Dorf getragen haben, ehe der Tag anbrach.

Nachdem die Arbeiten verrichtet waren, unterhielt sich die ältere Frau mit Chona, hielt sie zu Fleiß an und unterwies sie in sinnvoller Haushaltsführung. Während die Frau sprach, kamen auch andere junge Mädchen herbei, setzten sich nahe dem Kleinen Haus nieder und hörten zu. Die Besucherinnen durften nie sehr nahe an das Mädchen herankommen, allerdings doch wieder nahe genug, um mit ihr zu lachen, zu singen und ihr die Zeit vertreiben zu helfen.

Als die vier Tage vergangen waren und von dem Papago-Mädchen keine Gefahr mehr ausging, bereitete ihm seine Mutter ein Bad, das zugleich ein besonderes Ritual zum Schutz gegen die Kälte darstellte. Während das Wasser über Chonas Haar und Rücken lief, sagte ihre Mutter den folgenden Spruch auf:

Heil!
Ich werde dies über dich ausgießen.
Du wirst eine sein, die Kälte erträgt.
Du wirst dir nichts aus Kälte machen.[6]

Dann begannen die wirklichen Feierlichkeiten. Alle Leute im Dorf wußten, daß Chona gerade zum erstenmal im Kleinen Haus gewesen war, und sie hielten sich bereit zum Tanzen und Feiern. Ein alter Mann, der alle zeremoniellen Gesänge kannte, wurde gebeten, seines Amtes zu walten, und das abendliche Tanzen hielt einen ganzen Monat lang an. Jeden Abend nach Einbruch der Dunkelheit kamen alle Dörfler, die von der durchtanzten Vornacht nicht zu müde waren, zu Chona und ihren Eltern und tanzten bis unmittelbar vor Morgengrauen. Die Tänzer hatten sich in zwei langen Reihen aufgestellt, die einander das Gesicht zuwandten, Frauen und Männer jeweils abwechselnd in einer Reihe.

Gesang für junge Mädchen
(Papago)

Arme kleine Jungfrau!
Am Abend wirst du Händchen halten.
Am Abend komme ich und eile hierher,
Hierher eile ich und singe.
Die Gesänge folgen aufeinander in ihrer Reihenfolge.
Die leuchtende Spottdrossel
Hat am Abend nicht schlafen können.

Als der Mond mitten am Himmel stand,
Ist sie zum Tanz der Jungfrau gelaufen.
Beim frühen Morgengrauen
Hat sie ihren Gesang hoch erhoben.[7]

Während der langen durchtanzten Nächte war die Sexualmoral des Dorfes gelockert, und nicht selten verschwanden Frauen mit Männern in der Dunkelheit, die nicht ihre Ehemänner waren. Ruth Underhill hat behauptet, diese Zeit der erlaubten Promiskuität habe einen Beigeschmack von Fruchtbarkeitszauber gehabt. Allerdings handelte es sich um ein Privileg ausschließlich der erwachsenen Frauen. Chona nahm jeden Tanz wahr, all die langen, dunklen, kühlen Nächte hindurch. Wenn das Tanzen aufhörte, fiel sie erschöpft ins Bett, um kurz darauf mit Befehlen geweckt zu werden, sie solle Holz und Wasser holen und das Getreide mahlen. »Wenn du jetzt, zu dieser Zeit, schläfst, wirst du dein ganzes Leben lang schläfrig sein«, ermahnte man sie. Chona erinnerte sich, wie sie den Gesängen der Jungfrauentänze gelauscht hatte, als sie noch jünger war, und wie ihr Vater es abgelehnt hatte, sie an den Tänzen teilnehmen zu lassen; nun aber, da sie selbst an der Reihe war, war sie so schläfrig, daß sie nur noch nach Hause gehen und schlafen wollte.

Nicht alle Indianerstämme forderten von ihren pubeszenten Mädchen eine Zeit der Abgeschiedenheit. Bei den Gabrielino im Süden von Kalifornien war die Pubertätszeremonie nicht eine Schutzmaßnahme gegen böse Kräfte, sondern die angenehme Einführung einer heiratsfähigen jungen Frau in die Gesellschaft.

Die Zeremonie begann mit einer Überprüfung der Tugendhaftigkeit des Mädchens: Wenn es ihr gelang, ein großes Knäuel Tabak hinunterzuschlucken, ohne es wieder hervorzuwürgen, galt sie als keusch; erbrach sie die unangenehme Masse, wurde ihr bisheriges Verhalten unter die Lupe genommen und argwöhnisch untersucht. Nach dieser Prüfung lag das Mädchen drei Tage lang bis zum Hals eingegraben in einer langen Grube, die mit heißen Steinen aufgeheizt wurde. Sie durfte die Grube nur einmal alle 24 Stunden verlassen, wenn die Steine neu aufgeheizt wurden. Während dieser Zeit stand das Gabrielino-Mädchen im Mittelpunkt stundenlangen Tanzens und Singens.

Die Havasupai-Indianer, die in den Tiefen des Grand Canyon lebten, »rösteten« pubeszente Mädchen ebenso, wie es die Gabrielino taten, nur war bei ihnen das Zeremoniell ein privater Familienritus. Die Anthropologin Carma L. Smithson, die die Havasupai erforscht hat, kommt zu dem Schluß, daß diese Zeremonie für die junge Frau psychisch sehr bedeutsam war, da sie körperlich und hinsichtlich ihres Status innerhalb des Stammes zahlreiche tiefgreifende Wandlungen durchlebte. Die Riten dienten dazu, eine für das Mädchen schwierige Erfahrung zu dramatisieren, indem sie dieses Erlebnis gemäß seiner Bedeutung herausstrichen und die mögliche unangenehme Seite der körperlichen Wandlung auf ein Minimum reduzierten, indem sie die Aufmerksamkeit auf Ritual und Symbolismus sowie auf die Bedeutung zukünftiger fraulicher Pflichten verlagerten.[8]

Sowohl die Pubertätstänze der Navajo wie die der Apachen sind festliche Zeremonien und werden heute noch nach alter Tradition abgehalten. Die Navajo veranstalten eine viertägige Zeremonie namens *kinaalda.* Jeden Morgen steht das pubeszente Mädchen bei Morgengrauen auf und läuft in östlicher Richtung davon, und genau zur Mittagsstunde wiederholt sie den Lauf. Und jeden Tag wird für sie die Formgebungszeremonie veranstaltet, bei der sie auf einer Decke vor dem *hogan,* dem Heim der Familie, liegt. Eine ältere Frau massiert ihren Körper und glättet ihr Haar, um sie wohlgeformt und hübsch zu machen. Während der ersten drei Tage der Feiern mahlt das Mädchen Mais, und am vierten Tage wird das Maismehl, das sie produziert hat, zu einem großen runden Kuchen verarbeitet, der in einem irdenen Ofen gebacken wird. Ein Mann, der die überlieferten Gesänge kennt, leitet das Singen, das die ganze Nacht über anhält, während der Kuchen gebacken wird. Die Sänger, das Mädchen und alle anderen Leute in dem *hogan,* in dem die Zeremonie stattfindet, müssen die ganze Nacht über wach bleiben, weil ansonsten das Mädchen von Unglück heimgesucht wird. Am Morgen wird der Kuchen sorgsam herausgeholt, und die junge Frau verteilt große Stücke davon an die Sänger und kleinere Stücke an alle ihre Freunde und Verwandten, die an der Zeremonie teilgenommen haben und die ganze Nacht wach geblieben sind.

Der viertägige Pubertätsritus der Apachen ist eine Zeit des Glücks und des Zusammengehörigkeitsgefühls. Eine kleinere Feier wird abgehalten, wenn das Mädchen zum erstenmal menstruiert, die größere jedoch wird für den folgenden Juli oder August anberaumt. Die Feierlichkeiten sind immer überaus kostspielig, wobei sich die Ausgaben heute auf ein- bis sechstausend Dollar belaufen, und es wird von allen Verwandten und Freunden des Mädchens erwartet, daß sie Geld und Nahrungsmittel beisteuern. Es ist der Familie immer angenehm, wenn die erste Menstruation des Mädchens im Herbst oder Winter einsetzt, weil dies der Familie einige Monate mehr Luft verschafft, um für das sommerliche Ritual zu sparen. Heutzutage können nicht alle Apachen-Familien es sich leisten, ihren Töchtern die übliche Pubertätszeremonie zu ermöglichen, und bisweilen weigert sich auch ein Mädchen, die Festlichkeiten zu veranstalten, weil es zu schamhaft ist oder die alten Traditionen ablehnt.

Während der Monate der Vorbereitung auf die Sommerzeremonie wird ein Medizinmann gewählt, der das Singen leitet, und eine ältere Frau von untadeligem Ruf wird gebeten, die Rolle der Patin des Mädchens zu übernehmen. Vier Tage vor der Zeremonie beginnen intensive Vorbereitungen; dann ziehen die Familie des Mädchens und seine Verwandten sowie die Patin und deren Angehörige zum vorgesehenen Festplatz, errichten Schutzdächer aus Gestrüpp, säubern den Tanzboden von Gras und Steinen und sammeln Holz für riesige Feuer.

Am Abend vor Beginn der Hauptzeremonie sind dann alle Gäste eingetroffen, und manche von ihnen haben weite Reisen auf sich genommen, um an dieser beliebten Feierlichkeit teilzunehmen. Die junge Frau wird den Gästen vorgestellt, und dann beginnt das Tanzen und Trommeln. Die Leute haken einander unter und bilden lange Reihen, und sie tanzen vier Schritte auf das Feuer zu und vier Schritte zurück. Das Mädchen, für das die Zeremonie veranstaltet wird, tanzt Seite an Seite mit einem anderen jungen Mädchen, das ungefähr gleichaltrig ist und als seine Begleiterin während des Rituals fungiert. Und obwohl die übrigen Leute in gehobener Stimmung sind, tanzen und Freunde begrüßen, muß die Gefeierte mit gesenktem Blick tanzen und einen ernsten Gesichtsausdruck wahren.

Die Hauptzeremonien beginnen bei Sonnenaufgang. Die Feierlichkeiten sind im wesentlichen erzieherischer Natur, und die junge Frau wird durch symbolische Handlungen mit den vier Lebenszielen der Apachen vertraut gemacht: körperliche Kraft und Ausdauer, ein guter Charakter, Wohlergehen und Wohlstand sowie ein zufriedenes, gesundes Alter ohne körperliche Beeinträchtigung. Die Zeremonie kann für das Mädchen sehr anstrengend und ermüdend sein. Einige Teile des Ritus verlangen von ihr, zwei oder mehr Stunden lang mit kleinen Hüpfschritten auf der Stelle zu tanzen, wobei sie ein schweres, mit unzähligen Perlen verziertes Kleid aus Rehbockfell trägt; sie tanzt der aufgehenden Sonne entgegen.

Während des Singens und Tanzens – beide haben gleichermaßen eine gesellige und eine religiöse Funktion – erlangt das junge Mädchen die Kraft von Changing Woman (auch White Painted Woman genannt), die zu den legendären Gründern der Apachen-Kultur zählt. Changing Woman ist nie gestorben, und daher ist ein Teil der Kraft und Macht, die sie verleiht, die Langlebigkeit.

Wie Changing Woman sich jung erhält
(Apache)

Wenn Changing Woman ein bestimmtes Alter erreicht, geht sie in östlicher Richtung spazieren. Nach einer Weile sieht sie sich selbst in einiger Entfernung als ein junges Mädchen, das auf sie zugeht. Beide gehen, bis sie sich begegnen, und danach ist nur noch eine von ihnen da. Sie ist wieder wie ein junges Mädchen.[9]

Während des größten Teil der Zeremonie wird die Kraft und Macht des jungen Mädchens zu ihrem eigenen Vorteil benutzt, aber in den vier Tagen, die auf die Hauptzeremonie folgen, ist es – so wird geglaubt – fähig, die Kranken zu heilen und Regen herbeizubeschwören.

Tanzlied beim Pubertätsritus
(Apache)

I

Ich komme zu White Painted Woman,
Durch ein langes Leben komme ich zu ihr.
Ich komme zu ihr durch ihren Segen,
Ich komme zu ihr durch ihr gutes Schicksal,
Ich komme zu ihr durch all ihre verschiedenartigen Früchte;
Mittels des langen Lebens, das sie verleiht, komme ich zu ihr;
Mittels dieser heiligen Wahrheit wandert sie umher.

II

Ich bin darauf und daran, diesen deinen Gesang zu singen,
Diesen Gesang des langen Lebens.
Sonne, ich stehe hier auf der Erde mit deinem Gesang;
Mond, ich habe deinen Gesang unterbrochen.[10]

Obwohl die junge Apachen-Frau wußte, daß ihr Leben als Frau weit beschwerlicher werden würde als dasjenige, das sie als Kind geführt hatte, war ihre Einführung in die Erwachsenenrolle von so viel Ritual und Feiern begleitet, daß sie kaum Sehnsucht verspürte, ihren vorherigen Status zurückzuerhalten.

Die Bedeutung der Rituale und Tabus

Alle Stämme, die Pubertätszeremonien veranstalteten, nahmen diese sehr ernst. Ein Mädchen konnte nicht nur sich selbst, sondern auch alle anderen Dörfler und die eigene Familie in Gefahr bringen, wenn es die Überlieferungen und Tabus mißachtete.

Die Papago erzählen die Geschichte von einem Mädchen, das zu einer Gefahr wurde, eben weil es die Vorschriften nicht eingehalten hatte. Alle Dorfbewohner waren draußen auf den Feldern, und das Mädchen war bei ihnen, lachte und vergnügte sich. Als es zu regnen begann, liefen das Mädchen und seine Schwestern heim, um das Bettzeug der Familie hereinzuholen, denn es war warm gewesen, und sie hatten draußen geschlafen. Donner grollte, und aus dem Haus des Mädchens war ein langgezogener Seufzer zu vernehmen. Die Leute auf dem Feld rannten herbei und fanden die Familie benommen auf dem Boden liegend; die eine Schwester war erblindet, und die andere, die das Tabu verletzt hatte, war tot. Dann brannte die Reisighütte völlig nieder.

Bei den Lower Chinook waren die Mädchen ermahnt, während der Menstruation nicht außer Haus zu gehen, wenn der Südostwind Regen ankündigte. Man glaubte, Too-lux, der Südwind, werde dadurch beleidigt, wenn er ein solches Mädchen auf seinem Wege fände, und er würde Hah-ness, den Donnervogel, senden, der mit Flügelschlägen rollenden Donner erzeugte und durch Augenzwinkern Blitze auslöste. Alle Gewitterstürme im Heimatgebiet der Lower Chinook und alle daraus erwachsenden Folgen wurden Mädchen zugeschrieben, die während ihrer Reinigungsperiode das Haus verlassen hatten.

Die Märchen und Legenden untermauern die Tabus. Bei den Quinault des Küstenstaates Washington und ihren Nachbarn, den Queet, mußten Mädchen auf den Genuß von frischem Fisch und Fleisch fünf Monate lang verzichten. Von einem Queet-Ehepaar und seiner pubeszenten Tochter geht folgende Geschichte um: Die drei besuchten eine Zeitlang Verwandte in einem Quinault-Dorf, das in der Nähe eines Sees gelegen war. Bald darauf unterbrach der Rotlachs seine Wanderung, und die Leute mutmaßten, das zu Besuch weilende Mädchen habe sein Fastenritual gebrochen, indem es frischen Lachs gestohlen und verzehrt habe. Die Fischer reagierten wütend und aufgebracht, weil ihre Netze und Reusen leer blieben. Was ihren Nahrungsnachschub gefährdete, bedrohte ihr Leben. Daher ergriffen sie das verdächtigte junge Mädchen und ruderten mit ihm flußabwärts. Als sie an eine Flußstauung aus großen verkanteten Baumstämmen kamen, die sie der Verletzung der Tabus zuschrieben, banden sie schwere Steine an den Körper des Mädchens und warfen es ins Wasser. Es heißt, niemand habe sich über den Vorfall aufgeregt, aber danach habe jeder sorgsam darauf geachtet, das Pubertätsritual voll einzuhalten.

Der monatliche Rückzug in die Abgeschiedenheit

Die Vorstellungen hinsichtlich der Unreinheit und Gefährlichkeit des Menstrualblutes waren in manchen Gesellschaften so tief verwurzelt, daß die Frauen von der Menarche bis hin zur Menopause – also etwa fünfundzwanzig bis dreißig Jahre lang – gezwungen waren, sich bei jeder Menstruation in die Isolation zurückzuziehen. Da die eingeborenen amerikanischen Frauen normalerweise schwanger waren oder Kleinkinder säugten, menstruierten sie im allgemeinen nicht so häufig wie heutige Frauen; insofern war auch das Einsetzen der Menstruation bei ihnen ein eher außergewöhnliches Ereignis.

Wenn Chickasaw- und Creek-Frauen im Süden sich während ihrer Menses nicht in die Abgeschiedenheit zurückzogen, begingen sie damit ein Verbrechen, das allenfalls noch mit Mord oder Ehebruch verglichen werden konnte. Man erwartete, daß sie sich in Gestrüpphütten, in die »Mondhäuser«, verkrochen, die außerhalb der Dörfer lagen. Dies war recht gefährlich, zumal bisweilen Krieger aus verfeindeten Nachbarstämmen in der Nähe lauerten und darauf warteten, die Frauen zu töten. Blieb aber eine Frau während ihrer Periode im Dorf, mußte sie für jedes Mißgeschick geradestehen, das ihren Nachbarn widerfuhr.

Ehe sie nach jedem vorübergehenden Aufenthalt in der Zweithütte in ihr Dorf zurückkehren durfte, mußte die Creek-Frau in tiefem, fließendem Wasser baden – selbst wenn sie das Eis aufbrechen mußte. Wenn sie zum Wasser ging, mußte sie dies sozusagen im Windschatten aller möglicherweise anwesenden Männer tun, und überdies mußte sie ihr Bad stromab von jedem gleichfalls badenden Mann nehmen.

Anscheinend befürchtete man, diese sogenannte schreckliche und gefährliche Verunreinigung würde den Erfolg einer Jagd beeinträchtigen, die Feldfrüchte ruinieren oder die spirituellen Kräfte eines Mannes reduzieren. Weitverbreitete Tabus, die menstruierenden Frauen den Genuß von frischem Fleisch untersagten, standen in unmittelbarem Zusammenhang mit der Furcht, in Zukunft könne auf der Jagd kein Wild erlegt werden; allerdings wurden gewöhnlich noch andere Gründe für die Sanktionen angeführt. Creek-Frauen mußten auf Fleisch von Großtieren verzichten; die Kaska im Norden durften kein Fleisch vom Elchkopf und kein Elchmark essen. Andere Gruppen glaubten, der Verzehr von Fleisch (die Yokut) und Fisch (die Cocopah) führe zur Unfruchtbarkeit. Menstruierende Irokesen-Frauen durften kein Fleisch berühren, das zur Konservierung oder zum allgemeinen Genuß bestimmt war, und Eyak-Frauen durften während der Menstruation frisches Fleisch nicht einmal anschauen.

Die Jäger mieden jeden Kontakt mit menstruierenden Frauen. In Washington glaubten die Lummi-Ehemänner, Menstrualgerüche würden an ihrem Körper haftenbleiben und von dem Wild, dem sie auflauerten, gewittert werden. Bei den Chipewyan in der Subarktis galt es als schädlich, wenn männliche Jäger Menstrualblut berührten, denn man glaubte, Wild und Fische könnten eine derartige Verunreinigung nicht ertragen. Quinault-Frauen mußten während ihrer Menses fünf Tage lang im Hause bleiben, und wenn ihr Ehemann zu jener Zeit gerade auf die Jagd zu gehen beabsichtigte, zog er aus der gemeinsamen Behausung aus und kampierte in den Wäldern. Wenn er eine menstruierende Frau auch nur zu Gesicht bekam, mußte er zehn Tage lang baden und sich reinigen, ehe er die Jagd wiederaufnahm.

Im Gegensatz zu dem allgemeinen Brauch, Frauen während ihrer Periode aus dem Wege zu gehen, machte sich eine bestimmte Gruppe der Mandan in Norddakota die Dienste menstruierender Frauen bei der Adlerjagd mit Fallen zunutze. Diese atypische Praxis basierte auf einem Stammesmythos hinsichtlich der vor langer Zeit erfolgten Gefangennahme der Führerin der Adler, die als Gegenleistung für die Schonung ihres Lebens außerordentlichen Jagderfolg versprochen hatte, sofern ihr Lied gesungen wurde, sobald eine menstruierende Frau in die Zeremonialhütte gebracht wurde.

In vielen Stämmen hingen nicht nur der Jagderfolg, sondern auch die Gesundheit und die Kraft des Mannes von der Umsicht seiner Frau während ihrer Menses ab. Wenn bei den Nisenan, die in der Nähe des Sacramentotales in Kalifornien lebten, eine Frau während ihrer Periode ihren Mann berührte oder über ihn hinwegstieg, wurde er – so glaubte man – gelähmt. Bei den Komantschen in Texas galt es als ausgemachte Sache, daß Menstrualblut Mannesstärke zunichte machte; daher mußte jede Ehefrau allmonatlich für einige Tage aus dem gemeinsamen Tipi ausziehen. Besaß sie kein eigenes Tipi, konnte sie zu ihren Eltern ziehen; die Medizin (der Lebensgeist) alter Leute galt als zu schwach, um durch die Anwesenheit einer menstruierenden Frau beeinträchtigt werden zu können.

Die Assiniboine, die im Mittelwesten entlang der amerikanisch-kanadischen Grenze leben, verstanden das Problem möglicher Verunreinigung etwas anders. Menstruierenden Frauen war untersagt, sich einem Medizinbündel zu nähern, das geheiligte Gegenstände enthielt. Doch mußte bei ihnen nicht die Frau allmonatlich außer Haus ziehen, sondern der Ehemann trug einfach das Bündel aus der Hütte. Näherte sich eine menstruierende Frau einer anderen Hütte, gab sie schlicht ihren Zustand laut bekannt, damit das Bündel nötigenfalls rechtzeitig entfernt werden konnte. Man glaubte darüber hinaus, daß eine menstruierende Frau unablässig weiter menstruieren würde, wenn sie eine Hütte betrat, in der das Bündel noch aufbewahrt wurde.

Bei den Navajo in Arizona konnten menstruierende Frauen ungehindert in ihren *hogans* ein und aus und ihren täglichen Verrichtungen nachgehen, doch die Menstrualblutung selbst galt als außerordentlich gefährlich, und Männer achteten sorgsam darauf, daß sie dies Blut nicht zu Gesicht bekamen, nicht berührten und nicht verzehrten. Berührung dieses Blutes verursachte – so meinte man – einen Buckel, und die Angst war weit verbreitet, eine Frau könnte das Menstrualblut absichtlich jemandem ins Essen mischen, um ihn zum Krüppel zu machen. Menstruierenden Navajo-Frauen war es untersagt, *hogans* kranker Menschen zu betreten oder an einem Sand-Mal-Ritual teilzunehmen, das für einen Kranken abgehalten wurde, denn man meinte, ihre Anwesenheit würde den Patienten noch mehr schwächen. Sonderbarerweise herrschte auch der Glaube vor, ein Mann würde schwanger werden, wenn eine menstruierende Frau über ihn hinwegstieg. Als die Anthropologin Flora Bailey in diesem Punkt eingehender nachfragte, bestätigte ihr eine Navajo-Frau: »Es ist wahr. Man muß in dieser Hinsicht überaus vorsichtig sein.«[11]

Im Norden Mexikos wurden die Zuni-Frauen während ihrer Regelblutung nicht isoliert, sondern mit besonderer Rücksichtnahme behandelt. Ganz allgemein brauchten sie während dieser Tage nicht viel zu laufen und waren auch vom täglichen Wasserholen freigestellt. Sie verrichteten in der Hauptsache häusliche Arbeiten wie Weben und Maismahlen. Wenn ihnen unwohl wurde, banden sie sich einen erhitzten Stein vor den Bauch oder tranken heißen Wacholdertee.

Wenn auch viele Tabus das Verhalten menstruierender Frauen regelten, gab es doch in manchen Indianergesellschaften Möglichkeiten, diese Tabus zu unterlaufen. Paiute-Männer in Nevada näherten sich nie der Menstruationshütte, da man meinte, Krankheit und Tod folgten dem Kontakt mit einer menstruierenden Frau; wenn allerdings eine Frau wirklich zu Hause gebraucht wurde – etwa um ein krankes Kind zu versorgen –, konnte ein Schamane die nachteilige Ausstrahlung der Menstruierenden neutralisieren, indem er rote Farbe um ihre Handgelenke schmierte oder einen Kreis aus roter Farbe auf den Boden malte und sang. Die Pomo-Frau an der Küste Nordkaliforniens brauchte während der Periode keine Körbe zu flechten; sofern sie aber gerade an einem Korb flocht, wenn die Blutung einsetzte, und sie wollte die Arbeit nicht unterbrechen, genügte es, einige kurze Stückchen Schwanzfeder der Goldammer an dem Punkt einzuflechten, an dem sie angelangt war, und sie konnte ihre Flechtarbeit fortsetzen. Wenn Flathead-Frauen in Montana unabsichtlich ein Tabu gebrochen hatten, konnten sie eine Waffe unter der Eingangsschwelle verbergen und, ohne daran zu denken, darüber hinweggehen; dies minderte die Übertretung.

In manchen Fällen waren die Ehemänner gezwungen, allmonatlich gemeinsam mit ihren Frauen bestimmte Restriktionen einzuhalten. Dies war insbesondere bei den Pomo-Indianern der Fall. Wenn eine verheiratete Pomo-Frau ihre Tage hatte, siedelte sie sich in einem anderen Teil des Gebäudes an, und ihr Ehemann versorgte sie. Da die Pomo glaubten, es bringe Unglück, wenn ein anderer Mann mit dem Ehemann sprach oder ihn berührte, blieb er die vier Tage des Unwohlseins seiner Frau daheim in der Hütte. Am fünften Tage nahm er ein Bad, ehe er sich wieder der übrigen Gesellschaft anschloß. Wenn ein Pomo-Mann gerade mit einer Kriegergruppe aufgebrochen war, und seine Frau begann zu menstruieren, wurde ein Bote ausgesandt, um der Gruppe dies mitzuteilen. Dann wurde der Krieg sofort unterbrochen.

Auch bei den Papago herrschte der Glaube vor, die Menstruation der Frau schwäche den Ehemann; daher war es ihm verboten, sich während dieser Zeit einer Kriegergruppe anzuschließen. Augenscheinlich haben manche Papago-Frauen, die nicht wollten, daß ihre Männer in den Krieg zogen, ihnen erzählt, sie hätten die Tage, wenn dies gar nicht der Fall war. Dies rückte die Männer des Stammes in kein gutes Licht, und sie reagierten auf diese Art Täuschung erboster als auf jede andere Beleidung einschließlich Untreue.

Geschlechtsverkehr mit menstruierenden Frauen war fast überall verboten. Viele Stämme, unter ihnen die Hopi, Havasupai und Navajo, meinten, die beste Empfängnismöglichkeit sei während der Periode gegeben. In ihrer Untersuchung über die Omaha hat Margaret Mead herausgefunden, daß das Tabu »Kein Geschlechtsverkehr während der Periode« ursprünglich dazu gedacht war, die Kraft und die Fertigkeiten der Männer zu schützen, später aber die Funktion einer (angenommenen) Möglichkeit der Geburtenkontrolle gewann.[12] Obgleich die Navajo sich normalerweise hüteten, während der Tage Geschlechtsverkehr zu haben, nahmen sie gelegentlich das Risiko auf sich, wenn sie dringend Nachwuchs benötigten.

Hygiene und Linderungsmittel

Die Methoden der Menstrualhygiene waren bei den einzelnen Stämmen und Völkern unterschiedlich. Die Kaska-Frauen in Britisch-Kolumbien trugen während ihrer Periode ein besonderes, knielanges Kleid und einen Lendenschurz, der mit Moos ausgepolstert war; die Navajo-Frauen legten sich ein Stück Schafsfell um, das sie mit einem Strick um die Hüfte festbanden. Die Frauen der südöstlichen Salish-Stämme im nördlichen Washington stoppten die Blutung mit Teichkolben, und die Frauen der Washo in der Gegend des Lake Tahoe benutzten nordamerikanische Beifußrinde.

Zuni-Frauen breiteten eine dicke Lage aufgeheizten Sandes auf dem Boden ihres Heims aus; dann hockten sie sich über den Sand, die Kleider um die Hüften geschürzt. Eine Decke, die sie sich um die Schultern gelegt hatten, hing locker über dem Körper bis auf den Sand, um die Hitze zu halten.

Um Menstruationsschmerzen und -unregelmäßigkeiten zu behandeln, wurden verschiedene Pflanzenelexiere angewendet. Die Frauen im Pueblo San Ildefonso am Rio Grande in Neumexiko tranken einen Aufguß aus Getreidebrandpilz in Wasser und hielten auch Maismehl aus schwarzem Korn mit roten Streifen für lindernd. Cheyenne-Frauen, deren Periode länger anhielt als üblich, bereiteten sich einen starken Tee aus den zerstoßenen Stielen und Blüten eines wildwachsenden Krauts *(Eriogonum subalpinum)*. Ein oder zwei Eßlöffel von dem Tee sollen bereits Wunder gewirkt haben.

Manchmal blieb bei Frauen, auch wenn sie nicht schwanger waren, die Regelblutung aus. Die Apachen sahen darin eine schwere, bisweilen tödliche Krankheit, die sie »Das Blut ist in ihr« nannten. Die Behandlung, die nur von einer Person mit besonderem Wissen durchgeführt werden konnte, bestand zum Teil aus der Zubereitung eines Tees mit Splittern von einem Ast, der vom Blitz getroffen worden war. Der Tee wurde mit geweihten Pollen zu einem magischen Getränk gemacht und von der Leidenden getrunken.

Es wird berichtet, daß eine Cahuilla-Frau, die in der Wüste von Südkalifornien lebte, nach Monaten, in denen sie keine Blutung gehabt hatte, zu einem Medizinmann ging. Der Medizinmann wartete den folgenden Neumond ab und steckte sich einen langen Stock in die Nase, bis sie blutete. Er fing das Blut mit den Händen auf und verrieb es über den gesamten Unterleib der Frau. Am nächsten Tag bekam sie ihre Periode und hatte damit fortan nie wieder Schwierigkeiten.

Die Mythen und Legenden bezüglich des Grundes der Menstruation und der sie umgebenden Tabus mögen den frühen eingeborenen Amerikanern als Begründung ausgereicht haben, den heutigen Anthropologen dagegen genügen sie als Erklärung nicht.

Zahlreiche Experten haben nach stärker wissenschaftlich fundierten Theorien geforscht, was hinter den Menstrualtabus steckt und weshalb sie aufrechterhalten wurden, doch sind sie auf diesem Wege nur zu wenigen Schlußfolgerungen gelangt, die als unanfechtbar angesehen werden können. Nach einigen Anthropologen neigen Gesellschaften desto stärker zur Beschwörung von Menstrualtabus, je stärker die gesellschaftliche Arbeits- und Funktionsteilung geschlechtsspezifisch nach »männlichen« und »weiblichen« Rollenmustern erfolgt. Andere Gelehrte haben die Logik dieser Beobachtung umgekehrt, indem sie behauptet haben, der Schrecken des primitiven Menschen vor der Menstruation sei die Ursache der ausgeprägten Geschlechtertrennung, wie sie in den meisten Stämmen anzutreffen ist.

Entgegen diesen Theorien haben wieder andere, die sich zu dem Thema geäußert haben, die Auffassung vertreten, es bestehe nicht notwendigerweise eine Beziehung zwischen den körperlichen Gegebenheiten der Menstruation und den Tabus, da die Menstruation in allen Gesellschaften zu finden sei, hingegen aber nicht alle Gesellschaften Menstrualtabus kennten. Sehr einfach gefaßt, lautet der nächste logische Schritt, Menstrualtabus seien tatsächlich ein institutionalisierter Modus der Männer in weniger entwickelten Gesellschaften, die Frauen zu diskriminieren, und obgleich man eine beliebige Zahl von Gründen anführen kann, um solche Diskriminierung zu rechtfertigen, seien die Tabus an die Menstruation gebunden gewesen, weil sie nun einmal bequemerweise bei allen Frauen auftritt.

Es sind noch weitere mögliche Gründe und Ursachen der Menstruationstabus untersucht und verworfen worden. Zum Beispiel haben statistische Korrelationen – ein beliebtes Instrument der Gelehrten – keinerlei Zusammenhang zwischen Menstrualtabus und Ekel vor den Fäkalien oder zwischen der Strenge der Bräuche und der Stellung der Frau in der jeweiligen Gesellschaft ergeben. Eine aufschlußreiche Untersuchung hat die Strenge der Tabus in Beziehung gesetzt zum Grad der Nachteile, die die zeitweilige Abwesenheit der Frau von ihrem Heim mit sich bringt. Allgemein formuliert, hat die Studie gezeigt, daß Gesellschaften weniger geneigt sind, auf der Einhaltung des Brauchs zu beharren, wenn nicht andere Ehefrauen oder verwandte Frauen verfügbar sind, die die täglichen Haushaltspflichten wahrnehmen, solange eine von ihnen sich in der Menstrualhütte aufhalten muß.

Sobald eine Gesellschaft ihre Tabus für Frauen bis zu dem Punkt entwickelt hatte, Frauen von den Initiationsriten des Stammes auszuschließen – vor dem Hintergrund, daß eine von ihnen gerade menstruieren und damit die gesamte Zeremonie zunichte machen könnte –, wurde ein eigener Pubertätsritus für Mädchen zur Notwendigkeit. (Manche Anthropologen neigen zu der Auffassung, der Pubertätsritus sei in nordamerikanischen Jäger- und Sammlergesellschaften derart universell verbreitet, daß dies auf eine Genesis hindeutet, die weit bis zu den Proto-Ameriko-Indianern Asiens zurückreicht.)

Der Initiationsritus für Frauen scheint in solchen Gesellschaften die vorrangigste Rolle gespielt zu haben – und daher auch am häufigsten praktiziert worden zu sein –, in denen der Ehemann nach der Eheschließung seinen Wohnsitz im Heim der Braut nahm. Da das Mädchen seine Entfaltung vom Kind zur Frau und weiter zur Ehefrau in ein und demselben Hause vollzog, waren gewisse besondere Maßnahmen vonnöten, um ihren Statuswechsel zu proklamieren. Die Pubertätsriten für Mädchen waren auch in den Gesellschaften üblich, in denen den Frauen eine wichtige wirtschaftliche Rolle zukam. Durch die verschiedenen Teile des Ritus wurden sowohl dem Mädchen als auch der Gesellschaft garantiert, daß die junge Frau die Kompetenz besaß, ihre neuen Pflichten als Erwachsene zu erfüllen. Einiges spricht dafür, daß die Schwere des Trainings während des Pubertätsritus möglicherweise in Beziehung zu der Behandlung stand, die die Gesellschaft ihren Kindern zuteil werden ließ. Wenn Jungen und Mädchen gleich behandelt wurden, wurde das junge Mädchen normalerweise nicht sonderlich intensiv in den Verrichtungen und Verhaltensweisen trainiert, die von ihr als Erwachsener erwartet wurden. Daher war es notwendig, die Bedeutung der Erwachsenen-Frauen-Rolle in der Pubertät besonders hervorzuheben.

Aber wie nun war es um die Frauen selbst bestellt? Wie sahen sie die Menstruationsbräuche, die ihr Leben so viele Jahre lang bestimmten? Uns kommt die Praxis, Frauen aufgrund einer natürlichen und gesunden Gegebenheit von Herd und Heim zu verbannen, schroff und grausam vor. Aber die Männer machten nur die Hälfte der Bevölkerung der Stämme aus, und es wäre ihnen unmöglich gewesen, diese Bräuche und Sitten durchzusetzen, wenn die Frauen nicht mitgezogen hätten. Weshalb also haben die Frauen nicht rebelliert und sich geweigert, sich einmal im Monat für einige Tage in den Wäldern zu verkriechen?

Werfen wir einen kurzen Blick auf den Lebensvollzug der eingeborenen amerikanischen Frau. In früheren Zeiten war harte Arbeit das tägliche Los aller Gruppen, wenn auch Mutter Erde reich war und gut für ihre Kinder sorgte. Es gab Felder zu bestellen, zu überwachen und abzuernten; Wildfrüchte mußten gesammelt, getrocknet und gelagert werden; Fleisch mußte zu Charque (an der Luft getrocknetes Fleisch) verarbeitet, Häute mußten gegerbt und daraus Kleidung und Tipis angefertigt werden.

Wenn eine Indianerfrau eine Mahlzeit bereitete, mußte sie dies von A bis Z tun: vom Säen des Maiskorns und Zerlegen des Büffels oder Rotwildes bis zum Umfüllen des fertigen Gerichts in Tongefäße oder Körbe, die sie hergestellt hatte – und dies alles neben dem Gebären und der Aufzucht der Kinder. Wen nimmt es da noch wunder, wenn eine allmonatliche viertägige Ruhepause als willkommene Tradition begriffen wurde? Sieht man von der Furcht ab, von Feinden angegriffen zu werden, ohne den Schutz des Dorfes zu genießen, waren es keine schlechten Ferien, allein oder in Gesellschaft einiger anderer Frauen in einer abgelegenen Hütte in Ruhe und Frieden zu verweilen, nur für sich selbst kochen zu müssen und ab und an in einem Bach zu baden.

Ein Anthropologe berichtet, im subarktischen Saskatchewan hätten die Chipewyan-Frauen den wahren Charakter des Menstruationszyklus vor den Männern geheimzuhalten versucht. Wenn eine Frau ihrem Ehemann aus dem Wege zu gehen trachtete – und dies konnte mehrmals im Monat der Fall sein –, kroch sie einfach aus der Hütte und zog sich in die Menstruationshütte zurück.[13]

4. KAPITEL

DIE LEBENSGEMEINSCHAFT

Mrs. Antelope, eine wohlhabende, verheiratete Frau aus dem Stamm der Cœur d'Alene. *(Rodman Wanamaker, American Museum of Natural History)*

Sobald ein junges Indianermädchen in die Pubertät kam und den Erwachsenenstatus erlangte, wurden Pläne für die Heirat geschmiedet.

Ein Mädchen hatte kaum die Wahl, ob es heiraten wollte oder nicht. In den frühen indianischen Gesellschaften war für unverheiratete Frauen kein Platz. In den meisten Stämmen galt die Frau als natürliche Ergänzung des Mannes; keiner von beiden war komplett ohne den anderen. Die Frau war vom Mann der Nahrung und des Schutzes wegen abhängig, und der Mann brauchte eine Ehepartnerin, die seine Beute verarbeitete, die Häute gerbte, das Essen kochte und die Kleidung anfertigte. Alte Jungfern waren eine seltene Ausnahme und wurden belächelt.

Manche Gesellschaften kannten keine Brautwerbung. Da man in diesen Stämmen wußte, wie schwer es war, junge Männer und Frauen getrennt zu halten, wenn deren Sexualdrang am stärksten war, wurden viele junge Indianermädchen unmittelbar nach Erreichen der Pubertät verheiratet, um sicherzustellen, daß sie als Jungfrauen in die Ehe gingen. In diesen Gesellschaften hatten die Mädchen kaum Gelegenheit, mit jungen Männern auch nur belanglose Kontakte zu pflegen. Zwei Beispiele hierfür liefern die Fox in Illinois und die Papago in Südarizona. Ein Fox-Mädchen durfte keine männlichen Freunde haben, und schon ein Geplauder mit einem Mann, der nicht mit ihr verwandt oder verlobt war, galt als verdächtig. Papago-Mädchen wurde beigebracht, daß, wenn sie mit Jungen redeten oder zuviel von ihnen vor der Ehe träumten, einer von ihnen kommen und sie verführen würde, aber in Wirklichkeit würde es nicht der Junge sein, sondern eine Schlange. Nach der Heirat war noch genug Zeit, mit Männern zu sprechen.

Andere Gesellschaften verzögerten die Heirat um einige Jahre und ließen den jungen Frauen Zeit zu reifen, ehe sie die volle Verantwortungslast des Erwachsenseins zu tragen hatten. Das Interim gab den jungen Mädchen auch Zeit, sich von den jungen Männern ihres Dorfes umwerben zu lassen.

Die Brautwerbungsbräuche waren im frühen Nordamerika sehr unterschiedlich. In manchen Stämmen wurden die jungen Leute auf Schritt und Tritt von »Anstandsdamen« bewacht, und in anderen Gesellschaften ließ man ihnen weitgehend freie Hand.

Die Cheyenne auf den Great Plains hielten ein wachsames Auge auf ihre jungen Frauen. Unmittelbar nach ihren Pubertätszeremonien begann die Cheyenne-Frau, ein schützendes Seil zu tragen. Dies Seil wurde um die Hüfte geschlungen, zwischen den Schenkeln hindurchgezogen und fast bis an die Knie um die Oberschenkel gewickelt. Sie war gehalten, sich allnächtlich sowie vor jeder Reise so herzurichten. Jeder Mann, der ihr Seil auch nur berührte, hatte mit Strafe zu rechnen – bis hin zum Tod.

Aber nicht nur wegen möglichen Geschlechtsverkehrs machten sich die Cheyenne-Eltern Sorgen; schon belanglose Freundschaft galt als untragbares Benehmen. Die Mädchen wurden ermahnt, mit jungen Männern nicht zu viele Blicke zu tauschen oder sie zu häufig anzulächeln, damit man ihnen nicht Leichtfertigkeit und Unmoral vorwerfen konnte. Nach der Pubertät hielt man Jungen und Mädchen getrennt, und die Mädchen durften nicht einmal mit ihren Freundinnen viel Zeit zubringen. Infolge solcher Restriktionen war die Werbung eines jungen Cheyenne-Paares eine überaus verschämte und langwierige Angelegenheit. Es dauerte bisweilen ein Jahr, bis junge Leute den Mut aufbrachten, einander anzusprechen, und weitere drei oder vier Jahre, bis der junge Mann den Mut fand, seine alte Tante oder Großmutter zu bitten, für ihn um die Hand des Mädchens anzuhalten.

Die Apachen zählten zu den Indianergesellschaften mit überaus enggeschnürtem sexualmoralischem Korsett. Die Mädchen wurden zu Zurückhaltung und Verschämtheit erzogen, und den Jungen brachte man bei, es sei unmännlich, Frauen allzugroße Beachtung zu schenken. Jeder öffentliche Zuneigungsbeweis zwischen einem Mann und einer Frau wurde belacht.

Von den Apachen-Mädchen wurde voreheliche Keuschheit erwartet. Ein junges Mädchen, das sich daran nicht hielt und ertappt wurde, hatte mit öffentlicher Auspeitschung mit dem Stock oder einem Seil zu rechnen, die der Vater ausführte. Der Vater nahm während der Züchtigung auch kein Blatt vor den Mund, und da die Bestrafung öffentlich erfolgte, diente sie zugleich den übrigen Mädchen als drastische Lektion. Ein intaktes Jungfernhäutchen galt als Beweis der Tugendhaftigkeit, so daß die Heirat angekündigt werden konnte; es bereitete der Familie der Braut allerdings großes Ungemach, wenn sich nachträglich herausstellte, daß das Mädchen unkeusch gewesen war.

Trotz all dieser Beschränkungen und Mahnungen gelang es Apachen-Mädchen bisweilen, mit jungen Männern zusammenzukommen. Aufschlußreicherweise wurde vom Mädchen erwartet, daß es den Jungen öffentliche Avanchen machte. Diejenigen, die nicht allzu schüchtern und verschämt waren, konnten zusammenkommen und die Jungen, die sie am meisten mochten, dazu einladen, mit ihnen wilde Pflanzen sammeln zu gehen oder ihnen beim Pflanzen oder Ernten zu helfen. Die Mädchen luden nur junge Männer ein, die als Ehepartner in Frage kamen. Ein Apachen-Mädchen berichtete, es habe den ganzen Tag Seite an Seite mit anderen jungen Leuten auf dem Feld gearbeitet und sei zu schamhaft gewesen, sich in die Büsche zu schlagen und zu erleichtern.

Waren ein Apachen-Mädchen und ein Junge einander wirklich zugetan und waren sie bereit, den Tadel der Eltern zu riskieren, vereinbarten sie ein Rendezvous. Normalerweise trafen sich zwei Paare gleichzeitig. Bei den ersten Begegnungen saßen sich die jungen Männer und Mädchen in drei Meter Abstand gegenüber, lächelten sie selbstbewußt an, versuchten, beim Lächeln nicht die Zähne zu zeigen, und bewarfen sich vielleicht neckisch mit Kieselsteinchen. Nach mehreren Treffen saßen sie dann enger beieinander und plauderten über banale Dinge, oder die Paare trennten sich, um in privaterem Rahmen miteinander zu reden. Das Waghalsigste, was sich ein Bewerber herausnehmen konnte, war, wenn er die Brüste seiner Geliebten berührte oder sie zärtlich in die Schenkel kniff, jedoch duldeten die meisten Mädchen solcherlei noch nicht einmal von ihren Verlobten.

Die offiziell gebilligte Möglichkeit für junge Apachen, sich zu treffen, waren die Gesellschaftstänze des Stammes. Apachen-Eltern sahen es überaus gern, wenn ihre Töchter zu diesen Versammlungen gingen, aber selbst bei diesen Gelegenheiten hielten sie ein wachsames Auge auf sie. Unverheiratete Mädchen wurden gewöhnlich von einer älteren Verwandten begleitet, oder sie hatten auf ein Kind aufzupassen, damit sie keine Gelegenheit fanden, die Situation auszunutzen. Hatte ein junger Mann an einem Mädchen Interesse, richtete er es ein, jeden Tanz mitzumachen, an dem auch sie teilnahm. Der erste Schritt jedoch war immer Sache des Mädchens. Allerdings waren manche Mädchen so schüchtern, daß sie die Jungen noch nicht einmal ansahen, wenn sie sie zum Tanzen aufforderten, und es sogar vermieden, ihren Partnern beim Tanzen ins Gesicht zu sehen. Doch waren nicht alle so schüchtern. Daher war es den jungen Leuten untersagt, den Tanzplatz zu verlassen, und Anstandsdamen kreisten wachsam um die Tanzplätze, um heimliche Abenteuer zu unterbinden und junge Leute, die sich in den Schatten zurückgezogen hatten, in den Schein des Feuers zurückzuführen.

Die Lieder, die bei den Tänzen gesungen wurden, hatten zumeist romantische Inhalte, und manche waren sogar witzig. Die alten Männer, die die Trommeln schlugen und dazu sangen, machten sich einen Spaß daraus, die Verlegenheit und hilflose Appetenz der jungen Leute zu steigern, indem sie ab und zu ziemlich direkte Anspielungen einflochten.

Tanzlieder
(Apache)

Junge Frau, du denkst gerade an etwas,
Junge Frau, du denkst gerade an etwas;
Du denkst an etwas, das du haben möchtest:
Der Mann, an den du denkst, taugt nichts.[1]

I

Ich sehe dies Mädchen wieder,
Dann wird mir so zumute;
Ich sehe mein Schätzchen wieder,
Dann wird mir so zumute.

II

Junges Mädchen, du sprichst freundlich zu mir,
Du, ich werde mich gewiß daran erinnern,
Ich werde mich gewiß an dich allein erinnern,
Deine Worte sind so freundlich,
Du, ich werde mich gewiß daran erinnern.[2]

Wie streng ihre Sexualmoral auch war, die meisten Indianergesellschaften gaben ihren jungen Menschen dennoch die eine oder andere gesellschaftlich gebilligte Möglichkeit, zueinander zu finden und sich zu treffen. Wie bei den Apachen war das Feld der Begegnung vielfach der Tanz. Die einzige Gelegenheit, bei der die Mädchen der Nisenan-Indianer im Sacramentotal mit jungen Männern sprechen durften, war die jährliche Tanzzeremonie, die dazu diente, den jungen Leuten eine Chance zur Partnerwahl zu geben. Bei der Zeremonie tanzten die jungen Frauen und Männer im Kreis um ein Feuer, und um sich näherzukommen, konnten sie einander allenfalls zulächeln, mehr nicht.

Auch die Sioux arrangierten einen »formellen« Gesellschaftsball für ihre jungen Leute. Der sogenannte Nachttanz fand an einem Sommerabend in einem großen Tipi statt, das in der Nähe des Lagerzentrums errichtet wurde. Die Seitenwände des Tipi wurden hochgerollt, damit sich Zuschauer an dem Vergnügen beteiligen konnten. Und wie es bei den Tanzveranstaltungen junger Leute auch heute noch üblich ist, versammelten sich die jungen Männer auf der einen Seite der Hütte, die jungen Mädchen auf der gegenüberliegenden. Sobald das Trommeln einsetzte, gingen die Mädchen hinüber auf die Seite der Jungen und wählten sich einen Partner, indem sie ihm leicht vor die Sohle seines Mokassins traten. Die Paare, die sich gegenseitig bei den Gürteln hielten, bildeten eine Reihe und tanzten in einer Zweischrittabfolge um das Feuer. Beim nächsten Tanz waren die Jungen an der Reihe, sich Partner zu wählen. Ungefähr in der Mitte des Tanzfestes wurde ein Mahl gereicht, das üblicherweise aus gekochtem Junghund bestand.

Wenn zwei junge Leute sich bei einem Nachttanz zueinander hingezogen fühlten, konnte das Mädchen den jungen Mann einladen, sich mit ihr vor dem Tipi ihrer Familie zu treffen. In Sioux-Lagern war es kein ungewöhnlicher Anblick, bei Anbruch der Abenddämmerung ein junges Paar vor einer Fellhütte stehen zu sehen, das die Decke des jungen Mannes um die Köpfe geschlagen hatte, um sich so inmitten des geschäftigen Dorfes einen Hauch von Privatsphäre zu schaffen. Ein Mädchen konnte sich am Abend mit mehreren männlichen Freunden treffen, die gewöhnlich in einer Reihe darauf warteten, sie nacheinander unter der Decke in den Arm nehmen zu können. In manchen Gruppen durften nur junge Männer, die bereits zu den Kriegern zählten und daher für eine Heirat in Frage kamen, an solchen Tête-à-têtes teilnehmen. Diese formalisierten kleinen Plausche boten kaum eine Chance, einander näher kennenzulernen; da unentwegt kleine Brüder und Schwestern der Mädchen um die Paare herumsprangen und die allgegenwärtige Anstandsdame dicht daneben in der Hütte hockte, fielen die Gespräche zumeist steif und kurz aus. Das meiste von dem, was ein Mädchen über einen jungen Mann erfuhr, wurde ihr von dessen Schwester oder Cousinen zugetragen.

Die jungen Leute bei den Crow versammelten sich zur Beerenzeit zu einer Landpartie. Dazu zogen sie alle ihre besten Kleider an, und die Jungen boten ihrem bevorzugten Mädchen an, ihren Beerenbeutel zu tragen. In fröhlicher Stimmung ritten sie dann alle den Tag über aus. Wenn es dann am späten Nachmittag an der Zeit war, ins Lager zurückzukehren, tauschten die Paare ihre Pferde untereinander aus und ritten lachend und singend heim. Ein ähnliches Fest fand statt, wenn der wilde Rhabarber reif war.

Bei den Hopi war eine Art Picknick, das nach den geheiligten *kachina*-Tänzen veranstaltet wurde, sehr beliebt. Zuerst zogen die Jungen zu einem vorher verabredeten Treffpunkt hinaus und jagten auf dem Weg dorthin Kaninchen. Die Mädchen, die von ihren kleinen Schwestern begleitet wurden, folgten später nach und brachten ein besonderes Gericht mit, das sie gekocht hatten, wozu auch das traditionelle Maisgericht *somiviki* gehörte. Sobald die Mädchen am Picknickplatz ankamen, schickten sie ihre kleinen Schwestern aus, um die Jungen zu holen, die sie am liebsten hatten. Die Jungen rösteten die Kaninchen, die Mädchen packten ihre Picknickkörbe aus, und alle machten sich einen schönen Tag. Bei dieser Gelegenheit wurden oft Begegnungen unter vier Augen für spätere Zeitpunkte vereinbart.

Wenn ein Mädchen sich entschieden hatte, daß die einen bestimmten Mann als Ehemann wünschte, bereitete sie ein besonderes Gericht namens *qomi* zu, das aus einem langen Laib aus gesüßtem Maismehl bestand. Willigte der Mann ein, mit ihr zu picknicken, händigte sie ihm das *qomi* aus, was bedeutete, daß sie ihm förmlich die Ehe antrug. Da den jungen Männern klar war, daß dieser Antrag ihnen jederzeit unvermutet gemacht werden konnte, achteten sie darauf, nur mit solchen Mädchen picknicken zu gehen, die sie gegebenenfalls auch zu heiraten bereit waren. Natürlich lag wie in anderen Indianergesellschaften die letztliche Entscheidung über die Eheschließung nicht bei den jungen Leuten selbst, sondern bei deren Familien. Es gab noch verschiedene andere besondere Gelegenheiten, bei denen ein junges Mädchen einem jungen Mann ein *qomi* oder ein Oblatenbrot namens *piki* anbieten konnte, aber in jedem Fall mußte erst die Familie des jungen Mannes zu einem positiven Beschluß kommen, ehe die Heirat stattfinden konnte. Die jungen Männer mußten die Anträge der Mädchen nicht akzeptieren – auch dann nicht, wenn beide Eltern zustimmten –, doch achteten sie sorgsam darauf, die jungen Frauen nicht öffentlich zu erniedrigen.

Über die gutbewachten Tänze und die gesellschaftlich gebilligten Ausflüge hinaus kannten die jungen Indianermädchen noch eine ganze Reihe von Schleichwegen, die ihnen die Begegnung mit jungen Männern ermöglichten. In den Jäger- und Sammlerstämmen waren die jungen Frauen gewöhnlich dafür zuständig, Wasser und Feuerholz heranzuschaffen. Daher waren die nahe gelegene Quelle oder der Bach und die das Lager umgebenden Wälder Orte, an denen die jungen Männer darauf hoffen konnten, einmal unbeobachtet mit der Geliebten zu reden.

Die jungen Mädchen der Omaha wußten, daß die jungen Männer ihnen nahetreten konnten; daher gingen sie immer nur zu zweit oder dritt zur Quelle, nie allein. Sie waren überaus schüchtern, denn statt sie unablässig zu bewachen, erzogen die Omaha-Mütter ihren Töchtern eine starke Scheu und Angst vor Männern an. Daher waren die Mädchen nicht nur ängstlich und gehemmt, um sich je von sich aus einem Mann zu nähern, sondern man konnte sogar darauf rechnen, daß sie die Flucht ergriffen, wenn ein junger Mann Annäherungsversuche unternahm. Die Sitten der Omaha gestatteten den jungen Leuten nicht, einander zu Hause zu besuchen; infolgedessen bestand die einzige Möglichkeit für einen jungen Mann, einem Mädchen klarzumachen, wie sehr er sie mochte, darin, daß er ihr das signalisierte, wenn sie Erledigungen außerhalb des Lagers machte. Er zog dann seine besten Kleider an und versteckte sich im Gebüsch nahe einer Stelle, an der sie vorbeikommen mußte. Dort wartete er einen günstigen Zeitpunkt ab, um seiner Geliebten seine Anwesenheit zu offenbaren, indem er ein paar Worte flüsterte oder ein paar Töne auf seiner Flöte spielte. Die jeweilige Tonfolge war ganz persönlich gestaltet, und wenn ein Mädchen die Melodie ihres Freundes hörte, wußte es, daß er sich in der Nähe aufhielt.

Ein Bruder kam Brautwerben
(Omaha)

Es war einmal ein junger Krieger, der hoch angesehen, fleißig und sparsam war. Er war noch nicht verheiratet. Er hatte einen jüngeren Bruder, der ein bestimmtes Mädchen heiraten wollte, aber dieser Bruder hatte bei seiner Werbung um die jungen Frauen des Dorfes nie viel Erfolg gehabt. Der ältere Bruder beschloß, dem jüngeren bei seiner Werbung um das Mädchen seiner Träume zu helfen. Er ging zu Quelle hinab, wenn er wußte, daß die junge Frau auch dort war. Sie war über seine Aufmerksamkeiten verblüfft, willigte aber schließlich ein, sich von ihm entführen zu lassen. Zu einem vorher verabredeten Zeitpunkt schlich sich das Mädchen davon und traf sich mit dem Krieger, und gemeinsam ritten sie zur Hütte eines nahen Verwandten, wo der jüngere Bruder wartete. Als die beiden dort eintrafen, bekannte der Junggeselle, er habe für seinen Bruder um sie geworben, und das Mädchen, das sich bereits dadurch kompromittiert hatte, daß sie mit ihrem vermeintlichen Liebhaber davongelaufen war, konnte nicht mehr anders als einzuwilligen, die Frau des jüngeren Mannes zu werden. Wie sich im Laufe der Zeit herausstellte, mochten sich die beiden und führten eine glückliche und zufriedene Ehe.[3]

In manchen Gesellschaften galt Flötenmusik als für Frauen besonders verführerisch und wurde daher ausgiebig bei der Brautwerbung eingesetzt. Der Ton einer besonderen Pfeife aus Vogelknochen bedeutete für die Flathead-Mädchen den Lockruf zum abendlichen Stelldichein. Jedes Mädchen kannte die Melodie seines Liebhabers, und es war ein Kampf mit taktischen Raffinessen zwischen den jungen Mädchen, nach denen gepfiffen wurde, und ihren Eltern, die die Töchter entweder des Abends daheim haben oder zumindest darauf achten wollten, daß sie entsprechend beaufsichtigt wurden. Bisweilen strichen Jungen, die keine Freundin hatten, abends durch das Dorf und spielten eine Melodie, nur um zu sehen, wer darauf reagierte.

Bei den Crow stellte die Flöte das Lockmittel im Rahmen eines relativ komplizierten Teils der Brautwerbung dar. Wenn eine junge Crow-Frau die Annäherungsversuche eines Mannes zurückwies, was bei einem Ausflug zum Beerensammeln oder bei anderen Gelegenheiten geschehen konnte, trauerte er gewöhnlich einige Tage lang; doch dann versuchte er, im Rahmen einer Vision einen Mann zu sehen, der Flöte spielte und damit alle weiblichen Tiere anlockte. Danach bemühte sich der junge Mann, eine Flöte herzustellen, die haargenau derjenigen glich, die er in seiner Vision gesehen hatte, damit die junge Frau, die er begehrte, zu ihm käme. Vorausgesetzt, daß der Ton dieser Flöte sie betörte, die Nacht mit ihm zu verbringen, und ferner vorausgesetzt, daß er ihr immer noch wegen ihrer vorausgegangenen Ablehnung zürnte, so konnte er sich nun an der jungen Frau rächen, indem er sie am nächsten Morgen vor aller Augen aus seiner Hütte wies. Und wenn nun die junge Frau ihn immer noch mochte oder liebte, so konnte sie einen besonderen Liebeszauber anfertigen, um ihn zurückzugewinnen.

Noch andere Liebeszauber wurden in den Indianergesellschaften sowohl von Männern wie von Frauen angewendet. Wollte ein Pomo-Mädchen von der Küste Kaliforniens die Liebe eines jungen Mannes gewinnen, stellte es einen Zauberfetisch her, der aus vier weißen Federn bestand. An jede Feder wurden Haare dieses Jungen geknüpft; dies Federbündel hing sie dann hoch oben in einem Baum auf, wo der Wind stärker wehte. Apachen-Mädchen konnten zu einer Zauberin gehen, die wußte, wie man mit Hilfe der Symbole der Sonne, des Wassers und des heiligen Schmetterlings einen Liebeszauber ausübt. Eine bei den Zuni verbreitete Art von Liebeszauber machte es einem Mann möglich, eine Frau unter seinen Einfluß zu bringen, indem er sich ein Fetzchen von ihrer Kleidung, etwa ein Stück ihres Gürtels oder einen Zipfel ihres Schals, besorgte und dies ständig in seinem Kopfband oder in der Tasche trug.

Liebeszauber wurde augenscheinlich in den Gesellschaften am ausgefeiltesten praktiziert, in denen die Trennung der Geschlechter am ausgeprägtesten war. Weil die jungen Männer und Frauen so wenig selbstverständlichen Kontakt pflegen konnten, waren die Sexualängste in diesen Gesellschaften ungewöhnlich stark, und man behalf sich mit institutionalisierten Methoden der Werbung, um die soziale Distanz zwischen Männern und Frauen zu überbrücken. Zum Beispiel konnte ein Mädchen indirekt herausfinden, daß ein junger Mann an ihr Interesse hatte, wenn seine weiblichen Verwandten ihn Liebeszauber ausüben sahen und diesen Sachverhalt ihren Schwestern oder Tanten gegenüber erwähnten, die zweifellos dem Mädchen davon berichteten oder zumindest in seiner Hörweite davon sprachen. Selbstverständlich machte dies den Jungen für das Mädchen attraktiver, und sie begann vielleicht, ihm etwas mehr Beachtung zu schenken, indem sie scheu sein Lächeln erwiderte und seinen Gruß zur Kenntnis nahm.

Sexualität und Werbung

Bei den meisten Stämmen war die voreheliche Keuschheit der jungen Frauen ein kulturelles Ideal, das in der Wirklichkeit nur selten seine Entsprechung fand. Jungen Leuten war in gewissem Ausmaß der Flirt gestattet, der nichts mit der Suche nach einem Ehepartner für den Rest des Lebens zu tun hatte. In der Tat war bei den Kaska im Norden von Britisch-Kolumbien vorehelicher Geschlechtsverkehr so selbstverständlich, daß sie glaubten, ein junges Mädchen würde erst fünf Monate nach seiner ersten Sexualerfahrung zu menstruieren beginnen. (Die Theorie, innere Verletzungen führten ebenfall zu Menstruationsblutungen, diente als Erklärung für das Auftreten von Menses bei Mädchen, deren Keuschheit streng überwacht worden war.)

Südlich von den Kaska im Süden Albertas bestanden die Kutenai zwar nicht auf vorehelicher Keuschheit, gaben ihr aber den Vorzug. Ihre Töchter bekamen umfassende sexualmoralische Instruktionen mit auf den Weg, darunter die, daß ein Mädchen, das unerlaubten Geschlechtsverkehr hatte oder versuchte, anderen Frauen die Ehemänner abspenstig zu machen, sich in einen Frosch verwandeln würde, unmittelbar bevor seine toten Verwandten am Ende dieser Welt zurückkamen, um mit ihm zu leben. Wenn auch dies Märchen kaum vielen Mädchen Angst eingejagt haben dürfte, war doch vorehelicher Verkehr bei den Kutenai eher Bestandteil einer ernstgemeinten Werbung als bloßer Flirt, und die Mädchen heirateten im allgemeinen den Mann, mit dem sie ihre erste Sexualerfahrung gemacht hatten.

Die Navajo veranstalteten einen Squawtanz – vergleichbar dem heutigen Debütantinnenball –, um die heiratsfähigen jungen Frauen des Stammes vorzustellen. Die jungen Männer ließen sich zu dieser Gelegenheit mit ihren besten Pferden oder Gespannen sehen, und die Mädchen behängten sich mit Schmuck und anderem Beiwerk – selbst wenn sie sich die Sachen leihen mußten. Die Navajo-Mädchen hatten das Privileg, sich ihren Tanzpartner selbst aussuchen zu dürfen, und konnten dafür ein Geschenk erwarten. Diese jungen Frauen waren ziemlich selbstbewußt und geradeheraus, was so weit gehen konnte, daß sie bisweilen einen widerstrebenden Jungen einfach in die Büsche zerrten.

Manche besonders strengen Navajo-Eltern ließen ihre Töchter nicht an den Squawtänzen teilnehmen, weil die Mädchen dort nicht beaufsichtigt waren, doch im allgemeinen nahmen die Navajo gegenüber vorehelicher Sexualität eine liberale Haltung ein, und die Mädchen wurden etwa zur Zeit ihrer ersten Menstruation von älteren weiblichen Verwandten in allen Fragen des Geschlechtslebens aufgeklärt. Danach fanden die Navajo-Mädchen Gelegenheit zu heimlichen sexuellen Aktivitäten, wenn sie dies wünschten, etwa an den langen Tagen, an denen sie auf einsamen Mesas oder in versteckten Canyons die Schafherden hüteten. Unverheiratete Navajo-Mädchen galten als Jungfrau, bis sie das Gegenteil behaupteten oder in flagranti ertappt wurden, und die Defloration brachte keinen nennenswerten Wandel im Sozialstatus mit sich.

Eine in vielen amerikanischen Eingeborenenstämmen übliche Institution im Rahmen der Brautwerbung war das »nächtliche Anschleichen« oder der »schleichende Liebhaber«. Dabei wartete der junge Mann, bis es still im Dorf war und alle schliefen, und dann stahl er sich heimlich in das Tipi oder die Hütte der Angebeteten. Akzeptierte ihn das Mädchen, teilte er bis unmittelbar vor Tagesanbruch mit ihm das Lager und machte sich dann auf leisen Sohlen davon. Junge Crow-Mädchen wachten bisweilen auf und stellten fest, daß ein Arm unter dem Rand ihres Tipi durchgeschoben wurde und eine Hand nach ihren Genitalien tastete. Kaska-Mädchen, die eine solche suchende Hand verspürten, pflegten sie entweder sanft zu drücken – dann schlüpfte der junge Mann zu ihnen unter die Decke –, oder sie kreischten laut auf, damit der Junge ertappt und bestraft würde. Tlingit-Eltern an der Südküste Alaskas vereitelten diese Art der Brautwerbung, indem sie sämtliche unverheirateten Töchter, die die Pubertät schon hinter sich hatten, auf Liegen über den elterlichen Betten schlafen ließen. Die Erzkonservativen unter den Indianern, die Apachen, erblickten im »nächtlichen Anschleichen« etwas Schändliches, und ein Mann, der sich dabei ertappen ließ, wurde verprügelt; ferner tötete man alle seine Pferde.

Solche nächtlichen Zusammenkünfte waren bei den jungen

Leuten der Hopi sehr beliebt; allerdings nahmen die Hopi – wie übrigens die Völker der südwestlichen Pueblos im allgemeinen – eine zustimmend-billigende Haltung gegenüber der Rolle ein, die die Sexualität in der Partnerwerbung der Jugend spielte. Üblicherweise schlich der junge Mann spätabends durchs Dorf, wobei er sich in eine Decke hüllte, um seine Identität allen zu verbergen, die zu dieser Stunde noch auf den Beinen sein mochten. Nachdem er sich so in aller Heimlichkeit an die Seite seines Mädchens gestohlen hatte – wobei er peinlich darauf achtete, die anderen Mitglieder ihres Haushalts nicht zu wecken –, schüttelte er das Mädchen sanft. »Wer ist da?« fragte sie daraufhin, doch seine Antwort war in jedem Fall nur ein geflüstertes: »Ich bin es«, denn man erwartete von dem Mädchen, daß es in der Lage war, den jungen Mann am Klang seiner Stimme zu erkennen. War der Freier dem Hopi-Mädchen angenehm, durfte er die Nacht mit ihr verbringen, machte sich aber vor Morgengrauen wieder davon, um nicht entdeckt zu werden.

Dieser Brauch war eine Quelle der Belehrung für jüngere, die bei älteren Schwestern schliefen, die mitternächtlichen Besuch von ihren Liebhabern empfingen. Ein Hopi-Mädchen berichtete einer Forscherin, es habe einmal im Alter von etwa dreizehn Jahren die Nacht im Haus ihrer Großmutter verbracht und dabei bei einer Cousine geschlafen, die bereits etwa achtzehn Jahre zählte. Mitten in der Nacht sei sie, im Schlaf gestört, erwacht und habe zu ihrem Schrecken festgestellt, daß da noch ein junger Mann im Bett war, der auf ihrer Cousine gelegen habe. Das jüngere Mädchen war darauf und daran, um Hilfe zu rufen, als die beiden anderen sie beruhigten und die Cousine versprach, ihr am nächsten Morgen alles zu erklären, was sie dann auch getan habe. Das Mädchen, das den Vorfall berichtete, räumte ein, sie habe sich am nächsten Tag sonderbar gefühlt, »irgendwie ganz seltsam am ganzen Körper«.[4]

Wenn eine Hopi-Mutter feststellte, daß ihre Tochter derartige Besuche empfing – und es war unmöglich, in der kleinen, engverflochtenen Gesellschaft etwas lange geheimzuhalten –, wurde das junge Mädchen für sein Verhalten noch nicht einmal getadelt, es sei denn, die Mutter hielt den jungen Mann der Liebe ihrer Tochter für unwürdig.

In Cochiti, einem anderen Pueblo im Südwesten, schliefen verlobte Paare die ganze Nacht beeinander, vielfach sogar im Beisein der Eltern des Mädchens. Diese Art von Intimität galt nicht als unmoralisch oder sündhaft, und in der Tat war voreheliche Keuschheit in manchen Gruppen eher ein Anzeichen für extreme Schüchternheit oder mangelhafte Aktivität.

Manche Stämme gewährten jungen Frauen das Privileg, jungen Männern gegenüber sexuelle Annäherungsversuche zu unternehmen. Die Southern Ute etwa veranstalteten im Frühjahr sogenannte Bärentänze, die die Saison einleiteten; dabei konnten die Ute-Mädchen einem Mann gegenüber Annäherungsversuche machen, indem sie ihm ein Stückchen Holz oder einen Stein in den Schoß warfen; dies bedeutete, daß das Mädchen wünschte, der Mann käme sie später in der Nacht besuchen.

Es war durchaus zulässig, daß ein Komantschen-Mädchen sich auf der Suche nach einem sexuellen Erlebnis einem Mann näherte. Ein junger Mann dagegen durfte auf keinen Fall so direkt vorgehen. Die Sitten der Komantschen verboten es jungen Paaren, sich in der Öffentlichkeit zusammen sehen zu lassen, weshalb die Werbung größtenteils dann vollzogen wurde, wenn das Mädchen des Nachts aus ihrem Tipi schlüpfte, um ihren Liebhaber an einer vorher vereinbarten Stelle zu treffen. Mutigere Mädchen, die gewöhnlich schon etwas älter waren, krochen auch schon einmal zu einem Jungen in dessen Tipi unter die Decke, um ihn zur Liebe zu verführen. Die Tipis waren dunkel, und die jungen Mädchen versuchten, ihre Identität geheimzuhalten. Zwar war voreheliche Sexualität nicht geächtet, aber sie wurde auch nicht gefördert, und die Komantschen-Mädchen wollten ihren guten Ruf wahren.

Bei den Natchez, die entlang dem unteren Mississippi lebten, versuchten die unverheirateten jungen Mädchen, ihre sexuellen Abenteuer noch nicht einmal zu verheimlichen. In dieser Gesellschaft wurde der Keuschheit unverheirateter Mädchen nicht der geringste Wert beigemessen, und sie kam daher auch kaum vor. Ein Forscher schrieb: »Ich bin keineswegs erstaunt, daß diese Mädchen lüstern sind und keinerlei Anstand kennen, zumal ihre Väter und Mütter und ihre Religion sie lehren, beim Verlassen dieser Welt sei ein sehr schmaler und schwieriger Steg zu passieren, um in große Dörfer zu gelangen, in die die Natchez angeblich nach dem Tode ziehen, und nur denjenigen falle es leicht, diesen Steg zu überschreiten, die sich mit den jungen Männern vergnügt hätten.«[5]

Natchez-Mädchen erwarteten großzügige Geschenke von allen

ihren Liebhabern und bekamen sie auch. Und das Ansehen eines Mädchens beruhte nicht auf ihrer Keuschheit, sondern auf dem Umfang der Mitgift, die sie infolge ihrer Freizügigkeit und Attraktivität während ihrer verschiedenen sexuellen Verbindungen anzuhäufen in der Lage gewesen war.

Ein Bericht über eine allem Anschein nach wirklich freie und freudvolle Sexualität stammt von einem Reisenden, der im ausgehenden neunzehnten Jahrhundert die Mandan besucht hat. Er war »verblüfft« als ihn in einem Mandan-Dorf gegen Mitternacht Lärm aus dem Schlaf riß. Als er aus seiner Hütte blickte, sah er etwa fünfundzwanzig splitternackte Jugendliche, die singend und tanzend durchs Dorf zogen. Bisweilen zogen sich Paare in die Dunkelheit zurück, schlossen sich aber bald den übrigen wieder an. Dieser Reisende muß einigen der jungen Paare ins Gebüsch gefolgt sein, denn er schrieb, er habe sie sich aneinander vergnügen gesehen »mit so wenig Feierlichkeit und Umständlichkeit, als handle es sich um einen ganz alltäglichen Ruf der Natur«. Nach etwa zwei Stunden Jubel und Trubel ging die Gruppe im nahe gelegenen Bach baden und setzte sich danach im Kreis um ein Feuer, um sich zu trocknen.[6]

Bei den Huronen, die nördlich des Lake Ontario lebten, sollen die Mädchen darum gewetteifert haben, welche die meisten Liebhaber aufzuweisen hatte. Obgleich dies Volk vorehelichen Geschlechtsverkehr als völlig normal ansah, war in der Öffentlichkeit keinerlei Ausdruck von Sexualität – also etwa Küssen und Schmusen – gestattet, und sämtliche Rendezvous fanden außerhalb des Dorfes statt, damit ein gewisses Maß an Privatsphäre gewährleistet war. Ähnlich wie heute lebten bei den Huronen oft junge Männer und Frauen partnerschaftlich zusammen, sozusagen ohne Trauschein. Sie blieben zusammen, solange es ihnen gefiel, und sie besuchten zwanglos männliche wie weibliche Freunde, ohne jedweden Tadel fürchten zu müssen.

So frei die Huronen im Vergleich zu anderen Gruppen auch wirken mochten, sie waren doch augenscheinlich einer gewissen Repression ausgesetzt, da sie aufgrund des Brauchtums gezwungen waren, ihr Sexualleben nicht vor der Öffentlichkeit auszubreiten. Doch errichten Kulturen vielfach auch ausgefeilte Sozialstrukturen, um eigene restruktive Normen unterlaufen zu können; so ersannen die Huronen ein Heilungszeremoniell, das den öffentlichen Beischlaf junger Männer und Frauen erlaubte. Ein

Mann oder eine Frau, die gerade krank waren, konnten einen Traum haben, der die eigene Heilung vorschrieb, und es war nicht ungewöhnlich, daß jemand – insbesondere eine ältere Person – träumte, wieder gesund zu werden, wenn alle jungen Leute des Dorfes an einer besonderen Sexualzeremonie teilnahmen. Alle jungen, unverheirateten Frauen wurden aufgerufen, sich im Haus der kranken Frau zu versammeln, und jede wurde gefragt, wen sie als Partner wünschte. Dann wurden die Männer benachrichtigt, und am nächsten Abend fanden sie sich alle in der Hütte der Kranken ein, um mit den jungen Mädchen Verkehr zu haben. Das Fest dauerte die ganze Nacht und wurde durch die Musik zweier alter Männer begleitet, die sich an den jeweiligen Enden des Gebäudes aufstellten, sangen und Rasseln aus Schildkrötenpanzern schüttelten. Die kranke Person, die das Fest veranstaltete, wurde auf einer Bahre am einen Ende des Langhauses aufgerichtet, damit sie einen guten Überblick über alle Vorgänge hatte.

Naturgemäß führten all diese sexuellen Aktivitäten bisweilen zu einer Schwangerschaft. Wenn ein unverheiratetes Huronen-Mädchen feststellte, daß es schwanger war, kamen ihre verschiedenen Liebhaber zu ihr, und jeder behauptete, das Kind stamme von ihm; aus diesem Kreis wählte sie dann denjenigen aus, der ihr am meisten als Ehemann zusagte.

In den permissiven Pueblos des Südwesten, in denen uneheliche Geburt nicht als Makel begriffen wurde, blickte man auf unverheiratete Mütter nicht voll Mitleid oder Verachtung herab. Ihr Status ähnelte dem einer Witwe mit Kind.

Dies galt aber keineswegs für alle nordamerikanischen Eingeborenengesellschaften. Sehr oft wurde der Brautpreis einer unverheirateten Mutter herabgesetzt, und sie und ihre Eltern verloren an Ansehen. Wenn der Liebhaber die Schwangere heiratete, war das Problem normalerweise bald in Vergessenheit geraten. Wenn er aber die Vaterschaft in Abrede stellte oder wenn das Mädchen mehrere Liebhaber gehabt hatte, konnte es in eine unangenehme Lage kommen.

Wurde bei den Ojibwa ein unverheiratetes Mädchen schwanger, setzte im Dorf bösartiger Tratsch ein, und die ganze Familie geriet in eine peinliche Lage. Die Brüder unverheirateter Ojibwa-Mädchen waren besonders auf die Jungfernehre ihrer Schwestern bedacht: Die Schande einer unverehelichten Schwester, die schwanger wurde, zwang den jungen Ojibwa-Krieger, sein Dorf zu verlassen und sich anderswo niederzulassen, wo ihn niemand kannte. Die Mutter des Mädchens tötete das Enkelkind entweder bei der Geburt, oder sie zog es selbst auf, obwohl es nicht immer gelegen kam, einen weiteren hungrigen Schnabel durchzufüttern. Junge Frauen, die in eine solche Lage gerieten, haben wahrscheinlich das »Ideal« ihres Stammes von weiblicher Lebensführung wertzuschätzen gelernt.

Wurde ein unverheiratetes Quinault-Mädchen schwanger, mußte es ihren Liebhaber benennen, und ihre männlichen Verwandten suchten ihn auf, um ihn zu einer Heirat zu nötigen; lehnte er ab, töteten sie ihn. Die Hupa in Nordkalifornien verfuhren sehr streng mit ihren unverheirateten jungen Mädchen, aber selbst ihre strenge Tradition konnte gelegentliche Verführungen nicht verhindern. Um der Schande zu entgehen, versuchten manche Hupa-Mädchen, eine Fehlgeburt herbeizuführen. Starben sie dabei, wurde ihr Verführer, sofern er bekannt war, von den männlichen Verwandten des Mädchens neben ihrer Leiche erdrosselt.

Arrangierte Eheschließungen

In den meisten nordamerikanischen Eingeborenengesellschaften war die Eheschließung weniger eine Neigungsfrage als vielmehr eine Übereinkunft mit handfesten wirtschaftlichen Vorteilen. Herkömmlicherweise wurde die Verbindung einer jungen Frau mit einem Mann aus ihrem Stamm von ihrer Familie arrangiert, wobei man vordringlich das Wohl der Familien und des Stammes im Auge hatte und kaum auf die Wünsche der jungen Frau Rücksicht nahm. Nicht selten stimmte eine junge Frau überhaupt nicht mit ihren Eltern überein, wer sich am besten als Ehemann für sie eignete. Sie war vielleicht in einen jungen Mann verliebt, der heimlich um sie geworben hatte, aber ihre Familie hatte einen wohlhabenden, angesehenen Mann für sie ausgesucht, der aber alt und häßlich war. Aus heutiger Sicht könnte man meinen, junge Frauen, die zu arrangierten Eheschließungen gezwungen wurden, hätten ihr Los hingenommen, weil »sie es eben nicht anders kannten«. Aber fast alle Gesellschaften, in der arrangierte Heiraten die Regel waren, hatten in ihrer Mythologie eine Legende, die diesen Brauch nachdrücklich bekräftigte und die vor Übertretungen warnte. Diese Geschichten berichten von den schrecklichen Plagen, die junge Frauen befallen, die sich gegen die Wahl ihres Partners durch die Eltern zur Wehr setzen, sowie davon, wie solche Aufsässigkeit das Wohlergehen des gesamten Stammes gefährden konnte.

Eine Schlange kommt Brautwerben
(Tunica)

Vor langer Zeit lebte bei den Tunica (die an den Ufern des Mississippi im Nordosten des heutigen Louisiana lebten) ein Mädchen, das von einem ansehnlichen jungen Mann besucht wurde, der allnächtlich kam und vor Morgengrauen wieder aufbrach. Schließlich offenbarte sich der junge Mann auch den Eltern des Mädchens und bat um dessen Hand; aber die weigerten sich, ihm ihre Tochter zu geben, da sie nicht wußten, wer der junge Mann war. Das Mädchen war unsäglich in den jungen Mann verliebt, und so überredete der Junge, nachdem er wieder einmal von den Eltern abgewiesen worden war, seinen Liebling, mit ihm fortzulaufen. Nachdem die alten Leute zu Bett gegangen waren, ging das Mädchen mit seinem Liebhaber zu dessen Haus. Das Haus war sehr hübsch, und seine Verwandten waren sehr gutaussehende Leute. Das Paar plauderte eine Weile mit den anderen Leuten im Haus und begab sich dann zu Bett. Bei Tagesanbruch erwachte das Mädchen, und da entdeckte sie, daß sie statt in dem hübschen Haus, das sie am Vorabend gesehen hatte, nun mitten in einem häßlichen Dorngestrüpp lag. Es war ein Klapperschlangennest, und der junge Mann, den sie geheiratet hatte, war eine Klapperschlange. Sie versuchte, sich zu rühren, aber jedesmal, wenn sie es tat, rasselten alle Schlangen mit ihren Schwänzen, und sie mußte den ganzen Tag still liegen. Sie hatte solche Angst, daß sie die Augen mit den Händen bedeckte, um nicht die Schlangen ansehen zu müssen. Als der Abend nahte, verwandelte sich der Dornbusch wieder in ein hübsches Haus. Sie trat rasch heraus und kehrte zu ihren Eltern zurück, glücklich, diesem Ort entronnen zu sein. Als sie berichtete, was sich zugetragen hatte, kamen alle ihre Verwandten zusammen und zogen hinaus, um die bösen Schlangen zu töten.[7]

Sie liefen fort
(Omaha)

Es war einmal eine Familie, die aus drei Brüdern und einer Schwester bestand. Ihr Vater war kein Häuptling, aber er wurde vom Rest des Stammes wegen seiner Tapferkeit und Gastfreundschaft geachtet und verehrt. Das Mädchen hatte viele Freier, aber einen von ihnen bevorzugte sie besonders, und sie wünschte sich, seine Frau zu werden. Das Mädchen erzählte den Eltern nichts, denn sie hatten sie einem alternden Krieger versprochen. Als die Zeit für die Hochzeit gekommen war, führten die Eltern sie zu der Hütte des älteren Mannes, und man vollzog die üblichen Zeremonien. Das Mädchen protestierte nicht lautstark, sondern machte mit und spielte nach außen hin ihre Rolle mit Anmut; aber insgeheim schwor sie sich, niemals die Ehefrau des alten Mannes zu werden. Als die Nacht hereinbrach, schlüpfte sie unbemerkt davon in die Wälder und blieb verschwunden. Ihre Mutter trauerte über den Verlust der Tochter, und der enttäuschte Bräutigam und seine Angehörigen suchten überall nach dem Mädchen. Der Vater des jungen Mädchens blieb ruhig, denn ihm war nicht entgangen, daß ein bestimmter junger Mann ebenfalls nicht mehr im Lager war. Eines Tages traf bei der Familie des Mädchens ein Bote ein, der sagte, die Entlaufene sei gefunden, und der alternde Krieger prügele sie zu Tode. Der Vater hieß den ältesten Bruder, er solle gehen und sehen, was da geschah, aber der senkte nur den Kopf. Der jüngste Bruder lief seinen Bogen holen und brach sofort auf, um seine Schwester zu verteidigen. Das gesamte Dorf schaute zu, wie der alte Mann das Mädchen schlug, und der junge Mann war erzürnt, weil niemand das arme Mädchen gerettet hatte.

Nachdem der Bruder den alten Krieger erschossen hatte, hub ein Gemetzel an zwischen denen, die für den verhöhnten Ehemann fühlten, und denen, die zu dem Mädchen hielten. In dem nun folgenden Gefecht focht Vater gegen Sohn und Bruder gegen Bruder. Als die Nacht dem Kämpfen ein Ende setzte, lagen viele erschlagen da. Am Morgen verließen die, die auf seiten des Mädchens gekämpft hatten, das Dorf und zogen gemeinsam mit dessen Bruder gen Osten.

Ihre Gegner sammelten ihre Habe ein und zogen gen Süden. Keinerlei Klage war zu hören oder irgendein äußeres Anzeichen von Trauer zu bemerken. Schweigend trennten sich die Überlebenden, und im verlassenen Dorf blieben die Toten ohne Begräbnis zurück.[8]

(Was mit dem Mädchen geschah, bleibt unerwähnt. Dadurch soll zweifellos noch stärker hervorgehoben werden, daß das Schwergewicht des Mythos auf dem liegt, was einem Dorf oder Stamm widerfahren kann, wenn die althergebrachten Bräuche und Sitten nicht eingehalten werden.)

In zwei veröffentlichten Autobiographien von Indianerfrauen ist von der Seelenqual berichtet, die beide empfanden, als sie hörten, daß sie mit Männern verheiratet werden sollten, die sie nicht kannten oder die ihnen gleichgültig waren. In der *Autobiography of a Fox Woman* beschreibt die anonyme Erzählerin, wie sie sich in einen jungen Mann verliebte, mit dem sie sich heimlich traf, wenn sie mit einer Freundin Beeren sammeln ging. Der junge Mann war gut und freundlich, aber die Eltern der Fox-Frau untersagten ihr die Heirat mit ihm, weil sie glaubten, er werde ein fauler Frauenprügler werden wie sein Vater. Sie drohten sogar, das Mädchen zu enteignen, wenn es mit ihrem Liebhaber fernerhin auch nur ein Wort wechselte.

Das Mädchen konnte den Geliebten nicht vergessen, aber sie begann, mit einem Mann zu gehen, den die Eltern ihr ausgesucht hatten, und nach und nach lernte sie ihn kennen. Nach ihrer Eheschließung behandelte der Mann die junge Frau liebevoll, doch sie liebte ihn nie und vergaß auch nicht den Geliebten. Nach der Geburt ihres ersten Kindes wandelte sich das Verhalten des Ehemannes, und unsere Erzählerin trennte sich schließlich von ihm. Kurz darauf starb die Ehefrau des früheren Geliebten. Nach einer geziemenden Trauerzeit von einigen Jahren heirateten die beiden. Sie lebten glücklich miteinander, bis der Mann plötzlich nach einigen kurzen Ehejahren starb.

Mountain Wolf Woman, eine Winnebago, die am Michigansee in Wisconsin lebte, war ebenfalls gezwungen worden, gegen ihren Willen zu heiraten, weil ihr Bruder sie einem Mann gab, der ihm einen kleinen Gefallen erwiesen hatte. Mountain Wolf Womans Mutter hatte Mitgefühl mit dem Leid des Mädchens, meinte aber, sie könne nichts tun, da ihr Sohn die Heirat bereits vereinbart hatte. Das verschreckte und verstörte Mädchen wurde gemahnt, falls es den Wünschen des Bruders nicht nachkomme, gerate dieser in eine peinliche und schmachvolle Lage – ihm könne sogar

»ein Unglück« zustoßen. Da Winnebago-Mädchen zur höchsten Achtung vor ihren Brüdern erzogen wurden, gab Mountain Wolf Woman schließlich nach. Sie heiratete den ungeliebten Freier, behielt aber die Worte ihrer Mutter im Gedächtnis: »Wenn du älter bist und besser Bescheid weißt, kannst du heiraten, wen du willst.« Nach der Geburt ihres zweiten Kindes verließ Mountain Wolf Woman ihren Mann und heiratete einen Mann, der ihr lieber war.

Bei den Stämmen der Coast Salish in Washington wurden die Wünsche eines jungen Mädchens nicht berücksichtigt, wenn ihre Eltern ihr einen Partner ausgesucht hatten. Ihr wurde gesagt, was das Beste für sie sei, und sie ergab sich, entweder von der Klugheit ihrer Eltern oder von der Sinnlosigkeit jeden Widerstands überzeugt, in ihr Schicksal, was ihr dann geziemendes Lob für ihr artiges und respektvolles Verhalten eintrug. Es wurde behauptet, daß junge Frauen nicht zu Verbindungen gezwungen wurden, die ihnen zuwider waren; nichtsdestoweniger wurden Mädchen, die in andere Stämme verheiratet wurden, auf der Reise ins neue Dorf der Kopf verhüllt, damit sie nicht den Weg nach Hause fanden.

Nicht alle jungen Indianerfrauen willigten in die Gattenwahl ihrer Eltern ein, allen Drohungen und Geschichten, was ihnen dann wiederfahren könnte, zum Trotz. Bei den Kaska im hohen Norden wurden Kinder bisweilen schon als Säuglinge für die Ehe bestimmt. Überlebten beide Kinder und entwickelten sie einen solchen Abscheu voreinander, daß sie sich nicht zur Anerkennung des ausgesuchten Partners überreden ließen, wurde als Ersatz für einen der Partner ein Bruder oder eine Schwester ausersehen. Ein anderes Mittel, auf das junge Frauen verfielen, um einer vereinbarten Heirat zu entgehen, bestand darin, einfach wegzulaufen. Manche südöstlichen Salish-Familien von äußerst hohem Rang vereinbarten bereits für ihre Kleinkinder die Heirat. Der Vater, der die Verbindung vorschlug, ging mit einem Geschenk in Form einiger Pferde oder Felldecken zu dem anderen Vater und bekam sogleich ein gleichwertiges Gegengeschenk. Von diesem Zeitpunkt an galten die Kinder als verheiratet, wenn sie auch nicht zusammenlebten, bis das Mädchen seine erste Menstruation bekam. Der einzige Ausweg aus dieser Lage bestand darin, daß einer der beiden »Eheleute« durchbrannte. Gewöhnlich wurde der Jugendliche, der fortgelaufen war, nach einiger Zeit daheim wieder gern aufgenommen, denn man sagte: »Was konnten die Eltern denn schon machen?«

Bisweilen allerdings wurde das Paar gefunden und zurückgebracht, und nicht selten beging ein derart entehrtes Mädchen Selbstmord, indem sie sich erhängte oder in einen starren, angespitzten Grabstock stürzte. Eine Geschichte berichtet von einem Mädchen, das einige Tage mit einem Mann fort gewesen war. Bei ihrer Rückkehr wurde sie von ihrer älteren Schwester gescholten und angewiesen, ihren Liebhaber nie wieder zu sehen. Das junge Mädchen nahm ein Seil und ging in den Wald, als wolle sie Holz sammeln. Später entdeckte man, daß die verstörte junge Frau sich erhängt hatte.

Manchmal gab ein Vater auch seine Tochter als Geschenk an einen Mann für dessen tapferes Verhalten. Eine Geschichte berichtet von einigen Santee (Sioux im Osten), die draußen auf der Jagd waren und sich unerwartet von Feinden umringt sahen. Sie flüchteten allesamt, um sich in den Wäldern zu verstecken. Eine der jungen Frauen, die die Jäger begleitet hatten, wurde von einem jungen Mann ihrer Gruppe beschützt; nachdem sie heimgekehrt waren, boten die dankbaren Eltern das Mädchen dem Mann zur Frau an, der sie gerettet hatte. Das Mädchen gehörte ihrem Helden in der gleichen Weise, in der ihr Skalp ihren Feinden zugekommen wäre. Diese Geschichte ähnelt einigen unserer Märchen – ansehnlicher Held rettet Jungfrau, sie heiraten und leben fortan glücklich zusammen –, und augenscheinlich muß das Mädchen mit der Vereinbarung zufrieden gewesen sein, denn eine junge Santee konnte es schlichtweg ablehnen, ihre persönlichen Wünschen den Vereinbarungen ihrer Familie unterzuordnen.

In Südontario konnte ein Ojibwa-Vater eine Kriegergruppe zusammenrufen und ankündigen, er werde seine Tochter mitnehmen und sie am Ende des Kriegszuges dem tapfersten Krieger als Belohnung geben. Er wußte, daß sich ihm mehr Männer in der Hoffnung auf Liebe als aufgrund erträumten Ruhms anschließen würden. Natürlich klappte dieser Schachzug nur, wenn das junge Mädchen auch erstrebenswert war, also Schönheit und einen guten Ruf besaß. Das Mädchen wurde, solange der Kriegszug dauerte, eifersüchtig bewacht. Sobald aber der Sieg errungen war, wurde sie die Braut dessen, der sich als Tapferster erwiesen hatte.

In Fällen, in denen eine junge Frau sehr krank gewesen war,

kam es vor, daß Ojibwa-Eltern vereinbarten, sie dem Arzt zu geben, der sie geheilt hatte. Bei den Ojibwa erinnert man sich heute noch an eine solche Geschichte, die allerdings einen tragischen Ausgang nahm. Ein Medizinmann namens Pahwah war gewöhnlich sehr erfolgreich in seiner Berufsausübung und konnte daher hohen Lohn fordern; doch immer wenn er das Leben einer unverheirateten jungen Frau rettete, bat er statt eines Honorars um ihre Hand. Auf diese Weise gewann er drei Ehefrauen. Die dritte war etwa achtzehn Jahre alt, als er sie heilte, er um die vierzig. Nun ergab es sich, daß einer der Söhne Pahwahs bereits eine Liebesbeziehung mit dem Mädchen unterhielt, und dieser Sohn wurde sehr wütend auf den Vater, weil dieser alle jungen Frauen wegheiratete; daher schlug er ihm vor, es wäre doch nur natürlich, wenn er mit seinen Söhnen teilte. Die Antwort des Vaters lautete, wenn der Sohn so sehr nach einer Frau verlange, solle er doch hingehen und sich selbst eine suchen. Die Romanze zwischen dem Sohn und seiner jungen Stiefmutter nahm kein Ende; im Gegenteil, sie fühlten sich immer stärker zueinander hingezogen. Nach einem Monat Ehe mit dem alten Arzt geriet die junge Frau in Verzweiflung. Sie mochte den alten Mann nicht, hielt es nichtsdestoweniger aber für ihre Pflicht, ihm treu zu sein. Den Ausweg aus ihrem Dilemma sah sie darin, sich mit einem Ledergurt zu erhängen. Der trauernde junge Freier warnte daraufhin seinen Vater, in Zukunft solle er seinen Lohn in Form von Nahrungsmitteln und Gegenständen einstreichen, denn junge Mädchen liebten es nicht, alte Männer zu heiraten.

Natürlich wurden junge Frauen nicht immer in diesem Maß unter Druck gesetzt, Männer zu heiraten, die ihre Familie ausgesucht hatte. Traditionell orientierte, autokratische Väter und Mütter ließen ihren Töchtern bisweilen überhaupt keine Wahl, wohingegen andere Eltern nicht daran dachten, eine Heirat für ihre Töchter zu vereinbaren, wenn sie nicht sicher waren, daß der junge Mann dem Mädchen gefiel. Und das Vorgehen der stärker autoritär veranlagten Eltern wurde gewiß durch die vielen Mythen und Geschichten in ein anderes Licht gerückt, die schauerlich eingehend die Selbstmorde junger Frauen schilderten, die gezwungenermaßen ungeliebte Männer geheiratet hatten. Man muß ferner im Auge behalten, daß die Ehebeziehungen nicht in jenem Maße von Romantik und Schwüren nie endender Liebe geprägt waren wie bei uns; nichtsdestoweniger bestand die Möglichkeit individueller Wahl zwischen – wenn auch nur – zwei oder drei Männern, die alle hervorragende Jäger und Ernährer waren.

Ein Sprung in den Tod (Santee)

Ein junges Santee-Mädchen hatte eine Liebesbeziehung mit einem jungen Mann, der um sie warb, aber ihre Eltern wollten eine Heirat nicht zulassen. Um von dem Freier wegzukommen, zogen sie aus dem Dorf fort an einen Ort im Norden. Dort wählten sie einen reichen alten Schamanen zum Gatten für das Mädchen. Die Tochter warnte sie, sie liebe den Mann nicht, und sie sei so verzweifelt, daß sie Selbstmord begehen werde, wenn die Eltern auf der Verbindung bestünden. Die Eltern gingen über ihre Einwendungen hinweg und beharrten darauf, sie habe den alten Mann in jedem Falle zu heiraten. Die Braut blieb kurze Zeit mit ihrem neuen Ehemann zusammen, sprach aber nie mit ihm. Eines Tages packte sie heimlich ihr bestes Kleid und ging in die Wälder. Ihr unglücklicher Mann beobachtete sie dabei, was sie aber nicht bemerkte. Er schlich hinter ihr her und sah, wie sie auf eine Felsgruppe nahe einem Wasserfall stieg; dort bemalte sie sich das Gesicht, legte ihr bestes Kleid an, öffnete ihr Haarband und ließ ihr dichtes Haar über die Schultern fallen. Sie saß verloren eine Zeitlang da, hörte schließlich ein Geräusch und bemerkte die Anwesenheit ihres Gatten. Zu ihm gewandt, sagte sie: »Ich will dich nicht, und doch folgst du mir.«

Dann sang sie ein Todeslied, band sich ihren Schal um den Kopf und sprang von dem Felsen. Ihr Ehemann lehnte sich über den Rand des Felsens, um zu sehen, was mit ihr passiert war. Ungefähr auf halber Höhe wuchs ein Fichtenbaum aus einer Spalte hervor. Sie war auf ihn gefallen und hing in der Luft. Nach ein paar Augenblicken schwang sich die junge Frau von dem Ast, und der Mann sah, wie sie auf die Steine im Wasser aufschlug. Noch Jahre später, wenn jemand an der Stelle vorbeikam und den Todessprung der Frau erwähnte, schlugen die Wellen so hoch, daß kein Kanu passieren konnte.[9]

Nicht selten wurden junge Indianermädchen mit Männern verheiratet, die weit älter waren als sie. Man meinte, ein älterer, erfahrener Mann sei besser in der Lage, eine junge Frau zu ernähren, und sie würde ein leichteres Leben haben. Junge Omaha-Krieger verhöhnten diese Art von Heiraten, indem sie sagten: »Ein alter Mann kann kein Mädchen gewinnen, er kann nur ihre Eltern gewinnen.«

Bei den Irokesen-Völkern im Nordosten waren es die Mütter, die die Eheschließungen ihrer Kinder vereinbarten. Sowohl Söhne wie Töchter wurden an Personen verheiratet, die älter als sie selbst waren, weil man meinte, sie brauchten einen in allen Dingen des Lebens erfahrenen Partner. Eine erfahrene Frau von dreißig oder vierzig Jahren wurde so bisweilen Ehefrau eines jungen Kriegers, während junge Mädchen mit Witwern verheiratet wurden, die zuweilen über sechzig Lenze zählten. Die Vereinbarungen waren gänzlich Sache der Mütter und anderer weiser Frauen im Dorf, und die jungen Leute wurden über ihre bevorstehenden Heiraten vorher noch nicht einmal unterrichtet. Es kam außerordentlich selten vor, daß eine junge Irokesen-Frau die Wahl ihrer Mutter ablehnte; sie akzeptierte den älteren Mann schlicht als ein Geschenk ihrer Eltern. Am Tag nach der Bekanntgabe der Heirat wurde das junge Mädchen von ihrer Mutter und Freundinnen zum Haus des vorgesehenen Ehemannes geführt. Sie nahm dazu etwas Maisbrot oder andere pflanzliche Nahrung, die sie bereitet hatte, als Symbol ihrer Befähigung zu Hausarbeit und Nahrungsbereitung mit. Als Gegengabe bekam sie etwas Wild von dem Mann, wodurch er sich als guter Jäger auswies. Damit war die Eheschließungszeremonie beendet.

Die Gros Ventre in Montana verheirateten ebenfalls junge Frauen an ältere Männer. Die Mädchen wurden, noch bevor sie die Pubertät erreicht hatten, gewöhnlich mit einem älteren Mann mit eigenem Haushalt verehelicht. Dies hatte zur Folge, daß die Kind-Braut früh verwitwete, worauf rasch eine Neuheirat für sie vereinbart wurde, oftmals wieder mit einem älteren Mann. Zu dem Zeitpunkt, zu dem sie für eine dritte Ehe zur Verfügung stand – so um ihr zwanzigstes Lebensjahr –, kamen dann Männer ihres Alters für eine Heirat in Frage, und diese konnten von ihrer größeren Erfahrung im Eheleben profitieren.

Auch die Pawnee auf den nördlichen Plains hielten diese Erfahrung für notwendig. Man glaubte, ein junges Mädchen sei keineswegs in der Lage, die Verantwortung für einen Haushalt zu tragen, und so gab man ihr einen reifen Mann zum Ehemann; der junge Pawnee-Krieger hingegen, der eine fähige Frau brauchte, die seine Entwicklung überwachte, wurde dementsprechend mit einer älteren Frau verheiratet. Je weiter die jungen Leute reiften und andere Ehen eingingen, desto mehr kehrte sich die Situation im Laufe der Zeit um. Eine Frau, die in der Erledigung der häuslichen Pflichten Kompetenz erworben hatte, kam schließlich in die Lage, Ansprüche auf einen ansehnlichen jungen Krieger als Ehemann anmelden zu können. Dieses Arrangement paßte besser zur Pawnee-Gesellschaft, als es zur unsrigen passen würde, denn bei den Pawnee gab es ein besonderes – ironisches – Verhältnis zwischen den jungen Leuten und ihren Großeltern. In der Tat besagte das Wort für Großeltern, daß körperliche Vertrautheit erlaubt und Geschlechtsbeziehungen möglich waren. Nicht daß eine junge Frau eine Sexualbeziehung mit dem eigenen Großvater unterhalten hätte, aber der Begriff wurde auch auf andere Personen der genannten Altersgruppe angewandt. Da die Frauen zumeist schon sehr bald nach der Pubertät Kinder zur Welt brachten, bestand überdies kein großer Altersunterschied zwischen einem Kind und seinen Großeltern.

Selbst in Gruppen, die den jungen Frauen weitgehend freie Hand in dem Punkt ließen, wen sie zu heiraten beabsichtigten, galt es keineswegs allgemein als guter Stil, wenn sie zu viele Freier abwiesen, insbesondere wenn die jeweiligen jungen Männer im Stamm einen guten Ruf hatten und als gute Ernährer galten. Mädchen, die meinten, für sie sei keiner gut genug, wurden vom Rest des Dorfs heftig gescholten. Und durchaus konnte ein junger Mann über die Zurückweisung seiner Annäherungsversuche so erzürnt sein, daß er die Hilfe eines Schamanen suchte, um über das Mädchen als Rache für die Abweisung Krankheit oder Unglück heraufzubeschwören.

Der Kot als Freier
(Assiniboine)

Es war einmal ein Mädchen, das weigerte sich, einen von den Männern zu heiraten, die um sie warben. Sie war ein sehr eigensinniges Mädchen, nicht nur hinsichtlich der Männer, mit denen sie sich traf, sondern auch hinsichtlich der Nahrung, die sie zu sich nahm, denn sie aß nur das weiße Fleisch vom Hals des Büffels. Und wenn sie ihren Darm entleerte, waren ihre Exkremente weiß. Ihre Mutter, die sich sorgte, weil ihre Tochter zu mager war, überredete das Mädchen schließlich, von der Zunge etwas zu essen, die als besonderer Leckerbissen galt. Nachdem das Mädchen die Zunge gegessen hatte, waren ihre Exkremente schwarz. Sie war wütend und nannte sie »schlechte Exkremente«.

Im Frühjahr zog das Lager weiter. Die schwarzen Exkremente waren immer noch böse auf das Mädchen, weil es sie mit bösen Namen belegt hatte, und so riefen sie andere Exkremente zusammen, und alle beschlossen, einen Haufen zu errichten, so groß wie ein Mann. Wenn das Volk auf der Suche nach dem Büffel weiterzog, zogen die Fäkalien in der Verkleidung eines Menschen hinterher. Wenn der Kot-Mann ein kleines Stück Haut oder Stoff fand, nahm er es auf und begann, sich selbst einzukleiden. Danach fand er etwas Farbe und malte sich an und fing an auszusehen wie ein ansehnlicher junger Krieger.

Schließlich schloß der Kot-Mann mit dem Lager auf und wurde von dem Vater des Mädchens bemerkt, der den jungen Mann in sein Tipi einlud. Er begann, sich für den gutaussehenden Fremden zu interessieren, und fragte ihn, woher er käme und wie die Namen seiner Leute lauteten. Der Freier antwortete: »Einer der Häuptlinge heißt Standing-Hat, ein anderer Lie-down-on-the-ground, ein dritter heißt Quick und ein weiterer Big-ball.«* Der Vater bot dem Mann etwas heiße Suppe an, und der Kot-Mann, dessen Gestalt gefroren war, wußte, daß diese schmelzen würde, wenn er die Suppe aß. Sehr bald begann er, innen heiß zu werden und zu erweichen, also entschuldigte er sich, er wolle hinausgehen und jagen. Nun hatte das Mädchen, das an die Menstruationshütte gebunden war, das Gespräch mitgehört, und sie hatte einen Blick auf den Fremden geworfen und bei sich gedacht, er sähe wirklich gut aus. Als der Kot-Mann sich anschickte, das Lager zu verlassen, warf er einen Stock nach der Hütte des Mädchens. Als sie herauskam, fragte er sie, ob sie ihn begleiten wolle; sie lief los, ihre Sachen zu holen, die sie in einen Sack steckte, und brach auf, um dem Mann zu folgen. Bald kam warmer Bergwind auf, und der Kot-Mann begann zu schmelzen. Das Mädchen, das seiner Spur folgte, fand einen seiner Otterhauthandschuhe auf dem Boden, zog ihn an und fand ihn mit Dung gefüllt. »Dieser Handschuh ist voller Kot«, sagte sie zu sich selbst. Sie fand seine Mokassins im gleichen Zustand. Zu guter Letzt holte

* Diese Namen wurden als Umschreibungen für Fäkalien und Exkremente benutzt.

sie ihren Freier ein. Er lag auf dem Boden, das Gesicht zur Erde gewandt, und war ganz und gar von der Hitze geschmolzen. Seine Kleidung war immer noch in gutem Zustand, aber sie bedeckte nur Kot. Das Mädchen ging weinend nach Hause und begann zu singen: »Ich bin meinem eigenen Kot nachgelaufen.«[10]

Carma Smithson hat in ihren Untersuchungen über die Havasupai-Indianer, die im Grand Canyon lebten, das Widerstreben dieser Frauen gegen die Ehe nicht nur als Ausdruck kulturell bedingter Schüchternheit, sondern auch als echte Furcht gedeutet. Sie führte die Schüchternheit und Furchtsamkeit der jungen Frauen auf zwei Ursachen zurück: erstens daß sie möglichem körperlichem Mißbrauch durch ihre Ehemänner ausgesetzt waren, die gewöhnlich kräftiger waren als die Frauen; und daß zweitens in dem Fall, in dem sich die Beziehung als unerträglich erwies, kaum eine Chance bestand, sie durch Diskussion mit dem Mann oder dadurch zu bessern, daß man ihn um eines anderen Mannes willen verließ. Wenn eine Havasupai-Frau ihrem Mann zu entrinnen suchte, indem sie heim zu ihrer Familie lief, wurde sie laut Mrs. Smithson von den Verwandten normalerweise zu dem Mann zurückgeschickt. Folglich war es das einfachste für eine Havasupai, jedwede Behandlung, die sie erfuhr, schlichtweg hinzunehmen. Interessanterweise bezeichneten die Havasupai-Frauen, die mit Carma Smithson sprachen, diese Verhältnisse in ihrem eigenen Fall immer als unannehmbar, während die gleichen Frauen einem Ehemann das Recht zugestanden, seine Frau zu schlagen, wenn ihnen ein verallgemeinertes Beispiel weiblichen Fehlverhaltens vorgelegt wurde.[11]

Verschwenderische und schlichte Heiratszeremonien

Die Formen der überlieferten Heiratsriten in den nordamerikanischen Eingeborenengesellschaften waren überaus unterschiedlich und vielfältig. Die wohlhabenderen Familien bestanden normalerweise auf einer ziemlich üppigen Feier, die ärmeren Leute dagegen gaben sich damit zufrieden, ihre Tochter die Eheschließung bekanntgeben zu lassen, indem sie einfach beim Bräutigam Wohnung bezog. Wie auch immer, der Heiratsritus war kein religiöses Sakrament, sondern ein Vertrag zwischen zwei Personen und bisweilen auch ihren Familien. Jede öffentliche Zeremonie oder Feier diente einzig dazu, die Eheschließung dem Rest des Dorfes bekanntzugeben, wie es heute durch Heiratsanzeigen geschieht.

Es ist berichtet worden, daß die Huronen, die nördlich des Ontariosees lebten, der Unterscheidung zwischen Verheiratetsein und Unverheiratetsein nicht den gleichen Stellenwert beimaßen wie wir heute; statt dessen kannten sie verschiedene Stadien des Experimentierens und der wachsenden Zusammengehörigkeit zwischen einem Mann und einer Frau, die sich erst dann zu einer dauerhaften Bindung festigten, wenn Kinder geboren wurden. Die Eltern der jungen Leute halfen, die erste »Eheschließung« zu arrangieren, aber das typische Arrangement war zu Beginn nur ein Abkommen, so lange zusammen zu bleiben, wie die Partner einander die Dienste erwiesen, die der andere berechtigterweise erwarten durfte.

Bei den Cherokee, die im Gebiet des heutigen östlichen Tennessee lebten, versammelte sich das gesamte Dorf, um den jungen Paaren eine Zeremonie vorzuführen, in der symbolisch die Rollen dargestellt wurden, die die Partner als reife Mitglieder der Gesellschaft wahrzunehmen hatten. Am Tag der Hochzeit fastete der Bräutigam mir seinen männlichen Kameraden in einer kleinen Hütte unweit des Rathauses, während der Braut Freundinnen beim Fasten in einem anderen Gebäude Gesellschaft leisteten. Später trafen sie sich mit dem Rest der Gemeinschaft im Rathaus, wo die Mutter des Bräutigams ihrem Sohn einen Wildbretschenkel und eine Decke überreichte, und die Braut erhielt von ihrer Mutter einen Maiskolben und eine Decke. Dann tauschte das Paar die Geschenke untereinander aus und hüllte sich gemeinsam in die Decken. (Scheidung hieß bei den Cherokee übrigens »Teilung der Decken«.)

Vielfach wurde erwartet, daß der Bräutigam der jungen Frau und ihrer Familie wertvolle Geschenke machte; in vielen Gesellschaften wurde auch erwartet, daß die Familie diese Gaben mit gleichwertigen Gegengeschenken erwiderte. Wenn auch die vom Bräutigam abgelieferten Gaben als »Brautpreis« in die Fachsprache eingegangen sind, bedeuteten sie doch eine Transaktion, die viel tiefere Bedeutung besaß als den Erwerb der sexuellen und Haushaltsdienste einer Frau. Die Zahlungen und Gegenzahlungen legitimierten eine Ehe, schufen soziale und politische Bündnisse und dienten als Sicherheit dafür, daß sich Ehemann und

Ehefrau anständig benahmen. Dementsprechend haben die Anthropologinnen Dorothy Hammond und Alta Jablow in ihrem hervorragenden Aufsatz über die wirtschaftliche Rolle der Frau angemerkt: »Der Einwand, der Brautpreis mache (eine Frau) zur Leibeigenen, entbehrt jeder Grundlage. Um was es für sie vielmehr geht, ist die Rechtmäßigkeit ihrer Ehe. In der Tat ist die Frau stolz auf den hohen Preis, der für sie gezahlt wurde, denn dadurch wird der hohe Status ihrer Familie und ihres Ehemannes bestätigt. Solange es keine Alternativen gibt – und deren gibt es wenige in intakten traditionellen Gesellschaften –, akzeptieren die Frauen diese Situation und empfinden überdies Befriedigung über ihren Erfolg innerhalb des bestehenden Systems.«[12] Eine in dieser Weise »gekaufte« Frau war in Wirklichkeit keine Ware, denn sie hatte das Recht, von ihrem Ehemann Dienstleistungen – so etwa den Schutz vor Feinden und wirtschaftliche Sicherstellung – zu erwarten. Vielmehr hätten die jungen Männer Grund gehabt, gegen den Brautpreis Einwände zu machen. Es fiel nämlich den jungen Männern schwer, Besitz anzuhäufen, und obwohl ihre Verwandtschaft normalerweise dabei half, sie mit den für den Erwerb einer Ehefrau nötigen Gütern auszustatten, mußten sie sich stark verschulden.

Generell bezogen sich die Bräuche, die mit Heiratszeremonien und Geschenkaustausch in Zusammenhang standen, nur auf die erste Eheschließung einer jungen Frau oder diejenigen Verbindungen, die sie in der Nachfolge einging, solange sie noch ziemlich jung war. Je älter eine Frau wurde, desto mehr bekam sie üblicherweise bei der Vereinbarung ihrer Eheschließungen freie Hand. Sofern der Brauch das Schenken bei Zweit- oder Dritt-ehen nicht gänzlich ausschloß, reduzierte sich zumindest die Menge und Qualität der Geschenke.

Bei den Yurok, die an der Nordküste Kaliforniens lebten, kam dem Brautpreis eine sehr weitgreifende Bedeutung zu. Der soziale Rang der gesamten Familie – Mann, Frau und Kinder – hing davon ab, wieviel für die Frau bezahlt wurde. Wohlhabende Männer zahlten hohe Summen für ihre Bräute, damit ihr eigener Status und der ihrer zukünftigen Kinder entsprechend hoch war. Wenn die Tochter eines wohlhabenden Mannes ins Dorf ihres neuen Ehemannes geschickt wurde, sandte der Vater gewöhnlich eine beträchtliche Menge Geschenke mit und gab so freiwillig einen Teil der an ihn geleisteten Zahlungen zurück. Diese umfangreiche Zahlung an den Bräutigam begründete die »Vollehe«, und der Ehemann war berechtigt, seine Braut mit in seinen Wohnort zu nehmen und die Kinder bei sich zu behalten, sofern es zur Trennung kam. Wenn seine eigenen Töchter heranreiften und heirateten, fiel der Brautpreis an ihn, und wenn einer seiner Söhne getötet wurde, strich er das Blutgeld ein, das der Schuldige zu entrichten hatte. Aber auch ein armer Mann, der sich solche hohen Aufwendungen nicht leisten konnte, mußte nicht unverehelicht bleiben. Die Braut eines armen jungen Mannes ging eine »Halbehe« ein, bei der ihr Ehemann ungefähr die Hälfte ihres geschätzten Wertes zahlte und zu ihr in das Haus ihres Vaters zog. Der Ehemann unterwarf sich der Weisungsbefugnis seines Schwiegervaters und arbeitete für ihn. Die Kinder gehörten der Frau und ihrer Familie, und sämtliche Heiratszahlungen und Blutgelder kamen ebenfalls ihrer Familie zu. Die Halbehe war legitim, nur nahm sie in der sozialen Rangordnung offenbar eine relativ niedrige Stellung ein.

Der folgende Bericht schildert eine typische Cheyenne-Hochzeit, wie sie denjenigen in den meisten anderen Plains-Gesellschaften auf dem Höhepunkt der Büffelkultur im neunzehnten Jahrhundert entspricht. Normalerweise lag die Verehelichung eines jungen Cheyenne-Mädchens in der Hand ihrer Eltern, aber in manchen Fällen konnten sie die Tochter einem Bruder oder Vetter übergeben, dem dann die Ausrichtung ihrer Heirat oblag. Wenn ein junger Mann sich in ein Mädchen verliebte, tat er alles, was in seinen Kräften stand, um sich bei der Person, die ihre Heirat ausrichtete, beliebt zu machen. War er dann einigermaßen sicher, daß er sowohl von dem Mädchen als auch von ihrer Familie akzeptiert wurde, unterrichtete der Freier seine eigene Familie über seine Pläne. Fand er deren Billigung, halfen ihm seine Leute, Geschenke zusammenzutragen und sie auf Pferde zu packen, die dann von einem Verwandten des jungen Mannes zum Tipi des Vaters oder Bruders der Braut geführt wurden. Die Pferde wurden vor der Hütte angepflockt, und der Abgesandte ging hinein, rauchte, plauderte ein bißchen und kam schließlich auf den Zweck seines Besuchs zu sprechen. Es herrschte Einhelligkeit darüber, daß der Vorschlag binnen 24 Stunden entweder angenommen oder abgelehnt wurde. Entschied der Familienrat, daß die Eheschließung aus irgendeinem Grunde inakzeptabel sei, wurden die Pferde zur Hütte des jungen Mannes zurückgeführt.

Fiel aber eine Entscheidung zu seinen Gunsten, luden die Verwandten der jungen Frau die Güter von den Pferden des jungen Mannes ab, und jeder nahm sich – einschließlich der Pferde –, was ihm gefiel; dabei stand außer Frage, daß man binnen eines oder zweier Tage Güter von gleichem oder höherem Wert an den Freier sandte.

Sobald die Gegengaben angehäuft waren, wurde die Braut in feine neue Kleider gehüllt, auf das beste Pferd gesetzt und zu ihrem neuen Ehemann geschickt. Ihre Mutter und andere weibliche Verwandte führten die übrigen, mit Geschenken bepackten Pferde, und der Zug setzte sich zur Hütte des Vaters des Bräutigams in Bewegung. Sobald sie eintrafen, kamen sämtliche weiblichen Verwandten des Bräutigams herausgelaufen, halfen der Braut vom Pferd und trugen sie in das Zelt, damit sie nicht die Schwelle zu überschreiten brauchte. Die Schwestern und Cousinen ihres Ehemannes zogen ihr die Kleider aus, die sie trug, kleideten sie in neue Gewänder, die sie angefertigt hatten, kämmten und banden ihr das Haar und bemalten ihr das Gesicht. Dann setzte sich das frisch gebackene Ehepaar Seite an Seite nieder, und es wurde ein kleines Festmahl gereicht. Das Paar lebte bei der Familie des Bräutigams, bis die beiden Mütter und ihre Verwandten, unterstützt von der Braut, genügend Haushaltsgegenstände zusammengetragen hatten, so daß die Jungverheirateten allein leben konnten. Die Mutter der Braut errichtete das neue Tipi in der Nähe ihres eigenen, und es wurde eine neue Familie gegründet.

Wenn ein junges Paar durchbrannte, beeilten sich die Eltern, die Ehe zu legitimieren, indem sie den üblichen Gabenaustausch vornahmen, sobald die jungen Leute ins Lager zurückgekehrt waren.

Insbesondere unter wohlhabenden und adligen Familien der Stämme an der Nordwestküste des Kontinents war es üblich, daß Eheschließungen von einem umfangreichen wechselseitigen Geschenkaustausch begleitet wurden. Bei den Coast Salish in Britisch-Kolumbien wurde der formelle Heiratsvorschlag immer vom Vater des jungen Mannes oder einem nahen männlichen Verwandten unterbreitet. Hatte die Familie diskrete Fühler ausgestreckt und war sie sich der Annahme des Vorschlags sicher, machten sich der junge Mann und seine Angehörigen in geschenkbeladenen Kanus auf den Weg und paddelten bis vor die

Haustür der Braut. Sie fanden die Tür immer verriegelt vor, woraufhin lange Reden voller Wiederholungen begannen, in denen die Familien gepriesen wurden und hervorgehoben wurde, wie erstrebenswert die Verbindung sei. Wenn die Tür schließlich geöffnet wurde, brach man die Verhandlungen sofort ab, und die Verwandten des Jungen und seine Fürsprecher zogen sich für eine Weile zurück; man ließ den jungen Mann allein in der Hütte auf einem Stapel Decken sitzen. Manchmal mußte er einige Tage so sitzen, wobei er fast bewegungslos verharrte, nichts aß und die Hütte nur verließ, um sich zu erleichtern. Die zukünftige Braut war nirgendwo zu sehen. Nachdem die Verwandten des Jungen dann zurückgekehrt waren, folgten weitere Ansprachen, und nach jeder Lobrede schenkte die Familie des Mädchens dem jeweiligen Sprecher eine Decke; weitere Kommentare wurden nicht gegeben. Für die Familie der Braut war es eine Frage des Prestiges, sich später damit rühmen zu können, wie schwer sie es den Angehörigen des jungen Freiers gemacht hatte, die Braut zu gewinnen.

Der stolze Vater
(Tlingit)

Ein großer Häuptling hatte eine Tochter, die von vielen Männern begehrt wurde, aber er war zu stolz, sie einem von ihnen zu geben, es sei denn, er wäre ebenfalls ein Häuptling. Er besaß einen häßlichen Hund, der eines Abends als Mann verkleidet zu der Tochter ging und sie fragte, ob sie ihn als Ehemann nehmen wolle. Da er sich durch angenehmes Äußeres auszeichnete, willigte sie ein, und später gebar sie acht Welpen, sieben Männchen und ein Weibchen. Der Vater geriet in solche Rage, daß er und sein gesamter Stamm das Mädchen verstießen, ihre Nahrungsvorräte vernichteten und die Feuer löschten, damit sie verhungere. Jedoch versteckte ein Verwandter des Häuptlings, der Mitleid mit der jungen Frau hatte, etwas Nahrung und Glut unter ihrer Schwelle, so daß sie ein Feuer anzünden und etwas essen konnte, bis sie Gelegenheit hatte, einen Lachs zu fangen. Die versteckten Vorräte halfen ihr über die ersten schwierigen Tage, aber trotzdem mußte die Mutter stundenlang von ihren Kindern fern sein, um genügend Nahrung für sie zusammenzubringen, damit sie überleben konnten. Solange sie vom Hause fort war, spielten ihre Kinder miteinander wie junge Menschen – die sieben kleinen Jungen tanzten um das Feuer, und das kleine Mädchen wartete an der Tür auf die Rückkehr der Mutter. Sobald das kleine Mädchen die Mutter zurückkehren sah, schlüpften alle Kinder in ihre Hundekörper zurück. Eines Tages schöpfte die Mutter Verdacht und schlich unbemerkt zum Haus zurück. Als sie ihre Kinder in Menschengestalt und die Hundekleider an der Wand hängen sah, lief sie rasch ins Haus und warf sofort die Hundekleider ins Feuer. Danach blieben die Kinder Menschen.[13]

Am Tage, nachdem der Vorschlag angenommen worden war, wurden alle Dorfbewohner zu einem Fest eingeladen. Sprecher aus beiden Familien hielten schmeichelhafte Reden auf alle Anwesenden und ermahnten das junge Paar, alles zu tun, um eine gute Ehe zu führen und den Familiennamen Ehre zu machen. Dann wurden die Kanus entladen und die Geschenke der Familie der Braut übergeben, die sie unter die anwesenden Gäste verteilte. Braut und Bräutigam brachen zum Heim des jungen Mannes auf, wobei sie beachtliche Geschenke vom Vater der Braut mitnahmen, darunter Nahrungsmittel, Decken und Kanus. Diese Geschenke des Brautvaters an seinen neuen Schwiegersohn waren allerdings mit Verpflichtungen verbunden; der Schwiegersohn hatte einige der Güter bei einer Heiratsankündigungsfeier abzugeben, wenn er und seine junge Frau in sein Dorf zurückkehrten und einige seiner Verwandten, die zum Brautpreis beigesteuert hatten, Entschädigung für ihre Gaben forderten.

Bei den Tlingit, einer anderen Gruppe an der Nordwestküste, konnte der Brautvater, sofern er wohlhabend war und Sklaven besaß, einen von ihnen abstellen, um die Geschenke der Braut zu ihrem neuen Heim zu tragen, und er konnte ihr den Sklaven sogar schenken. Dieser Akt hob wesentlich den Status der beteiligten Familien, und noch Jahre später erinnerte man sich, daß »ein Sklave ihre Besitztümer getragen« hatte. Wenn beim Streit zweier Frauen die eine die andere übertrumpfen wollte, konnte sie etwa höhnisch fragen: »Hat in deiner Familie vielleicht ein Sklave die Besitztümer einer Tochter getragen?«

Die Jungverheirateten pendelten zwischen ihren beiden Familien hin und her, bis sie genügend Ausstattung zusammengetragen hatten, um einen eigenen Hausstand zu gründen. Immer kehrte die junge Frau ins Heim ihrer Mutter zurück, um ihr erstes Kind zu gebären, wonach das junge Paar normalerweise seinen eigenen Haushalt einrichtete.

Natürlich konnte sich all diese Zeremonien und Feiern nur die Oberschicht leisten. Wenn ein junger Mann aus dem »Volk« eine Frau heiraten wollte, sprachen seine Eltern mit den Eltern des Mädchens, man lud ein paar Freunde zu einem Essen ein, tauschte in geringem Umfang Geschenke aus, um die Eheschließung zu formalisieren, und das Paar lebte fortan zusammen.

Der abgewiesene Freier
(Quinault)

Die Tochter des Häuptlings eines bestimmten Dorfes wurde von einem nichtsnutzigen jungen Burschen umworben, der ein Verschwender war. Das Mädchen fühlte sich zu ihm hingezogen, weil er einen mächtigen Schutzgeist hatte. Das junge Mädchen wurde in seine Pubertätszelle gesperrt, aber der junge Mann kam weiterhin zu ihr und sprach mit ihr durch die Außenwände. Das Mädchen ließ sich dazu überreden, mit dem jungen Mann durchzubrennen, und eines Tages löste er zwei der Wandbohlen, damit sie entkommen konnte. Er hatte ein große Tasche aus Teichbinsen mitgebracht, die er mit Moos vollgestopft hatte. Dem jungen Mädchen sagte er jedoch, die Tasche sei voller Felle und Decken und solle ein annehmbares Geschenk für ihre Eltern abgeben. Sie ließen die Tasche in der Zelle und machten sich auf den Weg.

Einer der Sklaven des Häuptlings, der das Verhalten des Mädchens mit Argwohn beobachtet hatte, sah sie ausreißen und folgte ihr, und schließlich überredete er sie heimzukehren. Der glücklose Freier wurde aufgefordert, sich in Zukunft zurückzuhalten, aber er lungerte weiter in der Nähe des Mädchens herum. Nach ein paar Monaten wurde das Mädchen mit dem Häuptling eines benachbarten Dorfes verheiratet. Er schenkte ihren Eltern vier seetüchtige Kanus, fünf Kanus und eine bestimmte Menge Dentalien (Muschelgeld), ehe er das Mädchen heim in sein Dorf führte.

Ein Jahr später kehrte das Paar unmittelbar vor der Geburt des ersten Kindes in das Dorf der jungen Frau zurück, damit ihre Mutter ihr während der Wehen beistehen konnte. Der frühere Freier hörte, daß sie wieder daheim war, und kam ins Dorf. Die junge Frau ängstigte sich vor ihm, denn sie erinnerte sich daran, daß er gelobt hatte, er werde seinen starken Schutzgeist anrufen, um zu verhindern, daß sie die Frau eines anderen werde. Wegen ihrer Furcht überredete die junge Frau ihre Mutter, mit ihr zum Gebären an einen anderen Ort zu gehen. Als sie in einem Kanu den Fluß hinabfuhren, beobachtete sie der abgewiesene Freier von einem Steilufer aus. Die schwangere Frau versteckte sich unter einer Decke, aber er wußte, daß sie da war, und er schoß seine geheime Macht in sie hinein. Bald darauf verspürte die junge Frau einen Schmerz im Rücken. In jener Nacht wurde die Frau von einem totgeborenen Kind entbunden. Sie blutete heftig, selbst aus ihrem Mund rann das Blut. In ihren letzten Augenblicken vertraute sie ihrer Mutter an, was sie als Ursache ihres Todes vermutete.

Ihr trauernder Vater schickte sofort zwei seiner Sklaven aus, um den jungen Mann aufzuspüren und zu töten, was sie auch taten, indem sie seinen Unterleib aufschlitzten und ihn in den Rücken stachen.[14]

Für die jungen Frauen, die in Gesellschaften aufgewachsen waren, die keinerlei freundschaftlichen Verkehr zwischen heranwachsenden Jungen und Mädchen zuließen, war die Hochzeit ein besonders traumatisches Erlebnis. Die Papago in den Wüsten Südarizonas hielten Jungen und Mädchen streng getrennt. Mädchen, die ohnedies kaum von den Müttern aus den Augen gelassen wurden, durften mit keinem Mann sprechen, es sei denn, es handelte sich um einen Verwandten. Machte ein Mann bei ihrer Hütte halt, wenn sie sich allein dort aufhielten, waren sie gehalten, ihm Essen anzubieten und dann das Haus zu verlassen. Infolgedessen war es eine Feuerprobe für ein Mädchen, wenn ihre Eltern feststellten, daß ihre Brüste schwollen (»Sie sollten zu etwas gut sein«, hieß es), und sie begannen, eine Heirat für sie zu arrangieren. Die weitläufige Verwandtschaft des jungen Mädchens kam zusammen, um zu erörtern, wer eine gute Partie für sie sein könnte. Sobald die Wahl auf einen jungen Mann gefallen war, statteten die Eltern des Mädchens seiner Familie einen Besuch ab und unterbreiteten den Vorschlag. Dazu war erforderlich, daß der junge Mann in einem anderen Dorf beheimatet war, denn die Leute im selben Dorf waren allemal zu eng miteinander verwandt, um für eine Heirat in Frage zu kommen. Es war möglich, daß in geringem Umfang Geschenke ausgetauscht wurden, aber im Gegensatz zu den Völkern der Plains und der reichen

Nordküste waren die Wüstenvölker arm und hatten keine Möglichkeit, üppige Geschenke aufzuhäufen.

Wurde der Vorschlag angenommen, kehrten die Eltern des Mädchens heim und befaßten sich im folgenden Monat damit, die Tochter weiter auf die Ehe vorzubereiten und aufzuklären. Da sie bei der Familie ihres Ehemannes leben würde, wurde sie angewiesen, fleißig für die neuen Angehörigen zu arbeiten und das neue Dorf für den Rest ihres Lebens als Heimat anzusehen.

Wenn die Eltern zu dem Schluß kamen, die Tochter sei nun ausreichend auf die Ehe vorbereitet, benachrichtigten sie die andere Familie. Das junge Paar verbrachte die ersten vier Nächte gemeinsam im Elternhaus der Braut, damit die junge Frau in dieser schwierigen Zeit ihre Mutter bei sich hatte. Die Mutter legte der jungen Frau nahe, den Ehemann nicht zu fürchten, indem sie ihr sagte: »Wenn er etwas von dir will, habe keine Angst vor ihm«, und hinzufügte, sie solle sich bemühen, seinen Wünschen ohne Widerstreben zu entsprechen. Der Bräutigam kam regelmäßig, nachdem sich die Angehörigen zu Bett begeben hatten, schlief mit seiner frisch Angetrauten und brach vor Morgengrauen wieder auf, denn er hätte sich geschämt, wenn man ihn bei Tageslicht hätte gehen sehen. Am Morgen nach den vier nächtlichen Besuchen des Bräutigams führte die Brautmutter das Mädchen in ihr neues Heim, wobei sie ein kleines Geschenk mitnahm.

Die verschreckten Bräute liefen natürlich auch dann und wann einmal fort und mußten von ihren Müttern wieder eingefangen werden. Eine von ihnen – sie hieß Rustling Leaves – versteckte sich in einem großen Getreidekorb und mußte hervorgezerrt werden. Chona, die Papago-Frau, der wir bereits in den voraufgegangenen Kapiteln begegnet sind, hat berichtet, wie sehr sie sich vor ihrem Ehemann fürchtete. Sie hatte nie zuvor mit einem Mann gesprochen und wußte nicht, was sie sagen sollte. »Mag sein, daß ich nie mit ihm gesprochen hätte; ich weiß es nicht«, erzählte sie. »Aber eines Nachts, als wir zu Bett gingen, war eine Klapperschlange in unserem Bett. Ich schrie. Er sagte: ›Steh auf und laß uns unser Bettzeug ausschütteln.‹ Danach fühlte ich mich mehr zu Hause.«[15]

Augenscheinlich waren einzelne junge Papago-Frauen sogar noch widerspenstiger. Es ist die Geschichte von einem Elternpaar überliefert, das sich an den Häuptling seines Dorfes wandte und beklagte, daß die Tochter, die sie gerade verheiratet hatten, sich weigerte, mit dem Mann zu schlafen, den sie ihr gegeben hatten. Der Häuptling wußte, daß der Ehemann ein alter, aber netter Mann war, und so vermutete er, daß das Mädchen nur verschreckt war. Der Häuptling drohte dem Mädchen mit Auspeitschung und ging sogar so weit, sie mit den Händen an den Pfahl zu binden. Da begann sie zu weinen und willigte ein, ihrem Ehemann gefügig zu sein.

Auch die Apachen erzogen ihre jungen Mädchen dazu, Männern gegenüber außerordentlich zurückhaltend zu sein; infolgedessen waren sie in den ersten Tagen ihrer Ehe gewöhnlich verängstigt. Normalerweise überzeugte sich ein junger Freier bei den Apachen zunächst, daß seine Familie die ausersehene Braut akzeptierte, und sandte dann einen Vermittler zur Familie des Mädchens, der seine Sache vertrat. Der Unterhändler sprach von den hervorragenden Eigenschaften des Freiers und erwähnte die Geschenke, die dieser seinen zukünftigen Schwiegereltern machen würde. Ein oder zwei Pferde oder deren Gegenwert, soviel machte das durchschnittlich aus. Wurde der Vorschlag angenommen, ging die Mutter des jungen Mannes oder eine weibliche Verwandte das Mädchen holen. Manchmal wurde von dem Mädchen erwartet, daß sie von der ersten Nacht an mit ihrem Ehemann schlief, aber gewöhnlich war sie so schüchtern, daß sie die ersten drei oder vier Nächte bei seiner Mutter oder seinen Schwestern schlief und vor Morgengrauen die Hütte verließ, um peinlichen Kontakten mit den neuen Verwandten aus dem Wege zu gehen. Sie verbrachte auch den Tag im Lager ihrer Eltern und aß dort. Nach den ersten Tagen blieb sie für etwa einen Monat im Lager ihres Mannes, bis ihre Mutter in der Nähe ihrer eigenen für das Paar eine neue Grashütte errichtet hatte.

Eine alternative Methode, eine Heirat zu arrangieren – dies Verfahren wurde bisweilen von den Apachen im Westen praktiziert –, bestand schlicht darin, daß die Eltern ihre Tochter in das Lager eines jungen Mannes schickten, der ihnen gefiel. Dies galt als große Ehre für den jungen Mann und seine Familie, doch die betroffene junge Frau empfand eine solche Reise gewöhnlich als überaus geschmacklos und entwürdigend, denn es gab keinerlei Sicherheit, daß sie akzeptiert werden würde, und eine Zurückweisung war ein empfindlicher Schlag für ihre Selbstachtung. Um die peinliche Lage des Mädchens zu lindern, wurde es vielfach von einer Schwester oder guten Freundin begleitet. Wenn die beiden

Mädchen in dem Lager eintrafen, in dem der junge Mann zu Hause war, standen sie im Eingang seiner Hütte, und die Begleiterin erzählte seiner Mutter, sie seien gekommen, um über Nacht zu bleiben. Waren sie nicht willkommen, bekamen sie einfach gesagt, sie sollten wieder heimgehen; daraufhin brachen sie auch sofort auf, und das erniedrigte Mädchen war ohne Zweifel sehr wütend auf seine Eltern, weil sie es in eine solch beschämende Lage gebracht hatten. Wurden die beiden jungen Frauen aber akzeptiert, schliefen sie die Nacht bei den Schwestern des jungen Mannes oder bei seiner Mutter.

Üblicherweise hatten jungverheiratete Apachen die Befangenheit voreinander noch nicht verloren, wenn die Zeit gekommen war, in die eigene Grashütte zu ziehen, daher gesellte sich ihnen zuweilen ein Freundespaar hinzu, um ihr Mißbehagen für eine Weile zu lindern. Diese Freunde brauchten nicht miteinander verheiratet zu sein oder umeinander zu werben, sondern sie waren gewöhnlich Verwandte der Jungverheirateten. Die Braut schlief unmittelbar neben der Wand, neben ihr ihre Freundin, daneben der Freund des Bräutigams und neben ihm der Bräutigam, der sein Lager am Feuer aufschlug.

Eine alte Apachen-Frau erinnert sich an die erste Nacht, die sie allein mit ihrem Ehemann verbrachte: »Ich lag steif vor Furcht und Schüchternheit da und wagte kaum zu atmen. Ich fror am ganzen Körper und zitterte. Mein Herz schlug sehr schnell. Ich glaube, ich habe mich die ganze Nacht nicht gerührt. Meinem Mann ging es wohl ganz ähnlich.«[16] Allem Anschein nach war dies die Regel, nicht die Ausnahme.

Bei den Jicarilla-Apachen war es strenger Brauch, innerhalb des eigenen Stammes zu heiraten. Die Älteren mahnten, jeder Apache, der eine Ute heiratete, würde nach seinem Tod zu einer Eule werden; die Heirat mit einer Navajo würde dazu führen, als Berglöwe wiedergeboren zu werden. Am schlimmsten war es, eine Mexikanerin zu ehelichen, was zur Wiedergeburt als Packesel führte, oder eine Angloamerikanerin, was die Wiedergeburt als Muli bedeutete. Man glaubte, Mulis und Lastesel würden laut »iah«schreien, sobald sie einen Jicarilla-Apachen sahen, der eine Mexikanerin oder eine Angloamerikanerin geheiratet oder mit ihr Geschlechtsverkehr gehabt hatte.

Die Heiratsbräuche bei den Hopi in Nordarizona standen in Einklang mit ihrer allgemeinen Wertschätzung individueller Freiheit. Wir haben bereits die verschiedenen Arten erörtert, in denen ein Hopi-Mädchen einem jungen Mann die Ehe direkt antragen konnte; es war aber auch zulässig, daß ein junger Mann Heiratsabsichten unterbreitete. Sobald eine Verbindung gebilligt war, lag die Durchführung der komplizierten Heiratsriten hauptsächlich in den Händen der Braut sowie der weiblichen Verwandten sowohl der Braut wie des Bräutigams. In Details unterschieden sich die Feierlichkeiten und Zeremonien von Dorf zu Dorf, ähnelten aber allgemein sehr denen in Old Oraibi; dort leitete das Mädchen die Hochzeitsvorbereitungen ein, indem es zunächst einige Tage lang im Heim seiner Mutter Maismehl mahlte und *piki* (ein Oblatenbrot aus Maismehl) herstellte; dann ging sie ins Haus ihrer zukünftigen Schwiegermutter und mahlte dort drei Tage lang von vor Tagesanbruch bis spät in die Nacht Maismehl. Damit bewies sie nicht nur ihre Kompetenz, sondern entschädigte auch in gewisser Weise die Mutter des Jungen für den Verlust von dessen Diensten im Haus und auf den Feldern.

Irgendwann im Lauf dieser drei Tage trafen die Tanten väterlicherseits des Jungen ein und zettelten ein Streitgespräch an, zu dem üblicherweise auch ein lärmender Schlammringkampf gehörte. Die Tanten schalten die junge Braut heftig, nannten sie dumm und faul, und zugleich bejammerten sie, die junge Frau habe ihnen ihren Liebling gestohlen. In Wirklichkeit aber war die ganze Episode ein Mordsgaudi, das beweisen sollte, daß die älteren Frauen die junge Braut gut leiden mochten. Sie war eine gute Wahl für einen Ehemann. Am vierten Morgen kam lange vor Sonnenaufgang die weibliche Verwandschaft der jungen Frau zum Haus des Bräutigams und brachte das gesamte Maismehl und *piki*, das sie vorbereitet hatte. Auch die weiblichen Verwandten des Bräutigams kamen, und unterstützt von ihren weiblichen Angehörigen, wuschen die beiden Mütter die Köpfe der Jungverheirateten in einem Becken und drehten schließlich das Haar des Paares zu einem Strang zusammen, um die beiden für das ganze Leben zu vereinen. Sobald das Haar getrocknet war, begann das Paar zur aufgehenden Sonne zu beten.

Nach dem Hochzeitsfrühstück stiegen der Bräutigam und seine engsten Angehörigen in ein *kiva* (eine unterirdische Zeremonienkammer) hinab und begannen, die Hochzeitskleider der Braut zu weben. (In Hopi-Städten erledigen die Männer sämtliche Webarbeiten.) Zuerst wurden zwei weiße Hochzeitskleider, ein großes und ein kleines, gewebt, dann ein langer weißer Gürtel. Während der Anfertigung dieser Ausstattung blieb die Braut bei ihrer Schwiegermutter, mahlte emsig Maismehl und verrichtete andere Hausarbeiten.

Es dauerte lange, bis die Braut genügend Maismehl gemahlen hatte, um ihre Hochzeitskleider bezahlen zu können; bisweilen mußte ihr zukünftiger Mann sogar Mais anbauen, ehe sie beginnen konnte. Wie bereits in dem Kapitel über die Kindgeburt ausgeführt worden ist, haben viele junge Hopi-Frauen ihr erstes Kind infolge der überaus umfangreichen und anstrengenden Mahlarbeit, die von ihnen erwartet wurde, verloren. Trotzdem war es für sie wichtig, die Hochzeitskleider zu erwerben, denn sie garantieren der Frau den Zugang zum Paradies. Wenn eine Hopi-Frau starb, wurde ihr Leichnam in das kleine Hochzeitskleid gehüllt und mit dem Hochzeitsgürtel umschlungen, die in einem Schilfkorb aufbewahrt worden waren. Das Kleid diente als Flügel, um ihre Seele ins Haus der Toten zu tragen, und der Gürtel leitete sie auf ihrem Flug. Eine Frau brauchte nur ein solches Kleid zu besitzen, weshalb man im Falle einer weiteren Heirat gewöhnlich auf das zeremonielle Weben verzichtete. Manche Frauen, die sich um ihr Leben nach dem Tode sorgten, heirateten nur aus dem Grunde, um dieses besondere Kleid zu erwerben.

War das Weben abgeschlossen, wurde die Braut in die fertigen Kleidungsstücke gehüllt und in das Haus ihrer Mutter heimgeführt. Dort gesellte sich ihr ihr neuer Ehemann hinzu, und das Paar nahm seinen ständigen Wohnsitz in jenem Haushalt; bisweilen wurde das Pueblo-Haus nach einiger Zeit um ein weiteres Zimmer erweitert. Von da an konnten die Braut und ihre Mutter erwarten, daß der junge Mann ihre Felder bearbeitete, sie mit Holz versorgte und in anderer Weise zum Unterhalt des Hausstands beitrug. Die Mutter der Braut hatte die Position einer Matriarchin inne und stand dem Haushalt vor, aber normalerweise kam sie gut mit ihrem Schwiegersohn aus, was selten dadurch gestört wurde, daß die gesamte Familie unter einem Dach lebte.

Das Schwiegermuttertabu

In vielen Gesellschaften, in denen Jungverheiratete ihren Wohnsitz in der Nähe der Brauteltern aufschlugen, mußten die jungen Leute unbedingt ein eigenes, von dem der Schwiegereltern abgesondertes Gebäude beziehen, denn diese Gesellschaften praktizierten streng ein Tabu, das jeden Kontakt zwischen Brautmutter und ihrem Schwiegersohn untersagte. Diese gemeinhin »Schwiegermuttertabu« genannte Praktik hat zweifellos viele schwere Streitigkeiten in Indianerfamilien verhindert.

Die Einhaltung dieses Tabus war den Navajo so wichtig, daß die Brautmutter während der Hochzeit ihrer Tochter noch nicht einmal im Hogan anwesend sein durfte, wenn auch bisweilen eine neugierige Mutter einen raschen Blick auf die Feierlichkeiten und Zeremonien riskierte. Wenn die Mutter den neuen Schwiegersohn nicht kannte, mußte sie ihn durch einen kurzen Blick kennenlernen, damit sie in der Lage war, die Person wiederzuerkennen, die sie zu meiden hatte. Das Tabu wurde bis zum Tod der Mutter oder des Schwiegersohns gewahrt; selbst wenn die Tochter einer Frau sich scheiden ließ und mehrmals wieder heiratete, hatte die ältere Frau sämtliche voraufgegangenen Schwiegersöhne zu meiden. Man meinte, Personen, die das Tabu brachen, würden krank werden oder von einer besonderen Art Geisteskrankheit befallen, die sie zwang, ins Feuer zu springen.

Obwohl der Navajo-Ehemann und seine Schwiegermutter einander nicht »sehen« durften, bemühten sie sich überraschenderweise darum, einander besonders zu helfen. Das Sichmeiden und die Hilfsbereitschaft machten zusammengenommen jene eigentümliche Art von gegenseitigem Respekt aus, der das Verhältnis zwischen Schwiegersohn und Schwiegermutter kennzeichnete. Zu den zahlreichen anderen Gesellschaften, die auf dem Schwiegermuttertabu bestanden, zählten auch die Apachen, die Sioux, die Cree und die Cheyenne.

Auch das Volk der Blackfoot befolgte streng das Schwiegermuttertabu, kannte allerdings für den Notfall allgemein gebilligte Arten der Modifikation. War der Schwiegersohn einer Frau krank und niemand sonst verfügbar, der ihn pflegen konnte, durfte die Schwiegermutter dies tun; nach seiner Genesung war das Tabu für beide auf Dauer aufgehoben. Oder wenn ein Mann in den Krieg zog oder vermißt wurde, durfte seine Schwiegermutter um seine unversehrte Rückkehr beten und dabei geloben, ihm, sofern ihre Gebete erhört würden, die Hand zu schütteln, ein Pferd zu schenken und sich in seiner Gegenwart in Zukunft nicht mehr zu schämen. Doch selbst wenn das Tabu hinsichtlich Begegnungen und Gesprächen aufgehoben war, durften ein Mann und seine Schwiegermutter nicht im selben Tipi wohnen; statt dessen wurde, wenn die Schwiegermutter verwitwete, draußen neben der Behausung ihrer Tochter ein kleines Tipi für sie aufgestellt.

Zuneigung und Verliebtheit

Um zu einem zufriedenstellenden Zusammenleben zu gelangen, brauchten Ehepartner im frühen Amerika nicht ineinander verliebt zu sein oder sich zu lieben. In vielen Gesellschaften – insbesondere denjenigen, in denen die Eltern die Eheschließung arrangierten – erwartete die Frau nicht, daß der Ehemann ihre Bedürfnisse nach Partnerschaft und Intimität erfüllte. Die Ehe wurde eher als Basis für wirtschaftliche Zusammenarbeit und Kinderaufzucht begriffen.

Ein Beispiel hierfür bieten die Kuskowagamiut-Eskimo im hohen Norden. Die Ehepartner blieben im Umgang miteinander während der ersten Jahre meistenfalls kühl und schweigsam, und normalerweise redeten sie nicht in der intimen, vertrauten Weise miteinander, in der heutige Partner das tun. Die Ehemänner lebten noch nicht einmal bei ihren Frauen; statt dessen arbeiteten, spielten und schliefen sie im Männerhaus oder *kashgee.* Die Ehefrau, ihre Töchter und die jüngeren Söhne wohnten im Heim der Familie. Wenn eine Tochter heranwuchs und heiratete, blieb sie im Haus ihrer Mutter und zog dort auch ihre Kinder auf. Unter diesen Umständen erwartete man gar nicht, daß Mann und Frau eine enge Partnerschaft bildeten, doch mit der Zeit kam das Paar sich näher und entwickelte sogar Zuneigung zueinander.

Natürlich gab es viele Paare, die am Anfang ihrer Ehe sehr verliebt waren, und andere, die nach Jahren des Zusammenlebens und -arbeitens tiefe und beständige Zuneigung zueinander entwickelten. »Ich hatte ihn nach und nach liebengelernt. Wir hatten so viel gemeinsam gehungert.« – So eine Papago-Frau.

Der Büffelfelsen
(Assiniboine)

In Montana, wo die Büffel einst überaus zahlreich waren, gab es einen Felsen, der stark einem liegenden Büffel ähnelte. Der Stamm der Assiniboine hielt den Felsen heilig, und jedesmal, wenn eine Gruppe von ihnen an dem Felsen vorüberkam, schlug sie in der Nähe ein Lager auf und brachte dem Büffelfelsen Geschenke dar zum Dank für ihren Wohlstand oder ihre Gesundheit oder um Erfolg bei der Jagd oder im Krieg zu erbitten.

Einmal zog eine Gruppe Assiniboine auf der Suche nach Büffelherden umher; es war eine Zeit des Hungers, denn das große Tier, von dem der Stamm so sehr abhing, war allem Anschein nach verschwunden. Als die Gruppe an dem heiligen Büffelfelsen vorüberkam, legte sie dort Geschenke nieder und bat um Nahrung. In der Gruppe befand sich ein junges, frisch vermähltes Paar. Sie zogen sehr langsam voran, denn der Ehemann war von Krankheit und Nahrungsmangel geschwächt. Er ging auf seine Frau gestützt, weil seine Füße von der Jagd wund und seine Mokassins durchgelaufen waren. Der Mann kroch allein zu dem Felsen, da es Frauen verboten war, sich dem Heiligtum zu nähern, legte sein Opfer nieder und verharrte eine Weile in stillem Gebet. Dann setzten die beiden ihren Weg fort, aber da sie so langsam gingen, blieben sie bald hinter dem Rest der Gruppe zurück.

Das junge Paar lagerte allein an einem kleinen Bach, an dem viele Weiden wuchsen. Die Frau sammelte Weidenäste, und gemeinsam bauten sich die beiden ein kleines Schutzdach für die Nacht. Sie machten ein Feuer, aber sie hatten keine Nahrung, die sie hätten zubereiten können. Nach einer Weile begann der Mann, unter großer Mühe zu sprechen; er erinnerte an ihre Pläne, sich ein hübsches Tipi aus Büffelhäuten zu bauen – Pläne, die nun hinfällig waren, da die Büffel verschwunden waren und er nicht imstande war, die nötigen Häute zusammenzubringen. Er fuhr fort: »Wir sind immer noch zusammen, aber wir sind allein. Unsere Leute sind weitergezogen. Wir haben noch immer den Wunsch, nebeneinander zu sitzen, obwohl schon sieben Monde vergangen sind, seit du meine Sitz-neben-mir-Frau geworden bist.« Er redete auf seine Ehefrau ein, ihn zurückzulassen – allein weiterzuziehen und sich den anderen anzuschließen –, aber sie lehnte ab und sagte, sie sei zu ihm gekommen, um auf ewig bei ihm zu bleiben.

Ihre Unterhaltung wurde von einem plötzlichen Donnerschlag unterbrochen, auf den heftiger Wind und Regen folgte. Der Sturm währte nicht lang. Es war jene Art von Sturm, wie er von jungen, ruhelosen Donnervögeln heraufbeschworen wird, denen es Freude macht, plötzlich über Beute herzufallen, um sie zu vernichten, und die auch gern Leuten Angst einjagen, die ihre Opfer an die Donnervögel nicht dargebracht haben. Sie kamen nicht immer, um zu zerstören, sondern manchmal auch, um eine gute Tat zu tun. Aber der Regen löschte fast das Feuer aus, und so ging die junge Frau, um morsches Holz zu sammeln und es wieder zu entfachen.

Schon bald kam sie atemlos zurückgelaufen. Sie hatte drei Büffel gefunden, die vor dem Sturm in den Wäldern am Bach Schutz gesucht hatten. Der Ehemann war traurig, weil er nicht in der Lage war, die Büffel zu töten, doch die Frau hatte einen Plan. Da sie sah, daß der Mann immer noch kräftig genug war, um den Bogen zu spannen, wollte sie ihn auf dem Rücken tragen. Die Dämmerung setzte ein, als sie zu den Büffeln schlichen, die sich, die Rükken gegen den Wind gekehrt, eng zusammendrängten und den sonderbaren berittenen Jäger nicht beachteten.

Das Paar tötete und zerlegte einen von ihnen; die besten Stücke trugen sie zu ihrem Schutzdach und bereiteten sich ein schmackhaftes Abendessen. Ehe sie aßen, dankten sie dem heiligen Büffel und den Donnervögeln, die die Büffel dicht an ihr Lager getrieben hatten.

Am nächsten Morgen holte die junge Frau den Rest der Gruppe ein, und einige Jäger kehrten zurück und erlegten die anderen beiden Büffel, die immer noch in der Nähe waren. Danach wurden viele Pfeifen gestopft und dem Büffelfelsen als Dankopfer dargebracht.[17]

Polygamie

In manchen Indianergesellschaften standen sich Schwestern so nahe, daß sie ihr gesamtes Leben in Gemeinschaft verbrachten – als Kinder schliefen sie auf derselben Matte, später verrichteten sie die Frauenaufgaben gemeinsam und teilten sich sogar in denselben Ehemann. Den verbreiteten Brauch, daß ein Mann sämtliche Schwestern aus ein und demselben Haushalt heiratet, nennt man schwesterliche Polygynie. Zuweilen schloß der Brauch auch Cousinen, Nichten, Tanten oder andere weibliche Verwandte als mögliche Mitehefrauen ein. Zwar gab es auch Gesellschaften, in denen Frauen unterschiedlicher familiärer Herkunft Gemeinschaftsehen mit einem Mann eingingen, doch meinte man im allgemeinen, daß es ein harmonischeres Zusammenleben ergäbe, wenn die Ehefrauen miteinander verwandt waren.

Doch selbst in den Gesellschaften, die die Polygamie gestatteten – oder besser: Polygynie, denn wir behandeln hier nur Ehen mit mehreren Frauen –, durfte ein Mann nur so viele Frauen haben, wie er auch unterhalten konnte; daher war diese Eheform gewöhnlich auf Häuptlinge und sehr gute Jäger beschränkt. Bei den Gabrielino in Südkalifornien war für alle Männer außer dem Häuptling die Einehe die Regel. Da von ihm erwartet wurde, daß er große Mengen Nahrung und Besitz an anwesende Würdenträger und bei öffentlichen Anlässen auch an Gäste verteilte, benötigte er die Hilfe von zwei oder mehr Ehefrauen, um genügend Nahrungsmittel zusammenzutragen, damit er seine zeremoniellen Verpflichtungen erfüllen konnte.

Einen ähnlichen Brauch gab es bei den Omaha, wo normalerweise nur die prominenten Männer mehr als eine Frau hatten. Die Ehefrau eines Mannes, der ein öffentliches Amt innehatte, mußte viel Extraarbeit leisten, etwa für viele Gäste kochen oder hübsche Geschenkartikel herstellen. Es gab bei den Omaha keine Dienerklasse, weshalb die Frau keine Hilfe anheuern konnte, wenn die Arbeit für sie zuviel wurde. Ein Mann, der bemerkte, daß seine Frau unter Überarbeitung litt, bzw. der schlicht eine weitere Frau wünschte, konnte seiner Frau erklären: »Ich möchte, daß du weniger Arbeit hast, und deshalb erwäge ich, Pretty Moon (oder jemand andren) zur Frau zu nehmen.« Ein Mann mußte unbedingt die Zustimmung seiner ersten Frau einholen, ehe er eine weitere Frau heiraten konnte. Die Führung des Haushalts und die Verteilung des Essens blieben immer in der Hand der ersten Frau.

Die erste Frau hatte üblicherweise einen höheren Status inne als die übrigen Mitehefrauen. In der Tat schlug bisweilen eine Sioux-Frau ihrem Ehemann vor, er solle eine junge Ehefrau dazunehmen, was ihr die Hausarbeit erleichterte und den gehobenen Status der Seniorehefrau eines wohlhabenden Mannes gab.

Es war nämlich allgemein bekannt, daß ein Mann schon ziemlich wohlhabend sein mußte, um sich mehr als eine Ehefrau leisten zu können. Obwohl in den meisten Great-Plains-Stämmen die Juniorehefrauen das Gros der Arbeiten zu erledigen hatten, machte ihnen dies oft nichts aus, da sie von ihren Ehemännern nicht sonderlich streng beaufsichtigt wurden. Solange sie jung waren, wurde allgemein vorausgesetzt, daß sie Liebhaber unter den jungen Männern des Stammes hatten.

Diese Dominanz der älteren Ehefrauen wurde bei den Eyak in

Alaska umgekehrt. Obwohl es hieß, ein Mann schlafe nicht mit einer alten oder unfruchtbaren Frau, ließ er sich nicht von ihr scheiden. Statt dessen heiratete er eine Jüngere und machte die ältere Ehefrau praktisch wieder zu einer Sklavin.

Die Salish-Stämme im Südosten praktizierten eine intensive Polygamie. Dort lebte eine Frau, deren Mann noch mehrere Nebenfrauen hatte, die nicht mit ihr verwandt waren, normalerweise weiter bei ihrer Familie und empfing ihren Ehemann, wann immer es ihm beliebte. Die Salish-Frauen legten großen Wert auf die äußere Erscheinung, und eine Frau wurde beneidet und geachtet, wenn sie einen gutaussehenden Ehemann hatte, ob dieser sie nun unterhielt oder nicht. Da diese Völker im Nordwesten lebten, einer vergleichsweise üppigen Region, machte es nicht allzuviel aus, ob eine Frau von ihrem Mann ernährt wurde oder nicht, denn eine gesunde Frau war durchaus in der Lage, sich in jeder Hinsicht selbst zu versorgen. Sie konnte immer etwas von ihren Wurzeln und Beeren gegen Lachs und Wild eintauschen, und sie war im Haus ihrer Eltern oder sonstigen Verwandten willkommen. Nichtsdestoweniger war es angenehm, einen Ehemann ganz für sich zu haben, und dies führte zu erheblichen Reibereien zwischen Mehrfachehefrauen und infolgedessen zu einer hohen Scheidungsrate.

Vielfach kamen auch Mehrfachehefrauen, insbesondere Schwestern, gut miteinander aus. Sie schätzten die Gemeinschaft und die Teilung der Arbeitslast, doch die Mehrzahl der überlieferten Geschichten schildert Eifersüchteleien und Streitigkeiten unter den Frauen. In der Tat bedeutet der Spottausdruck für Mitehefrau in der Sprache der Papago »Eine, mit der ich eine Eifersuchtsbeziehung habe«, und Mitehefrauen bei den Gros Ventre bezeichneten sich gegenseitig als »Rivalinnen«, auch wenn sie Schwestern waren.

Der Blauhäher und das Reh
(Yurok)

Der Panther hatte zwei Ehefrauen, den Blauhäher und das Reh. Wie es bei seinem Volk üblich war, schlief der Panther öfter im Schwitzhaus als bei seinen Frauen. Jeden Tag schickte das Reh ihre Tochter, dem Panther etwas Bucheckernsuppe zu bringen. Es war eine sehr gute Suppe, aber jeden Tag lauerte der Blauhäher der Tochter auf, nahm ihr die Suppe weg und aß sie auf. Eines Tages bemerkte der Panther, was da vor sich ging, nahm die Suppe und aß sie selbst. Es war die köstlichste Suppe, von der er je gekostet hatte, und von da an achtete er immer darauf, daß er die Suppe des Rehs auch bekam. Der Blauhäher wurde eifersüchtig, und so schlich er sich zu dem Ort, an dem das Reh die Suppe bereitete, und versuchte herauszufinden, was die Suppe so delikat machte. Er sah, wie das Reh einen Stein nahm, sich damit auf den Vorderlauf schlug und etwas Knochenmark in die Suppe fließen ließ. Der eifersüchtige Blauhäher meinte nun, er könne es genauso machen, ging nach Hause und schlug sich ebenfalls auf das Bein, aber es kam nur Schleim heraus. (Man kann heute noch den Knoten am Bein des Blauhähers sehen.) Als der Panther die Suppe des Blauhähers kostete, schmeckte sie so scheußlich, daß er fortan dieser Ehefrau keinerlei Aufmerksamkeit mehr schenkte. Der arme Blauhäher wurde so eifersüchtig, daß er die ganze Zeit nur noch im Kreise herumsprang. Der Panther bemerkte sein seltsames Verhalten und fragte ihn eines Tages, was denn mit ihm los sei. Der Blauhäher wurde so wütend, daß er sich die Klitoris herausriß und sie sich oben auf den Kopf steckte.[18]

Im Stamm der Muskogee, einem Teil der Creek-Konföderation im Südosten, mußte ein Mann ebenfalls die Erlaubnis seiner Ehefrau einholen, wenn er weitere Frauen heiraten wollte. Diese Zweitfrauen nahmen die Stellung von Mägden ein. Versagte die erste Ehefrau ihre Erlaubnis und nahm der Mann dennoch unter Mißachtung ihrer Wünsche eine weitere Frau, so bat die erste Ehefrau vielfach ihre weiblichen Verwandten, ihr beim Kampf gegen die neue Ehefrau zu helfen. Sie zielten dabei darauf ab, die neue Frau zu entstellen; die ältere Ehefrau zerkratzte der Neuen mit den Fingernägeln das Gesicht und peitschte sie mit Gerten. Eine Frau schlug eine andere, wobei sie rief: »Du glaubst, es sei Honig, aber ich werde es zu Essig werden lassen, ehe ich mit dir fertig bin.« Aber auch eine Frau, die sich in dieser Weise zur Wehr setzte, blieb am Ende doch die Verliererin, denn der Brauch forderte, daß sie ihre Rechte aufgab und fortzog, während die neue Ehefrau ihre Stellung einnahm.

Nahm der Mann einer Ojibwa-Frau eine zweite Ehefrau, so war das für sie eine große Schande. Ihr verletztes Selbstwertgefühl litt noch mehr durch den Klatsch der übrigen Dorfbewohner, die offen darüber spekulierten, welche Qualitäten der Frau wohl abgingen, daß ihr Mann gezwungen war, eine andere Ehefrau zu nehmen. Die meisten Ehefrauen verließen ihre Männer, wenn diese mit einer anderen nach Hause kamen, und die meisten lehnten es selbst dann ab zurückzukehren, wenn der Mann versprach, die zweite Frau heimzuschicken. Sogar Frauen, die mit Schamanen verheiratet waren und daher Grund genug hatten, deren Macht und Zorn zu fürchten, fühlten sich bisweilen so erniedrigt, daß sie allen ihren Mut zusammennahmen und ihren Mann verließen.

Die Anthropologin Ruth Landes berichtet von einer Ojibwa-Frau namens Giantess, deren Ehemann, Walker, eine zweite Ehefrau in einem anderen Dorf hatte. Es gelang Walker, die beiden Frauen auseinanderzuhalten, bis sich eines Tages beide Dörfer treffen mußten, um einen Vertrag zu unterzeichnen. In einem Anfall von Wut schleuderte die jüngere Ehefrau, Grey Girl, Giantess kochende Blaubeermarmelade ins Gesicht und verbrühte sie schlimm. Giantess war daraufhin natürlich wütend und nötigte Walker das Versprechen ab, zu seiner zweiten Frau nicht mehr zurückzukehren; er willigte unter der Bedingung ein, daß sie nicht über den Streit tratschen würde. Einige Monate später machte Walker sich fertig, um zu einem Tanz zu gehen, und verärgert darüber, daß Giantess ihm keine neuen Mokassins gemacht hatte, ging er zu Grey Girls Tipi und ließ sich von ihr ein Paar geben. Später sah Giantess Grey Girl zum Tanzplatz gehen.

Damit kam der Zorn, den Giantess monatelang genährt hatte, hoch. Sie sammelte ihre Habe und verstaute die Sachen in einem Kanu. Dann wetzte sie ein Schlachtermesser. Der Tanz fand in einer Hütte aus Birkenrinde statt, und Grey Girl saß mit dem Rücken zur Wand. Giantess löste ein Stück von der Rinde und wandte sich an Grey Girl mit den Worten: »Du hast mir schlimmen Schmerz zugefügt, als du mich verbrüht hast. Jetzt bin ich an der Reihe, dir Schmerz zuzufügen.« Daraufhin erhob sie das Schlachtermesser und zerschnitt Grey Girl das Gesicht; sie schnitt ihr die Backe auf und ein Stück von Nase und Ohr ab. Dann sagte sie: »Ich überlasse dir meinen Ehemann. Du kannst ihn ganz für dich haben. Ich gehe und nehme mir einen Mann, der nicht der Ehemann einer anderen Frau ist.« Danach setzte sie sich in ihr Kanu und paddelte den Fluß hinab.

Polyandrie – also eine Frau mit mehr als einem Ehemann – war in weitesten Teilen des nordamerikanischen Kontinents unbekannt. Die Kaska im extremen Norden von Britisch-Kolumbien zählen zu den wenigen Stämmen, bei denen diese Eheform vorkam. Allerdings beschränkten auch die Kaska die Polyandrie auf alte Männer, die nicht mehr in der Lage waren, durch Jagd ihre Familie ausreichend zu ernähren. Mit Zustimmung seiner Ehefrau lud dann der alte Mann einen jüngeren Bruder oder anderen nahen Verwandten ein, zu ihm zu ziehen und bei ihm zu leben. Der Hilfsehemann durfte nur dann Geschlechtsverkehr mit der Frau haben, wenn der alte Mann außer Haus war, etwa auf Reisen; und es wurde erwartet, daß die Frau dem Seniorehemann alles über den jüngeren Mann berichtete, wenn der ältere heimkam. Ferner wurde erwartet, daß der jüngere Mann sich nach dem Tode des älteren weiterhin um die Witwe kümmerte.

Eine Geschichte, die vielleicht illustriert, wie sich diese Praxis herausgebildet hat, wird von den Tlingit, den westlichen Nachbarn der Kaska, erzählt. Zwei Schwestern waren mit einem Mann namens Tiget verheiratet. Tigets Neffe, JD, war schon als kleiner Junge in Tigets Haus gekommen und lebte seitdem bei ihm. Tiget bevorzugte die jüngere der beiden Frauen, schlief selten bei der älteren und pflegte keinerlei sexuelle Beziehungen mit ihr. Bei kaltem Wetter fragte die ältere Schwester JD oft, ob ihm kalt sei, und lud ihn in ihr Bett ein, wo sie mit ihm schmuste wie mit einem Kind. Die Jahre vergingen, und JD wuchs zum jungen Mann heran. Als JD etwa achtzehn Jahre alt war, gingen Tiget, die jüngere Frau und ihre Kinder eines Tages auf eine Reise. Als JD später an diesem Tage ins Lager zurückkehrte, nahm die ältere der beiden Schwestern gerade ein Bad. Es war das erste Mal, daß JD sie nackt sah. Sie sagte ihm, sie sei hungrig auf einen Mann, da ihr Ehemann nie zu ihr komme. Später in jener Nacht schliefen die beiden miteinander. Die Frau wußte sofort, daß sie schwanger geworden war. Am nächsten Tag beschlossen sie, die Frau solle Tiget, wenn er heimkehrte, sagen, was sich zugetragen hatte, und ihm vorschlagen, er solle sie seinem Neffen zur Frau geben, denn so wurden solche Fragen manchmal geregelt. Der ältere Mann war nicht zornig und sagte JD, er und die Frau könnten einen gemeinsamen Haushalt einrichten, wann immer es ihnen beliebte. JD aber meinte, die Leute könnten über den Onkel spotten, weil er seine Frau an einen jüngeren Mann verloren hatte, und dabei beließ man die Dinge. Nach neun Monaten gebar die Frau ein Kind, aber JD schlief nie wieder mit ihr, weil er keine weiteren Kinder haben wollte, ehe sein Onkel starb und er sein Erbe antrat. Nach ein paar Jahren starb die Frau. Als dann der alte Mann starb, wollte JD, der sein Gesamterbe war, die jüngere Schwester heiraten. Die junge Witwe jedoch lehnte ab, weil JD vorher der Liebhaber ihrer älteren Schwester gewesen war.

Scheidung

Scheidungen waren häufig und für die meisten amerikanischen Eingeborenenfrauen nicht mit Schwierigkeiten verbunden. Lebte eine Frau bei der Familie ihres Ehemannes, packte sie einfach ihre Sachen, nahm vielleicht noch ihre Kinder mit und ging heim zu ihren Eltern. Lebte das Paar bei den Eltern der Frau oder gehörte die gemeinsame Behausung ihr, forderte die Frau den Mann zum Auszug auf und warf ihm seine Kleider und sonstige Habe hinterher. Häufige Anlässe zur Scheidung waren Unfruchtbarkeit, Ehebruch, Faulheit, Übellaunigkeit und Grausamkeit.

Ein Grund für die Häufigkeit von Trennungen dürfte darin gelegen haben, daß viele Paare Opfer falscher Partnerwahl infolge arrangierter Heiraten waren. Wenn sich die Frauen auch in ihrer Jugend solchen aufgenötigten Eheschließungen fügten – je mehr sie an Reife gewannen, desto mehr konnten sie ihr Leben selbst gestalten und darangehen, ihre Neigungen zu verwirklichen, soweit es die Partnerwahl betraf.

Die frühen christlichen Missionare machten sich Sorgen wegen dieser mangelnden Beständigkeit der Ehen. Im Jahre 1624 schrieb Pater Joseph Le Caron über die Labrador-Eskimo: »Eines der größten Hindernisse für ihre Bekehrung besteht darin, daß die meisten von ihnen mehrere Ehefrauen haben und daß sie sie nach Belieben wechseln, ohne zu begreifen, daß es möglich ist, sich der Unauflöslichkeit des Ehebundes zu unterwerfen. ›Ihr seid unvernünftig‹, sagen sie zu uns. ›Meine Frau ist nicht einer Meinung mit mir, und ich bin nicht einer Meinung mit ihr. Sie wird besser zu jemand passen, der mit seiner jetzigen Frau nicht zurechtkommt. Weshalb also wollt ihr, daß wir vier für den Rest unserer Tage unglücklich sind?‹«[19]

In manchen Stämmen war es für Frauen schwerer als für Männer, sich scheiden zu lassen. Eine Gros-Ventre-Frau konnte nur dann darauf rechnen, von ihrer Familie wieder aufgenommen zu werden, wenn ihr Ehemann sie gröblich vernachlässigt hatte; war dies nicht der Fall, wurde gemeinhin angenommen, sie hätte die Behandlung, die sie erfahren hatte, auch verdient – wie übel diese Behandlung auch gewesen sein mochte. Die Flathead, die Nachbarn der Gros Ventre in Montana, verhielten sich ähnlich intolerant, wenn eine Frau ihren Mann verließ. Rechnete eine Frau damit, von ihren Eltern dem verlassenen Gatten zurückgegeben zu werden, konnte sie für eine Weile ein anderes Lager besuchen. Es gehörte zur Gastfreundschaft der Flathead, eine Frau in solcher Lage freundlich aufzunehmen. Wenn andererseits ein Flathead-Mann sich von seiner Frau trennen wollte, brauchte er nur ein Pferd in der Nähe ihrer Tür anzupflocken. Dies war nicht nur als sanfter Fingerzeig gemeint, sie solle sich davonmachen, sondern erleichterte ihr den Weggang auch praktisch.

Zwar konnten bei den meisten Plains-Stämmen die Frauen sich von ihren Männern trennen, indem sie zu ihren Eltern heimkehrten, doch die Männer hatten nicht nur das Recht, sich von ihren Frauen zu trennen, sondern durften sie auch bloßstellen. Bei einem öffentlichen Tanz konnte der Mann die Trommel schlagen und ankündigen, er verstoße seine Frau, und wer sie wolle, könne sie nehmen. Damit wollte er sagen, er halte sie für so unerträglich, daß er sie aus seinem Haus jagte. Frauen, die »hinausgetrommelt« wurden, konnten erneut heiraten, aber der Vorfall wurde nicht vergessen. Sie mußte damit rechnen, daß ihr der Vorfall jederzeit von jemand, der – etwa in einem Streit – darauf aus war, sie herunterzumachen, öffentlich vorgehalten wurde. Bei den Crow hatten auch die Frauen die Möglichkeit, sich ihrer Ehemänner in der beschriebenen Weise zu entledigen.

Schwieriger konnte die Scheidung bei denjenigen Stämmen werden, wo die Eheschließung mit umgangreichem Besitzaustausch verbunden war. Bei den Tlingit waren Scheidungen relativ selten. Trennte sich aber ein Paar in gegenseitigem Einvernehmen, wurden die Hochzeitsgaben nicht zurückgegeben. Schickte ein Mann seine Frau einfach nach Hause, weil er sie nicht leiden konnte, so war er verpflichtet, die Geschenke zurückzugeben, die ihr Vater ihm bei der Heirat gemacht hatte. Brach allerdings eine Ehe auseinander, weil die Frau ihrem Gatten untreu geworden war, konnte er die Geschenke behalten und überdies diejenigen zurückfordern, die er selbst eingebracht hatte.

Yurok-Frauen konnten ihre Männer nach Belieben verlassen, vorausgesetzt, ihre Sippe erstattete den Brautpreis zurück. Die Verwandtschaft war nicht allzusehr darauf aus, all diese Geschenke wieder herzugeben, es sei denn, die Frau war wirklich mißbraucht worden. Auch Männer sollten sich nicht ohne triftigen Grund von ihren Frauen trennen. Konnte der Mann keinen vernünftigen Grund geltend machen, weigerte sich die Verwandtschaft der Frau, den Brautpreis zurückzuzahlen. Zwar stand es ihm dessenungeachtet frei, sich von der Frau zu trennen, doch brachte das eine erhebliche wirtschaftliche Einbuße mit sich. Eine unausgesprochene Grundvoraussetzung jeder Eheschließung bestand darin, daß die Frau dem Mann Kinder gebären werde; erwies sie sich als unfruchtbar – und es wurde immer unterstellt, das Problem liege bei ihr –, so brach sie damit den Ehevertrag, und der Mann hatte ein Anrecht auf die Rückerstattung seiner Geschenke und seines Geldes. Frauen in mittleren Jahren, die mehrere Kinder großgezogen hatten, hatten damit theoretisch ihren Brautpreis zurückgezahlt, und es stand ihnen frei, ihren Mann zu verlassen.

Bei den Ojibwa und den Cree, die nördlich des Oberen Sees lebten, waren Scheidungen fast ebenso häufig wie Eheschließungen, und manche Frauen trennten sich bis zu sieben- oder achtmal von ihren Männern und heirateten neu. Eine Ehe war zu Ende, wenn ein Partner den anderen verließ, was völlig überraschend oder in wechselseitigem Einvernehmen geschehen konnte. Die Ojibwa erzählen die Geschichte von Hawk-Woman, die eine freundliche und sanfte Ehefrau war. Ihr Mann behandelte sie schlecht; er schlug sie und verließ sie ständig anderer Frauen wegen. Sie nahm ihn immer wieder bei sich auf, blieb friedfertig und treu. An einem Frühlingstag gingen sie gemeinsam auf Elchjagd und fuhren zwei Tage lang im Kanu den See hinauf. Schon bald erlegten sie einen Elch, und Hawk-Woman zerlegte die Beute und hing das Fleisch zum Trocknen auf. An einer Stelle gingen sie und ihr Mann getrennt in den Wald, um Birkenrinde zu holen und einen Wigwam sowie ein zweites Kanu zu bauen. Als Hawk-Woman aus dem Wald zurückkam und ihre erste Ladung Rinde ins Lager schleppte, sah sie dort das Gewehr stehen; sie nahm es und ging wieder in den Wald, um mehr Rinde zu holen. Als sie das zweite Mal zurückkam, waren ihr Mann und das Kanu verschwunden. Aber ihre Kleider, Kessel, Messer und ihr Bettzeug waren noch da. Nachdem ihr Mann nach zwei Tagen immer noch nicht wieder aufgetaucht war, wußte Hawk-Woman, daß er sie dort zurückgelassen hatte, damit sie umkäme. Sie beschloß, sich zu retten, gerbte die Häute, zermahlte das Fleisch, säte, flocht Matten und baute einen Wigwam. Sie schoß sogar einen Elch und begann, ein Kanu zu bauen. Sie war ziemlich einsam, kam aber gut zurecht, als sie von einem jungen Mann entdeckt wurde, den sie später heiratete. Er sagte ihr, daß ihr früherer Ehemann, der inzwischen wieder geheiratet hatte, ihren Verwandten erzählt hatte, er habe seine Frau verloren und sie auch in dreitägiger Suche nicht finden können. Ihre Verwandten seien hinausgezogen, um sie zu suchen, aber da ihr Mann sie nicht zur richtigen Stelle geschickt hatte, hätten sie angenommen, sie sei tot.

Frauen verließen ihre Männer auch, wenn sie mit einem anderen Mann leben wollten. Die Cree-Frau Marsh-Woman zum Beispiel war mit einem niederträchtigen und eifersüchtigen Mann verheiratet. Als einmal eine Gruppe Ojibwa ihr Lager besuchte, lernte sie einen Mann namens Chief White Place kennen, und die beiden verliebten sich ineinander. Als die Zeit der Heimkehr für die Ojibwa gekommen war, wollten Marsh-Woman und Chief White Place sich nicht trennen. Eines Morgens gab sie vor, ihr Fischnetz überprüfen zu wollen. Statt dessen aber kippte sie ihr Kanu um und warf das Paddel und das Kleid, das sie getragen hatte, ins Wasser, um so ihren Tod vorzutäuschen. Dann brach sie gemeinsam mit Chief White Place auf, und sie paddelten den ganzen Weg bis zu seinem Volk, ohne eine Pause einzulegen. Die Leute ihres Dorfes meinten, Marsh-Woman sei ertrunken – alle bis auf Marsh-Womans Mutter, der sie ihre Flucht anvertraut hatte, um ihr die Trauer zu ersparen.

Die Scheidungsbräuche der Hopi im Südwesten des Kontinents entsprachen den übrigen Sitten dieser Kultur. Scheidung war ohne Formalitäten gestattet, wenn einer der beiden Partner sie wünschte. Eine Scheidung veränderte das Leben einer Hopi-Frau kaum. Sie blieb im selben Haushalt, in dem sie schon seit Kindesbeinen lebte. Sie hatte ein Anrecht nicht nur auf einen Teil des Bodens ihrer Sippe, sondern auch auf einen Anteil an allem, was auf diesem Land produziert wurde. Die ihrem Haushalt zugesprochenen Felder wurden von ihrem Vater, ihren unverheirateten Onkeln mütterlicherseits, unverheirateten Brüdern und Söhnen und den Ehemännern ihrer Schwestern bearbeitet, die alle indirekt zu ihrem Unterhalt beitrugen. Eine geschiedene Frau konnte nach Belieben wieder heiraten, doch war es ratsam, jemanden zu ehelichen, der ebenfalls schon einmal verheiratet gewesen war. Die Hopi glaubten, sie würden ihr Leben nach dem Tode mit ihrem ersten Partner verbringen, und infolgedessen galten der zweite und dritte Ehemann einer Hopi-Frau als für dieses Leben »ausgeliehen«. Man glaubte, eine geschiedene oder verwitwete Hopi-Frau, die einen bislang unverheirateten Mann heiratete, sei dazu verurteilt, im Leben nach dem Tode einen großen Lastenkorb voller Steine mit sich herumzuschleppen. Diese Legende sollte Ehen erhalten, indem sie unverheiratete Leute davon abhielt, diejenigen zu verführen, die bereits einen Ehepartner besaßen.

Witwen

Wenn eine Indianerfrau verwitwete, erwartete man von ihr, daß sie durch und durch von Trauer ergriffen sei – oder daß sie zumindest Handlungen vornahm, die Trauer ausdrückten.

Die Plains-Stämme forderten von ihren Witwen ein gestenreiches Trauerschauspiel. Ein typisches Beispiel hierfür bieten die Sioux. Im Augenblick des Todes des Gatten ergriff die Witwe einen Feuerstein – später ein Messer –, schnitt sich damit zuerst das Haar ab und ging dann dazu über, sich Arme und Beine aufzuschlitzen. Zuweilen war eine Frau von solcher Seelenqual erfüllt, daß sie ihr Fleisch bis auf die Knochen aufschlitzte und zurückgehalten werden mußte, weil zu fürchten stand, sie brächte sich um. Man meinte, diese Art der Selbstverstümmelung biete der Frau nicht nur die Möglichkeit, ihrer Trauer Ausdruck zu verleihen, sondern bewirke auch, daß sie sich wohler fühle, indem sie von ihrer Seelenpein abgelenkt werde. Wenn die Witwe mit der Selbstverstümmelung aufhörte, rieb sie sich Asche in die Wunden. Die sich daraus ergebende Mischung aus Blut und Asche beließ sie bis zum Ende der Trauerperiode – etwa ein Jahr lang – auf ihrem Körper. Im Laufe dieser Zeit schenkte sie auch sämtlichen eigenen Besitz sowie den des verstorbenen Gatten weg und lief ungekämmt und mit leerem Gesichtsausdruck im Lager umher. Auch ein nachgerade stilisiertes Jammern und Klagen gehörte zu den Witwenpflichten, und vielfach klagten die Frauen unter dem Leichengerüst, auf dem der Leichnam des Gatten verweste.

Der Franzose Victor Tixier, der schon früh die Plains-Stämme bereist hat, beschrieb das rituelle Trauergeheul seiner Osage-Köchin folgendermaßen: »Sie begann ihren Gesang mit sehr leiser Stimme. Nach und nach sang sie immer erregter, die Stimme wurde lauter, der Atem unregelmäßig, die Augen füllten sich mit Tränen, der Körper zitterte. Sie stieß markerschütternde Schreie aus, und dicke Tränen rannen ihr die Backen hinunter. Sie geriet in einen Zustand äußerster Erregung und sang wie im Wahn. Sie wirkte wie geistesgestört, doch nach und nach wurde sie ruhiger, trocknete ihre Tränen und nahm ihre Arbeit wieder auf.«[20]

Auch eine Cheyenne-Witwe, die von tiefster Trauer ergriffen war, schnitt sich bisweilen die Stirn auf und ging von dannen, um völlig allein und mittellos im Unterholz zu leben. Manchmal isolierte sich eine Frau ein volles Jahr lang, wobei ihre Verwandten nach und nach ihr Lager in ihrer Nähe aufschlugen und sie langsam in das Leben ihrer Familie und Gemeinschaft wieder eingliederten.

Eine andere Art, wie eine Witwe von den Plains-Stämmen ihren Trauerschmerz ausdrücken konnte, war die, einen Racheüberfall auf einen feindlichen Stamm zu organisieren. Diese Möglichkeit kam besonders dann in Betracht, wenn ihr Ehemann in der Schlacht getötet worden war. Zuweilen gesellten sich die Frauen selbst der Kriegergruppe hinzu, aber häufiger rüsteten sie einen der Krieger aus, indem sie ihm Mokassins, Wegzehrung und ähnliches zur Verfügung stellten. Wenn der Krieger, den sie ausgestattet hatte, einen Feindesskalp heimbrachte, konnte die Witwe in dem Bewußtsein ausruhen, der Seele ihres Mannes eine andere nachgeschickt zu haben, die im Leben nach dem Tode auf ihn wartete.

Eine ältere Sioux-Frau, die mit nur einem Mann verheiratet und ihm treu gewesen war, durfte, wenn sie verwitwete, eine besondere Zeremonie veranstalten. Die Witwe bereitete ein Festmahl vor und lud andere ehrbare Frauen dazu ein. Jede der Frauen hielt eine kurze Rede, in der sie ausführte, wie treu sie immer gewesen war; nach ihrer Erklärung biß jede der Frauen auf ein Messer, wodurch sie beeidete, daß sie die Wahrheit gesprochen hatte und ihrem Ehemann immer die Treue halten würde. Hatte eine Witwe dies Fest veranstaltet, durfte sie nicht wieder heiraten, wenn nicht ein Fluch sie und ihre Familie befallen sollte – sie hatte »aufs Messer gebissen«.

Wenn auch nur wenige Stämme außerhalb der Plains-Kultur von ihren Witwen forderten, daß sie sich den Körper zerschnitten, war es doch unter den nordamerikanischen Stämmen ein weitverbreiteter Brauch, daß die Witwen Klagelieder anstimmten, sich die Haare abschnitten und in schmutzigen, abgerissenen Kleidern herumliefen. Vielfach war den Witwen auch umfangreicher sozialer Kontakt, insbesondere die Teilnahme an Festen und anderen Unterhaltungen, untersagt. In den meisten indianischen Kulturen waren die Witwen gehalten, für eine Zeit zwischen einem und sieben Jahren Trauer zu tragen und unverheiratet zu bleiben; der Brauch, schmutzig, in schäbiger Kleidung und teilnahmslos herumzulaufen, hat sich zweifellos deshalb herausgebildet, um ihre Absonderung von der Gesellschaft zu unterstreichen. Es erscheint kaum wahrscheinlich, daß Männer sich von Frauen angezogen fühlten, die mit getrocknetem Blut bedeckt und in Kleider gehüllt waren, die in Fetzen fielen und nur vom Schmutz zusammengehalten wurden.

Die Witwen der Menominee, die im Norden der Großen Seen lebten, waren gehalten, ein Jahr lang zu trauern, und während dieses Jahres erhielten sie die Fiktion aufrecht, ihr Ehemann sei noch bei ihnen. Wenn die Leiche des Toten zu Grabe getragen wurde, legte die Witwe neue Kleidung neben den Körper des Toten. Einer der Begräbnishelfer schnitt dem Leichnam eine Haarlocke ab, die die Witwe in die Kleider wickelte. Sie legte das Bündel in ihr Bett, behandelte es wie ihren Ehemann und bot ihm von Zeit zu Zeit Speise, Trank und Tabak an. War ihre Trauerphase vorüber, ging die Witwe zu den Eltern ihres verstorbenen Mannes und brachte ihnen Geschenke, um sich freizukaufen. Da zu dieser Zeit die Augen des toten Gatten schon verwest waren und er sich nicht mehr daran erfreuen konnte, seine Frau zu betrachten, befreiten die Eltern sie von weiterem Trauern. Hätte sie diese Bräuche nicht eingehalten, so wären ihre Schwäger oder ihre Schwägerinnen befugt gewesen, ihr die Wangen aufzuschneiden oder ihr die Nase oder ein Ohr abzuschneiden – dieselbe Strafe, wie sie für Ehebrecherinnen vorgesehen war.

Einige Stämme, die im Südosten lebten – insbesondere die Chickasaw, die Cherokee und die Creek – hatten ebenfalls strenge Verhaltensregeln für Witwen aufgestellt, doch brauchten in diesen Gesellschaften die Frauen zum Klagen und Jammern nicht das Haus zu verlassen – der tote Ehemann wurde daheim beerdigt, und zwar unter dem Bett, in dem er gestorben war. Bei den Creek war die Witwe verpflichtet, vier Jahre lang bei den Eltern des verstorbenen Gatten zu bleiben.* Ihr Haar hing in Strähnen vom Kopf, und sie durfte es nicht kämmen; allerdings wurde es etwa einmal alle vier Monate von einer Schwägerin gepflegt, und ab und zu durfte ein kleines Mädchen den Kopf nach Läusen absuchen. Wenn die Trauerjahre vorüber waren, kleideten die Schwägerinnen die Witwe in schöne neue Kleider, legten ihr eine hübsche Frisur und führten sie zum Tanz, der manchmal sogar eigens für den Anlaß arrangiert wurde; manchmal handelte es sich aber auch nur um den nächsten öffentlichen Tanz. Danach hatte die Witwe die Nacht mit einem Mann zu verbringen, den die Sippe ihres verstorbenen Mannes als geeigneten Ehemann für sie ausgewählt hatte. Mochte sie den Mann leiden, so konnte sie ihn heiraten, mochte sie ihn hingegen nicht, konnte sie sich selbst einen Mann aussuchen, da sie dadurch, daß sie mit der Wahl ihrer Schwiegerverwandtschaft geschlafen hatte, von ihrem Witwenlos erlöst war.

Auch bei den Chickasaw mußte eine Witwe um ihren verstorbenen Mann drei bis vier Jahre lang trauern. Wenn allerdings bekannt war, daß sie um ihn ein Jahr lang ernsthaft getrauert hatte, und wenn der ältere Bruder des Ehemannes eine Nacht mit ihr verbracht hatte, wurde ihr weiteres Trauern erlassen. Es hieß, daß junge Witwen, denen diese Auflagen zuwider waren, vielfach ihre Schwäger mit Schnaps dazu zu bewegen versuchten, mit ihnen zu schlafen, um so von der langen Trauerpflicht befreit zu werden.

Wiederheirat von Witwen

Einer jungen Witwe, die die geforderte Trauerphase beendet hatte, stand es keineswegs immer frei, sich ihr Leben völlig neu einzurichten. In vielen amerikanischen Eingeborenengesellschaften wurde von ihr erwartet, daß sie mit einem Bruder oder sonstigen nahen Verwandten ihres verstorbenen Mannes die Ehe einging, sobald sie für eine Neuheirat zur Verfügung stand. Diesen Brauch nennt man das Levirat. (Der entsprechende Brauch, nach

* Im Jahre 1840 reduzierte der Rat der Creek-Konföderation die Zeit der zwangsweisen Witwenschaft auf ein Jahr, doch es widersetzten sich so viele Stammesmitglieder der gesetzlichen Neuregelung, daß der ursprüngliche Brauch im folgenden Jahr wiedereingeführt wurde.

dem von einem Witwer erwartet wurde, daß er die Schwester seiner toten Frau heiratete, hieß Sororat.)

Dieser Brauch ließ der Witwe wenig persönliche Freiheit in der Wahl eines neuen Ehepartners. Für die Gesellschaft als Gesamtheit war es wichtiger, die Auffassung zu bekräftigen, daß die erste Ehe auf ewig geschlossen war und nicht einmal durch den Tod eines der Partner geschieden werden konnte. Ein Bruder oder Vetter des Toten konnte einfach in dessen Fußstapfen treten und die Stelle des Verstorbenen einnehmen. Manche Gesellschaften hielten es auch für besser, wenn ein Bruder des Toten Stiefvater der Kinder wurde, weil sie befürchteten, daß ein Fremder die Kinder mißhandeln oder sie dadurch, daß er fortzog, ihren Großeltern entziehen könnte.

Wenn auch manche Frauen mit dem für sie ausgewählten Ehemann nicht völlig zufrieden waren, so war diese Praxis Witwen gegenüber doch nicht gänzlich ungerecht, denn sie vermittelte trauernden Frauen und ihren Kindern eine wirtschaftliche Sicherheit, die sie auf andere Weise kaum gehabt hätten.

Navajo-Witwen waren traditionell gehalten, einen Bruder oder nahen Verwandten ihres verstorbenen Gatten zu heiraten; kam allerdings mehr als ein Mann in Frage, konnte sie unter den möglichen Partnern frei wählen. Konnte oder wollte der Mann, den sie wählte, sie aus irgendeinem Grund nicht ehelichen, stand es ihr frei, jeden anderen Partner zu heiraten.

Die Apachen pflegten ähnliche Bräuche. Eine Witwe konnte andeuten, welcher der männlichen Verwandten ihres Mannes sie interessierte, doch wenn dieser Mann sie nicht zur Frau haben wollte und nach einer angemessenen Zeit auch keiner der anderen männlichen Verwandten des Toten an ihr Interesse zeigte, war sie von sämtlichen Verpflichtungen gegenüber dieser Familie befreit.

Wenn eine Tlingit-Frau an der Nordwestküste die erforderlichen Trauerzeremonien abgeschlossen hatte, gab sie der Verwandtschaft ihres Ehemannes zu verstehen, sie sei nun dazu bereit, von ihnen einen neuen Gatten zugewiesen zu bekommen. Der Erbe des toten Mannes war der älteste Sohn von dessen Schwester, und es wurde erwartet, daß die Witwe diesen Neffen als neuen Ehemann erbat, sofern er nicht bereits mit ihrer Tochter verheiratet war. Hatte dieser Neffe sein Auge bereits auf eine jüngere Frau geworfen oder wollte er nicht mit seiner alten Tante verheiratet werden, so konnte er die Heirat mit ihr ablehnen; allerdings wurde dies Verhalten als in höchstem Maße respektlos empfunden. War eine Tlingit-Witwe immer noch jung genug, um Kinder zu bekommen, so konnte all das letztlich darauf hinauslaufen, daß sie eine Ehe mit ihrem eigenen Enkel einging. Ihre Familie begriff es als Bequemlichkeit für sie, daß jemand da war, der für sie Lachs fing und Holz und Wasser holte und sie überdies davon abhielt, sich in Affären zu stürzen. Auch für den jungen Mann hatte die Verbindung Vorteile. Er hatte eine Ehefrau, die ein oder zwei Kinder für ihn austragen konnte und danach meistens von den Menstrualtabus bereits entbunden war. Überdies war man der Meinung, eine ältere Frau stelle sexuell nicht so große Ansprüche, so daß sie dem Mann keine Schwierigkeiten machte, wenn er der Jagd oder gewisser Kriegshandlungen wegen sexuell enthaltsam bleiben mußte. Wenn ein junger Mann eine solche Ehe einging, nannte sein eigener Vater ihn »Stiefvater«.

Im nördlichen Quebec hatten die Witwen der Labrador-Eskimo keinerlei Schwierigkeit mit ihrer Wiederverheiratung, denn in dieser Gesellschaft besaßen die Frauen die Kontrolle über die Jagdgründe. Hatte eine Witwe das Anrecht auf einen guten Jagdgrund geerbt, so galt sie als ausgezeichnete Partie, gleichgültig wie alt sie war oder wie viele Kinder sie hatte. Sie wurde nicht nur von Männern ihres Alters umworben, sondern auch von jüngeren Anwärtern, die ein Jagdrevier erwerben oder die Claims, die sie bereits besaßen, ausweiten wollten.

Bei den Copper-Eskimo hingegen traf die Witwen ein hartes Los. Wenn sie auch auf etwas Unterstützung durch ihre Brüder und andere Verwandte hoffen durften, so legte doch ein Mann, der schon einige Mühe hatte, die eigene Frau und die Kinder durchzufüttern, keinen gesteigerten Wert darauf, sich eine verwitwete Schwester oder Schwägerin aufzubürden. Junge Witwen wurden ohne große Schwierigkeit als Bräute an den Mann gebracht, doch Frauen mittleren Alters fiel es erheblich schwerer, einen neuen Ehemann zu finden. Eine Witwe, die nicht wieder heiratete, wurde vielfach Prostituierte und bot sich jedem beliebigen Mann für einen Tag oder eine Woche an in der Hoffnung, einer ihrer Liebhaber werde sie so gut leiden mögen, um sie zur Ehefrau zu machen.

Bisweilen wollten auch alte Frauen, die lange mit einem Mann zusammengelebt hatten, ihren Mann auch gar nicht überleben, insbesondere wenn sie daran dachten, welches Schicksal ihnen nun notgedrungen bevorstand. Geschichten zufolge sollen Schamanen der Omaha aufgrund ihrer Zauberkräfte fähig gewesen sein, ihre Frauen angesichts ihres eigenen Todes mit sich zu nehmen. Eine alte Frau, die von ihrem sterbenden Mann mit dem Puder einer zerstoßenen Wurzel aus seinem Medizinbündel bestäubt worden war, starb zwei Tage nach ihm.

5. KAPITEL

HAUSHALTSGRÜNDUNG UND -FÜHRUNG

Papago-Frauen mit ihren Tragekörben, in denen sie von Nahrungsmitteln und Brennholz bis zu Kindern alles beförderten. (Mit freundlicher Genehmigung der *Arizona Historical Society*)

Sammler, Pflanzer, Koch, Gerber, Schneider, Töpfer, Weber und Hausbauer – die frühe amerikanische Indianerfrau füllte all diese Rollen aus, wenn sie den Reichtum der Mutter Erde in die Produkte umformte, die sie und ihre Familie zum Überleben benötigten.

Während der Mann die Rolle des Jägers und Kriegers wahrnahm – eine im Grunde destruktive Tendenz –, waren die Aktivitäten der Indianerfrau auf die Erhaltung des Lebens ausgerichtet. Wenn sie durch die Landschaft streifte und die Samen, Wurzeln und Früchte der Pflanzen sammelte, wenn sie in ihrem Garten schuftete und wenn sie ihre Familie mit Kleidung und einem Dach über dem Kopf versorgte, fühlte sie sich eins mit der Erde, und ihre ständige Sorge um Wachstum und Leben bestärkte sie in ihrem Gefühl der Einheit mit den Prinzipien universeller Mutterschaft.

Natürlich intellektualisierte sie ihre Rolle nicht in dieser Weise. Sie sah in den Pflichten, die ihren Tag ausfüllten, schlicht die Aufgaben, die Frauen erledigten – so, wie ihre Mutter und die Mutter ihrer Mutter es vor ihr getan hatten, und so, wie ihre Tochter und die Tochter ihrer Tochter es nach ihr tun würden.

Der Rhythmus ihrer Aufgaben war der Rhythmus der Jahreszeiten – das Warten auf das Sprießen des ersten eßbaren Grüns im Frühling, das Bestellen der Gärten, die Ernte, die Einlagerung für den Winter, die Arbeiten in der Hütte während der kalten und dunklen Jahreszeit. Dieser Zyklus wiederholte sich im Lauf ihres Lebens wieder und wieder, doch seinen Sinngehalt bekam er durch seinen Stellenwert im Rahmen des weit größeren Zyklus von Geburt, Wachstum, Reife und Tod. Die amerikanische Eingeborenenfrau konnte, indem sie Kinder gebar, sie aufzog und ihren Töchtern gebären und Kinder aufziehen half, ihre tägliche Plackerei als in den Rhythmus der Ewigkeit eingebettet begreifen.

Das Überleben war für die frühen Amerikaner vielfach nichts als Kampf. Und wie schwierig und ermüdend ihre Arbeit auch sein mochte, der Indianerfrau tat es nicht um die Zeit leid, die sie mit ihren Verrichtungen zubringen mußte. Im allgemeinen erledigten die Indianerfrauen ihre Aufgaben in Gesellschaft anderer Frauen. In den meisten Gesellschaften waren die Routineaufgaben klar in Männer- und Frauenarbeit aufgeteilt. Und wenn auch die meisten Aufgaben, die sich ums Häusliche drehten – Kinderaufzucht, Nahrungszubereitung, Haushalt –, gewöhnlich den Frauen zufielen und die gefährlichen und riskanten Tätigkeiten – Jagd und Kriegführung – als das Aufgabengebiet der Männer angesehen wurden, gab es einige Pflichten wie etwa Kleiderherstellung und Hausbau, die in manchen Gesellschaften den Frauen, in anderen den Männern oblagen.

Obwohl die Rolle der Frauen in den frühen amerikanischen Stammeskulturen der der Männer in gewisser Weise untergeordnet war, waren die Indianerfrauen keine bloßen Sklaven oder Aschenbrödel. Dieser Mythos basierte auf der Unkenntnis der weißen Forscher, die Indianerdörfer besuchten. Sie sahen die Frauen emsig im Lager umherhuschen, kochen, gerben, die Kinder versorgen, während die Männer, soweit die Besucher sie zu sehen bekamen, herumlungerten, Glücksspiele spielten oder sich mit ihren Freunden unterhielten. Indes berücksichtigten diese Reisenden nicht die langen Nächte, die die Krieger Lagerwache hielten, und die Tage – manchmal Monate –, die sie fern vom heimischen Herd mit der gefährlichen Verfolgung von Beutetieren und Feinden verbrachten. Und gewiß geriet die ohnehin schon etwas schiefe Sicht der Weißen vom Eingeborenenleben noch etwas schiefer, wenn sie eine Indianerfamilie bei der Wanderung beobachteten. Das Bild einer Indianerfrau, die schwerbepackt und mit einem oder mehreren Kindern an der Hand neben ihrem Krieger-Ehemann hertrottete, der auf einem rassigen Pferd saß, konnte schon so manchen weißen Pionier in Rage versetzen, wenn er nicht wußte, daß es die Aufgabe des Mannes war, seine Familie vor Feinden zu schützen und Wild zu erjagen – Aufgaben, die er unmöglich hätte erfüllen können, wenn er mit Haushaltsgegenständen bepackt gewesen wäre. Die Indianerfrauen waren nicht völlig gleichberechtigt mit den Männern; aber sie wurden auch nicht so unterdrückt, wie es vielfach dargestellt worden ist.

Innerhalb der Aktivitätsphasen von Männern und Frauen gab es kaum eine Spezialisierung in bezug auf die Arbeit. Eine Frau mochte eine gute Töpferin sein und doch die besonderen Fertigkeiten besitzen, Tipis außerordentlich gut zuzuschneiden; oder vielleicht kannte sie sich überdurchschnittlich gut in Pflanzen und Kräutern aus. Doch obwohl andere Frauen sie vielleicht um Hilfe in dem Bereich baten, den sie überaus gut beherrschte, hatte sie nichtsdestoweniger sämtliche Aufgaben zu erledigen, die für das Funktionieren ihres Haushalts erforderlich waren. Als Gegenleistung für ihre fachgerechte Hilfe bekam sie vielleicht kleine Geschenke, doch nie in dem Ausmaß, daß sie von den sonstigen täglichen Verrichtungen freigestellt gewesen wäre.

Frauen und Nahrung

Die Haushaltsaufgaben der amerikanischen Eingeborenenfrau waren einfacher Natur. Die Putzarbeit beschränkte sich weitgehend auf das Fegen des Bodens, das Glattziehen der Decken und das Auswaschen von ein oder zwei Töpfen. Natürlich hatte sie oft zunächst einmal die Behausung zu bauen – sei es ein Tipi aus Häuten, eine Grashütte oder ein Adobe-Haus – und sämtliche Gegenstände anzufertigen, die sie benötigte – Hornlöffel, Körbe, Töpfe, Nadeln, Holzgeräte und Kleidung. Aber ihre Hauptaufgaben bestanden immer noch darin, Nahrung für ihre Familie zu beschaffen und zuzubereiten.

Man schätzt, daß in manchen amerikanischen Jäger- und Sammlergesellschaften die Frauen achtzig Prozent der Arbeit leisteten, die zur Produktion der Nahrung für die Familie erforderlich war. Dazu gehörte nicht nur die Zeit, die sie für das Sammeln und den Anbau pflanzlicher Nahrung brauchten, sondern auch die Arbeit, die sie leisteten, um das von den Männern erjagte Wild zu zerlegen, zu trocknen und zu kochen. Um in der Lage zu sein, ihre Familie angemessen zu versorgen, mußte eine amerikanische Eingeborenenfrau eine gute Botanikerin sein. Cherokee-Frauen zum Beispiel kannten und verwendeten über achthundert Pflanzenarten als Nahrung, zu medizinischen Zwecken und als Rohmaterial für Handwerksprodukte.

In der Tat meinen einige Experten, die Landwirtschaft sei eine Erfindung der Frauen. Zwar wird sich diese These nie durch archäologische Funde belegen lassen, doch steht allgemein außer Frage, daß es bei den Steinzeitvölkern die Frauen waren, denen das Sammeln oblag. Daraus folgt, daß es höchstwahrscheinlich wiederum die Frauen waren, die mit der Domestikation der Wildpflanzen experimentierten, die sie als Nahrung sammelten.[1]

Doch selbst vor dem Hintergrund dieses bedeutenden historischen Beitrags zur Absicherung der Nahrungsversorgung und angesichts der überragenden Rolle der Frauen hinsichtlich der Produktion der täglichen Nahrung wurde ihre Leistung von der Glorie der Jagd überstrahlt. Wie hoch der wirtschaftliche Wert ihrer Arbeit auch sein mochte, eine Frau konnte nie darauf hoffen, aus ihrem Sammeln, Anbauen oder Kochen ein besonderes Prestige zu beziehen. Wenn sie auch durch ihre Arbeit ihre Familie ernährte, so blieb der einzige Lohn für eine tüchtige und hart arbeitende Frau die gesellschaftliche Anerkennung und die Zuneigung einer gesunden Familie. Das war ihre Welt, und mehr erwartete sie nicht.

Zwar hatte die indianische Frau in Stammesangelegenheiten kaum ein gewichtiges Wort mitzureden, aber in ihrer ureigenen Sphäre, dem Heim, übte sie fast die totale Kontrolle aus. Ein Gebiet, auf dem die amerikanische Eingeborenenfrau erhebliche Macht innehatte, war durch ihre enge Beziehung zur Nahrung abgesteckt, da in vielen Stämmen die Ehefrau die Nahrungsvorräte der Familie kontrollierte. Bei den Cree in den nördlichen Ausläufern der Great Plains im heutigen Saskatchewan und Manitoba hatte die Frau das uneingeschränkte Sagen in allen Belangen, die das Zelt betrafen, und ihr Ehemann verfügte nur über die wenigen Besitztümer, die seine persönliche Habe darstellten. Sobald Wild in Form von Fleisch und Häuten ins Familientipi kam, war es Eigentum der Frauen, und die Männer dachten gar nicht daran, ihren Partnerinnen bei der Verwendung dieser Produkte dreinzureden.

In anderen Stämmen war das Wild bereits in dem Moment, in dem es erlegt war, Eigentum der Frauen. Eine Natchez-Frau am unteren Mississippi erwartete gar nicht, daß ihr Ehemann ein Tier, das er in der Nähe des Dorfes getötet hatte, heimtrug, wie groß es auch sein mochte. Wenn er nach Hause kam und ihr die Zunge eines Hirschs oder eines Büffels vor die Füße warf, begab sie sich aufgrund seiner Beschreibungen zu der Stelle, an der er das Tier erlegt hatte. Mit Hilfe ihrer Sklaven – sofern sie welche besaß – brachte sie die Beute zur Hütte, kochte, was gekocht werden mußte, und bereitete den Rest für die Lagerung vor.

Eine Irokesen-Frau besaß nicht nur die Kontrolle über die Nahrungsvorräte, sondern kannte auch den Konsum und Appetit ihres Ehemannes, denn Männer fragten nie nach Essen. Zu welcher Tageszeit auch immer der Ehemann nach Hause kam, die Frau hatte die Pflicht, ihm eine Mahlzeit vorzusetzen. Und bei den Blackfoot-Indianern im südlichen Alberta war es eine regelrechte Schande für einen Mann und seine Frau, wenn er daheim

Essen kochte oder für Nahrung und Vorräte sorgte. Nur jungen, unverheirateten Männern war es gestattet, sich Essen zu kochen, und sie taten es nur, wenn niemand sie sehen konnte.

Ein junges Blackfoot-Mädchen überraschte einmal seinen Geliebten, einen Krieger, als er sich gerade ein Stück Fleisch zubereitete. Noch ehe sie sehen konnte, was er tat, warf er das heiße Fleisch auf sein Bett und legte sich darauf, um zu vertuschen, daß er gerade gekocht hatte. Als das Mädchen den jungen Burschen umarmte, verbrannte das kochendheiße Fleisch ihm den Rücken, aber weder gab er einen Klagelaut von sich, noch offenbarte er ihr sein Geheimnis.

John J. Honigmann, der über die Kaska im subarktischen Britisch-Kolumbien geforscht und geschrieben hat, meint, daß die zahlreichen Volksmärchen über die Frau, die Nahrung hortet, während ihr Mann verhungert, möglicherweise darauf hindeuten, daß die Männer sich angesichts der Vorherrschaft der Frauen im Haushalt unsicher fühlten. Dem Märchen »Die Frau, die Fleisch hortete« können wir entnehmen, daß einer Ehefrau, obwohl sie sämtliche Nahrung der Familie unter Kontrolle hatte, auch Tadel und unter Umständen sogar der Tod drohte, wenn sie sich geizig zeigte.

Die Frau, die Fleisch hortete
(Kaska)

Es lebten einmal ein alter Mann und eine alte Frau zusammen. Der Ehemann war sehr mager, und er hungerte sich zu Tode. Eines Tages kam der Bruder der Frau zu einem Besuch vorbei. Er rechnete mit einem guten Mahl, weil er den Kopf eines Bären in der Nähe der Hütte seiner Schwester gesehen hatte. Als der Besucher den Ehemann seiner Schwester, seinen Schwager, sah, sagte er: »Ihr habt Wild. Wir haben den Kopf dort hinten gesehen.« Der alte Mann protestierte: Er wisse nichts von irgendwelchem Fleisch. Die Frau hörte das Gespräch unbemerkt mit und war verschreckt und wußte nicht, was sie tun sollte. Daher nahm sie etwas von dem Bärenfleisch, das sie versteckt gehalten hatte, und kochte es in einem Kessel. Als sie das Fleisch ihrem Bruder anbot, weigerte er sich, es zu essen. Später am Abend sagte er: »Ich dachte, du behandelst meinen Schwager anständig. Du tust es nicht. Ich kann dieses Fleisch nicht essen. Ich gehe heim.«

Als dieser Mann nach Hause kam, sagte er zu seinem jüngeren Bruder: »Ich glaube nicht, unsere Schwester wird noch lange leben. Ich fühle es. Wenn unserer Schwester etwas zustößt, mache dir keine Gedanken darüber, bis wir mit unserem Schwager gesprochen haben.«

Als der Mann eine Woche später wieder zum Haus seiner Schwester kam, fand er die alte Frau tot vor, und ihr Ehemann war auf und davon. So machte sich der Mann auf die Suche nach seinem Schwager. In der Zwischenzeit hatte der Witwer einen Biberbau gefunden und ein Netz aufgestellt. Er fing zwei Biber und war gerade dabei, sich einen Biber zum Abendessen zuzubereiten, als der Mann hinzukam. Der Witwer war kaum seines Schwagers ansichtig geworden, da sagte er: »Hast du gesehen, was ich getan habe? Du kannst mich töten, wenn es dir beliebt.«

»Nein. Ich werde warten, bis du gegessen hast«, erwiderte der Bruder der Ehefrau. So briet der Witwer das Fleisch, indem er es mit bloßer Hand über die Flamme hielt (ein Mutbeweis in jener Kultur). Dann sagte sein Schwager: »Ich will dir keine Ungelegenheiten machen. Ich habe noch eine jüngere Schwester daheim. Du kannst sie zur Frau haben.«[2]

Obgleich die Frauen in vielen Gesellschaften die absolute Kontrolle über die Nahrungsvorräte besaßen, gab ihnen dies nicht das Recht, Hungrigen Essen vorzuenthalten. Ganz im Gegenteil: Die meisten indianischen Kulturen schätzten Großzügigkeit und Gastfreundschaft nicht nur als Gebot der Geselligkeit hoch ein, sondern empfanden dies auch als eine Form von Sozialfürsorge und Arbeitslosenhilfe. Für diejenigen Familien, die mehr als genug zu essen hatten, diente Nahrung nicht nur der Ernährung, sondern auch als Mittel, sich Popularität zu verschaffen. Einer der Hauptgründe für den Erwerb von Wohlstand bedeutete teilen und durch eigene Großzügigkeit Freunde gewinnen zu können; und der Status einer Frau in der Gesellschaft hing weitgehend davon ab, in welcher Weise sie die Überschüsse der Familienspeisekammer verteilte. In der Tat war es fast allgemein verbreiteter Brauch bei den eingeborenen Nordamerikanern, daß Gäste, kaum waren sie über die Schwelle getreten, zunächst einmal etwas zu essen angeboten bekamen. Dabei spielte es keine Rolle, wie spät es war oder wie viele Gäste sich einfanden – als erste Aufmerksamkeitsgeste bekamen sie etwas Nahrhaftes angeboten.

Und der Besucher hatte seinen Teil der Spielregeln einzuhalten, indem er etwas aß, und wenn es nur ein Häppchen war.

Die Gros-Ventre-Frau Singer erzählte der Anthropologin Regina Flannery eine Begebenheit, die sie erlebte, als sie eines Tages einmal Hunger hatte und zur Hütte eines tüchtigen Jägers ging, um etwas Fleisch zu erbitten. Der Mann hatte drei Ehefrauen, aber als Singer in der Hütte ankam, waren zwei von ihnen gerade draußen und sammelten Holz. Die Frau, die daheim war, begrüßte ihre Besucherin weder, noch sprach sie mit ihr, sondern saß mit gesenktem Kopf da.

Singer sagte der Frau, sie sei gekommen, weil sie hungrig sei. Doch sie wurde immer noch nicht zur Kenntnis genommen, und so saßen die beiden Frauen eine Weile schweigend da. Später kam eine Frau, die in der Nachbarschaft wohnte und eine Schwiegertochter des Hausherrn war, auf dem Heimweg vom Holzsammeln an dem Tipi vorbei und steckte den Kopf hinein. Als sie Singer dort sitzen sah, bat sie sie in ihre Hütte und fragte sie, was denn passiert sei. Singer berichtete ihr die Geschehnisse, und die Frau machte sich augenblicklich daran, ihr eine Mahlzeit zu bereiten. Sie gab Singer auch ein Stück Fleisch, das sie mit nach Hause nehmen sollte, bat sie jedoch, es auf dem Wege unter dem Arm zu verstecken, und erklärte ihr: Obwohl der andere Haushalt reichlich Fleisch besitze, gebe man selbst ihr dort nur wenig ab und reagiere wütend, wenn sie mit anderen teile.

Als Singer die Hütte ihrer Wohltäterin verließ, kamen gerade die beiden anderen Ehefrauen des tüchtigen Jägers heim und fragten die dritte, was Singer in der Nachbarschaft treibe. Die Geizige sagte, Singer sei gekommen, um zu betteln; und sie habe ihr nichts gegeben. Darauf schalten die beiden anderen Frauen die dritte und erklärten, sie hätte Singer wenigstens ein kleines bißchen zu essen geben sollen, um ihrer aller guten Ruf in der Gemeinde zu sichern.[3]

Die Notwendigkeit, solche Gastfreundschaft zu pflegen, war eine der ersten Lektionen, die jedem Indianermädchen beigebracht wurden. Junge Winnebago-Mädchen bekamen gesagt: »Wenn du dein Heim hast, achte darauf, daß jeder, der in deine Hütte tritt, etwas zu essen bekommt, gleichgültig, wieviel dir selbst bleibt. Solche Nahrung wird dir den Tod bringen, wenn du sie zurückhältst. Wenn du beim Geben von Essen geizt, könnte dich jemand deswegen töten; es könnte dich jemand vergiften.«[4]

Bei den Cahuilla, die in der Wüste Südkaliforniens lebten, hatte eine jungverheiratete Frau die erste Probe ihrer Gastfreundschaft zu bestehen, sobald das Zusammenleben mit ihrem Ehemann begann. Die alten Leute, die in der Nachbarschaft des jungen Paares lebten, kamen einer nach dem anderen zu Besuch. Gab die junge Gattin den alten Frauen etwas Mehl oder eine Mahlzeit mit nach Hause, galt sie als gute Frau. Schickte sie sie jedoch mit leeren Händen heim, konnten ihre besten Freundinnen im täglichen Tratsch gar nicht schlecht genug über sie reden.

Der Gedanke an Großzügigkeit durchdrang alle Bereiche des täglichen Lebens. Wenn eine Omaha-Frau bei ihrer Nachbarin einen Kessel ausborgte, wurde von ihr erwartet, daß der Kessel bei der Rückgabe eine Portion von dem enthielt, was darin gekocht worden war. Wenn eine weiße Frau ein Kochgeschirr sauber ausscheuerte, bevor sie es ihrer Eigentümerin zurückgab, stieß sie damit auf Ablehnung, weil sie dadurch einen Mangel an Achtung und Höflichkeit gegenüber der Besitzerin demonstrierte.

Gastfreundschaft und Großzügigkeit im Umgang mit Nahrung hatte insbesondere bei den Wüstenvölkern einen wichtigen Stellenwert, die nicht in der Lage waren, große Nahrungsreserven anzuhäufen, um magere Zeiten zu überbrücken. Die Papago-Frauen teilten beständig alles, was sie gekocht hatten, mit ihren Nachbarn, die allesamt im engeren oder weiteren Sinne Verwandte waren. Gegen Ende eines jeden Tages um ungefähr die Zeit, zu der das Abendessen zubereitet wurde, sah man Kinder durchs Dorf eilen, die ihren Müttern halfen, Portionen von Kochfleisch oder Gemüse unter die Nachbarn zu verteilen. Niemand brauchte hungrig schlafen zu gehen, solange Nahrung im Dorf vorhanden war. Hatte eine Hausfrau an einem Tage gerade nicht gekocht, weil sie nichts im Hause hatte oder weil sie mit anderen Dingen beschäftigt war, gab es dennoch etwas zum Abendessen, weil mit Sicherheit die eine oder andere Kostprobe von Verwandten hereingereicht wurde.

Natürlich wurde von jemandem, der eine Gabe annahm, erwartet, daß er sie so bald wie möglich erwiderte, weshalb die Gaben in bestimmtn Äquivalentformen erfolgten. Die Papago-Frauen stellten gewöhnlich Körbe in genormten Maßen her, die sie mit schwarzen Ringen parallel zum Rand verzierten. Eine Hausfrau, die einen Korb mit Essen erhielt, maß sorgsam die darin enthaltene Menge an dem schwarzen Rand des Körbchens und ging so sicher, eine entsprechende Portion zurückzugeben. Es galt als tugendhaft, wenn eine Frau mehr zurückgab, als sie bekommen hatte; die Gegengabe kleiner ausfallen zu lassen, kam allerdings gesellschaftlichem Selbstmord gleich. Nahrungshorten wurde als schwerer Verstoß angesehen, und wer sich dies zuschulden kommen ließ, wurde von der Gesellschaft ausgestoßen. Eine Frau, die nicht großzügig war, mußte bald erkennen, daß die eingesparte Nahrung keineswegs das wettmachen konnte, was ihr infolge ihres Geizes an Meidung, Erniedrigung und Mangel an Hilfe widerfuhr, wenn sie all dies benötigte.

Das Leben auf den Great Plains

Das Leben einer amerikanischen Eingeborenenfrau wurde durch die Art und Weise geprägt, in der ihre Gesellschaft ihren Lebensunterhalt bestritt. So verbrachte zum Beispiel eine Frau, die auf der Höhe der Büffelkultur in einem der Plains-Stämme lebte, den Großteil ihrer Zeit damit, die enormen Mengen an Fleisch und Häuten zu verarbeiten, die ihr Mann heimbrachte. Um das Leben der Plains-Frauen ganz zu begreifen, sollten wir zunächst einmal versuchen, die Büffelkultur in ihrem historischen Zusammenhang zu sehen. In der Zeit um 1650 lebten viele der Gruppen, die später auf die Great Plains hinausziehen sollten, noch im östlichen Waldland um die Großen Seen, und sie lebten von den Erträgen der Jagd sowie von Wildpflanzen. Als der weiße Mann begann, sich das Land im Osten anzueignen, wurden die dortigen Indianer weiter ins Innere des Kontinents gedrängt, und sie wiederum verdrängten (Dominoeffekt) andere Gruppen weiter nach Westen. Gegen 1750 zogen einige der Gruppen des östlichen Waldlands, darunter die Sioux, in Richtung Great Plains und begannen, die riesigen zottigen Tiere zu jagen, die sie dort vorfanden. Mit der Zeit durchliefen sie die für ein nomadisches Jägerleben notwendigen Anpassungen; sie entwickelten leichtgewichtige Zelte aus Häuten und bildeten Hunde aus, die einen Teil ihrer Lasten schleppten, wenn sie sich auf der Wanderung befanden. Die anschließende Ansammlung großer Zahlen von Pferden ermöglichte es den eingeborenen Amerikanern, den vorgefundenen üppigen Fleischvorrat in vollem Umfang zu nutzen.

Die Zahl der Büffel, die damals die Prärie durchstreiften, übersteigt die Phantasie eines jeden, der sie nie unmittelbar vor Ort beobachtet hat. Im Jahre 1871 berichtete ein Weißer, der als verläßlicher Beobachter gilt, er habe in der Nähe des Arkansas River eine Herde von mehr als vier Millionen Tieren gesehen. Die Hauptherde habe in der Länge achtzig und in der Breite vierzig Kilometer gemessen, und dies war nur eine von vielen Herden, die es zu jener Zeit gegeben hat. Eine riesige Herde habe einmal zu einem Zeitpunkt – sie befand sich auf Nordwanderung – bei bekannter Länge eine Breite von 150 Kilometern gehabt. Eine vorsichtige Schätzung beziffert die Kopfzahl dieser Herde auf einhundert Millionen.

In seinem Bericht über die Ausrottung des amerikanischen Büffels untersucht William Hornaday auch den Gebrauch, den die eingeborenen Amerikaner von diesem Tier machten. Er schätzt, daß fünfzehn bis fünfundzwanzig indianische Jäger, die zusammenarbeiteten, in einer Herbstsaison ungefähr eintausend Büffel erlegen konnten, was pro Kopf mehr als fünfzig Tiere ergibt. Eine Frau von durchschnittlicher Fähigkeit brauchte ungefähr drei Arbeitstage, um eine Haut zu säubern und zu gerben. Dies bedeutete, daß eine Frau pro Saison etwa zwanzig Felle gerben konnte, was sie neben ihren sonstigen Haushaltspflichten, wozu auch die Verarbeitung großer Fleischmengen gehörte, erledigen mußte. Bezieht man diese beiden Schätzungen aufeinander, so stellt sich heraus, daß es die Arbeit von mehr als zwei Frauen erforderte, um die Menge an Fleisch und Häuten zu verarbeiten, die ein Jäger lieferte.[5] Es waren immer noch weitere Frauen zur Stelle, die der Ehefrau eines erfolgreichen Jägers halfen und doch mußte solch eine Hausfrau überaus fleißig und energisch sein, um mit der Arbeit nicht in Verzug zu geraten. Bei den Crow stand praktisch jeder Hausfrau eine ansonsten nicht gebundene Frau zur Verfügung; meist war es eine ältere Frau, bisweilen die Mutter der Jägersfrau, die neben dem Hütteneingang schlief, streunende Hunde verscheuchte oder Alltagsaufgaben verrichtete wie Bettenmachen und Säuberung der Haushaltsgeräte.

Die Zuständigkeit der Plains-Indianerin für den Büffelkadaver setzte in dem Moment ein, da das Tier getötet war – wenn sie selbst die Jagdgesellschaft begleitete – oder in dem Augenblick, in dem ihr Mann das Tier vor ihrer Tür ablud, wenn sie daheim geblieben war.

War der Ehemann einer Assiniboine-Frau in der Nähe ihres Heims draußen auf den Plains auf der Jagd gewesen – die Assiniboine lebten an der Nordgrenze des heutigen Montana und Norddakota –, ging sie ihm bei seiner Rückkehr entgegen. Kam er mit Beute heim, geleitete sie ihn liebewoll zum Tipi, lud die Pferde ab, pflockte sie zum Grasen an und verarbeitete die Beutetiere, soweit dies unmittelbar notwendig war. Dann begann sie, ihren Mann zu versorgen, zog ihm die Kleider aus, wusch ihm die Füße und bereitete ihm ein Essen, wobei sie die ganze Zeit freundlich mit ihm plauderte. Doch wehe dem Mann, der mit leeren Händen heimkehrte! Ob er nun reich oder arm war, seine Frau oder Frauen warfen einen scheelen Blick auf seine leeren Packpferde und gingen dann ihre Eltern oder andere Freunde besuchen. Der glücklose Jäger mußte seine Pferde selbst versorgen, seine Kleider selber trocknen und sich selbst das Abendessen bereiten. Die Ehefrauen der Flatheads, die im Westen Montanas lebten, waren den Berichten zufolge erheblich mitfühlender. Ob ein Flathead-Jäger nun mit Beute heimkehrte oder nicht, seine Frau beeilte sich, ihn bei seiner Rückkehr zu umsorgen, und sie war schon glücklich, daß er überhaupt heimgekehrt war und daß nicht die Blackfoot-Frauen seinen blutigen Skalp umtanzten.

Wenn eine Frau es ihrem Mann bequem gemacht hatte, begann ihre eigentliche Arbeit. Hornaday hat geschätzt, daß eine einzige Büffelkuh fünfundzwanzig Kilogramm Pemmikan und zwanzig Kilogramm Trockenfleisch hergab, wenn sie optimal verarbeitet wurde. Eine besonders geschickte Frau konnte drei Büffel am Tag aufbereiten, doch überstieg diese Leistung bei weitem die von durchschnittlichen Arbeiterinnen. Da es keine Kühlung gab, mußte das Fleisch ziemlich schnell verarbeitet werden, damit es nicht verdarb. Auch die Häute mußten sofort behandelt werden; sie mußten sofort von Fett und anhängendem Gewebe saubergekratzt werden, sonst wurden sie so steif, daß sie nur schwer zu gerben waren.

Das Gerbewerkzeug einer Frau umfaßte mindestens vier Geräte: einen Schaber, der aus einem scharf geschliffenen, flachen, ovalen Stein bestand und mit beiden Händen geführt wurde, um die innere Oberfläche der Haut zu säubern; einen Ausfleischer aus Elchhorn und Feuerstein, der dazu diente, die Haut auf die richtige Dicke zu schneiden; einen Knochen, um die Oberfläche der Haut abzureiben, damit sie die Gerbelohe annahm; und ein Seil oder ein Büffelschulterblatt, das benutzt wurde, um das Fell weich zu walken.

Zum Abschaben wurde die Haut vorbereitet, indem man sie flach und glatt auf den Boden heftete oder senkrecht in einen Rahmen aus vier Hölzern spannte. Nachdem die Haut abgeschabt war, konnte sie beiseite gelegt werden, bis die Gerberin wieder Zeit fand, sich weiter mit ihr zu beschäftigen. Als nächstes wurde die Haut wieder glatt auf den Boden gespannt, wobei diesmal – wenn nötig – das Haar entfernt und die Haut auf eine gleichmäßige Stärke geschnitten wurde. Dann erweichte die Gerberin die Haut, indem sie sie mit Fett und einer Mischung aus Hirn und Leber einrieb, die die Nacht über auf der Haut belassen wurde. Am nächsten Morgen wrang sie die Haut aus, nachdem sie sie in Wasser eingeweicht hatte, und glättete sie mit einem Stein. Das Ergebnis war ein äußerst steifes Stück Leder, das wiederholt weich gemacht werden mußte, indem man es über ein Seil oder durch das Loch im Büffelschulterblatt zog.

Jetzt waren die Häute, die mit der Behaarung gegerbt worden waren, fertig und konnten als Bettzeug benutzt werden, während die anderen zu verschiedenen Kleidungsstücken weiterverarbeitet werden konnten. Auch sämtliches Mobiliar der Tipi und die Packkisten wurden aus Büffelhaut hergestellt. Die Büffelhörner wurden zu Schöpfkellen und Löffeln verarbeitet. Manche Frauen bewiesen auch besonderes Geschick darin, aus Büffelhaar starke Seile zu drehen.

Wenn eine Frau an ihrem Tipi Abnutzungerscheinungen feststellte, begann sie, Häute zu sammeln, um ein neues anzufertigen. Für ein kleines Zelt brauchte man die Häute von elf Büffelkühen, und eine größere Behausung erforderte bis zu zweiundzwanzig Felle. Eine Cheyenne-Frau leistete alle erforderliche Arbeit an den Zelthäuten bis zu dem Punkt, an dem sie weich gemacht werden mußten; dann bat sie ihre Freundinnen und Verwandten, ihr zu helfen, so wie sie ihnen in ähnlicher Situation half. Die Frau, die das Zelt herstellen wollte, veranstaltete ein großes Festessen für die anderen Frauen, und jede von ihnen nahm eine Haut mit nach Hause, um sie dort weich zu walken. Wenn sie alle ihre Häute bearbeitet hatten, versammelten sie sich zu einem weiteren Fest und einem ganztägigen Nähkränzchen. Im allgemeinen leitete eine Frau, die als besonders gute Tipidesignerin bekannt war, den Zuschnitt und das Zusammensetzen der Häute, wobei sie darauf achtete, daß möglichst wenig Verschnitt anfiel. Manche Tipimacherinnen waren besonders geschickt in speziellen Teilbereichen, etwa dem Zusammensetzen des Oberteils oder im Zuschneiden der Flügel um das Rauchloch. Diese Expertinnen erhielten normalerweise für ihren Rat keinen Lohn und bekamen allenfalls ein kleines Geschenk von der Gastgeberin; gewöhnlich genügte ihnen die Bewunderung, die ihnen die anderen Frauen entgegenbrachten. Zweifellos ließ sich daraus, daß man in der Lage war, die übrigen Helferinnen anzuleiten, ein gewisses Statusbewußtsein gewinnen.

Bei einem solch tiefen Vertrauen in die Produkte, die der Büffel lieferte, nimmt es nicht wunder, daß sich viele Mythen entwikkelten, die dem Tier übernatürliche Kräfte zuschrieben. Die nachfolgende Geschichte der Komantschen schildert, wie eine Büffelkuh sich für einige Zeit in eine attraktive Frau verwandelte.

Die Büffel-Frau
(Komantsche)

Es begleitete einmal ein hübscher Komantschen-Junge, Sohn wohlhabender Eltern, eine Jägergruppe, die auszog, um nach Büffeln Ausschau zu halten. Der Junge wählte sich ein ansehnliches junges Büffelkalb als Beute. Er traf das Kalb mit zwei Pfeilen, aber es fiel nicht um.

Es war sehr ungewöhnlich, daß ein Tier, das so getroffen war, nicht starb, aber das Büffelkalb hatte sich in den Jungen verliebt und hatte sich mit übernatürlichen Mitteln am Leben erhalten. Die junge Büffelkuh schloß sich wieder ihrer Herde an und gebar nach entsprechender Zeit ein Kalb, dessen Vater die beiden Pfeile des Komantschen-Jungen waren. Das Büffelkalb sah all die anderen Kälber mit Mutter und Vater herumstehen, und als es seine Mutter nach seinem Vater fragte, erklärte sie ihm, er sei »einer von denen, die uns essen«. Da beharrte das Büffelkalb darauf, es wolle seinen Vater sehen, obwohl die Mutter es vor der Gefahr warnte, in die sie sich begeben würden.

So machten sich die beiden auf die lange Reise zum Komantschen-Dorf. Als sie den Kreis der Tipis erreichten, begann die Mutter, sich auf dem Boden zu wälzen, und sagte ihrem Kalb, es solle dies ebenfalls tun. Als sie aufstand, war sie zu einer Frau geworden, die in ein Büffelfell gekleidet war. Ihr Sohn wurde zu einem hübschen Jungen, der in ein gelbes Kalbsfell gehüllt war.

Nach den Anweisungen seiner Mutter ging der Junge in das

Dorf, fand seinen Vater und erzählte ihm seine Geschichte. Der Komantschen-Junge, der inzwischen zum Mann herangewachsen war, erinnerte sich an den Tag, an dem er das Büffelkalb geschossen hatte, das nicht sterben wollte. Er lud seinen Sohn und die Büffel-Frau ein, mit ihm in seiner Hütte zu leben. Die Frau hatte die beiden Pfeile des jungen Mannes aufgehoben und gab sie ihm zurück, wobei sie ihm sagte, sie könne ihm und seinem Volk helfen, aber er müsse versprechen, nie ohne ihre Erlaubnis aus einem Bach zu trinken.

In der Zeit, die sie bei den Komantschen lebte, half die Büffel-Frau dem Stamm viele Male. Einmal, als alle hungerten, gab sie dem Mann, bei dem sie lebte, ein kleines Stück getrocknetes Fleisch und Fett. Er aß sich satt und gab es an die nächste Familie weiter, und als die ihren Hunger gestillt hatte, gab sie den Rest an andere weiter. Das kleine Stück Fleisch wanderte von Familie zu Familie, ohne je ganz aufgegessen zu werden. Ein anderes Mal, als der Stamm nichts zu essen hatte, gab die Büffel-Frau den Rat, jede Familie solle eine Parfleche (eine Packtasche aus Büffelhaut) packen, so als wäre sie voller Charque (an der Luft getrocknetes Fleisch). Am Morgen darauf war jede Parfleche voll mit getrocknetem Fleisch. Später führte sie die Jäger zu einer Herde Büffel, wo sie genügend Tiere erlegen konnten, so daß alle reichlich Fleisch zu essen und zum Einlagern hatten.

Eines Tages ritt der Vater des Büffelkalbes über eine staubige Prärie und wurde sehr durstig. Er erinnerte sich, daß er gemahnt worden war, nie aus irgendeinem Bach zu trinken, aber er dachte, er könne sich den Mund ausspülen. Kaum hatte er das Wasser berührt, da verwandelten sich die Frau und der Junge sofort in ihre alte Gestalt zurück und liefen als Büffelkuh und Kalb aus dem Lager. Alle Leute waren sehr traurig, denn sie hatten die strahlende Büffel-Frau und den Kalbsjungen liebengelernt.[6]

Hatte eine Plains-Frau ein Tipi hergestellt, war es ihr Eigentum, und sie trug auch die Verantwortung. Die Sioux sahen das Tipi sogar als weiblich an und benannten seine verschiedenen Teile nach denen des weiblichen Körpers. Wenn der Stamm – den Büffeln folgend – auf der Wanderung war, oblag es den Frauen, das Tipi ab- und am neuen Lagerplatz wieder aufzubauen. Das Zelt aus Häuten war den nomadischen Lebensbedürfnissen so gut angepaßt, daß es in weniger als einer Viertelstunde samt seiner Einrichtung abgebaut und verladen werden konnte. War die Entscheidung für einen neuen Lagerplatz gefallen, konnten zwei erfahrene Frauen in knapp einer Stunde ein Tipi aufstellen und für sämtliche Erfordernisse der Haushaltsführung bereitmachen. Durch die ständige Praxis war jede Frau in der Lage einzuschätzen, an welchem Platz in der Lagerrunde sie ihr Zelt in Beziehung zu den anderen am besten aufschlug. Standen die Behausungen zu weit auseinander, waren sie nicht gut gegen Angriffe geschützt; standen sie zu dicht zusammen, blieb den Frauen zu wenig Arbeitsraum. Die Männer legten beim Aufbau des Lagers nie Hand an. Wenn ein Assiniboine-Mann einen anderen sah, der seiner Frau bei irgendeiner Arbeit half, die das Zelt betraf, machte er bissige Bemerkungen etwa der folgenden Art: »Seit wann ist er eine Frau? Von jetzt an müssen wir ihn von den Versammlungen der Männer ausschließen, denn er könnte darauf verfallen, uns beizubringen, wie man Frauenkleider schneidert.«[7]

In anderen Plains-Gruppen wurden die Regeln, nach denen man Männer- und Frauenaufgaben trennte, nicht so streng gehandhabt. Zwar wurde von den Omaha-Frauen allgemein erwartet, daß sie die Holzvorräte der Hütte besorgten, doch kam es nicht selten vor, daß ein Krieger dieses Stammes seiner Frau an Tagen, von denen er wußte, es würde der Frau schwerfallen, die Arbeit allein zu erledigen, Holz heimtragen half.

Auch die Pawnee waren ein Plains-Volk, das im Gebiet von Kansas und Nebraska lebte, aber die ungewöhnliche Ausstattung ihrer Haushalte, ihr Ackerbau zur Deckung eines Teils ihres Nahrungsbedarfs und der Umstand, daß sie einen Teil des Jahres in ständigen Ansiedlungen aus Grasnarbehäusern lebten, unterschied sie doch beträchtlich von den meisten anderen Plains-Stämmen.

Die Anthropologin Dr. Gene Weltfish, die die Lebensweise der Pawnee eingehend untersucht hat, äußert sich wiederholt über die perfekte Organisation des Alltagslebens in den Pawnee-Lagern. Augenscheinlich haben sich die Frauen kaum einmal versammelt, um bevorstehende Probleme zu erörtern oder Pläne aufzustellen; vielmehr kannte jede von ihnen ihren Platz genau und erledigte ohne Anweisungen oder abgesprochenen Plan die Aufgaben, die ihr zufielen.

Die Pawnee lebten in Dörfern aus zehn oder zwölf großen, kuppelartig geformten Erdhütten, die jede bis zu fünfzig Personen beherbergte. Das Innere der Hütten war entlang der Mitte in nördliche und südliche Sektoren geteilt, deren Bewohner sich darin abwechselten, sämtliche Funktionen wahrzunehmen, die für einen reibungslosen Arbeitsablauf erforderlich waren. Es wurden täglich zwei Mahlzeiten serviert. Wenn die eine Seite für alle Bewohner das Frühstück bereitet hatte, richtete die andere Seite das Abendessen an. Es war nicht festgelegt, welche Seite welche Mahlzeit lieferte, sondern alles lief nach den jeweiligen Neigungen der Bewohner am jeweiligen Tag ab. Dies wirkt um so erstaunlicher, wenn man bedenkt, daß eine Frau, um ein Mahl für immerhin fünfzig Leute zuzubereiten, zuerst einmal sämtliche Gemüse, die sie benötigte, anpflanzen, trocknen und lagern mußte sowie das gesamte Fleisch verarbeiten mußte; außerdem mußten sämtliche Schüsseln, Schöpfkellen und Löffel angefertigt sein. Dr. Weltfish vertritt die Auffassung, daß die Pawnee-Frauen diese feinabgestimmte Lebensweise bereits in sehr jungen Jahren erlernten: »In den detaillierten Abläufen des täglichen Lebens begann ihre Entwicklung zu einer disziplinierten und freien ... Frau, die ihre Würde und Unabhängigkeit als unverletzlich begriff. Ich hatte oft das Gefühl, sie erwarteten eine Unabhängigkeit und Entschiedenheit von mir, die einer Frau in unserer Gesellschaft gemeinhin nicht zugestanden wurde.«[8]

Die Haushaltspflichten waren unter den Frauen im großen und ganzen nach Alter verteilt. Die beiden Seiten des Hauses waren je in drei Positionen unterteilt, die mit reifen Frauen besetzt waren, die die Arbeit verteilten und die Hauptvorratslager überwachten. Sie erledigten auch einen Teil der Arbeit, ihre Hauptaufgabe jedoch bestand darin, die führenden Männer des Haushalts, die die gesamte Haushaltseinheit mit Fleisch versorgten und sie schützten, zu versorgen und ihnen das Leben angenehm zu machen. (Im Kapitel über die Ehe haben wir bereits vom Pawnee-Brauch gehört, nach dem junge Frauen befähigte ältere Männer heirateten und warteten, bis sie reifer waren, ehe sie Verbindungen mit jüngeren, ansehnlicheren Männern eingingen, die noch nicht so viel Lebenserfahrung besaßen.) Die Position neben der Tür wurde auf beiden Seiten von den alten Frauen – sie waren damit symbolisch schon auf dem Weg nach draußen – und von sämtlichen Kindern eingenommen, die das Säuglingsalter hinter sich hatten. Diese Frauen waren im wesentlichen für den Nachwuchs verantwortlich und setzten so die jungen Mütter für anstrengendere

Aufgaben frei. In größeren Häusern teilten sich mehrere Frauen in die Pflichten jeder Position.

Die Pawnee-Frauen waren die Gärtnerinnen des Stammes, und dies Handwerk beherrschten sie außerordentlich gut: Sie bauten zehn Arten Getreide an, sieben Arten Kürbis, acht verschiedene Arten Bohnen.

Sie setzten ihre Setzlinge im Frühjahr, und wenn die Pflanzen Wurzeln geschlagen hatten, begannen die Frauen, zu packen und die Vorbereitungen für die jährliche Sommerwanderung zu treffen. Die großen Haushalte wurden aufgelöst, und es bildeten sich kleinere Gruppen um die Jäger.

Während der Jagdwanderung oblag es den Frauen, das Zelt zu packen und auszupacken. Sie verarbeiteten das Fleisch und die Häute, die die Männer brachten, und erledigten daneben ihre üblichen Aufgaben wie Wasser- und Holzholen, Kochen und Kindererziehung.

Zu Beginn des Herbstes kehrten die Pawnee in ihre Dörfer zurück und ernteten die Feldfrüchte, die den Sommer über gewachsen waren. Normalerweise hatten sich während der Abwesenheit des Stammes in den Erdhütten dermaßen viele Flöhe eingenistet, daß die Leute einfach in der Nähe der Felder kampierten und mit den Erntearbeiten begannen, bis die Frauen Zeit fanden, die Hütten zu säubern und wieder bewohnbar zu machen. Wenn sich dann die Haushalte neu konstituierten, zogen nicht unbedingt die Leute wieder zusammen, die im Frühjahr zusammen gewohnt hatten. Es gab zahlreiche Gründe, weshalb eine Frau sich entschied, in einen anderen Haushalt zu ziehen, aber da alle Gruppen gleichartig funktionierten, konnte eine Frau, die ihren Platz im Haushalt kannte, die gleiche Stelle in einem anderen Haushalt ihrer Wahl einnehmen.

Die Frauen leiteten die Erntearbeiten, aber alle Stammesangehörigen halfen; sie brachten die Feldfrüchte ein, rösteten die Kürbisse und schnitten ihr Fleisch in lange Spiralen, schälten die Bohnen und sonderten sie nach Farben und – das Wichtigste – rösteten, schälten und trockneten das Getreide.

Frauen als Ackerbauern

Auch die Frauen etlicher anderer nordamerikanischer Eingeborenenvölker legten Gärten an, um die Nahrung aus Wildpflanzen und Tieren, die sie in den Wäldern und auf den Plains jagten und sammelten, reichhaltiger zu gestalten; zu diesen Garten- und Akkerbauern zählten unter anderen die Huronen und die Völker der Irokesen-Konföderation (Seneca, Cayuga, Mohawk, Onondaga und Oneida). Zwar halfen die Männer bei der Landrodung, aber es waren die Frauen, die das Land für den Anbau vorbereiteten, das Wachstum der Pflanzen beobachteten und die Ernte einbrachten.

Die Seneca-Frauen arbeiteten auf den Feldern unter der Leitung einer Feldaufseherin; sie war im allgemeinen eine angesehene ältere Frau, die von den anderen Frauen im Frühjahr gewählt wurde und absolute Autorität besaß. Sie begannen die Arbeit auf dem Feld einer Frau, arbeiteten dort, bis die notwendigen Tätigkeiten abgeschlossen waren, und gingen dann zur Bearbeitung des Feldes der nächsten Frau über. Die Feldaufseherin hatte darauf zu achten, daß alle Frauen zusammenarbeiteten, damit nicht Klagen aufkamen, einige der Frauen hätten schwerer zu arbeiten als andere. Sie beaufsichtigte auch die Pausen, in denen die Frauen sangen, Spiele spielten und sich Geschichten erzählten. Auch die Ernte wurde in Gemeinschaftsarbeit erledigt. Jede Gesellschaft zur gegenseitigen Hilfe war in drei Gruppen unterteilt: Die erste Gruppe schälte die Maiskolben und warf sie in Körbe, die zweite Gruppe trug die Körbe zu den Vorratskammern, und die dritte bereitete ein Festmahl für die Feldarbeiterinnen vor.

Diese frühen Ackerbauern verwandten eine ganze Menge Zeit und Energie darauf, sich übernatürlichen Beistands für ihre Arbeit zu versichern, doch sie stützten sich auch auf einige praktische Techniken, um den Ernteerfolg zu gewährleisten. Die Huronen-Frauen zum Beispiel weichten ihr Saatkorn einige Tage lang ein, ehe sie es aussäten, um so die Keimbildung zu beschleunigen. Im Nordosten des Kontinents stellen späte Frühjahrsfröste eine Gefahr für die Gärten dar, weshalb die Frauen ihre Kürbissamen erst einmal innerhalb der Langhäuser in Rindenkästen mit zerstoßenem Holz keimen ließen, statt sich gänzlich auf die Hilfe der Götter zu verlassen. Wenn es dann warm genug geworden war, pflanzten sie die Setzlinge in die Gärten um. In den Teilen des Jahres, in denen die Huronen-Frauen nicht mit Gartenarbeit beschäftigt waren, mahlten sie den überschüssigen Mais zu Mehl, das dann bei den Algonkin, die weiter im Norden lebten, gegen Fleisch und Häute eingetauscht wurde. Sie nähten auch Schüsseln aus Birkenrinde, flochten Weidenkörbe und aus Maisblättern Matten, und Hanffasern verspannen sie zu Schnüren, aus denen die Männer Fangschlingen und Fischnetze anfertigten.

In den Tagen vor dem Eindringen der Weißen erwirtschafteten beide Geschlechter etwa gleiche Mengenanteile an Nahrung; die Frauen lieferten Getreide, Gemüse und Früchte, und die Männer schafften Fleisch und Fisch heran und halfen bei den schweren Feldarbeiten. Als allerdings die nordöstlichen Stämme Kriege gegeneinander führten, hatten die Männer kaum noch Zeit für die Jagd. Und nachdem später die Europäer sich ausbreiteten und es möglich war, Biberfelle gegen Gewehre und Munition einzutauschen, waren die Männer wiederum nicht für ihre normalen Aktivitäten frei. Als das normale Gleichgewicht der Nahrungsproduktion durcheinander geraten war, mußten die Frauen ihre Anbauleistungen steigern, um die zurückgegangenen Jagderträge der Männer auszugleichen.

Die Pueblo-Völker im Südwesten – die Hopi, die Zuni und die Pueblo entlang dem Rio Grande – waren ebenfalls Ackerbauern. Doch war in jener trockenen Region der Pflanzenanbau Schwerarbeit und in manchen Dörfern von Bewässerung, in anderen von besonderen Anbautechniken abhängig, die es den Wurzeln der Pflanzen ermöglichten, auch noch das letzte bißchen Feuchtigkeit aus dem Boden zu ziehen. Das wenige Wild reichte nicht aus, um die Männer als Jäger voll auszulasten. Obwohl den Frauen die Felder gehörten – sie hatten sie von ihren Müttern geerbt –, wurde daher der Boden von den Männern bearbeitet. Sie zogen Mais, Bohnen, Kürbisse und Melonen. Die Frauen ergänzten die Produktion der Männer, indem sie Wildpflanzen sammelten und in kleinen Gärten Chilischoten, Zwiebeln und Gewürzpflanzen anbauten.

Die Pflanzen galten als Eigentum der Männer und oblagen ihrer Zuständigkeit, solange sie heranwuchsen, doch sobald die Früchte geerntet und in die Dörfer gebracht wurden, gehörten sie den Frauen. Die weiblichen Mitglieder der Zuni-Haushalte hießen den neuen Mais alljährlich mit einer Zeremonie in ihren Heimen willkommen, die »Das Treffen der Kinder« hieß. Wenn die ersten Kolben auf dem Feld gereift waren, suchte der Bauer diejenigen von ihnen, die am vollkommensten gewachsen waren, aus und trug sie vorsichtig nach Hause. Sobald er am Hauseingang ankam, rief er den Frauen zu: »Wir kommen!«

»Ah? Und wie kommt ihr?« fragten die Frauen.

»Gemeinsam und glücklich!« erwiderte der Bauer.

»Dann tretet ein!« rief der Chor der Frauenstimmen, und eine der Frauen gab dem Bauern ein Zeichen, die Maiskolben auf ein verziertes Tablett in der Mitte des Raumes zu legen. Nach einer kurzen Zeremonie streute jede der anwesenden Personen etwas heiliges Gebetsmehl über das Tablett mit den Maiskolben. Diese Riten wurden immer voll Dankbarkeit und Ehrerbietung durchgeführt, denn die Zuni achteten diese besonderen Maiskolben so sehr, daß sie sie als denkende Wesen behandelten.

Da Mais die bevorzugte Nahrung der Pueblo-Völker und ihre wichtigste Vorratsnahrung war, hatten die Frauen viele Stunden kniend an den Mahlsteinen zu tun, um die harten Körner in Mehl zu verwandeln, das sich zur Bereitung der verschiedenen Gerichte verwenden ließ. In der Tat verbrachten die Frauen so viel Zeit mit dem Mahlen, daß die Mahlsteine und -mulden in den Heimen fest installiert waren. Die Steine waren normalerweise am einen Ende des Raums aufgereiht, wobei gerade genügend Platz zwischen ihnen und der Wand gelassen war, daß die Frauen mit dem Gesicht zum Raum dort knien konnten. Die Mahlsteine waren überdies ein derart wichtiges Werkzeug, daß die Frauen immer nach Steinen von der benötigten Form und Größe Ausschau hielten. Manchmal mußten sie jahrelang nach einem passenden Stück Sandstein oder Lava suchen, und wenn sie es gefunden hatten, brauchte es Wochen, um ihn zurechtzuhauen und zu glätten.

Obwohl das Mahlen eine strapaziöse Arbeit war, die Rückenschmerzen verursachte, klagten die Frauen nicht; vielmehr waren sie stolz auf ihre Geschicklichkeit. Sie sangen sogar bei der Arbeit, um ihre Dankbarkeit für eine reiche Ernte zu beweisen. Und die jungen Mädchen veranstalteten manchmal eine Art Wettbewerb, wer in einer Woche die meisten Vorratskörbe füllte. Fünfundzwanzig Pfund Maismehl galten als gute Tagesleistung für eine geübte Frau.

Lied beim Maismahlen
(Hopi)

Oh, für ein Herz, so rein wie die Pollen auf den Maisblüten,
Und für ein Leben, so süß wie von den Blüten gesammelter Honig,

Möchte ich Gutes tun, wie der Mais Gutes getan hat für mein Volk
All die Tage hindurch, die bisher waren.
Bis meine Arbeit getan ist und der Abend hereinbricht,
Oh, mächtiger Geist, höre mein Lied beim Mahlen.[9]

Helen Sekaquaptewa schreibt, wenn junge Hopi-Mädchen ihren Müttern beim Mahlen halfen, so taten sie es nicht nur kurze Zeit, sondern den ganzen Tag lang, solange es hell war. Besuchte ein junges Mädchen oder eine junge Frau ihre Freundinnen, dann spielte sie nicht, sondern sie mahlte Mais. Und wenn sie für die eigene Familie genügend Mehl hergestellt hatte, mahlte sie weiter für eine Tante, die keine Töchter hatte.

In ihrer Autobiographie *No Turning Back* erinnert sich die Hopi-Lehrerin Polingaysi Qoyawayma (Elizabeth White) daran, wie sie in die Pueblo-Stadt Oraibi zurückkehrte, nachdem sie mehrere Jahre an den Schulen des weißen Mannes zugebracht hatte. Als sie sich beklagte, wie schwer es ihr falle, auf den Knien hockend Mais zu mahlen, wie es seit Jahrhunderten bei den Pueblo-Frauen Brauch war, sagte ihre Mutter: »Mutter Mais hat dich ernährt, wie sie alle Hopi seit langer, langer Zeit ernährt hat. Mutter Mais ist das Versprechen auf Nahrung und Leben. Ich mahle voll Dankbarkeit für den Reichtum unserer Ernte, nicht mit dem unangenehmen Gefühl, ich würde zu hart arbeiten. Wenn ich vor meinem Mahlstein knie, neige ich den Kopf im Gebet und danke den großen Kräften für die Nahrung. Ich habe viel bekommen. Ich bin bereit, als Gegengabe viel zu geben, denn wie ich dich gelehrt habe, muß man für das, was man erhält, immer etwas zurückgeben.«[10]

Handfertigkeit beim Maismahlen war eine so wichtige Eigenschaft für jede Pueblo-Hausfrau, daß sie sogar am Beispiel der übernatürlichen Frauen in den Legenden als Tugend gerühmt wurde.

Die neidischen Mais-Mädchen
(Tewa)

Vor langer Zeit lebten in einem Pueblo-Dorf am Rio Grande die White Corn Girls mit ihrem Ehemann Olivella Flower Boy. Die Blue Corn Girls, Yellow Corn Girls und All Colors Corn Girls lebten ebenfalls in dem Dorf. Sie waren eifersüchtig auf die White Corn Girls und wollten ihnen ihren Ehemann wegnehmen, und so luden sie die White Corn Girls eines Tages ein, bei ihnen Mais zu mahlen. Die White Corn Girls lehnten höflich ab und sagten, sie hätten ihre eigenen Mahlsteine. Die Eltern der White Corn Girls argwöhnten, die anderen Mädchen wollten ihren Töchtern Schaden zufügen, und sie warnten sie, aber die White Corn Girls hörten nicht darauf.

Die anderen Mädchen versuchten nun die White Corn Girls dazu zu überreden, mit ihnen Wasser holen zu gehen. Daher nahmen sie ihre Wasserkrüge, gingen zum Haus der White Corn Girls und sagten: »Wir sind gekommen, euch einzuladen, mit uns Wasser holen zu gehen. Wir haben euch eingeladen, mit uns zu mahlen, aber ihr wolltet nicht. Nun möchten wir, daß ihr mit uns Wasser holen geht und unsere Schwestern seid.« Die White Corn Girls willigten ein. Als sie zum White Water Lake gingen, versuchten die anderen Mädchen, die White Corn Girls dazu zu bringen, ihre Krüge als erste zu füllen. Da aber die White Corn Girls wußten, daß die anderen sie ins Wasser stoßen wollten, bestanden sie darauf, daß die Blue Corn Girls, Yellow Corn Girls und All Colors Corn Girls ihre Gefäße zuerst füllten. Ehe die Mädchen heimgingen, setzten sie sich alle zu einem Schwätzchen zusammen. Wieder schlugen die Blue Corn Girls, Yellow Corn Girls und All Colors Corn Girls den White Corn Girls einen Mahlwettbewerb mit den White Corn Girls vor. Wer das beste Mehl mahlte, sollte mit Olivella Flower Boy leben. Schließlich willigten die White Corn Girls ein und sagten: »Wir sind die jüngsten von euch allen, und vielleicht sind wir nicht in der Lage, so viel Mehl zu mahlen wie ihr. Trotzdem wollen wir nicht nein sagen.«

Am nächsten Morgen versammelten sich alle Mädchen mit ihrem Mais, und alle begannen, zur gleichen Zeit zu mahlen. Es wurde beschlossen, wer zuerst fertig war und das feinste Mehl gemahlen hatte, sollte Olivella Flower Boy bekommen. Schon bald merkten die Blue Corn Girls, daß ihr Mehl nicht so fein gemahlen war wie das der White Corn Girls. Daher schlichen sie sich zur Mittagszeit, als alle Mädchen sich in einem anderen Raum aufhielten, zu den Mahlsteinen hinaus und tauschten etwas von dem feinen Mehl der White Corn Girls gegen Mehl aus, das nicht so fein war. Doch als die White Corn Girls an ihre Mahlsteine zurückkehrten, brachten ihre übernatürlichen Kräfte das feine Mehl, das sie gemahlen hatten, an ihre Mahlsteine zurück. Da warfen die anderen Mädchen, die nicht begreifen konnten, weshalb die White Corn Girls so fein mahlten, ihnen vor, sie hätten bessere Mahlsteine. Da sagten die White Corn Girls: »Wenn ihr meint, unsere Steine seien die besten, dann nehmen wir eure Steine.« Also nahmen sie andere Steine und mahlten weiter, und ihr Mehl war immer noch das feinste. Auch wurden sie als erste fertig.

Als alle Mädchen mit dem Mahlen fertig waren, taten sie ihr Mehl in Körbe und deckten es mit Tüchern ab. Dann zogen sie ihre feinsten Kleider an. Die Blue Corn Girls waren die ersten, die ihr Mehl zu Olivella Flower Boy brachten, und sie waren sicher, er werde ihr Mehl als das feinste befinden und sie heiraten. Doch Olivella Flower Boy wies sie ab und sagte, sie mahlten zu langsam. Die Yellow Corn Girls waren die nächsten, die ihr Mehl zu Olivella Flower Boy brachten. Auch sie lehnte er ab, diesmal mit der Begründung, ihr Mehl sei nicht fein genug gemahlen. Die All Colors Girls wurden ebenfalls abgewiesen, weil ihr Mehl zu grob war. Dann war es an der Zeit für die White Corn Girls, zu Olivella Flower Boy zu gehen. Sie traten in sein Haus und sagten: »Guten Morgen. Wir haben dir dies Mehl mitgebracht. Wenn es dir gefällt, wollen wir deine Frauen sein.« Sie packten ihr Mehl aus und schütteten es mitten in den Raum auf den Fußboden. Olivella Flower Boy nahm eine Probe von dem Mehl, und es war wirklich sehr fein.

»Das ist die Art Mehl, wie die Frauen es mahlen«, sagte er. »Daher sollt ihr meine Frauen sein.«

»Wenn wir dich mit diesem Mehl ernähren, wirst du hinausgehen und Wild jagen«, sagten sie.

»Ja«, erwiderte er. »Ihr seid jetzt meine Ehefrauen. Alles, was sich in diesem Haus befindet, gehört jetzt euch.«[11]

Junge Zuni-Frauen machten zuweilen aus dem Maismahlen ein gesellschaftliches Ereignis. Frank Cushing, der um die Jahrhundertwende jahrelang bei den Zuni gelebt hat, war einst Gast eines dieser »Sängerfeste«. Seiner Beschreibung zufolge muß es sich dabei um eine jener ganz ausgefallenen Begebenheiten im menschlichen Leben gehandelt haben, bei denen Arbeit, Spiel und Gottesdienst sich zu einem ekstatischen Erlebnis vereinen.

Das Fest, an dem Cushing teilnahm, begann früh am Morgen. Die jungen Frauen, die ihre besten Kleider angelegt hatten, versammelten sich in einem Haus, in dem viel Mahlarbeit anstand.

Während die jungen Frauen frühstückten, waren ältere emsig damit beschäftigt, Mais zu rösten und die Mahlsteine zu säubern. Dann traf ungefähr ein Dutzend junge Männer ein, die ebenfalls festlich gekleidet und bemalt waren, und sie begrüßten die jungen Mädchen feierlich. Acht der jungen Frauen gingen danach an die Mahlsteine und knieten sich zur Arbeit hin, während die übrigen sie bei ihrer Tätigkeit musikalisch begleiteten. Eine alte Großmutter begann, in die Hände zu klatschen, und sang ein Lied, das die Maisgöttinnen feierte, ein älterer Mann begann zu trommeln, ein weiterer spielte auf einer Rohrflöte, und die jungen Männer umringten singend den Trommler. Schon bald mahlten die jungen Mädchen, die an den Mahlsteinen hockten, im Takt mit der Trommel und dem Gesang und fielen in den Rhythmus der Trommel ein, indem sie ihre Arme und Körper vor und zurück bewegten. Das Mädchen am einen Ende der Reihe der Mahlenden zerdrückte eine kleine Menge der gerösteten Körner, reichte das grobe Mehl weiter an das nächste Mädchen, das es feiner mahlte und wiederum weitergab, bis das Mahlgut die ganze Reihe der Mädchen durchlaufen hatte und schließlich den Feinheitsgrad von Pollen erreicht hatte. Die Mädchen bewegten ihre Mahlsteine in exaktem Rhythmus auf und nieder und reichten das Mehl in perfektem Unisono von Mulde zu Mulde weiter.

Cushing schreibt weiter: »Das Dröhnen der Trommel, das Quieken der Flöte, das Klappern der Rasseln und der klagende, eigenartige Rhythmus des Gesangs, keines verpaßte den Takt auch nur um Bruchteile einer Sekunde, und obwohl das Getöse ohrenbetäubend war, war die Melodie keineswegs schlecht, der Tonakzent hervorragend und die Wirkung wirklich inspirierend. Die Musik schien den Mädchen an den Mahlmulden neues Leben einzugeben und ließ sie mit jeder Bewegung völlig eins werden ... Selbst die Frauen, die in den Röstkesseln rührten, und diejenigen, die nichts taten, bewegten im Takt mit den Trommelschlägen die Köpfe und Füße. Schließlich nahmen die Mädchen, die noch nicht an den Mahlsteinen arbeiteten, als wollten sie in diese bewundernswürdige Monotonie einfallen, in jede Hand einen Maiskolben, bildeten in der Mitte des Raums eine Reihe und tanzten, schwenkten und streckten dabei anmutig ihre nackten, olivfarbenen Arme von einer Seite zur anderen und verschönerten so die Szene, ohne im geringsten die Harmonie zu stören.«[12]

Das Arbeitsfest machte so viel Spaß, daß die Teilnehmer ihre

Tätigkeit bis spät in die Nacht fortsetzten. Man hätte wohl gern noch mehr solcher »Sängerfeste« veranstaltet, aber die Menge des dabei hergestellten Mehls war so reichlich, daß es schwerfiel, das Mehl zu lagern und vor Mäusen zu schützen.

Wie die Frauen mahlen lernten
(Zuni)

Vor vielen Generationen lebte einst einmal eine schöne Meeresgöttin, die »Frau von den weißen Muscheln« und jüngere Schwester des Mondes. Diese Göttin war die besondere Schutzpatronin der Schönheit und der Anmut, und sie verlieh denjenigen, in deren Herzen sie ihren Atem zu geben geruhte, eine Anziehung, die fast ihrer eigenen gleichkam. Damit sie nicht beschmutzt werde, lebte sie in einer Höhle.

Als eines Tages einige junge Mädchen an dem Berg vorbeikamen, in dem sie wohnte, erschien sie ihnen plötzlich und saß hoch oben in den Felsen, in funkelnde weiße Baumwollkleider gehüllt. Sie gab den Mädchen ein Zeichen, sie sollten sich ihr nähern, und machte ihnen mit ihrem freundlichen Lächeln Mut.

»Setzt euch an meine Seite«, sagte sie zu den Mädchen, »dann will ich euch die Künste der Frauen lehren.« Dann schlug sie mit einem scharfkantigen Stück Jaspis einen Mahlstein aus der Lava. Danach formte sie einen weiteren Stein aus feinerem Felsmaterial, der ganz über den Mahlstein hinüberreichte. Dann nahm die Göttin weiße Schalen und weiße Maiskörner und mahlte sie zusammen zwischen den Steinen; und dabei führte sie ihren Schülerinnen eine Anmut der Bewegungen vor, wie sie die Frauen bis dahin noch nicht gekannt hatten. Über ihren Mahlstein gelehnt und scheu unter ihren wehenden Schläfenlocken hervorschauend, sprach sie nun zu den Mädchen und lehrte sie, wie sie ihre Liebhaber reizen sollten; dann strich sie sich das Haar aus dem Gesicht, wandte sich wieder der Mahlmulde zu und begann zu mahlen, wobei sie im Takt ihrer Arbeit die Lieder sang, die seitdem die jungen Frauen immer gern gesungen und die die jungen Männer noch lieber gehört haben.

Dann hielt sie inne und nahm einige lange Grashalme, aus denen sie eine Quaste machte; damit fegte sie das Mehl zusammen, das sie gemahlen hatte, und gab davon jedem der Mädchen die gleiche Menge.

»Nehmt es«, sagte sie, »und denkt daran, wie ich es gemacht habe, damit ihr mit Kindern gesegnet werdet und ihr mehr Mehl für sie mahlt und sie für ihre Kinder mehr Mehl mahlen. Mit dem Mehl sollen Männer und Frauen ihre Gebete an den geliebten Gott richten, und die jungen Mädchen sollen sich damit verschönen.«

Dann nahm sie ein wenig von dem Mehl zwischen ihre Handflächen und rieb damit leicht ihr Gesicht und ihren Busen ein, bis ihre Erscheinung so weiß wirkte wie ihr Kleid und so glatt wie gegerbtes Rehleder. Und immer seither haben die Frauen auch die zauderndsten Liebhaber mit Hilfe des Mahlsteins gewonnen.[13]

Obwohl das Mahlen einen Gutteil der Zeit und Kraft der Pueblo-Hausfrau beanspruchte, hatte sie sich darüber hinaus noch einer Unzahl anderer Haushaltsarbeiten zu widmen, zu denen nicht zuletzt auch das Kochen zählte. In Jahren mit regelmäßigem Niederschlag gab es gewöhnlich reichlich Nahrung, doch die Hopi-Frauen waren sich wohl bewußt, daß die Götter zu jeder Zeit und aus jedem beliebigen Grund beschließen konnten, ihnen die erbetenen Donnerwolken vorzuenthalten und den Hunger zu Besuch zu schicken. Aus diesem Grund taten die Frauen oft ein kleines bißchen Sand in das Essen, das sie gerade kochten. Polingaysi Qoyawayma (Elizabeth White) schrieb, sie sei nach ihrer Rückkehr in die Hopi-Stadt Oraibi entsetzt gewesen, als sie sah, wie ihre Mutter Schmutz in die Maisklöße tat, die sie gerade zubereitete. Die Mutter gab dafür folgende Erklärung: »Es wird für viele hungrige Leute eine kleine Portion Essen gekocht. Wir fügen Sand hinzu als Gebet um reiche Nahrung. Sand, dessen Körner zahllos sind, hat diese Essenz in sich. Was ist reichlicher vorhanden als der Sand der Mutter Erde in ihrer Endlosigkeit? Indem wir unsere Nahrung mischen, gedenken wir des Mangels. Nun, da du diesen Teig mit deinen warmen Händen knetest, hege gute Gedanken in deinem Herzen, damit kein Makel des Bösen auf die Nahrung fällt. Bitte darum, daß sie die Kraft und Größe von Mutter Erde in sich enthalten möge; dann werden die, die sie essen, im Geist wie im Körper genährt werden.«[14]

Da die Regenfälle sich nicht vorhersagen ließen, waren die Hopi-Frauen überaus sparsam und versuchten, einen Jahresvorrat an Mais für den Fall einer Mißernte anzulegen. Jedes Haus hatte einen unterirdischen Raum, in dem die Frauen alles einlagerten, was sich unter Umständen als Nahrung verwenden ließ. Pfirsichkerne, Melonen- und Kürbissamen sowie Maisreste wurden zusammen mit Asche in diese Kellerkammer geworfen; die Asche diente dazu, Ungeziefer fernzuhalten. Die Hopi wußten, daß sie sich in Zeiten akuter Not glücklich schätzen würden, das zu essen, was sie zu anderen Zeiten als Abfall weggeworfen hätten; so achteten sie darauf, jeden Krümel aufzuheben, der eines Tages ihre Kinder vor dem Hungertod bewahren konnte.

Die Hopi-Dörfer waren klein und sehr eng gebaut. Die Leute, insbesondere Verwandte, verließen sich auf die gegenseitige Hilfe. Zwischen den Frauen fand ein ständiger Austausch von Lebensmitteln und Gütern statt. Die Hausfrauen veranstalteten sogar eine Art Tauschmarkt, indem sie sich alle auf dem zentralen Platz des Dorfes versammelten und ihre Überschüsse an Mais, Bohnen oder Pfirsichen gegen dies und jenes eintauschten, was sie gerade benötigten. Eine Hopi-Frau erinnert sich, wie ihr kleiner Bruder, der beim Essen häufig mäkelte, eines Tages zu weinen anfing, als seine Mutter einen großen Stapel Mehltortillas auf den Tisch legte. Der kleine Junge mochte keinen Weizen; also packte die Mutter einfach einen Korb mit Tortillas voll, ging auf den Dorfplatz und ließ ihr Angebot vom Marktschreier ausrufen. Bald darauf kam sie mit etwas *piki* (einer Art Oblatenbrot) zurück, und ihr Söhnchen langte herzhaft zu.

Wenn die Hopi-Frau gemahlen, gekocht und das Notwendige eingehandelt hatte, mußte sie den Haushalt mit Wasser versorgen. Als aus dem Norden die wilden Athapasken-Stämme (die späteren Navajo und Apachen) eindrangen, verlegten die Hopi ihre Städte zum Schutz in die Mesas und bauten ihre Behausungen unmittelbar an den Rand der steilen Felshänge. Dies war eine schöne Art zu wohnen – man hatte einen Überblick über das Umland –, aber unglücklicherweise lagen die Quellen immer noch am Fuß der Mesas. Daher mußten die Frauen mehrmals am Tag die steilen, gefährlichen Pfade zur einzigen Wasserquelle hinabsteigen, wobei sie auf dem Rücken große Wasserkrüge trugen, die zwischen acht und vierzig Liter faßten. Wenn im Sommer die Quellen nur kärglich rannen, zog sich das Wasserholen über Tag und Nacht hin. Die Frauen spannten große Decken über die Felsen, damit sie Schatten hatten, und saßen nähend, stopfend oder plaudernd da, während das Wasser langsam in ihre Krüge rann. War das Gefäß einer Frau gefüllt, lud sie sich die Last auf den

Rücken und kletterte langsam den steilen Weg zum Dorf hinauf. Sobald sie zu Hause ankam, leerte sie den Tragekrug in ein größeres Vorratsgefäß und kehrte zur Quelle zurück, um sich erneut anzustellen. Bei Nacht warteten die Frauen aufeinander, damit sie zu zweit oder mehreren gemeinsam den Pfad hochsteigen konnten.

Die Hopi-Frauen waren auch Hausbauer. Wenn ein junges Mädchen heiratete und nach überkommender Sitte seinen Ehemann in die Familie einbrachte oder wenn eine Familie so viele Kinder hatte, daß sie mehr Raum brauchte, organisierten die Frauen des Haushalts einen Bautrupp, zu dem sie alle ihre weiblichen Verwandten einluden. Die Unterstützung der männlichen Familienangehörigen wurde gebraucht, um die großen Trägerbalken zu holen und aufzurichten und um die Bausteine aus Sandstein zu brechen. Aber die Frauen leiteten alle Bauarbeiten, mischten den Mörtel und verfugten die Steine, verputzten die Wände und bauten die Feuerstelle in der Ecke. Das Leben der Hopi-Frau drehte sich um ihr Heim – in ein und demselben Gebäude wurde sie geboren, lebte, gebar und starb sie; es nimmt daher nicht wunder, daß sie sich alle erdenkliche Mühe gab, wenn sie ihr Haus, den Mittelpunkt ihrer Welt, um einen Raum erweiterte.

Die Lebensweise der Navajo

Bei den Navajo, die Nachbarn, aber keine Verwandten der Hopi waren, herrschte ebenfalls die Frau über Heim und Haushalt, doch erschöpfte sich ihr Einfluß keineswegs darin. Sie leistete nicht nur alle Kocharbeit, sorgte für Haus und Kinder, hatte die Aufsicht über die Schafherden, schlachtete die Haustiere, stellte sämtliche Kleidung her, unterhielt die Gäste und webte in ihrer Freizeit Teppiche, sondern sie hatte auch in allen Familienangelegenheiten ein Mitspracherecht. Den Navajo-Frauen war kein Bereich verschlossen, vorausgesetzt, sie waren fähig, sich in ihm zu betätigen. Beschränkungen wurden nie auf der Grundlage des Geschlechts, sondern ausschließlich auf der Grundlage mangelhafter Befähigung auferlegt.

Das hohe Prestige, das die Navajo-Frau genoß, stand zweifellos in unmittelbarem Zusammenhang mit ihrer wirtschaftlichen Unabhängigkeit, die sich hauptsächlich aus ihrer Eigentümerschaft und Verfügungsgewalt über das lebende Inventar herleitete. Die Navajo begannen, Schafe und Ziegen zu züchten, schon bald nachdem die spanischen Entdecker diese Tiere in ihr Gebiet gebracht hatten. Die Spanier führten diese Herden als Frischfleischreserve mit sich. Die Tiere, die als Geschenke, durch Kauf oder Diebstahl in die Hände der Navajo gelangten, vermehrten sich rasch zu großen Herden. Zwar besaßen auch manche Navajo-Männer Schafe, doch gehörten die Tiere überwiegend den Frauen – vielleicht, weil sie die Wolle zum Weben brauchten, vielleicht auch, weil sie die Schafe in der Nähe der Wohnstätten hüten konnten, während die Männer sich auf der Jagd oder auf dem Kriegspfad befanden.

Schafzucht ist keine leichte Arbeit, und eine Navajo-Frau, die in diesem Bereich Erfolge erzielen wollte, mußte sich stetig um ihre Herden bemühen. Zwar konnte sie an gewöhnlichen Tagen ein Kind damit beauftragen, die Tiere draußen beim Grasen zu beaufsichtigen, aber wenn die Zeit des Lammens gekommen war, versuchte sie, sich um jede einzelne Geburt und jedes Lamm zu kümmern. Dabei spielte es keine Rolle, ob die Mutterschafe alle auf einmal während eines Schneesturms zu lammen begannen – die Navajo-Frau war mitten in Hagel und Schnee bei ihnen und schlief sogar im Gatter, damit sie bei schwierigen Geburten rechtzeitig Hilfe leisten konnte. Die Navajo-Frau kannte fast jedes Einzeltier in ihrer Herde von seiner Geburt an, wußte, wie es sich beim Lammen und bei der Schur verhielt, wenn sie den Tieren ihre Wolle abnahm, um daraus Stoffe und Teppiche zu weben, bis zu dem Tag, an dem sie das Schaf schlachtete und in ihren Kochtopf wandern ließ.

Die Navajo-Frau hatte und hat heute noch eine völlige Kontrolle über die Verwendung all ihres Eigentums und Lebendinventars, und manche Frauen haben es zu mehr Wohlstand gebracht als ihre Männer. Theoretisch hätte eine Frau, die gut mit Tieren umgehen konnte, sehr reich werden können; doch würde keine Navajo-Frau, die sich als voll in ihre Sozialstruktur integriert begreift, daran denken, irgend etwas von ihrem Wohlstand ausschließlich für sich zu reservieren. Wohlstand bemißt sich nicht nach dem Status einer Person, sondern nach der wirtschaftlichen Stellung der gesamten Großfamilie, so daß eine Navajo-Frau, die es zu mehr als durchschnittlichem Besitz gebracht hat, unter erheblichem sozialem Druck steht, ihren Überfluß mit sämtlichen

Verwandten zu teilen. Eine Navajo, die ihre Verwandten darben ließ, während sie selbst eine für die anderen unerreichbare wirtschaftliche Vorrangstellung einnahm, galt als charakterlose Person.

Da die Navajo ihre Abstammung über ihre Mütter herleiteten, kam den Navajo-Frauen im Haushalt immer eine besondere Stellung zu. Aber nachdem sie durch Besitz von Lebendinventar einiges wirtschaftliche Prestige erlangt hatte, brachten sie auch die Familienkasse unter ihre Kontrolle und nahmen ganz allgemein auf anstehende Entscheidungen Einfluß. Jede Großfamilie, die gewöhnlich aus mehreren Schwestern und ihrem Gemeinschaftsehemann oder ihren Einzelehemännern sowie ihren Töchtern und deren Ehemännern und den Kindern der Töchter bestand, wurde von einer Matriarchin geleitet, die, von allen anderen Familienangehörigen unangefochten akzeptiert, in sämtlichen Familienangelegenheiten das letzte Wort hatte. Es gab keinen förmlichen Beschluß darüber, wer diese Stellung einnehmen sollte; eine der reifen Frauen, die die nötige Weisheit, Intelligenz, Erfahrung und Führungsqualitäten besaß, nahm die Rolle nach dem Tod oder bei einsetzender Gebrechlichkeit ihrer Tante oder Mutter einfach ein. Und obwohl das Schwiegermuttertabu sie daran hinderte, unmittelbar mit ihren Schwiegersöhnen zu sprechen, wurde die Arbeit der jungen Männer indirekt von der Matriarchin, die alle wirtschaftlichen Entscheidungen traf, kontrolliert.

Die Frauen der Nordwestküste

Wie die Frauen der Pueblo-Völker und der Navajo hatten auch die Frauen und Mütter der Stämme an der Nordwestküste einen ziemlich hohen Sozialstatus inne. Da aber an den reichen Küsten Nahrung erheblich leichter zu finden war als in den trockenen Wüsten, brauchten die Frauen des Nordwestens nicht so unermüdlich zu schuften wie ihre Schwestern im Süden. Zwar mußte jede arbeiten und ihre Arbeitskraft für Gemeinschaftsaufgaben zur Verfügung stellen, aber die wohlhabenderen Frauen waren in der glücklichen Lage, die schwereren, weniger angenehmen Arbeiten ihren Sklaven übertragen zu können.

Die Tlingit, die an der Südküste Alaskas lebten, wohnten in großen Häusern aus Holzbohlen, die jedes zwei bis acht Familien beherbergten. In der Mitte des Hauses wurde Tag und Nacht ein

Feuer unterhalten, das den Bau mit sengender Hitze und dichtem Rauch erfüllte, denn es gab keinen Abzug.

Das Haus befand sich im Besitz der Männer, die im allgemeinen verbrüdert oder sehr nahe verwandt waren, und das Sozialklima war normalerweise harmonischer, wenn ihre Ehefrauen Schwestern oder sonstwie eng verwandt waren. Der typische Haushalt umfaßte einen Haushäuptling, dessen Ehefrau, unverheiratete Töchter, Söhne von weniger als acht oder zehn Jahren und einen oder mehrere Söhne von Schwestern oberhalb dieses Alters, etliche Brüder des Haushäuptlings, deren Ehefrauen, unverheiratete Töchter, kleine Söhne und ältere Neffen, die Ehefrauen und kleinen Kinder der Neffen sowie zum Haushalt gehörige betagte Personen und Sklaven.

Jeder Tlingit-Haushalt arbeitete als wirtschaftliche Einheit zusammen, wobei die Frauen im Sommer gemeinsam Muscheln sammelten und die Fänge der Männer konservierten und einlagerten und im Herbst zusammen Beeren und sonstige pflanzliche Materialien sammeln gingen. Von jedem Familienmitglied wurde Fleiß erwartet, nicht weil man es für sonderlich sündhaft hielt, wenn jemand müßigging, sondern schlicht, weil die Arbeit das Überleben sicherte. Die Frauen arbeiteten hart, sahen sich aber nicht veranlaßt, sich übermäßig zu beeilen oder gar abzuhetzen; sie erledigten ihre Aufgaben in einem langsamen und stetigen Tempo, wobei sie große Geduld und Ausdauer bewiesen. War die Nahrung von den Männern oder Frauen erst einmal heimgebracht, stand sie allen Haushaltsangehörigen gleichermaßen zur Verfügung. Selbst den Faulen wurde das Essen nicht vorenthalten, obwohl ein Erwachsener, der lange nicht gearbeitet hatte, damit rechnen mußte, vom Haushäuptling verwarnt zu werden.

Die faulen Frauen
(Tlingit)

Es lebten einmal eine Mutter und ihre Tochter, die beide ziemlich faul waren. Keine von ihnen war eine schlechte Frau, aber sie meinten, wenn sie andere dazu bringen könnten, ihre Arbeit zu erledigen, so sei es um so besser für sie. Es ergab sich, daß die Tochter heiratete und dem Brauch gemäß fortzog, um in der Nähe der Familie ihres Ehemanns zu wohnen. Den ganzen Sommer lang hatte sie eine vergnügte Zeit und arbeitete nicht beim Fischetrocknen mit. Wenn die Leute sie fragten, weshalb sie keine Vorbereitungen für den Winter treffe, erwiderte sie: »Ach, meine Mutter trocknet immer Fisch für mich.« Umgekehrt rührte auch die Mutter keinen Finger, um Fisch zu konservieren, denn sie nahm an, die Tochter werde Fisch für sie beide trocknen. Als der Winter kam, wurde das Jahr zu einem Hungerjahr. Unsere beiden Frauen waren die ersten, die starben.[15]

Da an der Nordwestküste Nahrung gewöhnlich reichlich vorhanden war, hatten die Frauen Zeit, einen Teil ihrer schöpferischen Energie dem Kochen zuzuwenden. Die üblichen Kochverfahren waren Kochen, Braten, Rösten und Dämpfen. Um 1900 war eine Kwakiutl-Frau in der Lage, ungefähr 150 Rezepte aus dem Kopf aufzusagen, und damit war ihr Vorrat noch keineswegs erschöpft. Doch war das Kochen nicht ausschließlich Aufgabe der Frauen; es war weder ungewöhnlich noch entwürdigend, wenn die Männer – insbesondere bei zeremoniellen Anlässen – beim Kochen, Auftragen und Abwaschen zur Hand gingen. Beim Stamm der Lower Chinook bereiteten die Männer immer die großen Feste vor und servierten die Mahlzeiten.

Die Frauen der Gruppen an der Nordwestküste waren nicht nur von einem großen Teil der Plackerei im Haushalt befreit, sie besaßen auch klar umschriebene politische Rechte. Ein Besucher der Tlingit berichtete, in den von ihm besuchten Dörfern hätten einige Frauen ein derart hohes Ansehen genossen, daß sie die eigentlichen Führer gewesen seien, deren Urteil und Anweisungen die Männer bereitwillig Folge geleistet hätten. Bei den Eyak, die unmittelbar nördlich des Gebiets der Tlingit lebten, konnte kein Handel ohne die Zustimmung der Frauen getätigt werden, und die Frauen wurden bei jeder wichtigen Entscheidung zu Rate gezogen.

Unterdrückte Frauen

Aber wie stand es um diejenigen amerikanischen Eingeborenenfrauen, die in Stämmen lebten, in denen die Frauen keinen hohen Status genossen? Die Chipewyan, die in den nördlichen, subarktischen Gebieten Manitobas und Saskatchewans beheimatet waren, waren eine Gruppe, in der die Frauen eindeutig unterdrückt wurden. Jede Familie war eine autarke Einheit, und selbst wenn eine

Anzahl von Familien zufällig nebeneinander lagerte, kam wenig Gemeinschaftsgefühl auf. Chipewyan-Frauen wurden von ihren Männern und Vätern vielfach grausam behandelt. Die Frauen bereiteten die Mahlzeiten zu, doch die Männer aßen zuerst und ließen den Frauen übrig, was sie selbst nicht wollten – bisweilen nichts. Wenn eine Frau ihrem Ehemann nicht jeden kleinsten Wunsch von den Augen ablas, mußte sie mit Prügeln rechnen, und es galt zwar als abscheuliches Verbrechen, wenn ein männlicher Chipewyan einen anderen tötete, aber niemand dachte sich etwas dabei, wenn eine Frau an den Schlägen starb, die ihr Ehemann ihr verabfolgt hatte. Es wundert daher nicht, daß man weibliche Säuglinge oft sofort nach der Geburt sterben ließ, indem man sie aussetzte. Die Chipewyan-Frauen sahen darin eine langfristige Wohltat, und nicht selten hörte man sie sagen, sie wünschten, ihre Mütter hätten das gleiche mit ihnen getan.

Bei den Yurok in Nordkalifornien standen die Frauen ebenfalls in geringem Ansehen und galten als dunkel, minderwertig und sogar verunreinigend. Die Männer lebten den größten Teil des Jahres über nicht mit ihren Frauen und Kindern im gemeinsamen Heim zusammen und versammelten sich statt dessen in den ausschließlich ihnen vorbehaltenen Schwitzhäusern. Erik Erikson, der eine psychologische Studie über die Yurok erarbeitet hat, kommt zu dem Schluß, die Frauen hätten ihre formale Rolle in der Tat voll akzeptiert; sie hätten ihre gesellschaftliche Position nicht in Frage gestellt bzw. depressiv auf sie reagiert. Es sei ihnen gelungen, über die alltäglichen Angelegenheiten des Heims und der Kinder eine Verfügungsgewalt auszuüben, die ihnen in Hinblick auf die »wichtigeren« Aspekte des Lebens versagt blieb.

Erikson schreibt über die Yurok-Frau: »Sie scheint in einem persönlichen Sinne die Gesetze nicht zu buchstäblich oder zu ernst zu nehmen und den Umstand nicht in Frage zu stellen, daß es die Aufgabe des Mannes ist, die Tabus sowohl zu schaffen wie aufrechtzuerhalten, und daß es ihre Aufgabe ist, die Kinder dazu anzuhalten, die Tabus einzuhalten; und sie scheint aus den Tabus ein Zugehörigkeitsgefühl zu gewinnen, als hätte sie längst vergessen, was sie wirklich bedeuten. Möglicherweise kann sie sich so verhalten, weil andererseits ihre machtvolle Stellung im Alltagsleben von den Männern nicht in Frage gestellt wird und ihnen nicht weniger überzeugend erscheint, daß ein so großer Teil davon sich der Verbalisierung und vernunftmäßigen Begründung entzieht –

den einzigen Kriterien, die wir anscheinend als Kennzeichen kultureller Bedeutung akzeptieren.«[16]

Nichtangepaßte Frauen

Nicht jede eingeborene amerikanische Frau fügte sich in die Normen, die ihr Stamm für die ideale Ehefrau und Mutter gesetzt hatte. Selbstverständlich fiel es Frauen, die mit ihrer traditionellen Rolle nicht zufrieden waren, überaus schwer, eine alternative Methode des Selbstausdrucks zu finden, und der Druck, sich dem anzupassen, was »richtig« war, war enorm. Die Fähigkeit der Männer, Frauenarbeit zu tun, wenn sie dies wollten, wurde nie in Frage gestellt; doch wurden Frauen vielfach von der traditionellen Männerarbeit mit der Begründung ausgeschlossen, es mangele ihnen an Kraft, Koordinationsfähigkeit oder Intelligenz. Abgesehen von Arbeiten, die außerordentliche Kraft erfordern, läßt sich solche angeborene Unfähigkeit nicht belegen. Die Arbeitsteilung nach Geschlecht wurzelte fast ausschließlich in Brauch und Überlieferung, wenn auch die Aufgabenteilung auf die körperlichen Unterschiede zwischen den Geschlechtern zurückgeführt und damit biologisch begründet wurde.

Wollte eine Indianerfrau aus ihrer Rolle heraustreten, stellte sie damit das gesamte soziale System ihres Stammes in Frage. Trotzdem waren manche Frauen stark und individualistisch genug, um für die Erlangung ihrer Unabhängigkeit soziale Ächtung zu riskieren. Wenn allerdings – was selten vorkam – einmal eine Frau den Bruch vollzog und sich als Person durchsetzte, die stark genug war, um in der Männerwelt zu bestehen, erwarb sie sich interessanterweise dadurch ein hohes Ansehen. Da Männerarbeit gewöhnlich als höherwertig eingestuft wurde, galt eine Frau, die Männerarbeit leisten konnte, als anderen Frauen überlegen.

Ruth Landes, die sowohl die Sioux im Osten als auch die Ojibwa untersucht hat, kommt zu dem Ergebnis, daß die Isolation der Ojibwa-Familie über weite Teile des Jahres beide Geschlechter zwang, in allen Bereichen Selbstvertrauen und Selbständigkeit zu entwickeln, wodurch sich viele Gelegenheiten für die Frauen ergaben, männliche Fertigkeiten auszubilden. Bei den Sioux dagegen bedingte ein intensives Dorfleben eine ausgeprägte geschlechtsspezifische Teilung der Arbeit.

Die meisten Ojibwa-Frauen, die Männerarbeiten wie etwa das

Jagen von Großwild erledigten, taten dies, weil ihre männliche Bezugsperson gestorben war, sie verlassen hatte oder erkrankt war. Viele Witwen, die es vorzogen, nicht wieder zu heiraten, lernten, für den Unterhalt ihrer Kinder aufzukommen, und andere Frauen, deren Männer krank oder einfach faul waren, konnten die Familie voll ernähren, indem sie sowohl die Frauen- als auch die Männeraufgaben erfüllten. Manche Frauen hatten schon als Mädchen jagen gelernt, indem sie – insbesondere wenn es keine Söhne in der Familie gab – mit den Vätern hinausgezogen waren, aber andere traditionelle Männerarbeiten wie Kanu- und Hausbau mußten die Frauen sich selbst beibringen. Doch ungeachtet dessen, wie häufig eine spezifisch den Männern zugeordnete Tätigkeit von Frauen verrichtet werden mußte, und ungeachtet der Fertigkeit, die sie darin erwarben, blieb diese Arbeit ihrer gesellschaftlichen Klassifikation nach Männerarbeit. Interessanterweise berichtet Landes, daß unkonventionelle Frauen bei den Ojibwa-Männern vielfach mehr Anerkennung fanden als bei ihren Geschlechtsgenossinnen. Frauen erblickten in anderen Frauen, die Männerarbeit verrichteten, zumindest etwas Außer- oder Ungewöhnliches. Männer dagegen schätzten solch eine Frau nach der Betätigung ein, der sie nachging; sie sahen in einer Frau, die sich als Trapper bewährte, einen Trapper, nicht eine sonderbare Frau. Gleichgültig, wie ungewöhnlich das Verhalten einer Frau in Hinblick auf die Tätigkeit, die sie gewählt hatte, auch sein mochte, es wurden einer Ojibwa-Frau, die eine Männerrolle annehmen wollte, keine institutionellen Hindernisse in den Weg gelegt; ob sie ungewöhnlichen Tätigkeiten nachgehen wollte oder nicht, lag allein bei ihr selbst.

Für Ojibwa-Witwen war es leicht, wieder zu heiraten und einen Partner zu gewinnen, der sich mit ihnen in die Haushaltsverrichtungen teilte; infolgedessen ist offenkundig, daß allein lebende Frauen der Selbständigkeit und dem Alleinsein den Vorzug gaben, was ihnen ein Leben ohne Partner ermöglichte. Viele Frauen, die ihren Ehemann verloren, verlängerten ihre Witwenschaft um geraume Zeit, bis sich ein Mann fand, für den sie bereit waren, ihre Unabhängigkeit aufzugeben. Zu diesen Frauen zählte auch Gaybay. Keeshka, ihre Mutter, verwitwete, als Gaybay ein Mädchen von etwa zehn oder zwölf Jahren war, und die Mutter beschloß, alleinstehend zu bleiben, und lebte allein mit der Tochter. Sie brachte Gaybay bei, wie man Matten anfertigt, Dächer aus Birkenrinde baut und aus Kaninchenfellen Kleider herstellt. Die beiden Frauen leisteten sämtliche jahreszeitlich anfallenden Arbeiten; im Frühling stellten sie Ahornzucker und Ahornsirup her, im Sommer sammelten sie Reis und Beeren, im Herbst fingen sie Fisch und erlegten großes niederes Wild, dessen Fleisch sie für den Winter trockneten. Sie taten sich nie mit anderen Leuten zusammen und lebten abgeschieden auf einer Insel. Schließlich heiratete Gaybay, wurde aber bald darauf Witwe und kehrte zu ihrer Mutter zurück. Wie zuvor verrichteten die beiden wieder alle zu ihrem Unterhalt notwendigen Arbeiten. Keeshka heiratete nie wieder, Gaybay aber hatte nacheinander fünf Ehemänner. In den Zeiten, in denen Gaybay verheiratet war, erledigte sie nur die herkömmlichen Frauenaufgaben, also sie versorgte den Haushalt und half ihrem Mann bei der Jagd, wenn er sie darum bat. In den dazwischenliegenden Zeiten ihrer Witwenschaft jedoch, die weitaus länger waren, fiel es ihr nicht schwer, sich den Tätigkeitsbereichen des Mannes anzupassen.[17]

Bei den Sioux im Osten war es zwar nicht so verbreitet, daß Frauen Männerarbeit taten, doch gab es auch bei ihnen Frauen, die an der Jagd teilnahmen und auf Kriegszügen Feinde aufspießten, skalpierten oder sonstwie verstümmelten. Eine Frau, die bei den Gemeinschafsjagden zusammen mit den Männern zu Pferde Büffel erlegen wollte, galt zwar als etwas voreilig, aber niemand hinderte sie daran, sofern sie die Regeln einhielt, die dazu dienten, alle Jäger zu schützen. Augenscheinlich war es das Streben nach Ruhm und Abenteuer, das Sioux-Frauen veranlaßte, Jäger zu werden; denn abgesehen von außergewöhnlichen Fällen brauchten Frauen nicht auf die Jagd zu gehen, um sich Nahrung zu beschaffen, da in der Sioux-Gesellschaft alle Nahrung geteilt wurde. Eine Frau, die bei der Jagd erfolgreich war, errang die gleichen Ehren wie ein Mann, mit der einzigen Ausnahme, daß sie nie eine Jagd anführen konnte.

Die Nördlichen Piegan oder Blackfoot-Indianer im Süden Albertas erkannten an, daß es besonders charakterstarke Frauen gab, und sie nannten sie »Frauen mit Männerherzen«. Diese Bezeichnung ergab sich, weil die Blackfoot-Gesellschaft eine männlich orientierte Kultur war, und jede Frau, die sich einen Namen machte, konnte dies nur im Rahmen männlicher Normen tun.

Eine »Frau mit Männerherz« war normalerweise eine reife, wohlhabende Witwe oder die Hauptfrau eines bedeutenden Mannes. Im Gegensatz zur typischen »guten« Blackfoot-Frau – die schüchtern, sanftmütig und fügsam war – war die Frau mit Männerherz aggressiv, unabhängig, selbständig und beherzt und scheute sich nicht, in der Öffentlichkeit hervorzutreten oder sexuelle Befriedigung zu suchen. Sie war überdies unglaublich leistungsfähig und schaffte an einem Tag mehr als eine Durchschnittsfrau in einer ganzen Woche. Sie war in der Lage, die überschüssigen Güter, die sie produzierte, gegen Pferde – das Kapital der Blackfoot – einzutauschen und so ihren Besitzstand zu mehren. Die gewöhnliche Blackfoot-Ehefrau bezeichnete alle Pferde, die sie besaß, als »die Pferde meines Mannes«, wohingegen die „Frau mit Männerherz“ sowohl ihre eigenen als auch die Pferde ihres Mannes als »meine Pferde« bezeichnete. Da sie sich finanziell gut stand, trug die »Frau mit Männerherz« immer hübsch dekorierte, gutgegerbte Lederkleidung, die ihre sexuelle Attraktivität unterstrich.

Der entscheidende Unterschied zwischen einer »Frau mit Männerherz« und einer Frau, die bloß als aggressiver Emporkömmling galt, lag in ihrem Wohlstand und Status. Ärmere Frauen aus weniger gehobenen Familien, die die Charakterzüge von »Frauen mit Männerherz« aufwiesen, wurden mit Verachtung behandelt.

In etlichen belegten Fällen sind Indianerfrauen nicht freiwillig in die Männerrolle geschlüpft, sondern sie sahen sich plötzlich vor die Notwendigkeit gestellt, sich selbst zu unterhalten, weil sie durch unglückliche Umstände völlig auf sich gestellt waren. Der Forscher Samuel Hearne stieß, als er mit seinen eingeborenen Führern auf der Jagd war, im Januar 1771 in Kanada auf eine sonderbare Schneeschuhspur. Die Gruppe folgte der Spur und gelangte zu einer kleinen Hütte, in der sie eine junge Frau ganz allein vorfand. Allem Anschein nach handelte es sich um eine Dog-Rib-Indianerin, die von einem anderen Stamm gefangengenommen worden war. Im Sommer 1770 war sie ihren Fängern nach einem Jahr Gefangenschaft entkommen. Sie hatte zu ihrem Volk zurückkehren wollen, aber angesichts der zahlreichen Windungen der Flüsse und Seen die Orientierung verloren. So hatte sie sich mit Einsetzen des Herbstes eine Hütte gebaut, in der sie überwintern wollte. Als die Forscher sie fanden, hatte sie seit annähernd sieben Monaten kein anderes menschliches Wesen mehr zu Gesicht bekommen.

Während all dieser Monate hatte sie sich bestens am Leben erhalten, indem sie mit Schlingen Rebhühner, Kaninchen und Eichhörnchen fing. Als die wenigen Rehsehnen verbraucht waren, die sie mitgenommen hatte, verwandte sie die Sehnen von Kaninchenbeinen, um Schlingen herzustellen und Kleider zu nähen. Auch fertigte sie sich eine Hütteneinrichtung aus Kaninchenfellen an. Außerdem hatte sie aus Weidenbast mehrere hundert Meter Garn angefertigt, aus dem sie im Frühling ein Fischnetz knüpfen wollte.

Trotz des erwiesenen Mutes, des Erfindungsreichtums und der Wendigkeit der Dog-Rib-Frau waren Hearnes Chipewyan-Führer unfähig, sie als unabhängiges Individuum zu begreifen, das in der Lage war, sein eigenes Leben zu leben und seine eigenen Entscheidungen zu treffen. Die Frau wurde schlicht als ein außergewöhnliches Stück Eigentum behandelt, und sie ging als Preis beim Wettringen an nur einem Abend nacheinander in den Besitz von mehr als sechs Männern über.[18]

Ein anderer Vorfall trug sich auf einer Insel vor der Südküste Kaliforniens zu. Laut Berichten aus dem frühen sechzehnten Jahrhundert waren die Santa Barbara Islands – die Inseln Anacapa, Santa Rosa, San Miguel, Santa Cruz, Santa Catalina, San Clemente, Santa Barbara und San Nicolas – von einem intelligenten und freundlichen Volk bewohnt, das von der reichen Fauna und Flora der Inseln gut leben konnte. Im späten achtzehnten bzw. frühen neunzehnten Jahrhundert setzte eine Bostoner Handelsgesellschaft einige Kodiak-Indianer aus Alaska auf San Nicolas ab, die dort für die Gesellschaft Otter jagen sollten. Zwischen den Kodiak und den ansässigen Eingeborenen kam es zu einer Fehde, in deren Verlauf die Eindringlinge alle erwachsenen männlichen Insulaner töteten und die Frauen zu ihren Ehefrauen machten. Infolge dieses rüden Vorgehens gab es um 1830 auf der ehedem dichtbesiedelten Insel nur mehr knapp vierzig Bewohner.

Die Missionare aus dem Franziskanerorden, die die Küstenbewohner zum Christentum bekehrten und die Bewohner anderer Inseln aufs Festland gebracht hatten, sandten 1835 ein Schiff aus, um die letzten paar Überlebenden von San Nicolas zu »retten«. Ehe das Schiff die Insel erreichte, kam plötzlich ein Sturm auf, der das Wasser hoch aufpeitschte. Man schaffte unter großen Schwierigkeiten die Landung. Da er die Schlechtwetterzone so rasch wie möglich verlassen wollte, trieb der Kapitän die Insulaner in aller Eile aufs Schiff und legte ab. Kaum war das Schiff ausgelaufen, stellte eine Frau fest, daß in dem Durcheinander ihr Kind auf der Insel zurückgeblieben war. Der Kapitän versuchte, der erregten Mutter klarzumachen, daß er unter den gegebenen Wetterumständen unmöglich zur Insel zurückkehren könnte, daß er aber am folgenden Tag das Eiland erneut anlaufen und das Kind holen wolle. Die Frau, eine Witwe zwischen zwanzig und dreißig Jahren, ließ sich weder beruhigen noch zurückhalten, sondern sprang über Bord und schwamm durch die aufgewühlte See zum Strand. Schon bald war sie aus dem Blickfeld der übrigen Passagiere verschwunden.

Der Kapitän hatte ernsthaft beabsichtigt, die Frau und das Kind zu holen, doch ehe er zur Insel zurückkehren konnte, erlitt er Schiffbruch, und an der gesamten Südküste stand kein anderes geeignetes Boot zur Verfügung. Nach einigen Jahren nahmen selbst die Leute, die sich um das Schicksal der Indianerfrau und ihres Kindes Sorgen gemacht hatten, an, die beiden seien umgekommen.

Doch im Jahre 1850 sandte einer der Missionspater, der sich noch an den Vorfall erinnerte, erneut ein Schiff aus, um nach der Frau zu suchen. Der mit der Suche beauftragte Kapitän mußte drei Reisen nach San Nicolas unternehmen.

Gegen Ende der dritten Suchaktion stieß der Kapitän auf ein Haus, das aus geschickt miteinander verbundenen Walrippen erbaut war, sowie auf einen Binsenkorb, der Knochennadeln, Garn aus Sehnen, Angelhaken aus Schildpatt und Schmuckgegenstände enthielt. Überzeugt, daß die Frau sich irgendwo auf der Insel versteckt haben mußte, organisierte er eine gründliche Suche und fand sie schließlich in einem dichten Gestrüpp, das von einer Meute Wildhunde umlagert war, die der Frau augenscheinlich gehorchten. Sie knurrten, als der Kapitän sich näherte, doch die Frau beruhigte sie mit einem Wort, und sie verzogen sich. Der weibliche Crusoe, der ein hübsches Gewand aus grünen Kormoranfedern trug, reagierte anfangs verängstigt auf seine Retter, aber schon nach einigen Minuten der Gewöhnung ging die Frau daran, ihnen eine Mahlzeit aus Wurzeln zu bereiten, die sie gesammelt hatte. Nach fünfzehn Jahren der Einsamkeit verließ die gesunde, attraktive Frau die Insel gern; sie sammelte rasch ihre Habe zusammen und machte sich zur Abreise bereit. Sie freute sich darauf, ihre Freunde und Verwandten wiederzusehen, von denen sie sich fünfzehn Jahre zuvor so übereilt getrennt hatte.

Der Kapitän des Rettungsschiffs nahm die Frau mit zu sich nach Hause und gab sie in die Obhut seiner spanischen Ehefrau. Doch ließ sich niemand aus der kleinen Indianergruppe von San Nicolas mehr ausfindig machen und auch niemand, der die Sprache der Frau beherrschte. Die Frau gab durch Zeichensprache zu verstehen, daß sie, nachdem sie allein zur Insel zurückgekehrt war, ihr Kind nicht hatte finden können und daß sie schließlich angenommen habe, es sei von den Wildhunden gefressen worden. Als sie das Kind nicht habe finden können, sei sie traurig gewesen und habe geweint, bis sie krank wurde und tagelang dagelegen habe; nach einiger Zeit sei sie in der Lage gewesen, zu einer Quelle zu kriechen, wo sie sich erholte.

Schließlich war es der zurückgebliebenen Frau möglich, ein Feuer zu entfachen, indem sie einen angespitzten Stock so lange in der Kerbe eines flachen Stücks Holz rieb, bis sich Funken bildeten. In den Jahren des Alleinseins lebte sie von Fisch, Seehundspeck, Wurzeln und Muscheln. In weiser Voraussicht hatte sie sogar für den Krankheitsfall in kleinen Höhlungen getrocknete Nahrung eingelagert.

Juana Maria – so wurde die Indianerin schließlich getauft – sagte, sie habe verschiedentlich Schiffe an ihrer Insel vorüberfahren sehen, aber keines sei gekommen, um sie zu retten. Jedesmal, wenn ein Schiff vorbeisegelte, habe sie es beobachtet, bis es außer Sichtweite war. Dann habe sie sich auf den Boden geworfen und geweint, bis sie ihre Fassung wiedergewonnen hatte und in der Lage war, ihr einsames Leben weiter zu ertragen. Sie habe auch mehrfach Leute am Strand gesehen, sei aber so verängstigt gewesen, daß sie sich versteckt habe, bis die Leute wieder fort waren. Danach habe sie, enttäuscht über sich selbst, weil sie sich nicht bemerkbar gemacht hatte, geweint.

Schon wenige Wochen nach ihrer Rettung begann die Indianerin, die eine robuste Gesundheit besessen hatte, krank zu werden. Bald darauf war sie zu schwach, um gehen zu können. Nach kurzer Zeit starb sie und wurde auf dem ummauerten Friedhof neben der Mission Santa Barbara begraben.[19]

6. KAPITEL

FRAUEN MIT MACHT

Eine Maricopa-Frau, die sich die Individualität einer nichttraditionellen Haartracht gestattet. (Mit freundlicher Genehmigung des *Sharlott Hall Historical Museum of Arizona*)

Die Nachkommen der angelsächsischen Eindringlinge in Nordamerika haben in den eingeborenen amerikanischen Frauen einflußlose Arbeitstiere gesehen, die sich gegenüber den Häuptlingen und Kriegern, die so offensichtlich das Stammesleben beherrschten, unterwürfig verhielten. Zwar trifft es zu, daß in vielen Indianergesellschaften die Frauen kaum eine Chance hatten, ein Amt zu erlangen oder Mitglied des Rates zu werden, doch bedeutet dies nicht, daß sie keinerlei Möglichkeit hatten, außerhalb ihres Heims Macht und Autorität auszuüben.

Ebenso wie nicht jeder Mann ein Häuptling war, strebte auch nicht jede Frau eine einflußreiche Stellung an. Doch bestand in den meisten Stämmen für Frauen, die Führertalent besaßen, eine gesellschaftlich anerkannte Möglichkeit, ihrer Begabung Ausdruck zu verleihen. Wo es die Gesellschaftsstruktur erlaubte, nahmen Frauen bisweilen auch politisch führende Stellungen ein. Andere Indianerfrauen strebten nach Macht, indem sie Medizinfrauen oder Hexen wurden.

Führerinnen

Die Feministinnenbewegung hat die Diskussion über das Matriarchat wieder aufleben lassen. Zwar hat es weder in alter noch in neuer Zeit je ein echtes Matriarchat gegeben, doch sind die Irokesen diesem gesellschaftlichen Modell näher gekommen als jede andere Gesellschaft. Die Kultur der Irokesen war eine Waldlandkultur. Sie bewohnten das Gebiet des heutigen New York.

In der Irokesen-Gesellschaft besaßen die Frauen wirtschaftlich die Oberhand, da ihnen die Felder, die jeweilige Ernte und die Häuser gehörten. Die Abstammung wurde über die Frauen hergeleitet, und alle Titel, Rechte und Besitzansprüche vererbten sich über die weibliche Linie. Wenn auch diese Regelung die Macht in den Händen der Männer beließ, so gab sie doch den Frauen weitgehende Kontrolle über die Ausübung dieser Macht.

Zwar hatten bei den Irokesen nicht die Frauen das Amt des Häuptlings – er wurde *sachem* genannt – inne, doch wählten sie nicht nur die Führer, sondern entschieden auch darüber, ob die Männer, die sie ausgesucht hatten, ihre Aufgaben auch meisterten. Jeder Clan war in Abstammungslinien unterteilt, und an der

Spitze jeder Abstammungslinie stand eine ältere Frau, die Matrone, die ihre Stellung aufgrund ihres Alters und ihrer Befähigung als Führerin und Vermittlerin einnahm. Eine ihrer Pflichten bestand in der Koordination der wirtschaftlichen Tätigkeiten der weiblichen Clanmitglieder – nicht nur ihrer Arbeit auf den Feldern, sondern auch ihrer Nahrungsabgaben für wohltätige Zwecke und öffentliche Festlichkeiten.

Wenn einer der *sachem* starb, oblag es der Matrone seiner Abstammungslinie, nach Beratung mit ihren weiblichen Verwandten seinen Nachfolger zu bestimmen. War die Amtsführung des neuen *sachem* nicht zufriedenstellend, mahnte ihn die Matrone dreimal und gab ihm so Gelegenheit, sich zu bessern. Fruchtete dies nichts, forderte die Matrone den Rat auf, ihn abzusetzen. Aufgrund ihrer Position hatte die Matrone hinsichtlich ihrer eigenen Lebensführung immer großen Anstand und Schicklichkeit zu wahren, damit ihre Mahnungen respektiert wurden.

Berichten einiger der ersten englischen Siedler zufolge waren bei den frühen Indianern im Nordosten weibliche Führer keine Seltenheit. Allerdings befanden sich unter diesen ersten Reisenden keine ausgebildeten Anthropologen – damals gab es diese Fachrichtung noch gar nicht –, und die erhalten gebliebenen Schilderungen dieser mächtigen Frauen enttäuschen in ihrer Knappheit.

Schon im Jahre 1584 stießen englische Forscher an der Küste des heutigen Virginia auf eine Frau, die sie als Königin bezeichneten, da sie mit einem Mann verheiratet war, von dem sie annahmen, er habe den Rang eines Königs inne. Sie war vornehm und schön gekleidet, trug einen langen, mit Pelz eingefaßten Lederumhang, ein Kopfband aus weißen Korallen und hüftlange Ohrgehänge, die aus erbsgroßen Perlen angefertigt waren. Wenn diese Frau die Fremden besuchte, wurde sie jedesmal von vierzig bis fünfzig Hofdamen begleitet.

Einige der frühesten Berichte handeln von einer Frau, die die Pilgerväter »Massachusetts-Königin« nannten; es handelte sich um eine Witwe, die nach dem Tod ihres Mannes seine Stellung als Führer verschiedener Indianerstämme in Massachusetts eingenommen hatte. Die Stämme begannen sich schließlich zu bekriegen, und um 1620 verblieben der Königin nur noch die Reste eines Stammes namens Nipnet oder Nipmuck. Im Jahre 1643 schlossen diese Königin und vier andere prominente Häuptlinge mit den Siedlern einen Vertrag, in dem sie einwilligten, sich britischer Herrschaft zu unterwerfen, wenn ihnen Schutz vor anderen Stämmen gewährt wurde.

Zwei weibliche Häuptlinge standen König Phillip, einem *sachem* der Wampanoag, in seinem erfolglosen Krieg 1675/76 gegen die Engländer bei. Eine dieser tapferen Kämpferinnen und Führerinnen war Wetamoo, die auch als Squaw Sachem von Pocasset bekannt ist; sie unterstützte Phillip in seinen Bemühungen, eine Konföderation der Ostküstenstämme zu bilden, die die Kolonisierung des Indianerlandes durch die Engländer aufhalten sollte. Die Squaw Sachem stellte dreihundert Krieger und Ausrüstung, und in den Kämpfen griffen die eingeborenen Amerikaner zweiundfünfzig der neunzig englischen Städte an, von denen sie zwölf völlig zerstörten. Möglicherweise hätten diese Streitkräfte die Kolonisten allesamt aus dem Land vertreiben können, aber infolge von Verrat in den Reihen der Indianer wendete sich das Kriegsglück, und im Spätsommer 1676 wurden die sechsundzwanzig Wetamoo noch verbliebenen Krieger überrascht und gefangengenommen. Allein Wetamoo entging der Gefangenschaft; sie ertrank später, als sie versuchte, einen Fluß zu überqueren. Als die Engländer ihre Leiche fanden, trennten sie den Kopf ab und steckten ihn in Sichtweite von Wetamoos letzten Kriegern, die ihrer Trauer durch lautes Klagen und Jammern Luft machten, auf einen Pfahl.

Augenscheinlich hat Wetamoo nicht das Gefühl gehabt, ihre zivilen und militärischen Pflichten täten ihrer Weiblichkeit Abbruch. Mary Rowlandson, die einige Zeit Wetamoos Gefangene war, schrieb, die Führerin habe sich gewöhnlich schön gekleidet. Bei einem Tanz habe sie »einen Mantel aus Kersey (grober Wollstoff) getragen, der von den Lenden aufwärts mit Wampumschnüren (Muschelperlen) besetzt war. Ihre Arme waren von den Händen bis zu den Ellbogen mit Armreifen besteckt. Um den Hals trug sie üppige Halsbänder und an den Ohren verschiedene Sorten Juwelen. Sie hatte feine, rote Strümpfe und weiße Schuhe an, ihr Haar war gepudert und ihr Gesicht rot bemalt.«[1]

Älter als die englischen Aufzeichnungen über herausragende Indianerfrauen sind Berichte de Sotos und der ihn begleitenden Spanier. Nachdem sie sich Anfang Mai 1540 verirrt hatten und in der Einöde des heutigen südöstlichen Georgia umhergewandert waren, trafen Fernando de Soto und seine Vorhut auf drei Indianer, die ihnen sagten, in der vor ihnen liegenden Stadt Cutifachique gebe es eine Herrscherin, die bereits von ihrer bevorstehenden Ankunft wisse und sie erwarte. Als die Gruppe zum Ufer eines Flusses kam, der sie von der Stadt trennte, legten vier Kanus mit einer Verwandten der Herrscherin und vielen Geschenken an Bord an, unter denen sich Schals und gegerbte Häute befanden. Die Frau hieß die Besucher willkommen und erklärte, die Stammesführerin sei nicht selbst gekommen, weil sie es für das Beste gehalten habe, im Dorf zu bleiben und den Empfang der Gäste vorzubereiten. Dann nahm sie eine Perlenschnur vom Hals und legte sie zum Zeichen der Freundschaft de Soto um.

Bald darauf legten Kanus an, um die gesamte Gruppe nach Cutifachique überzusetzen. Die Stammesführerin begrüßte die Spanier überaus herzlich und bot ihnen große Mengen Essen und viele bildschöne Perlen an. Nach einer Woche wollten sich die Soldaten in Cutifachique ansiedeln, aber de Soto war mit dem, was er gefunden hatte, noch nicht zufrieden und wollte seine Suche nach Gold fortsetzen. Er wollte, daß die Stammesführerin seine Gruppe begleitete, um sicherzustellen, daß sie auch in anderen Städten gut aufgenommen wurden, aber inzwischen hatte die Frau von dem rüden Benehmen der weißhäutigen Entdecker genug und wünschte nur noch, daß sie ihre Stadt verließen. Als Gegenleistung für die Gastfreundschaft, die die großzügige Herrscherin ihm erwiesen hatte, ließ de Soto sie unter Bewachung stellen und zwang sie und einige ihrer Sklavinnen, ihn zu begleiten. In allen Städten beeilten sich die Einwohner, den Anweisungen ihrer Herrscherin nachzukommen, und selbst die ärmsten Dörfer leisteten Abgaben an die Fremden. Nach etwa zwei Wochen gelang es der Stammesführerin, den Spaniern zu entkommen, und sie floh mit einigen ihrer Sklavinnen nach Hause.

Viel später, im Jahre 1767, besuchte ein anderer Spanier namens Solis den heutigen Südosten der Vereinigten Staaten. Über seinen Aufenthalt in einer Stadt der Caddo berichtet er: »In diesem Dorf gibt es eine Indianerfrau mit großer Autorität und Gefolgschaft, die sie . . . ›große Dame‹ nennen. Ihr Haus ist sehr groß und hat viele Räume. Der Rest der Nation bringt ihr Geschenke und Gaben. Sie hat viele indianische Männer und Frauen in ihren Diensten, und diese haben einen Rang wie Priester oder Hauptleute inne. Sie ist mit fünf indianischen Männern verheiratet. Unter den Indianern besitzt sie etwa den Rang einer Königin.«[2]

Die Cherokee, die Abkömmlinge einiger der frühen Völker des Südens waren, pflegten wie diese den Brauch, den Frauen Mitsprache bei der Regierung ihrer Städte zuzugestehen. Zwar sprachen die Frauen normalerweise nicht während der täglichen Ratssitzungen, doch wählten sie mit den Männern die gemeinsamen Führer. Auch wählten die Frauen jeder Cherokee-Stadt Delegierte in den Frauenrat, dem die »Geliebte Frau« vorsaß. Diese Matriarchin und ihr Rat zögerten nicht, die Autorität der Häuptlinge anzufechten, wenn sie meinten, das Wohlergehen des Stammes erfordere dies.

Eine dieser »Geliebten Frauen« war White Rose, die von den Engländern Nancy Ward genannt wurde. In dieser Position hatte White Rose das Recht, für Gefangene die Freilassung zu fordern, und einmal rettete sie eine Mrs. William Bean, die bereits an einen Pfahl gebunden war und verbrannt werden sollte. Sie war eine große Freundin der Weißen und warnte sie oft vor bevorstehenden Überfällen. Nach dem amerikanischen Freiheitskrieg hielt sie eine Rede vor einer Kommission, die George Washington einberufen hatte; in dieser Rede gelobte sie, den Frieden zwischen ihrem Stamm und den weißen Siedlern zu bewahren. Nichtsdestoweniger hielt sie immer ihrem Volk die Treue, und bis zum letzten Atemzug ermahnte sie die Cherokee, am Land ihrer Vorfahren festzuhalten und es nicht zu verkaufen.

Auch bei den Natchez, die am unteren Mississippi lebten und ein ungewöhnliches Regierungssystem besaßen, spielten die Frauen eine sehr wichtige Rolle. Die Gesellschaft war in mehrere Klassen aufgeteilt; die Sonnen waren die Häuptlinge, ihnen folgten in der Rangordnung die Noblen und die Ehrenwerten Leute, die ebenfalls zur Aristokratie gehörten. Der Rest der Bevölkerung trug schlicht den Namen Stinker.

Der oberste Führer, die Große Sonne, war immer ein Mann; da aber Adel nur über die weibliche Linie vererbt wurde, trat die Nachfolge dieses Herrschers nicht einer seiner Söhne an, sondern der Sohn der Frau, die mit ihm am nächsten verwandt war. Diese Frau war ebenfalls eine Sonne oder Weiße Frau. Während die weiblichen Sonnen sich im allgemeinen nicht in Regierungsangelegenheiten einmischten, genossen sie große Achtung beim Rest der Bevölkerung, die sie mit den besten Produkten versorgte. Diese Aristokratinnen hatten auch Macht über Leben und Tod ihrer Untertanen; wenn ihnen jemand mißfiel, brauchten sie nur zu befehlen: »Schafft mir diesen Hund vom Hals«, und ihre Wachen führten die Anweisung auf der Stelle aus.

Sowohl die weiblichen wie die männlichen Sonnen durften nicht untereinander heiraten und waren gehalten, sich ihre Partner aus der Klasse der Stinker zu wählen. Die Ehemänner Weißer Frauen hatten mehr die Funktion von Dienern als die von Partnern; sie durften nicht mit ihren Frauen essen, sie hatten ihren Frauen zu Diensten zu stehen und mußten sogar in der gleichen Weise salutieren wie die übrige Dienerschaft. Ihre einzigen Privilegien bestanden darin, daß sie von der Arbeitspflicht befreit waren und in gewissem Grade Befehlsgewalt über die anderen Diener hatten. Eine Weiße Frau durfte so viele Liebhaber haben, wie sie wollte; war aber ihr Mann untreu, hatte er damit zu rechnen, daß ihm der Schädel eingeschlagen wurde. Sein Lohn für ein Leben treuen Dienens bestand, sofern er seine Frau überlebte, darin, an ihrem Grab erdrosselt zu werden, damit er sie in das Leben nach dem Tode begleiten konnte.

Auch bei einigen Stämmen im Westen des Kontinents haben Frauen Führungspositionen eingenommen. Bei den Sinkaietk, einem Salish-Stamm, der am Columbia River im Südosten von Washington lebte, gab es ebenso wie bei einigen benachbarten Gruppen weibliche Stammesführer. Zwar mußte die Frau, die dieses Amt innehatte, mit dem Häuptling verwandt sein, doch wurde die Amtsinhaberin öffentlich gewählt und formell vom Rat eingesetzt. Der Grad der Macht, die sie ausübte, war von Stamm zu Stamm unterschiedlich. In einer Gruppe war der Häuptling der Gruppenchef, und die Stammesführerin fungierte nur in Mordfällen, wenn es um Racheaktionen ging, sowie in Notfällen als Beraterin. Wich ihre Entscheidung von der des Häuptlings ab, stand es den Leuten frei, sich entweder ihr oder ihm anzuschließen.

Diese Anerkennung der Geschlechtergleichberechtigung bei den Sinkaietk überrascht nicht. Ein Forschungsreisender beobachtete, daß am unteren Columbia River, wo das Wurzelgraben der Frauen wesentlich zum Unterhalt des Stammes beitrug, die Frauen anscheinend in einem Grad Freiheit und Unabhängigkeit besaßen, wie er bei benachbarten Stämmen unbekannt war. Ältere Frauen waren besonders geachtet und wurden in allen wichtigen Fragen um ihren Rat gebeten.

Auch die Nisenan in Nordkalifornien setzten bisweilen eine

Frau an ihre Spitze. Die Häuptlingswürde war erblich, und wenn beim Tod eines Häuptlings kein geeigneter männlicher Verwandter zur Verfügung stand, der die Position hätte ausfüllen können, wurde manchmal die Witwe, eine Tochter oder eine Nichte des Verstorbenen zu seiner Nachfolgerin gewählt. Eine Frau in dieser Stellung besaß keine tatsächliche Macht, aber sie wurde von den führenden Männern immer um ihren Rat gefragt; der Grad ihres Einflusses hing vom Grad des Rückhalts ab, den sie in der Bevölkerung hatte. Neben der Beratung des Rates gehörte zu ihren Pflichten: die Planung von Gemeinschaftsarbeiten und des Nahrungssammelns, das Schlichten von Streitigkeiten, das Amt der offiziellen Gastgeberin und das Ausrichten von Feierlichkeiten.

Unter den Gruppen im Südwesten, in denen Frauen vielfach einen hohen Status besaßen und beachtlichen Respekt genossen, gab es etliche Stämme, in denen bestimmte Führungspositionen mit Frauen besetzt wurden. In den Pueblo-Gesellschaften leiteten im allgemeinen Männer die Regierungsgeschäfte und die Zeremonien, aber in religiösen Fragen hatten die Frauen ein gewichtiges Wort mitzureden, und infolge ihrer Kontrolle des Haushalts besaßen sie in zivilen Belangen mehr Einfluß, als auf Anhieb sichtbar wurde. Die Männer mußten, wenn sie den ganzen Tag mit den anderen Männern die Politik diskutiert hatten, abends nach Hause gehen, und wenn ein Mann eine Auffassung vertrat, die seiner Ehefrau oder Schwiegermutter nicht paßte, konnte es für ihn ziemlich unangenehm werden.

Dem Führer einer Hopi-Stadt ging gewöhnlich bei der Erfüllung seiner Amtspflichten eine weibliche Verwandte zur Hand, die »Bewahrerin des Feuers« genannt wurde. Sie wurde in dies Ehrenamt aufgrund ihrer Weisheit, ihrer Intelligenz und ihres Interesses an religiösen Zeremonien gewählt. Der männliche Oberpriester oder Häuptling übte sein Amt im Haus dieser Frau aus und holte ihren Rat bei vielen Entscheidungen ein, wobei er aus ihrer Erfahrung und Kenntnis ähnlich gelagerter Fälle Nutzen zog.

Auch jedem Clan in einem Hopi-Dorf stand eine Matriarchin oder Clanmutter vor, die aufgrund ihres Alters gewisse Privilegien genoß. Die Clanmutter wurde von ihren männlichen Verwandten in allen Angelegenheiten, die in ihren Kompetenz- oder Einflußbereich fielen – zum Beispiel bei Familienstreitigkeiten –, zu Rate gezogen. Es war nicht unbedingt die Matriarchin des führenden Clans, die das Amt der Bewahrerin des Feuers innehatte; bisweilen hielt man auch eine jüngere Frau für diese Aufgabe für geeigneter.

Die Apachen im Westen erkannten manche charakterstarken und einflußreichen Frauen als »weibliche Häuptlinge« an. Fast ausschließlich waren diese Führerinnen Ehefrauen von Häuptlingen oder Unterhäuptlingen; obwohl der Ehefrau eines Häuptlings einiger Respekt entgegengebracht wurde, erachtete man keineswegs jede Frau, deren Mann Häuptling war, als weiblichen Häuptling.

Der typische weibliche Häuptling erbte seinen Status nicht und wurde auch nicht formell gewählt; die Frau wuchs einfach in ihre Rolle hinein und gewann Anerkennung, weil sie Klugheit und Stärke bewies und weil sie als Apachen-Frau ein leuchtendes Beispiel war. Sie war nie faul und erwarb durch ihren Fleiß Wohlstand, eine weitere Vorbedingung für das Amt. Man erwartete von ihr äußerste Großzügigkeit beim Teilen der Nahrung und anderer materieller Güter mit denjenigen, denen es weniger gutging.

Bisweilen sprach auch eine Apachen-Führerin im Rat oder bei einem Kriegstanz, um die Männer anzufeuern, doch gewöhnlich beschränkten sich ihre Funktionen darauf, die Frauen beim Sammeln von Wildpflanzen in Gruppen zu organisieren, sie dazu anzuhalten, für Gemeinschaftsfeste und Zeremonien zu spenden und genügend Nahrungsvorräte für den Winter zu sammeln. Außerdem stand sie mit Rat und Tat in Fragen der Kinderaufzucht und des Familienlebens zur Verfügung. Um ihren gesamten Tätigkeitsbereich heute abzudecken, brauchte man eine Sozialarbeiterin, eine Familienberaterin, eine Pädiaterin, eine Geschäftsberaterin, eine Beraterin in Haushaltsfragen, eine Ministersgattin, eine freiwillige Helferin und eine Lieblingstante. Im Hinblick auf Führungstätigkeit und Einflußnahme leisteten Apachen-Frauen ihren größten Beitrag im Alter zwischen vierzig und sechzig Jahren, in dem sie nach allgemeiner Auffassung geistig effektiv waren.

Die meisten weiblichen Indianerführer sind leider in Vergessenheit geraten, doch sind über einige von ihnen Berichte und Geschichten erhalten geblieben. Diese Überlieferungen verdanken wir zumeist dem Umstand, daß diese Frauen Kontakt mit Weißen hatten, die über ihr Leben Aufzeichnungen machten.

Zu den berühmtesten Indianerfrauen zählt Sacajawea, die bei

der Expedition von Lewis und Clark als Führerin diente. Sacajawea war erst ungefähr zwanzig Jahre alt, als sie die Forscher von Norddakote bis zum Pazifik führte, wobei sie auf der ganzen Strecke ihr Baby auf dem Rücken trug. Es ist weitgehend unbekannt, daß Sacajawea noch achtzig Jahre lebte und im Alter von hundert Jahren im Schlaf gestorben ist. In ihrem Volk, den Schoschonen, genoß sie ungewöhnlich hohes Ansehen, und ihre Leute nannten sie Porivo, was soviel wie Häuptling bedeutet. Bei den Verhandlungen um den Vertrag von 1868, der die Einrichtung eines Reservats für die Indianer vorsah, durfte Sacajawea bei den Ratssitzungen sprechen, was unter normalen Umständen für eine Frau undenkbar war. Doch Sacajaweas Volk respektierte ihren Rat, und die Weißen schätzten ihre Einsicht und ihren Einfluß.

Eine andere, nicht so bekannte Führerin war Rosana Chouteau, die 1875 zum zweiten Häuptling der Osage-Beaver-Gruppe gewählt wurde. Der Rat war zusammengetreten, um einen Nachfolger für Rosanas verstorbenen Onkel zu wählen. Unter vier Anwärtern – drei Männern und einer Frau – entschied sich der Rat für Rosana, der es überaus widerstrebte, das Amt anzunehmen. Doch später, nachdem sie sich an ihre Stellung gewöhnt hatte, war sie stolz auf die Arbeit. Einem Beamten der Vereinigten Staaten sagte sie: »Ich bin der erste (weibliche Häuptling), und ich werde wohl auch der letzte sein. Ich glaube, meine Gruppe hört mehr auf mich, als sie auf einen Mann hören würde.«[3]

Medizinfrauen

Auch durch die Ausübung der Medizin erwarben viele eingeborene amerikanische Frauen Ansehen, Macht und sogar Wohlstand.

Die frühen eingeborenen Amerikaner unterschieden im wesentlichen zwischen zwei Arten von Krankheiten: denjenigen, die auf natürliche Ursachen zurückgingen und daher mit natürlichen Mitteln, etwa Pflanzen, geheilt werden konnten; und den körperlichen und geistigen Erkrankungen, die übernatürliche Ursachen hatten und die daher übernatürliche Heilverfahren erforderten. Einige frühe Medizinfrauen spezialisierten sich ausschließlich auf die natürliche Heilung; andere wandten sowohl natürliche wie übernatürliche Mittel an, um die Leidenden, die zu ihnen kamen, zu heilen.

Das Wissen um die Pflanzenheilkunde beschränkte sich bei den frühen Stämmen keineswegs ausschließlich auf die Frauen, doch im allgemeinen waren die Frauen besser mit den verschiedenen pflanzlichen Mitteln und Gebräuen vertraut. Frauen, die Medizin praktizierten, waren gewöhnlich in mittleren Jahren oder älter – teils, weil Frauen in diesem Alter nicht mehr mit der Aufzucht kleiner Kinder belastet waren, und teils, weil ältere Frauen nicht mehr den Tabus unterworfen waren, die mit der Menstruation zusammenhingen. Bei den Delaware und vielen anderen Stämmen glaubte man, eine weibliche Pflanzenkundige verliere während der Menstruation ihre Heilfähigkeit, weshalb sie in dieser Zeit auch keine Heilmittel herstellen durfte.

Jede Frau mit Heilbegabung wurde ständig von Leidenden beansprucht. Da es damals keine Fertigpräparate gab, verbrachten die Medizinfrauen viel Zeit damit, in der Umgebung ihrer Dörfer umherzuwandern, um schwer auffindbare Kräuter und Flechten zu suchen, Blätter und Rinden zu sammeln und tagelang nach besonders wirksamen Wurzeln zu graben. Ruth Landes schreibt, die Ojibwa hätten ein beachtliches arzneikundliches Wissen besessen und neben allerlei Kräutern und Pflanzen tierische Produkte wie Bärengalle und Stinktiersekret benutzt. Manche Frauen hatten sich so sehr ihrer Heilkunst verschrieben, daß sie mit Medizinfrauen anderer Stämme Kräuter handelten, um ihre Fertigkeiten durch Pflanzen zu erweitern, die in ihrem Heimatgebiet nicht wuchsen. Die moderne Medizin hat bewiesen, daß viele dieser Kräuter wirksame Heilmittel waren. Viele der damals gebräuchlichen Mittel werden heute noch verwandt oder sind als Bestandteile und Wirkstoffe in weiterentwickelten Arzneimitteln enthalten.

Die Kwakiutl-Frauen an der Küste Britisch-Kolumbiens sprachen Gebete beim Sammeln von Heilpflanzen. Sie baten die Kräuter, mit den Leidenden Mitleid zu haben, und sagten zu ihnen: »Ich bin gekommen, ihr Übernatürlichen, ihr Bringer langen Lebens, damit ich euch nehmen kann, denn das ist der Grund, weshalb ihr gekommen seid, von eurem Schöpfer gebracht, daß ihr kommen und mich zufriedenstellen könnt.«[4]

Reverend John Heckewelder schrieb im neunzehnten Jahrhundert, die Frauen der weißen Missionare, die bei den Irokesen arbeiteten, hätten oft die Hilfe der Eingeborenenfrauen bei jenen Leiden gesucht, die man damals »Frauenbeschwerden« nannte.

Augenscheinlich brachte den weißen Frauen das, was die Medizinfrauen der Irokesen ihnen gaben, Linderung. Heckewelder beschreibt auch, wie er selbst einmal geheilt wurde. »Ich litt einmal zwei Tage und Nächte lang unter den peinigendsten Schmerzen, die mir eine Nagelbettvereiterung bereitete und die mir den Schlaf raubten. Ich wandte mich an eine Indianerfrau, die mich in weniger als einer halben Stunde von allem Schmerz befreite, indem sie einfach einen Breiumschlag auflegte, den sie aus der Wurzel des gemeinen blauen Veilchens hergestellt hatte.«[5]

In einigen amerikanischen Eingeborenengruppen konnte die Ehefrau eines Medizinmanns Zugang zu den Geheimnissen der ärztlichen Kunst gewinnen, indem sie ihrem Mann assistierte. Ein Cheyenne-Mann, der übernatürliche Kräfte besaß, die ihn befähigten, Krankheiten zu heilen, konnte nicht allein praktizieren; er brauchte dazu eine Assistentin, und wenn ihm seine Frau nicht helfen wollte, mußte er eine andere Frau suchen, die dazu bereit war.

Die Frauen von Komantschen-Medizinmännern halfen oft ihren Männern bei der Arbeit; Leute, die medizinische Hilfe brauchten, wandten sich zunächst an die Ehefrauen, statt direkt zu den Medizinmännern zu gehen. Eine alleinstehende Komantschen-Frau konnte auf keinen Fall Arzt werden; einzig durch ihren Ehemann konnte eine Frau in jenem Stamm Heilkraft erwerben. Erst nach seinem Tod durfte sie allein praktizieren und auch dann nur, wenn sie die Wechseljahre hinter sich hatte.

Bei den Nisenan in Nordkalifornien absolvierten Frauen, die die Heilkunde erlernen wollten, eine sechs bis sieben Monate lange Lehrzeit bei einem Medizinmann. Während dieser harten Ausbildung wurden die Frauen in alle Geheimnisse der Medizin außer denjenigen eingeführt, die die Anwendung der Gifte beinhalteten. Man fürchtete, wenn Frauen dieses Wissen hätten, könnten sie geistig und seelisch aus dem Gleichgewicht geraten und alle Leute töten, da »Frauen geistig sehr wenig gefestigt« seien.

Daß Frauen, zumindest bei den Ojibwa, mehr Verantwortungsbewußtsein zeigten, wenn sie über solche Kräfte verfügten, erweist sich am Beispiel der Schamanen jenes Stammes im Nordosten. In der Ojibwa-Gesellschaft galt die Ausübung der Medizin im wesentlichen als Männerberuf, aber Frauen, die sich für die Heilkunde interessierten, konnten medizinische Fertigkeiten von ihrem Ehemann erlernen oder erben. Manchen Frauen gelang es sogar, aus eigener Kraft medizinisches Wissen und Macht zu erwerben. Allen Berichten zufolge waren diese Frauen sehr gute Ärzte und genossen bei den übrigen Bewohnern ihrer Dörfer hohes Ansehen. Doch der entscheidende Punkt war die Einstellung der Medizinfrauen gegenüber ihrem Beruf. Traditionell waren die männlichen Ojibwa-Ärzte übellaunig, argwöhnisch, aufbrausend, gewalttätig, und dementsprechend wurden sie von den Leuten gefürchtet. Sie forderten ständig die Bestätigung ihrer Bedeutung, und jeder, der diesen mächtigen Männern nicht die entsprechende Unterwürfigkeit erwies, lief Gefahr, Opfer ihrer Hexerei zu werden. Die weiblichen Ärzte haben sich allem Anschein nach nicht so primadonnenhaft gebärdet. Da ihnen nicht im Kindesalter beigebracht worden war, übertriebenen Stolz oder Scham zu empfinden, konzentrierten sich die meisten Medizinfrauen schlicht auf ihre Heiltätigkeit.

In anderen Stämmen erlernten Frauen, die mit pflanzlichen und anderen natürlichen Wirkstoffen die Heilkunde ausübten, das Handwerk von ihren Müttern und Großmüttern und erweiterten ihr medizinisches Repertoire nach dem »Trial-and-error«-Verfahren. Bisweilen erschien einer Frau im Traum ein übernatürliches Wesen in Gestalt eines Menschen, eines Tiers oder auch nur einer Stimme und wies sie an, zur Heilung einer Krankheit ein bestimmtes Kraut oder eine Wurzel anzuwenden.

Selbst wenn eine Frau das Recht zur Ausübung der Medizin von ihrer Mutter, ihrem Vater oder einem anderen nahen Verwandten ererbte, mußten ihre Kräfte normalerweise durch einen Traum untermauert werden, in dem ihr ein Schutzgeist erschien, der ihr spezifisches Wissen eingab. Manchmal mußte eine Frau, nachdem sie die entsprechenden Träume gehabt hatte, warten, bis eine ältere Medizinfrau sie zu ihrer Nachfolgerin wählte und ihr die besonderen Gesänge und Formeln beibrachte, denen die Wunderkraft innewohnte, gutes Wetter herbeizuführen oder Krankheiten zu heilen. Wenn dann die ältere Ärztin starb, nahm die jüngere Frau ihre Stellung ein und verwendete die Gesänge, die sie übernommen hatte, zusätzlich zu den neuen, die ihr von Zeit zu Zeit im Traum eingegeben wurden.

Hatte eine Cocopah-Frau, deren Mutter bereits Medizinfrau war, die entsprechenden Träume, so trat sie beruflich mit einiger Wahrscheinlichkeit in die Fußstapfen der Mutter. Die Träume offenbarten ihr, welche Kräfte und Fähigkeiten sie haben würde: Träumte sie von einem Fuchs oder Kojoten, war sie in der Lage, Schuß- und Pfeilwunden zu heilen, und wenn ihr im Traum ein Erdkuckuck erschien, so hatte sie die Fähigkeit, Schlangenbisse zu kurieren. Cocopah-Frauen behandelten überdies Kinderkrankheiten, Augen- und Magenbeschwerden, Diarrhöe, Knochenbrüche, Quetschungen und andere Verletzungen, und sie halfen bei schwierigen Geburten. Wollte eine Cocopah-Frau Träume haben, die ihr Heilfähigkeiten verliehen, mußte sie sich von Tänzen und Festen fernhalten, denn die Cocopah glaubten, die Naturgottheiten oder Geister erschienen nur Personen, die sich solchen Frivolitäten nicht hingaben.

In anderen Stämmen mußten Frauen, die medizinische Kräfte und Fähigkeiten erlangen wollten, mehr tun, als nur zu Hause zu bleiben und auf das Erscheinen der Geister zu warten: Die Aspirantin mußte die Geister tatkräftig bitten, indem sie fastete und Leiden auf sich nahm. Mandan-Frauen, die eine Vision anstrebten, fasteten in ihren Gärten oder auf den Gestellen, auf denen der Mais getrocknet wurde. Sie glaubten, die übernatürlichen Kräfte, die jemand erhielt, stünden in direktem Verhältnis zu den Leiden, die man auf sich genommen hatte.

In seiner Studie über die Mandan gibt Alfred Bowers die Geschichte einer jungen Frau namens Stays Yellow wieder, die in Erwartung einer Vision in den Wäldern fastete. Sie blieb die ganze Nacht wach und schlief kurz vor Morgengrauen ein; dabei träumte sie, sie sehe zwei alte Leute, die eine Frau behandelten, die gerade eine schwierige Geburt durchmachte. Stays Yellow sah, wie die alten Leute, ein Mann und eine Frau, den Leptandrawurzelstock verwendeten, den sie im Wald ausgruben, und sie hörte das Lied, das sie sangen. Während die beiden Leute der in den Wehen liegenden Frau beistanden, bedienten sie sich auch einiger toter Wasserschlangen. Die alte Frau kaute etwas von dem Wurzelstock klein und spie die breiige Masse über die Schlangen. Jedesmal, wenn sie dies tat, wurde eine der Schlangen lebendig und schlängelte sich fort. Die letzte Schlange wurde nur langsam wieder lebendig, denn sie war trächtig. Jedesmal, wenn die alte Frau zerkaute Wurzel über die Schlange spie, gebar sie eines ihrer Jungen. Danach sagten die alten Leute zu Stays Yellow, fortan werde sie die Macht haben, Frauen zu behandeln, die Schwierigkeiten beim Gebären hatten.

Stays Yellow begann ihre Fähigkeiten erst anzuwenden, als sie ein fortgeschrittenes Alter erreicht hatte. Eines Tages hörte sie, in ihrem Dorf sei eine Frau darauf und daran, bei der Geburt zu sterben, denn die anderen Ärzte hätten sie schon aufgegeben. Als Stays Yellow bei ihr eintraf, war die Frau kaum noch am Leben, aber sie war noch bei Bewußtsein und konnte sprechen. Die alte Frau bekannte ihr, sie verfüge nicht über große Mächte, aber sie versprach der Leidenden, sie werde versuchen, was sie in ihrem Traum gelernt hatte. Sie kaute Leptandrawurzelstock, spie die Masse über die kranke Frau und sang ihr Medizinlied. Dann bat sie um eine feste Feder. Sie legte ihr Knie der Patientin auf den Bauch, hob ihren Kopf an, öffnete ihr den Mund und schob ihr die Feder in den Hals. Die Patientin straffte sich, als wolle sie erbrechen, und straffte dabei unwillkürlich ihre Unterleibsmuskeln. Beim vierten Mal gebar die Frau ein kräftiges, gesundes Kind. Nun kochte Stays Yellow aus Leptandrawurzelstock einen Tee, den sie der Frau einflößte. Zur Belohnung bekam Stays Yellow von der dankbaren Familie ein gutes Pferd, zehn Decken und viele Meter Kaliko.

Als R. L. Olson an der Küste von Washington bei den Quinault Befragungen durchführte, erzählte man ihm die Geschichte einer jungen Frau, die sich entschlossen hatte, Medizinfrau zu werden. Sie ging allein in die Berge und fastete zehn Tage lang. Jeden Tag sammelte sie Zweige und Äste, bis sie einen großen Haufen Holz beisammen hatte. Am zehnten Abend zündete sie das Holz an, setzte sich ans Feuer und wartete. Die Flammen züngelten durch die Scheite und gaben eine intensive Hitze ab, da hörte die junge Frau ein trauriges Geheul, das von einem nahe gelegenen Berg kam. Als sie zu dem Gipfel emporschaute, schien er zu schwanken. Das Geheul kam näher, und das Feuer wurde heißer. Als die Frau von dem brennenden Holz abrückte, näherte sich ihr ein großes Tier, eine Wildkatze oder etwas Ähnliches. Das Tier hatte eine spitze Nase, und sein Gesicht war so lang, daß es über den Boden schleifte. Das Lebewesen näherte sich dem Feuer, hob den Kopf und heulte. Die junge Frau fürchtete sich und sagte zu dem Tier: »Ich will diese Art von Macht nicht. Ich will dich nicht als Schutzgeist haben.« Das seltsame Tier zog sich zurück, aber kurz darauf begann das Wasser des benachbarten Sees zu zischen und aufzuwallen, und viele Arten Tiere kamen zu der Frau geschwommen. Sie war so verängstigt, daß sie das Bewußtsein verlor. Da hatte sie eine Vision, in der ihr die Tiere fünf Arten von Geistern brachten, unter denen sie wählen sollte. Sie griff nach dem Geist, der verlorene Seelen zurückbringen konnte.

Die Heilung von Krankheiten durch das Wiedereinfangen der Seele war ein verbreitetes und spektakuläres Behandlungsverfahren bei den Quinault. Wenn die Krankheit eines Menschen nicht in einfachem Schmerz oder einer offensichtlichen körperlichen Verletzung bestand, glaubte man, der Patient leide am Verlust seiner Seele. Allgemeiner Auffassung nach wanderten die Seelen den Pfad der Toten mit unterschiedlicher Geschwindigkeit entlang, wobei die von schwerkranken Personen schneller wanderten als die von leichter erkrankten Menschen. Um die Seele auf dem Weg ins Totenland zu finden und zurückzubringen, mußte die Medizinfrau über einen Geist verfügen, der mit diesem Pfad vertraut war.

Wenn eine Medizinfrau diese Behandlungsmethode versuchte, legte sie sich auf eine auf dem Boden ausgebreitete Matte und sang ein Lied, das sie in ihrer Vision gelernt hatte, bis der Geist in ihren Körper eintrat und sie in Trance fiel. Die junge Frau in der oben geschilderten Geschichte hatte in ihrer Vision ein paar Kristalle erhalten, und jedesmal, wenn sie sich in Trance versetzte, umklammerte sie mit jeder Hand eines dieser Kristalle. Wenn sie sprach, war nicht sie es, die sprach, sondern der Geist, der durch sie sprach. Wenn dann sie und der Geist den Pfad ins Land der Toten entlanggingen und die verlorene Seele suchten, beschrieb die Stimme des Geistes die verschiedenen Stellen, die sie passierten, und fragte, ob die Seele schon an der Stelle vorbeigekommen war. Manchmal dauerte die Suche zwei Tage und zwei Nächte, je nachdem, wie weit die Seele schon gewandert war.

War die Seele bereits über die Reichweite der Medizinfrau und ihres Führer-Geistes hinausgewandert, gab die Frau bekannt, das Vorhaben sei fehlgeschlagen. Gelang es ihr jedoch, die verlorene Seele zu überholen, dann fing sie sie in der hohlen Hand. Nachdem sie den Rückweg bewältigt und sich einigermaßen von ihrer Trance erholt hatte, ließ sie die Seele durch die Schädeldecke zurück in den Körper des Patienten rinnen. Die Bewegungen des Einfüllens wurden mehrmals wiederholt und bisweilen durch eine sanfte Massage unterstützt.

Bei den Yurok in Nordkalifornien waren sämtliche Ärzte Frauen, was insofern überrascht, als die Yurok-Frauen von den meisten anderen religiösen und übernatürlichen Handhabungen ausgeschlossen waren. Ihre Leistungen wurden hoch bezahlt, und eine gute Yurok-Ärztin konnte es zu einigem Wohlstand bringen. Man könnte annehmen, daß angesichts des zu erwerbenden hohen Lohns und Ansehens jede Frau den Wunsch gehabt hätte, Medizinfrau zu werden. Tatsächlich aber verhielt es sich so, daß sich nur wenige Frauen bereitfanden, die Schmerzen aus den Körpern der Kranken herauszusaugen und sie anschließend herunterzuschlucken. Über die Schmerzen hieß es, sie seien schleimig und blutig und sähen aus wie Kaulquappen.

Jede Yurok-Frau, die Ärztin wurde, hatte eine festgelegte Reihe von Ereignissen zu durchlaufen, um ihre volle Macht zu erlangen. Zuerst mußte sie von einer toten Person träumen, die zu Lebzeiten Ärztin gewesen war. In diesem Traum gab die Person Schmerz in ihren Körper ein.

Eine Yurok-Medizinfrau hat beschrieben, wie sie in jungen Jahren die erforderliche Vision bekam, obwohl sie gar nicht Ärztin werden wollte. Sie war sogar von zu Hause weggelaufen, um bei einer Freundin zu übernachten, weil ihre Mutter sie dauernd damit geneckt hatte, sie solle doch Ärztin werden.

»Dort träumte ich, eine Frau komme«, berichtete sie. »Sie hat langes Haar, trägt einen Grasrock und hat einen kleinen Korb bei sich. Sie sagt zu mir: ›Komm mit mir dorthin.‹ Ich sage: ›Gern‹, und sie hält mir einen Korb hin. ›Schau hinein‹, sagt sie. Ich schaue hinein, Nebel verschließt den Himmel, Wasser tropft aus dem Himmel, weiß, gelb, schwarz-blutig, unangenehm.« (Erik Erikson, der Forscher, dem sie diese Geschichte erzählt hat, deutet den Traum folgendermaßen: »Durch den Nebel sah ich den Himmel zusammenkommen. Aus der Kluft dazwischen sah ich Wasser tropfen, weiß, gelb und schwarz. Es sah blutig und unangenehm aus.«)

»Sie hält das kleine Körbchen auf, so daß Wasser hineintropft; sie dreht sich um, ich sehe etwas in dem Korb, ich bin irgendwie ängstlich, ich drehe mich um. Sie sagt: ›Bleib dort.‹ Ich gehe, ich schaue zurück; sie wirft den Korb nach mir, er trifft mich am Mund; ich schlucke das Zeug aus dem Korb, ich spüre nichts mehr, ich wache von Lärm auf. Nancy (ihre Freundin) weckt mich auf. ›Du bist verrückt‹, sagt sie. Ich sage nie, was ich in dieser Nacht geträumt habe; ich schlafe nicht wieder ein.«[6]

Die Mutter und die Großmutter der jungen Frau, die den

Traum hatte, waren Ärztinnen, und augenscheinlich war der soziale Druck, dem sie ausgesetzt war, ebenfalls Ärztin zu werden, so stark, daß sie sich dem Willen der Gemeinschaft durch ihren Traum unterordnete. Am Morgen nach dem Traum war die junge Frau krank, und anhand ihrer Symptome stellten die Leute in ihrem sozialen Umfeld fest, daß sie darauf und daran war, Medizinfrau zu werden.

Sie hatte in der Folgezeit ein Übungsprogramm zu durchlaufen, während dessen sie ihren Magen und ihre Speiseröhre zu beherrschen lernte, so daß sie einen Schmerz hinunterschlucken und ihn wieder hervorwürgen konnte, ohne dabei Nahrung zu erbrechen.

Augenscheinlich war eine Yurok-Frau fast gezwungen, die Übungen fortzusetzen, wenn sie erst einmal einen Traum gehabt hatte, der Schmerzen beinhaltete. Erikson berichtet von einer Frau, die weglief, nachdem sie den Traum gehabt hatte. Sie weigerte sich, die restlichen Übungen zu absolvieren, die es ihr ermöglicht hätten, als Ärztin zu praktizieren. Sie wurde neurotisch und litt unter chronischen Verdauungsstörungen, und sie erbrach sich jedesmal, wenn sie herkömmliches indianisches Essen sah. Sie übertrug ihre Symptome sogar auf eine ihrer Töchter.

Nicht selten weigerten sich indianische Frauen, die übernatürliche Träume hatten, die Macht anzunehmen, die ihnen angeboten wurde. Coming Daylight, eine Gros-Ventre-Frau, erzählte der Anthropologin Regina Flannery, sie hätte diese Macht abgelehnt; sie erklärte: »Schon bevor ich heiratete, hatte ich eine besondere Art von Traum, der die Macht bedeutete, aus dem Körper Leidender die Krankheit herauszulösen. Diesen Traum hatte ich vier Nächte hintereinander. Jeden Morgen erzählte ich meiner Großmutter davon. Jedesmal wurde die alte Frau ärgerlich und sagte mir, ich solle den Traum für mich behalten und nicht darüber sprechen, damit ich eine große Ärztin würde. Aber ich hatte mich schon entschieden, daß ich solche Macht nicht wollte, wobei der unmittelbare Grund für meine Weigerung darin bestand, daß ich Ärzte gesehen hatte, die hinunterschluckten, was sie aus dem sogenannten schwachen Punkt von Patienten, die sie behandelten, herausgesaugt hatten, und ich konnte mich einfach nicht überwinden, das gleiche zu tun.«[7]

Wie die Eulen Jagdmedizin gegeben haben (Menominee)

Vor langer Zeit zogen einige Menominee auf der Herbstjagd durch das Land. Bei ihnen war ein kleines Mädchen, das immer weinte und traurig war, weil es einsam war und keine Brüder und Schwestern hatte, mit denen es spielen konnte. Die Mutter des Mädchens versuchte, es zu beruhigen, indem sie ihm drohte, es den Eulen vorzuwerfen.

Als die großen Vögel droben hörten, was die Mutter sagte, fragten sie die Eule: »Warum nimmst du das Kind nicht? Es ist dir oft genug angeboten worden.«

Die Eule erwiderte: »Ich habe das alles gehört, aber es ist nur zu dem Kind gesagt worden, um es zu erschrecken, weil ich so häßlich aussehe. Deshalb gehe ich nicht hin und hole das Kind, denn alle Eltern sagen das zu ihren Kindern, um sie zu erschrekken.«

Aber das kleine Mädchen hörte nicht auf zu weinen, und so sagte seine Mutter zu ihm: »Kind, ich werfe dich vor die Tür, damit die Eulen kommen und dich holen.« Dann nahm sie das kleine Mädchen, setzte es vor das Haus und sagte: »Nun komm, Eule, und hole es, es gehört dir.«

Man hörte das Kind noch eine Weile weinen, und dann war alles ruhig. Die Mutter ging hinaus, um zu sehen, was geschehen war, aber das kleine Mädchen war fort. Die bestürzte Mutter schaute in jeden Wigwam im Dorf, aber das kleine Mädchen war verschwunden.

Zu eben der Zeit, da die Mutter nach ihrem Kind suchte, war das kleine Mädchen unterwegs zu dem Versteck der Eule in der Wildnis, denn die Eule war endlich gekommen, um es zu holen. Eine der Eulen, die die Großmutter des kleinen Mädchens war, setzte das Kind in einen winzigen Wigwam und hielt es den ganzen Winter über warm und behaglich. Ständig versprach die Großmutter-Eule dem kleinen Mädchen, es heim zu seinen Eltern zu bringen, wobei sie sagte: »Ich werde dir etwas von meiner Medizin geben und dich dorthin zurückbringen, woher ich dich geholt habe. Die Medizin, die ich dir geben werde, heißt ›Spotted Fawn‹-Medizin und dient dazu, Rotwild und anderes Wild zu bezaubern, damit es erlegt werden kann. Solche Medizin muß in der Haut eines gefleckten Kitzes eingewickelt aufbewahrt werden, und danach ist sie auch benannt. Diese Medizin, die ich dir geben werde, ist sehr mächtig, mein Enkelkind, und ich gebe sie dir, damit du und deine Eltern und deine Großeltern sie in Zukunft bei deinem ganzen Volk anwenden, solange die Erde besteht.«

Als der Frühling nahte, gingen die Eltern des verlorenen Mädchens hinaus in den Wald, um Ahornzucker zu gewinnen. Zu jener Zeit sagte die Großmutter-Eule zu ihrer Enkeltochter, nun sei die Zeit für ihre Heimkehr gekommen, und sie wolle sie zum Zuckerlager ihrer Eltern bringen. »Bleib dort still stehen, bis deine Mutter kommt und dich findet«, wies die Großmutter-Eule sie an. »Achte darauf, daß sie dich vier Tage lang überhaupt nicht berührt. Dann muß du sie bitten, dir einen kleinen Wigwam zu bauen, in dem du vier Tage lang bleibst. Dieser Wigwam muß in einiger Entfernung vom Zuckerlager auf einem sauberen Platz stehen, auf dem niemand herumgetrampelt ist, und in diesem Wigwam verbringst du vier Tage in Schweigen.«

Die Mutter hatte gemeint, ihr Kind sei auf immer verloren, und sie war sehr glücklich, es wiederzusehen. Sie wollte das kleine Mädchen in die Arme schließen, aber das Kind mahnte sie: »Faß mich nicht an, denn ich darf dir vier Tage lang nicht gestatten, mich zu berühren.« Dann sagte sie ihrer Mutter, sie solle ihr einen kleinen Wigwam bauen, und bat, ihr Vater möge sie während des viertägigen Aufenthalts dort häufig besuchen kommen, damit sie ihn unterweisen könne, wie die Medizin, die die Großmutter-Eule ihr gegeben hatte, anzuwenden sei.

Die Medizin soll immer von einem unberührten jungen Mädchen bereitet werden. Sie wird angerichtet, wenn eine Anzahl Jäger sie braucht. Das Mädchen, das die Medizin besitzt, baut einen kleinen Wigwam, und die Männer, die auf die Jagd gehen wollen, kommen zu dem Wigwam und nehmen gemeinsam ein Dampfbad. Während der Dampf die Jäger durchdringt, werden Lieder gesungen und die heilige Macht der Eule beschworen. Die anderen geheiligten Mächte hören dies ebenfalls und senden den Jägern Hilfe. Alle wilden Tiere werden von dem Zauber angelockt und nähern sich dem Wigwam. Die Jäger treffen das Wild, das zu ihnen kommt. Die Medizin muß immer von einem reinen jungen Mädchen aufbewahrt und behütet werden.[8]

Über die Krankheiten hinaus, die durch natürliche Ursachen ausgelöst wurden, und diejenigen, die von übernatürlichen Kräften verursacht wurden, kannten die Huronen noch eine weitere Kategorie von Krankheiten. Es handelte sich dabei um die Bedürfnisse der Seele, und diese Krankheiten konnten geheilt werden, indem man diese Bedürfnisse erfüllte. Gewöhnlich träumte der Leidende seine eigene Heilungsmethode, und in einer frühen Form dieses Psychodramas half der Rest der Gemeinschaft dabei, das durchzuführen und auszuleben, was der Kranke geträumt hatte. Eine Huronen-Frau träumte, sie würde geheilt, wenn alle jungen Männer und Frauen des Dorfes sich versammelten und nackt vor ihr tanzten. Sie bat auch darum, daß einer der jungen Männer ihr in den Mund urinieren sollte. Das gesamte Ritual wurde vollzogen, wie sie es wünschte, und anscheinend hat es geholfen.

Eine Huronen-Frau, die unter Nervenstörungen litt, behauptete, eines Abends sei ihr, als sie aus dem Haus trat, der Mond als stattliche, schöne Frau erschienen und habe angeordnet, alle im Umkreis ansässigen Stämme sollten der Leidenden die für die einzelnen Völker bezeichnenden Erzeugnisse bringen. Auch habe der Mond befohlen, es sollten zu Ehren der Frau Zeremonien abgehalten werden, und bei diesen Riten solle sie in Rot gekleidet sein, um dem Mond zu ähneln und auszusehen, als bestehe sie aus Feuer.

Nach ihrer Vision wurde der Frau schwindelig, und sie bekam so schwere Muskelkrämpfe, daß sie sich nicht mehr bewegen konnte. Die anderen Dorfbewohner legten sie in einen großen Korb und trugen sie ins Zentrum des Gemeinwesens. Dort benannte sie 22 Geschenke, die sie sich wünschte, und die Leute beeilten sich, die genannten Gegenstände herbeizuschaffen. Die Häuptlinge wiesen alle Leute an, die ganze Nacht über große Feuer zu unterhalten. Als es dunkel war, begannen die Muskeln der Frau, sich zu entspannen, so daß sie mit Hilfe zweier Leute, die sie stützten, wieder gehen konnte. Sie ging durch alle Häuser des Dorfes mitten hindurch, wobei sie geradewegs durch die Herdfeuer spazierte und dauernd behauptete, sie spüre keine Wärme. Später bemalten alle Leute sich die Körper und die Gesichter und liefen Amok durchs Dorf, zerbrachen Geschirr, warfen Mobiliar um und traten nach den Hunden. Dies war typisch, wenn die Dorfbewohner jemandem halfen, sein Seelenbedürfnis zu befriedigen, denn man meinte, je mehr Lärm man machte, desto mehr half man dem Leidenden.

Allem Anschein nach suchten Huronen-Frauen häufig Erleichterung, indem sie Heilkuren für ihre Seelenbedürfnisse träumten. In der Tat ließ ihre tägliche Arbeit ihnen kaum Raum zum Selbstausdruck, so daß starke Frauen, die ihre Individualität demonstrieren wollten, gern zu diesem – einem der wenigen gesellschaftlich akzeptierten – Mittel griffen, um sich ihrer selbst zu vergewissern und aus der Masse der anderen herauszuragen.

Schamaninnen und Prophetinnen

Manche amerikanischen Eingeborenenfrauen, die übernatürliche Kräfte erlangten, wurden Schamaninnen und benutzten ihre Begabung, um das Wetter zu regulieren, die Zukunft vorherzusagen und Hexen zu ermitteln. In vielen frühen Stämmen waren Frauen in diesem Berufsstand zahlreich vertreten.

Frauen der Copper-Eskimo hatten die Chance, in ihren Gemeinwesen Hochachtung zu genießen, indem sie Schamaninnen wurden. Um die Privilegien einer Schamanin zu erlangen, mußte eine Frau bestimmte Opfer bringen, die gewöhnlich in der Einhaltung eines Nahrungstabus bestanden. D. Jenness, der Anfang dieses Jahrhunderts die kanadische Arktis erforschte, berichtet von zwei Schamanen, einem Mann und einer Frau, die eine gemeinsame Séance abhielten und während dieser beschlossen, etwas Rehblut zu trinken, das ihnen von den Geistern, die ihnen ihre Kraft gegeben hatten, verboten worden war. Der Geist des Mannes wich sofort von ihm, und er verlor seine gesamte schamanistische Macht. Die Frau – ihr Name war Mittik – stand auf und ging in Richtung der Sonne aus dem Dorf. Als sie den Hang eines Hügelkammes hochging, verschwand sie plötzlich im Boden, und einen Augenblick danach sprang ein Hund an der Stelle auf, wo sie verschwunden war. Unmittelbar darauf verschwand der Hund, und Mittik war wieder da. Dieser Wandel vollzog sich drei- oder viermal vor den Augen der erstaunten Eskimo. Schließlich kehrte Mittik in das Lager zurück, doch ihre Fähigkeiten waren beeinträchtigt. Die anderen Schamanen des Dorfes legten ihre Hände auf sie, und mit Hilfe ihrer Geister gelang es ihnen, sie wieder zu Sinnen zu bringen.

Jenness konnte während seines Aufenthalts bei den Copper-Eskimo auch einmal an einer Séance teilnehmen. Er und seine Gruppe erwogen eine Exkursion, und so hielt eine Schamanin namens Higilak eine Séance ab, um herauszufinden, ob Jenness die Reise unternehmen und per Schlitten zurückkehren konnte, bevor der Schnee schmolz. Die Séance wurde um die Zeit gegen Mitternacht abgehalten, aber es war nicht dunkel, denn es war Mai, eine Jahreszeit, in der die Sonne in jenen nördlichen Breiten nie hinter dem Horizont verschwindet. Higilak saß im rückwärtigen Teil des Zelts in einer Ecke, ihr Ehemann Ikpakhuak dicht vor ihr. Alle anderen Erwachsenen der Gemeinde drängten sich ebenfalls im Zelt. Jenness schreibt:

»Higilak begann, indem sie eine lange Rede hielt, in der sie das Vorhaben von allen Seiten beleuchtete. Plötzlich stieß sie Schmerzensschreie aus und bedeckte das Gesicht mit den Händen. Ein paar Minuten lang herrschte Totenstille, eine Stille, die nur gelegentlich durch eine leise Bemerkung von jemand unter den Anwesenden unterbrochen wurde. Alsbald begann Higilak, zu heulen und zu knurren wie ein Wolf, hörte dann ebenso unvermittelt auf, und – siehe da! – aus ihren Mundwinkeln ragten zwei Reißzähne, augenscheinlich die eines Wolfs. Sie neigte sich zu Avranna (einem Mann) hinüber und tat so, als nage sie an seinem Kopf. Dann begann sie, bruchstückhafte Äußerungen zu tun, die ihre Zuhörerschaft aufgriff und erörterte, obwohl sie sich nur zu sehr geringen Teilen deuten ließen. Ständig mußte sie die Hände an den Mund heben, um zu verhindern, daß ihr die Zähne herausfielen, und einmal schob sie sie einfach tief hinein, so daß man sie nicht mehr sehen konnte, um sie einige Minuten darauf wieder hervorzuschieben. Nach etwa einer Viertelstunde verfiel sie plötzlich erneut in Schmerzensschreie und verbarg ihr Gesicht hinter Ikpakhuaks Gesicht in den Händen. Dann sah ich, wie sie vorsichtig eine Hand zu ihrem langen Stiefel sinken ließ, in den sie augenscheinlich die Zähne schob, denn einen Augenblick später tauchte ihr Gesicht ohne die Zähne wieder auf. Dies war der entscheidende Moment, der Moment, in dem der Geist des Wolfs in ihrem Körper die Antwort auf das Problem gab: ein paar bruchstückhafte Worte von ihr, geäußert in einer dünnen, fast unhörbaren Falsettstimme. Ihr Publikum beugte sich begierig vor, saugte jede Silbe ein. Nach etwa zwei Minuten war alles vorüber, und nach einigen weiteren Schmerzensschreien – ihr Geist wich von ihr –, auf die zwei oder drei Seufzer folgten, nahm Higilak ihr normales Verhalten wieder an. Die Séance war nun abgeschlossen, aber einige der Eingeborenen blieben noch ein paar Minuten, um das Orakel zu erörtern, das ihnen gegeben worden war. Higilak selbst bekundete, sie wisse nichts davon, denn ein Schamane durfte sich der Äußerungen, die er unter der Inspiration seines Geistes getan hatte, nicht bewußt sein; dementsprechend mußte sie einige der Umstehenden befragen, um zu erfahren, was sie gesagt hatte. In ihren Gesprächen über diese Séance einige Zeit später behaupteten die Eingeborenen, es sei eine unbestreitbare Tatsache, daß Higilak in einen Wolf verwandelt gewesen sei.«[9]

Die Frauen der Salish im Südosten, die im südöstlichen Grenzgebiet zwischen den Bundesstaaten Washington und Idaho lebten, konnten ebenfalls erhebliche Macht und Privilegien erwerben, indem sie Schamaninnen wurden. Zu den Diensten, die die Schamanen für das Gemeinwohl leisteten, gehörte auch die Regulierung des Wetters. Eine Möglichkeit der Wettersteuerung bestand darin, daß die Schamanin Blut aus einem Schnitt an ihrem Kopf auf den Schnee tropfen ließ. Einmal war die Winterkälte so streng, daß das Vieh verendete; der Schnee lag so hoch, daß die Tiere kein Futter mehr finden konnten. Daher suchten die Leute die Hilfe einer alten Frau, die Macht über das Wetter besaß. Sie sang ihr Beschwörungslied und forderte die Bittsteller auf, ihr eine Wunde in die Kopfhaut zu schneiden. Kaum war ihr Blut in den Schnee getropft, kam Südwind auf, der Regenwolken mitführte. Kurz darauf fiel Regen und spülte den Schnee fort. Alle Leute, die Vieh besaßen, waren der Schamanin für die Rettung ihrer Tiere dankbar und sammelten für ihr Honorar.

Manche Schamaninnen der Salish besaßen auch Macht über die Fische, auf die das Volk angewiesen war. Einmal baute ein junger Mann ein Fischwehr, fing aber damit keinen Lachs. Seine Großmutter, eine Frau namens Sikuntaluqs, beschloß, ihm zu helfen. Sie machte einen langen Spaziergang am Wehr entlang und legte sich am gegenüberliegenden Ufer auf den Boden. Nicht lange nach Einbruch der Dunkelheit flog ein Eisvogel vorbei, und danach schlief die alte Frau. Während der Nacht füllte sich das Wehr mit Lachs, und gegen Morgengrauen lief es über. Die alte Frau rief die Leute herbei, und es gelang den Fischern, mehr als zweihundert Fische zu fangen. Dann brach das Wehr.

Nachdem die Fischer den gesamten Lachs aus dem Netz geholt

hatten, zog Sikuntaluqs ihre Mokassins aus und ging im Bach schwimmen. Es war Frauen allgemein verboten, sich einem Lachswehr mehr als bis auf eine halbe Meile zu nähern, und etliche der Leute begannen, Sikuntaluqs wegen ihres Handelns zu schelten und sie an das Tabu zu erinnern. Aber die mächtige alte Frau schenkte dem Gerede der Leute am Ufer keine Beachtung und rief ihnen zu: »Ich bin es gewesen, die den Lachs herbeigeholt hat. Also kann ich auch schwimmen gehen.«[10]

Frauen mit starken schamanistischen Kräften wurden auch dann bisweilen gefürchtet und beneidet, wenn sie ihre Fähigkeiten ausschließlich zu guten Zwecken einsetzten. Eine solche Geschichte wird von einer Mohawk-Medizinfrau namens Sky-Sifter erzählt, die Anfang des neunzehnten Jahrhunderts lebte. Es ist nicht gesichert, inwieweit es sich bei der Geschichte um eine Legende handelt und inwieweit sie wahr ist, aber es heißt, Sky-Sifter sei die Tochter eines Häuptlings und für ihre medizinische Macht berühmt gewesen. Sie sei eine beeindruckende Erscheinung von 1,80 Meter Größe gewesen und habe blitzende schwarze Augen und langes Haar gehabt, das den Boden berührte, wenn sie saß. Die Leute seien ihr aus dem Wege gegangen, wenn sie sich über irgend etwas ärgerte oder Sorgen machte. Manche sollen geglaubt haben, ihre Macht sei so stark gewesen, daß man nichts vor ihr verborgen halten konnte.

Sky-Sifter besaß ein üppig verziertes Kanu, das niemand berühren durfte und das sie in der Nähe ihres privaten Tipi aufbewahrte, in dem sie allein lebte, wenn sie nicht bei ihrer Familie im Langhaus wohnte. Die anderen Leute entwickelten eine derartige Furcht vor dieser mächtigen Medizinfrau, daß sie Pläne schmiedeten, sie zu töten. Doch Sky-Sifter verfügte über Spitzel, die sie über solche Pläne unterrichteten. Eines Nachts kamen die Dorfbewohner, um sie bei lebendigem Leibe zu verbrennen, als sie sich in ihrem Tipi aufhielt. Als die Asche auskühlte, fand man eine Leiche in den verkohlten Resten. Der Ehemann der Medizinfrau begrub die Überreste seiner Frau in der herkömmlichen Weise und errichtete ein Monument über ihrem Grab. Nur Sky-Sifters engste Freunde wußten, daß sie in letzter Minute durch einen unterirdischen Gang hatte entkommen können.

Eingeborene amerikanische Frauen, die die abscheuliche Bezeichnung »Hexe« verdienten, verfügten über weitgehend die gleiche Macht wie diejenigen Frauen, die man Schamaninnen nannte. Der Unterschied bestand darin, daß die Hexen ihre übernatürlichen Kräfte dazu benutzten, Übel zu verbreiten und ihren Mitmenschen Schaden zuzufügen. Ob die Hexen wirklich über diese Macht verfügten oder nicht, ist für die Erörterung eigentlich belanglos, weil die meisten frühen Amerikaner glaubten, manche Mitglieder ihrer Gemeinwesen beherrschten böse Mächte, und weil sie ihr Verhalten dementsprechend ausrichteten.

Die Creek glaubten, Hexen könnten die Gestalt von Eulen annehmen und bei Nacht umherfliegen; tagsüber nähmen sie dann wieder ihre normale Gestalt – die von alten Männern oder Frauen – an und kehrten heim in ihre Hütten. Jeder, der im Verdacht stand, eine Hexe zu sein, wurde sehr gefürchtet. Die Creek glaubten nämlich, die Übeltäter könnten Leute zu Krüppeln machen, indem sie ihnen mit einem Schilfrohr Blut in die Beine schossen; ferner würden die Hexen den Tod gesunder Menschen herbeiführen, indem sie heimlich deren Herzen und Seelen herausnahmen. Da nur ältere Leute Hexen werden konnten, wurden Creek-Kinder häufig ermahnt, sich nicht in der Nähe von Gruppen alter Menschen herumzutreiben. Wenn eine alte Frau genügend verdächtig erschien und mehrere Leute sie böser Taten beschuldigten, wurde die Verdächtige auf den Kopf geschlagen und ertränkt. Sie wurde nicht getötet, weil sie eine Hexe war, sondern weil sie andere Menschen tötete.

Auch die Stämme der Irokesen-Konföderation hegten tiefsitzende Ängste vor Hexen und glaubten, jede Person könne von einem bösen Geist besessen und in eine Hexe verwandelt werden. Um ihre schändlichen Verbrechen zu verüben, konnte eine Irokesen-Hexe sich in ein Tier, einen Vogel oder ein Reptil verwandeln und dann wieder in ihre menschliche Gestalt zurückschlüpfen. Oder wenn sie plötzlich vor der Notwendigkeit stand, ihre Entdeckung zu verhindern, konnte sie sich in einen unbelebten Gegenstand verwandeln.

Jeder wußte, daß Hexen im Dunkel der Nacht regelmäßige Versammlungen abhielten, während derer neue Mitglieder in den Orden eingeführt wurden. Der Einführungspreis, den die Neugetaufte zu erbringen hatte, war das Leben ihrer engsten und liebsten Freundin, die sie mit einem nicht erkennbaren Gift töten mußte. Bei solch tief verwurzelten Glaubensvorstellungen nimmt es nicht wunder, wenn Irokesen, die jemand der Hexerei verdächtigten, sich auf der Stelle zu dessen Richter und Henker aufschwangen.

Die Tlingit auf der anderen Seite des Kontinents, an der Küste des südlichen Alaska, redeten nicht viel über Hexerei, aber jedermann fürchtete sie und wußte, daß es in jedem Dorf Leute gab, die diese teuflische Macht besaßen. Wollte eine Tlingit-Hexe jemandem Schaden zufügen, versuchte sie, etwas von dieser Person in ihren Besitz zu bringen – ein paar Haare, etwas Speichel, ein Schüsselchen mit Essen; damit ging sie dann auf einen Friedhof und verbarg die Gegenstände unter den entsprechenden Verwünschungen bei einem unlängst begrabenen Toten oder in der Asche einer verbrannten Leiche. Sobald die Leiche verweste, wurde die behexte Person krank.

Kranke, die verhext worden zu sein meinten, schickten nach einem Schamanen, der eine Zeremonie durchführte, um die böse Macht auszutreiben. An einem bestimmten Punkt des Rituals stand der Schamane auf und ging zum Heim einer Verwandten des Leidenden, die er der Hexerei beschuldigte. Die als Hexe Verdächtigte wurde ergriffen und in eine leere Hütte gesperrt, wo sie ohne Nahrung und Wasser gefangengehalten wurde, bis sie gestand oder aufgrund von Foltern starb. Die Tlingit glaubten, Hexen könnten fliegen, und so wunderte es sie nicht, wenn eine eingesperrte Hexe floh, indem sie aus dem Rauchabzugsloch der Hütte flog. Entwich aber die als Hexe Verdächtigte nicht und gestand sie schließlich, so wurde von ihr erwartet, daß sie die gestohlenen Gegenstände, die sie auf dem Friedhof versteckt hatte, zurückholte, zum Strand brachte und mit Meerwasser reinigte. Danach erholte sich die kranke Person normalerweise.

Die Tlingit erwarteten von den Verwandten einer als Hexe Verdächtigten, daß sie die beschuldigte Frau töteten. Manchmal wurden auch ihre Kinder getötet, damit sie nicht das Stigma weitergaben. Es wird von einem Schamanen berichtet, der eine junge Frau der Hexerei beschuldigte, weil sie sich ihm in der Ehe verweigert hatte. Nach der Anklage fiel der Bruder der Frau mit einem Messer über sie her und verwundete sie, doch gelang es einigen zu Besuch weilenden russischen Seefahrern, sie vor weiteren

Strafen zu schützen. Schließlich kam heraus, weswegen der Schamane die Frau beschuldigt hatte, und er wurde gezwungen, die Gegend zu verlassen.

Die Tlingit glaubten, eine Hexe habe in ihrem Körper acht »Hüllen«. Wenn eine Person ihr böses Treiben aufgeben wollte, mußte sie einen Zauberer finden, der stärker war als sie selbst, die acht Häute öffnete und sie so heilte. In Sitka lebte einmal eine Witwe, die Schwarze Magie betrieb. Sie behauptete, sie wolle von ihrer Hexerei ablassen, könne sich aber nicht selbst helfen; sie sei von jemand anders behext worden.

Die alte Frau bat darum, man solle christliche Gebete für sie sprechen; daher wandten sich einige ihrer Freunde an einen Reverend namens Austin, einen presbyterianischen Missionar. Der Mann hegte erhebliche Zweifel an den Fähigkeiten der Frau; er beschloß, sie zu prüfen, indem er ein paar Erdnüsse in eine Schüssel in der Küche legte und sie aufforderte, sie solle einige der Nüsse in ihre Hand fliegen lassen. Den Berichten zufolge legte die Hexe dem erstaunten Priester vier Erdnüsse in die Hand. Die Freunde der Frau holten daraufhin eine Frau, die im Rufe stand, eine sehr mächtige Zauberin zu sein. Sie bearbeitete die Witwe eine Stunde lang, konnte aber ihre Hüllen nicht öffnen; ihr Versagen erklärte sie damit, eine noch mächtigere Hexe arbeite gegen sie. Ein paar Tage später hängte sich die alte Frau aus Verzweiflung über ihren krankhaften Zwang, durch Hexerei zu töten, auf.

Frauen der Lummi, die an der Nordwestküste Washingtons lebten, griffen bisweilen auf Hexerei oder Magie zurück, wenn sie sich von ihren Ehemännern vernachlässigt fühlten. Wenn eine Frau ihren Ehemann wirklich haßte, konnte sie seinen Tod herbeiführen, indem sie eins seiner Haare hinter die Kiemen einer Salzwasserforelle steckte, die zum Laichen einen Süßwasserfluß hinaufwanderte. Die Frau sprach dann ein paar besondere Beschwörungsformeln und ließ die Forelle den Fluß hinaufschwimmen. Der Zauber des Fisches ließ die behexte Person sich einsam und niedergeschlagen fühlen, und in ihrer Verzweiflung eilte sie oft zum Wasser, wo sie dann völlig vom Leid niedergedrückt wurde und ertrank.

Lummi, die in den Schwarzen Künsten extrem befähigt waren, wurden vom Mißbrauch ihrer Macht durch eine Geheimgesellschaft abgehalten, die als Überwachungsausschuß fungierte und deren Mitglieder die Personen, die als schädlich für den Stamm erachtet wurden, hinrichteten. Wenn die Geheimgesellschaft beschloß, jemand sei zu gefährlich, um im Stamm zu verbleiben, erhitzte man einen langen, grünen Stock und bohrte ihn dem Opfer vom Mastdarm aus bis in den Hals hinauf, bis also der Hexe Blut und Fleisch aus dem Mund quollen. Die Hexe wurde dann röchelnd auf den öffentlichen Platz getrieben, und ihr grausamer Tod diente als Warnung, was Leuten widerfuhr, die ihre Macht mißbrauchten.

In den alten Zeiten erachteten die Zuni im Südwesten Hexerei als schwersten aller Verstöße, und neben Feigheit vor dem Feind war sie das einzige Verbrechen, das mit dem Tode bestraft wurde. Später war die Strafe für dieses Verbrechen zwar immer noch sehr grausem, aber gewöhnlich sah man davon ab, die Beschuldigten zu töten. War eine Frau als Hexe durchschaut, mußte sie ihr Verbrechen bekennen, was oft nur mit Hilfe der Folter geschah.

Im Jahre 1890 gab es den Fall einer Zuni-Frau und ihres Enkels, die beim »Umherhexen« ertappt worden waren. Sie wurden entdeckt, als eine wohlhabende Zuni-Familie bemerkte, wie die beiden heimlich durch ihre Fenster schauten. Diese Leute holten die Frau und den Jungen in ihr Haus und befragten sie, weshalb sie spionierten. Nach etwa zwei Stunden Verhör gestanden die alte Frau und ihr Enkel, sie seien wegen ihres Reichtums auf die Familie neidisch und beabsichtigten, allen Mitgliedern Krankheit und Tod zu bringen. Dann versuchten die beiden, die Familie zu überreden, sie gehen zu lassen: »Da ihr uns ertappt habt, haben wir Pech und werden anstelle von euch sterben.« Sie meinten, sie seien gefangen worden, obwohl sie mit all ihrer Zauberkraft gekommen waren. Im Zuni-Glauben mußte nämlich eine Hexe, die erkannt wurde, mit sofortiger Vergeltung rechnen.

Die Familie hielt es nicht für gut, das Paar laufenzulassen, weil sie fürchtete, die beiden würden mit noch größerer Zauberkraft zurückkommen; daher übergaben die Leute sie dem Kriegshäuptling, der gemeinsam mit einigen anderen Mitgliedern der Kriegergesellschaft die alte Frau und ihren Enkel ins Verhör nahm. Bei Tagesanbruch wurden die beiden mit auf den Rücken gefesselten Händen und mit dem Kopf nach unten aufgehängt. Der Kriegshäuptling fragte sie, wie viele Leute sie getötet hätten, aber sie gestanden nicht, obwohl sie wiederholt geprügelt wurden. Nach vielen Stunden gestanden sie schließlich einige Morde ein und boten ihren Anklägern an, ihnen die Kleidung und die Perlenschnüre der Getöteten zu zeigen, wenn sie laufengelassen würden. Sie zeigten die Gegenstände und darüber hinaus ein Pulver vor, das sie zur Bemalung ihrer Körper benutzt hatten und von dem sie behaupteten, es sei aus Menschenfleisch, Knochen und Erde von einem Friedhof zusammengesetzt.

Dann wurden die beiden erneut aufgehängt und mit Knüppeln geschlagen, bis sie Morde an zwei Leuten aus der Familie bekannten, die sie angezeigt hatte. Schließlich ließ man sie mit der Warnung frei, falls man sie je wieder fangen sollte, würden sie getötet werden. Der Junge starb noch in der gleichen Nacht, und kurz darauf waren auch die angeklagte Frau und sämtliche Angehörige ihrer Familie gestorben. Nie hat sich ganz der Verdacht auslöschen lassen, daß es ohne die Mithilfe einer der Geheimgesellschaften der Zuni zum Tod dieser Leute gekommen wäre.[11]

Auch die Navajo und die Apachen hatten festgefügte Ansichten über die Hexerei. Bei den Navajo wurden oft alte, kinderlose Frauen der Hexerei verdächtigt, insbesondere wenn sie sehr reich waren (angeblich hatten sie dann ihren Wohlstand durch ihre gemeinen Zauberkräfte erlangt) oder wenn sie sehr arm waren (dann suchten sie auf diese Weise ein Ventil für die Frustrationen infolge ihrer Armut). Wenn eine oder mehrere Personen durch irgendeine Ahnung oder durch Beobachtung verdächtigen Handelns zu dem Schluß gelangten, eine Frau sei eine Hexe, wurde sie zu einem Geständnis gedrängt. Man glaubte nämlich, ein Geständnis würde bei der behexten Person zur Heilung führen, sofern das Opfer noch nicht zu tief verstrickt war. Weigerte sich die als Hexe verdächtigte Frau, die ihr zur Last gelegten Übeltaten einzugestehen, wurde wie gefesselt und durfte weder essen noch trinken noch sich erleichtern, bis sie ihre Meinung geändert und ein volles Geständnis abgelegt hatte. Hatte sie aber gestanden, so wurde erwartet, daß sich der Zustand des Opfers langsam besserte und die Hexe innerhalb eines Jahres an den gleichen Symptomen starb, die man an dem Opfer festgestellt hatte. War eine Hexe nicht geständig, wurde sie nach vier Tagen getötet; manchmal ließ man sie auch am Leben, wenn sie das Gemeinwesen sofort und auf immer verließ.

Wie die Navajo haben auch die Apachen nie jemanden tatsächlich Hexerei ausüben sehen; sie haben nur die Ergebnisse dessen gesehen, was sie als Hexerei deuteten. Plötzlich wurde jemand krank, oder es starb jemand, nachdem er ein Wortgefecht mit einer Person gehabt hatte, die sich sonderbar verhalten hatte – dieser Art waren die Vorkommnisse, die zur Anschuldigung der Hexerei führten. Gewöhnlich reichte ein plausibler Vorwurf seitens einer Person, die von ein paar anderen aufgebrachten Leuten unterstützt wurde, um die »Schuld« einer Apachen-Hexe zu »beweisen«. Und ein unter Folterqualen abgelegtes Geständnis wurde als voller Beweis akzeptiert. Eine als Hexe angeklagte Frau konnte sich selbst gegen die Vorwürfe verteidigen und war damit auch erfolgreich, wenn es ihr zu beweisen gelang, daß sie keine übernatürlichen Kräfte besaß und daß es höchst unwahrscheinlich war, daß sie dem Opfer Schaden zufügen wollte. Hatte eine Hexe mit ihrer Verteidigung keinen Erfolg, wurde sie an den Handgelenken an einem Baum aufgehängt, so daß ihre Füße dicht über dem Boden baumelten. Dann zündete man unter ihr ein Feuer an und röstete sie langsam zu Tode. »Hexen verbrennen nicht schnell; sie leben noch lange weiter«, erklärte ein Apache.

Die verfügbaren Informationen über Hexerei in nordamerikanischen Stämmen stützen zumeist die These, daß der Glaube an Hexerei sehr viel verbreiteter war als ihre Praxis. Viele Sozialwissenschaftler haben zu analysieren versucht, welche Funktion diese Glaubensauffassungen in den frühen Gesellschaften hatten.

Die meisten frühen amerikanischen Eingeborenenkulturen waren kleine Gruppen untereinander verwandter Individuen, die zeitlebens eng zusammen lebten und arbeiteten. Um die Beziehungen reibungslos und das Alltagsleben harmonisch zu gestalten, mußten viele Feindseligkeiten unterdrückt werden. Aber Feindseligkeiten lassen sich nicht ewig unterdrücken; Gefühle der Spannung und des Ärgers verlangen nach Entladung, sei sie nun gegen das ursprüngliche Objekt der Frustrationen oder gegen jemand anders gerichtet.

Der Glaube an Hexerei stellte ein Ventil zum Ausleben feindseliger Gefühle dar; er war eine Form des Hasses, die sozial gebilligt und gerechtfertigt war. Es waren nicht nur andere Leute, die den Zorn dieser frühen Amerikaner erregten; es gab viele Sachverhalte, die in einer Gruppe, die wenig Kontrolle über ihre Umwelt besaß, Wut und Frustration auslösen konnten. Wenn die erhofften Regenfälle ausblieben und das Getreide unter der unbarmherzigen Sonne verdorrte, wenn eine Familie im Schnee erfror oder wenn ein Jäger ständig mit leeren Händen heimkam, war es tröstlich, wenn man die Schuld an all dem schrecklichen Unglück einem anderen geben konnte. »Er war behext«, oder: »Auf ihnen allen hat ein Fluch gelegen«, half erklären, was im Grunde nicht begreiflich war.

Der Glauben an Hexerei lieferte auch eine beruhigende Erklärung dafür, weshalb Medizinmänner und -frauen, die normalerweise erfolgreich waren, bisweilen bei der Heilung eines Leidenden versagten. Wenn man voraussetzte, daß Hexen die Macht besaßen, Krankheiten hervorzurufen, die den stärksten herkömmlichen Behandlungsmethoden widerstanden, dann war es für Patienten und Ärzte möglich, auch dann weiter an die Wirksamkeit überlieferter Mittel zu glauben, wenn diese nicht wirkten. »Sie war behext«, lautete die Antwort.

Auch im Sinne sozialer Kontrolle war der Hexenglaube ein machtvolles Instrument. Wenn eine Frau wußte, daß jedes Handeln, das in irgendeiner Weise aus dem normalen, engen Handlungsspielraum, in dem sie sich erwartungsgemäß zu bewegen hatte, herausfiel, bei anderen, die sie vielleicht beobachteten, Verdacht erregen konnte, so dachte sie zweifellos sorgfältig nach, ehe sie ihr übliches Verhalten aufgab. So gesehen war die Hexenfurcht ein gesellschaftlich stabilisierender Faktor. Jede Frau, die sich aufrührerisch, merkwürdig oder auch nur zu liberal gab, wurde sofort als Hexe abgestempelt und verbrannt oder auf andere Weise für ihre Missetaten umgebracht. Insofern war der Hexenglaube ein höchst wirksames Mittel, allen revolutionären Gedanken einen Riegel vorzuschieben.

Aus der Sicht der Opfer bot der Zustand des Behextseins bisweilen Gelegenheit, ein wenig die Aufmerksamkeit auf sich zu ziehen. In seiner Abhandlung über die Hexerei der Navajo schreibt Clyde Kluckholn, viele von denen, die bei Zeremonien oder anderen großen Versammlungen in Trance verfielen oder plötzlich ohnmächtig wurden, seien Leute gewesen, die im allgemeinen etwas vernachlässigt wurden oder einen niedrigen Sozialstatus innehatten. Wohlhabendere Leute neigten mehr dazu, sich mit ihren Problemen und Schwierigkeiten in der Abgeschiedenheit ihres Heims zu beschäftigen. Wenn jemand seine Probleme darauf zurückführte, er sei behext, so nahm er damit eine Möglichkeit wahr, Mitgefühl zu erregen, wenn nichts anderes mehr zu helfen schien, und es war auch eine akzeptable Erklärung dafür, weshalb das Leben nicht das brachte, was man sich erhofft hatte.[12]

Eine weniger profunde, aber keineswegs weniger plausible Erklärung für den fortgesetzten Hexenglauben lautet, er habe auch einigen Unterhaltungswert. Das ganze Drumherum, das eine Anklage wegen Hexerei umgab, bot Abwechslung von der langweiligen Alltagsroutine und verschaffte den Mitgliedern der Gesellschaft ein emotionales Ventil und Ablenkung.

7. KAPITEL

FRAUEN UND KRIEG

Eine Mohave-Frau mit Tätowierungen ganz ähnlich denen, wie sie Kriegsgefangenen eintätowiert wurden. (Mit freundlicher Genehmigung der *Arizona Historical Society*)

Helferinnen, Kämpferinnen, Siegerinnen und Besiegte

Krieg verschlang viel Zeit und Kraft der frühen eingeborenen Amerikaner. Kriege wurden geführt, um Gebiete, Nahrungsquellen und, letztlich, das Fortbestehen des Stammes zu sichern; Kriege wurden geführt, um Rache für frühere Beleidigungen zu nehmen; Kriege wurden geführt, damit tapfere Krieger sich hervortun konnten; und Kriege wurden auch einfach aus Übermut geführt.

Wenn auch der Kampf gegen den Feind normalerweise reine Männersache war, wurden die Frauen doch unweigerlich in die kriegerischen Aktivitäten hineingezogen. Die meisten Indianerfrauen beschränkten ihr Engagement darauf, ihre Brüder und Ehemänner für deren Kriegszüge ausrüsten zu helfen, doch manche willensstarken und individualistischen Frauen zogen auch selbst als Kriegerinnen in den Kampf. Manche Frauen hatten Pech und waren ein Teil der Kriegsbeute; sie wurden aus Heim und Familie herausgerissen und zu Gefangenen feindlicher Krieger.

Wenn eine Kriegergruppe sich auf einen Kriegszug vorbereitete, herrschte im Lager oder Dorf emsiges Treiben. Frauen beeilten sich, zusätzliche Mokassins für die Männer herzustellen und Nahrungsmittel zusammenzutragen, die gepackt und mitgenommen werden konnten. Frauen, die bei früheren Kämpfen Männer, Söhne oder andere Verwandte verloren hatten, besuchten herausragende Krieger in ihren Hütten und forderten sie auf, ihnen die Tränen mit Feindesblut wegzuwischen.

Handelte es sich um populäre Kriegszüge, dann versammelten sich in Komantschen-Lagern junge Mädchen vor den Zelten angesehener Krieger, um sie zur Teilnahme an dem Kriegszug zu bewegen. Die jungen Frauen sangen Lieder, die an die Siege der Vorfahren und an die Tapferkeit der noch lebenden Krieger erinnerten, ähnlich den Schlachtrufen der Fans bei Fußballspielen heute. Jede Frau, jung oder alt, die eine erfolgreiche Kriegergruppe unterstützte, konnte damit rechnen, bei der Heimkehr der Krieger mit einem Pferd oder sonstigen Beutestücken belohnt zu werden.

Was die Frauen taten, nachdem sie den Männern zum Abschied zugewinkt, ihnen Glück und unversehrte Heimkehr gewünscht hatten, war von Stamm zu Stamm unterschiedlich. Junge Mandan-Mädchen fasteten, während ihre Brüder auf dem Kriegspfad waren, und hofften, ihr Opfer werde den jungen Männern Erfolg im Kampf gegen den Feind bringen. Wenn eine Kriegergruppe unterwegs war, gingen die Mädchen und jungen Frauen jeden Tag bei Morgengrauen jede für sich zu einem Gestell im Garten oder auf einen flachen Hügel, wo sie um den Erfolg ihrer Brüder beteten. Dort verbrachten sie den ganzen Tag, nahmen sich aber gewöhnlich Spinnmaterial oder andere Handarbeit mit, um sich zu beschäftigen.

Wenn im Norden von Britisch-Kolumbien Kaska-Männer in den Krieg zogen, fertigten die Frauen, die im Lager blieben, aus Fellen und Häuten eine Anzahl menschenähnlicher Puppen an, die sie mit Zweigen und Moos ausstopften. Jeden Morgen attakkierten die Frauen diese Puppen mit hölzernen Ritualmessern in dem Glauben, dies Ritual gebe den Kriegern zusätzliche Kraft. Alle verheirateten Frauen, deren Männer draußen im Krieg waren, schlangen sich einen Ziergürtel ums Kleid, den sie die gesamte Zeit über trugen. Legte eine Frau diesen Gürtel ab, gab man ihr die Schuld an jedwedem Kriegspech, das die Gruppe hatte. Die Gürtel waren offenbar ein Symbol für die Keuschheit der Frau während der Abwesenheit ihres Mannes, und sie haben möglicherweise auch indirekt die Überlebenschancen der Männer gesteigert. Denn ein Krieger, dessen Frau angemessen gegürtet war, brauchte sich nicht mit Eifersuchtsgedanken zu quälen, sondern konnte sich ganz auf das Kampfgeschehen konzentrieren.

Die Apachen-Männer verwendeten einen Großteil ihrer Energie auf Überfälle und Kriegführung, und ihre Frauen unterstützten sie bei ihren Kriegsanstrengungen auf vielfältige Weise. Wenn eine Familie oder ein Clan sich entschloß, einen Kriegszug zu unterstützen, ging einer der Familien- oder Clanangehörigen durch alle Lager, um Frauen zur Teilnahme an dem Tanz zu bewegen, der immer dem Aufbruch der Kriegergruppe vorausging. Der Bote brachte seine Bitte etwa mit folgenden Worten vor: »Leih mir deine Frau heute abend. Sie kann mit einem Mann tanzen, aber sie wird so zu dir zurückkehren, wie sie dich verlassen hat. Sie kann die ganze Nacht tanzen; aber selbst wenn sie mit einem anderen Mann tanzt und mit ihm redet, hat dies nichts zu bedeuten. Das gleiche gilt für Mädchen. Sie werden am Morgen zurückkommen.«[1] Für die in ihrer Sexualmoral sehr strengen Apachen mußte die Einladung die Zusicherung einschließen, daß man von den Frauen nur ein Tänzchen erwartete und sie zu keinerlei Techtelmechtel nötigte.

Wenn die Apachen-Krieger aus dem Lager ritten, beteten die zurückbleibenden Ehefrauen vier Tage lang jeden Morgen für ihre Männer; jedesmal, wenn sie einen Topf Fleisch vom Feuer nahmen, beteten sie, ihre Ehemänner möchten bekommen, was sie wollten. Nicht alle Frauen blieben im Lager zurück; manche Frauen ließen ihre Kinder in der Obhut der Großmütter und folgten ihren Krieger-Ehemännern in die Schlacht, wo sie Nahrung bereiteten, Wunden verbanden und, wenn es nötig wurde, auch tapfer an der Seite ihrer Männer kämpften.

Kriegerinnen

In der Sioux-Gesellschaft drehte sich alles um den Krieg. Zwar waren die Frauen dem Gesetz nach von jedweder kriegerischen Betätigung ausgeschlossen, doch viele Frauen nahmen an Kriegszügen teil, indem sie heimlich ihre Vorbereitungen trafen und dann den Männern folgten, wenn diese aus dem Lager ritten. Gewöhnlich beschränkte sich dies Heldentum auf eine vereinzelte Episode, nach der die Frauen wieder ganz Hausfrau waren, auch wenn sie sich in der Schlacht durch rühmliches Verhalten die Männerbezeichnung »tapferer Krieger« verdient hatten.

Manchmal hatten Sioux-Frauen einen Traum, in dem sie sich aufgefordert fühlten, an einem Kriegszug teilzunehmen. Meistens jedoch zogen die Frauen in den Kampf, um den Tod eines ihnen Nahestehenden, etwa eines Bruders, zu rächen. Zuweilen baten auch alte Frauen in Trauer, mit in den Krieg ziehen zu dürfen, damit sie die Leichen der Feinde verstümmeln konnten. Einmal kam eine alte Sioux-Frau zufällig zu Kriegsehren; ein Ojibwa hatte sich in der Nähe eines Sioux-Lagers im Busch versteckt, und die Frau tötete ihn, als sie einen dicken Knochen ins Unterholz warf und den Unglücksraben am Kopf traf.

Heute noch wird die möglicherweise auf Tatsachen beruhende Geschichte von einem jungen Apachen-Mädchen namens Lozen erzählt, die eine mächtige und angesehene Kriegerin wurde. Lozen war die Schwester Victorios, eines berühmten Häuptlings; sie nahm sämtliche Möglichkeiten wahr, die Apachen-Frauen offenstanden, und als ihr dies nicht reichte, erschloß sie sich weitere.

Schon in sehr jungen Jahren entwickelte sie sich zu einer ausgezeichneten Reiterin und Lassowerferin, und von ihren Streifzügen brachte sie jedesmal Pferde von Feinden mit. Im Pferdestehlen und Auseinandertreiben von Herden brachte sie es zu einer solchen Fertigkeit, daß sie allen Männern ihres Stammes überlegen war. In der Legende wird versichert, sie habe ihrem Volk wahrhaft helfen und nicht bloß persönlichen Ruhm erwerben wollen. Einmal geriet sie mit einer jungen Mutter und deren Baby in feindliches Gebiet. Es wäre ein leichtes für Lozen gewesen, sich allein zu retten, doch statt dessen mühte sie sich mehrere Monate damit ab, die Frau und ihr Kind in Sicherheit zu bringen.

Als diese tapfere Apachen-Frau in die reiferen Jahre kam, entwickelte sie ein untrügliches Gespür dafür, wo die Feinde lagerten, und oft wurde sie in den Rat eingeladen, wenn die Führer Kriegsstrategien planten. Sie verbrachte ihr ganzes Leben damit, ihrem Volk an der Seite ihres berühmten Bruders zu dienen.[2]

Eine andere hervorragende Kriegerin war Ehyophsta (Yellow Haired Woman), eine Cheyenne, die sich dem Feind in einer wichtigen Schlacht zwischen ihrem Volk und den Schoschonen mutig entgegenstellte. Die Schoschonen meinten, sie griffen ein kleines Lager von nur sieben Hütten an, und sie dachten, sie brauchten nur hineinzugehen und könnten alle Cheyenne-Frauen und -Kinder gefangennehmen. Sie wußten nicht, daß das Cheyenne-Lager heimlich durch viele Verbündete des Stammes, die sich in den Tipis versteckt hielten, verstärkt worden war. Im Laufe der Schlacht gerieten zwei Krieger, ein Schoschone und ein Cheyenne, in einen Kampf Mann gegen Mann. Ehyophsta kämpfte sich aus dem dichtesten Schlachtgetümmel frei und ritt zu den beiden. Sie sprang ab, zog ihr Messer und stach zweimal auf den Schoschonen ein. Nachdem sich die Eindringlinge zurückgezogen hatten, suchten die Dorfbewohner die Gegend nach Verwundeten ab und stießen auf einige Feinde, die sich in Felsspalten versteckt hatten. Die meisten dieser Unglücklichen wurden entdeckt und auf der Stelle erschossen. Als ein junger Schoschonen-Krieger aus seinem Versteck gezerrt wurde, schlug jemand vor, es sei vielleicht klug, ihn zu verhören. Ehyophsta meldete sich zu Wort, forderte die anderen auf, beiseite zu treten, und bedeutete ihnen, sie wolle das Verhör durchführen. Sie trat vor, hob den Arm des jungen Mannes an und stieß ihm das Messer in die Achselhöhle. Dann skalpierte sie ihn. Diese Tat verschaffte ihr Zutritt zu der kleinen Gesellschaft von Cheyenne-Frauen, die mit ihren Ehemännern in den Krieg gezogen waren. Es hieß, diese exklusive Gruppe halte Geheimversammlungen ab, an denen kein Außenstehender teilnehmen durfte.

Kriegermädchen
(Tewa)

Es lebte einmal ein Mädchen aus dem Cottonwood-Clan, das hörte weder auf Mutter noch Vater noch Onkel. Sie sagten ihr immer wieder, sie solle sich vernünftig verhalten, aber sie war sehr jähzornig. Schließlich wurden diese Leute müde, ihr immer wieder zu sagen, sie solle friedlich sein, und so ignorierten sie sie einfach. Als sie einmal Mais mahlte, rückten viele Feinde gegen das Dorf vor. Ihr Onkel ging zu ihr, griff sie am Arm und sagte: »Nimm deinen Bogen und die Pfeile und geh los und kämpfe gegen die Feinde, die im Anmarsch sind. Du hast nicht auf uns gehört und dich wie ein Junge benommen. Jetzt ist es an der Zeit, daß du losgehst und kämpfst und tapfer bist.«

Das Mädchen lachte: »Ha! Ha!«, und sagte: »Ich warte nur darauf, gegen die Feinde zu kämpfen. Ich habe keine Angst. Ich werde tun, was ich kann.«

Ihr Onkel gab ihr einen Bogen und Pfeile. Dann blickte sie sich um und sah eine Rassel, die an der Wand hing. Sie stand auf und holte die Rassel. Dann begann sie zu singen. Und kaum hörte sie auf zu singen, da lachte sie: »Ha! Ha!« Sie sang viermal in den Raum, dann ging sie nach draußen und sang viermal. Jedesmal, wenn sie beim Singen eine Pause machte, lachte sie: »Ha! Ha!«, denn sie fürchtete sich nicht zu kämpfen.

Dann brach sie auf in Richtung der Feinde. Einige der Dorfbewohner lachten sie aus, aber sie ging einfach weiter, singend und lachend und glücklich, in den Kampf zu ziehen. Bevor sie auf die Feinde stieß, zog sie viermal ihr Kleid hoch, um ihnen zu zeigen, daß sie ein Mädchen war. Dann kämpfte sie, und sie tötete alle Feinde an einem Tag. Als sie sich, nachdem der Kampf vollbracht war, umwandte, sahen die Männer, daß sie eine Maske trug; eine Seite der Maske war blau, die andere gelb, und sie hatte lange Zähne. Die Männer fürchteten sich vor ihr, aber sie folgten ihr auf dem Weg zurück ins Dorf, währenddessen sie sang und lachte. Die Schlacht trug ihr den Namen »Pohaha« ein, wobei *Po* »naß«

bedeutet, denn es heißt, sie sei beim Kämpfen zwischen den Beinen naß gewesen, und *haha* wegen ihres Lachens.

An jenem Abend kamen Pohahas Onkel zu ihrem Haus und meinten, sie müsse ein Mann sein, und sie hätten beschlossen, sie als Kriegshäuptling einzusetzen. Selbst wenn sie ein Mädchen sei, sei sie ein Mann. Als Kriegshäuptling habe sie ihr Volk gegen Feinde zu führen, es vor Krankheit zu schützen und es als ihre Kinder zu behandeln. Danach wurde sie eine gute Frau.

Als sie starb, hinterließ sie ihre Maske und sagte, die Maske werde stellvertretend für sie da sein, auch wenn sie tot sei. »Ich werde immer bei euch sein«, sagte sie, »die Maske bin ich.« Das ist der Grund, weshalb der Cottonwood-Clan die Maske aufhebt und bewahrt.[3]

Es gibt viele Geschichten über Ojibwa-Frauen, die auf dem Kriegspfad waren. Viele von ihnen zogen als junge Mädchen in den Kampf, den ihre Väter organisiert hatten; sie waren eine Belohnung für die besten jungen Krieger, die sie dann zur Frau nehmen durften. Andere Frauen zogen aus Verzweiflung oder aufgrund von Selbstmordneigungen in den Krieg, während wieder andere aus verzweifeltem Selbsterhaltungstrieb kämpften, wenn sie oder ihre Kinder eingekesselt waren. Eine Ojibwa-Frau jedoch – sie hieß Chief Earth Woman – kämpfte um des Kriegsruhms willen. Sie ist damit eines der wenigen Beispiele unter den eingeborenen amerikanischen Frauen, die sich dem Feind wie Männer entgegenstellten.

Zu ihrer ersten Teilnahme an einem Kriegszug ließ sich Chief Earth Woman durch ihre Liebe zu einem jungen Krieger inspirieren, der unglücklicherweise bereits verheiratet und Vater zweier Kinder war. Doch Chief Earth Woman flirtete weiter mit dem jungen Krieger, und als er und andere Männer planten, die Sioux anzugreifen, beschloß sie mitzuziehen. Immer wenn die Männer zu einem solchen Unterfangen aufbrachen, paddelten die Frauen ein Stück weit in ihren Kanus nebenher. Doch als diesmal die anderen Frauen umkehrten, stellten sie fest, daß Chief Earth Woman nicht mehr an ihrer Seite war.

Das lebhafte junge Mädchen konnte den Anführer der Kriegergruppe dazu überreden, sie weiter mitziehen zu lassen, indem sie ihm einen Traum anvertraute, der ihr besondere übernatürliche Kräfte verlieh. In der Tat war sie in der Lage, die Bewegungen der Sioux vorauszusagen, und so konnte ihre Gruppe den Feind leichter überwinden. Als die Ojibwa die Sioux überraschten, war der Geliebte von Chief Earth Woman der erste, der einen der Feinde tötete, und kaum war der Sioux gefallen, lief sie zu ihm hin und nahm seinen Skalp.

Als die Kriegergruppe ins Lager zurückkehrte, schloß sich Chief Earth Woman dem Gesang der anderen frisch gebackenen Krieger an (»So also sehen die Köpfe der Sioux aus«), und sie erhielt die traditionellen Ehren genau wie ihre männlichen Kameraden.

Eine junge Ojibwa-Frau, die ihren Vater auf einem Kriegszug begleitete, erbeutete nicht nur die Skalpe zweier feindlicher Krieger, sondern schnitt einem von ihnen auch die Genitalien ab. Die Mutter dieses Mädchens war immer sehr eifersüchtig gewesen und hatte sich oft mit anderen Frauen, die sie für ihre Nebenbuhlerinnen hielt, gezankt und geprügelt. Während des Siegestanzes warf ihr ihre Tochter die abgeschnittenen Genitalien des Feindes zu und rief: »Hier, das ist für dich! Für solche Dinger hast du dich doch immer gestritten und geprügelt. Du hast Frauen das Gesicht zerschnitten und ihnen die Haare ausgerissen. Behalte es! Ich habe es für dich geholt!«[4]

Hé-é-e, das Kriegermädchen
(Hopi)

Vor vielen Jahren wohnten einige Hopi außerhalb des Hauptdorfes. In einem Haushalt war die Mutter damit beschäftigt, das Haar ihrer Tochter zu den Schmetterlingsschnecken aufzustecken, die junge Hopi-Mädchen in der Regel trugen. Die Mutter war eben mit der einen Seite fertig, auf der anderen Seite hing das Haar noch glatt nach unten, als die beiden Feinde auf das Dorf zuschleichen sahen.

Das Mädchen ergriff Bogen, Köcher und Pfeile, die an der Wand hingen, und lief zum Dorf, um die anderen Leute zu warnen. Dann führte sie die Verteidigung an, bis die Männer von den Feldern zurückkamen und die Feinde vertrieben. Seitdem ist sie ein *kachina* und wird immer mit auf der einen Seite aufgestecktem, auf der anderen Seite glatt herabhängendem Haar dargestellt.[5]

Noch lange nicht alle Indianerfrauen, die sich an Kämpfen beteiligten, haben dies aus freien Stücken getan; bisweilen mußten sie in die Schlachten eingreifen, um sich und ihre Kinder zu retten.

Dies war der Fall bei einer alten Pawnee-Frau, die ihrer Heldentaten wegen »Old-Lady-Grieves-the-Enemy« (Alte-Dame-bekümmert-den-Feind) genannt wurde. Einmal bereiteten sich die Ponca – anscheinend von einigen Sioux unterstützt – darauf vor, das Pawnee-Dorf der alten Dame, die damals schon etwa fünfzig Jahre zählte, anzugreifen. Die Feinde krochen auf das Dorf zu, die Taschen voller Heu, damit sie die Häuser niederbrennen konnten. Die Männer des Stammes meinten, sie seien an Zahl so hoffnungslos unterlegen, daß ein Kampf keinen Sinn habe, und blieben in ihren Häusern hocken. Die alte Dame mochte sich solch feigem Verhalten nicht anschließen und beschloß, alles zu tun, was sie vermochte. Sie zog ihre Kleider aus, legte einen Lendenschurz um, schmierte sich Ruß vom Herd um die Augen (was Trotz gegen jede Gefahr, insbesondere Feuer, bedeutete) und ging mit einer Kriegskeule gegen die Feinde an. Dies stachelte die Männer zum Handeln an; sie schämten sich und versuchten, eine Verteidigung aufzubauen.

»Old-Lady-Grieves-the-Enemy« erschlug einen Ponca unmittelbar vor ihrem Haus, und schließlich gelang es den Pawnee, die Angreifer zurückzuschlagen. Als Jahre später Angehörige beider Stämme sich über die Schlacht unterhielten, erinnerten sich die Ponca, der alte Mann habe, als er aus dem Haus kam, so tapfer gewirkt, daß genau dies es war, was sie zurückhielt. Daraufhin erzählten die Pawnee ihren früheren Feinden, daß der alte Krieger eine Frau gewesen sei.

Die lebhafte alte Frau ließ den Rest des Dorfes nicht vergessen, daß sie es gewesen war, die die Leute zum Widerstand angestachelt hatte. Als sie bemerkte, wie ein eifersüchtiger Ehemann seine Frau verprügelte, schimpfte sie ihn aus und sagte mit ihrer tiefen, vollen Stimme: »Gute, tapfere Männer seid ihr! Euer Platz ist draußen, die Ponca zu schlagen. Die sind hergekommen, um unser ganzes Dorf niederzubrennen. Wir Frauen tun euch nichts. Ihr solltet draußen sein und euch mit den Ponca schlagen.«[6]

Es wird von einer Cherokee-Frau berichtet, die in einer Schlacht ihre Leute durch ihren spontanen Zorn anfeuerte. Eine feindliche Kriegergruppe hatte eine Cherokee-Stadt angegriffen und den Häuptling getötet. Seine Frau Cuhtahlatah (Wilder

Hanf) war so verzweifelt, als sie ihren Mann fallen sah, daß sie seinen Tomahawk ergriff und unter dem Ruf: »Tötet, tötet«, auf die Feinde losging. Zu jenem Zeitpunkt war ihr Volk im Rückzug begriffen, aber als die Leute die Frau ihres gefallenen Häuptlings die Waffe schwingen sahen, rafften sie sich auf und setzten mit neuem Mut ihren Widerstand fort, so daß sie einen Sieg auf der ganzen Linie errungen hatten.

Cherokee-Frauen schlossen sich manchmal ihren Männern im Kampf gegen die Kolonisten an, die ihnen ihr Land wegzunehmen drohten. Es liegt ein Bericht über einen Feldzug vor, den General Griffith Rutherford 1776 gegen die Cherokee führte. Die Weißen verloren neunzehn Mann gegen die indianischen Krieger, doch gelang es ihnen schließlich, ihre Widersacher zurückzudrängen. Nachdem die Hauptmacht der Indianer sich zurückgezogen hatte, bemerkten die Soldaten einen einsamen Krieger, der hinter einem Baum hervorlugte; sie schossen sofort und töteten ihn. Als sie die Leiche untersuchten, entdeckten sie, daß es sich um eine Frau handelte, die wie ein Krieger bemalt und mit Pfeil und Bogen bewaffnet war. Sie hatte bereits einen Oberschenkeldurchschuß und daher nicht mit ihren Kameraden fliehen können.

Hätte dieser weibliche Krieger überlebt, wäre er zweifellos in jene Cherokee-Schwesternschaft geheiligter Personen aufgenommen worden, die »Hübsche Frauen« genannt wurden. Dieser Versammlung anzugehören galt als hohe Ehre, und nur Frauen, die eine Heldentat vollbracht oder die Mütter von Kriegern waren, konnten aufgenommen werden. Die »Hübschen Frauen« nahmen wie die Männer ihres Stammes an jedem Kriegsrat teil und berieten den Kriegshäuptling in Fragen der Strategie und des Angriffszeitpunkts. Sie entschieden auch über das Schicksal sämtlicher Gefangener.

Gewöhnlich allerdings spielten Frauen, wenn sie an Kämpfen teilnahmen, eine passivere Rolle als diese legendären Kriegerinnen. In einer Schlacht, in der Custer und seine Männer eine Gruppe Cheyenne angriffen, versuchten die Frauen und Kinder zu fliehen, während die Männer sich bemühten, die weißen Angreifer aufzuhalten. Eine Mutter namens »Buffalo Woman« überanstrengte sich derart, als sie ihre drei Kinder in Sicherheit brachte, daß sie schließlich stehenblieb und sich einen Augenblick niedersetzte. Sie und ihre Kinder wurden sofort von einem weißen Soldaten gefangengenommen, der sie in Richtung der Heeresverbände abführte. Unterwegs bemerkte »Buffalo Woman« eine Anzahl Indianerkrieger, die von Süden auf sie zukamen. Sie ließ sich nichts anmerken und bat die Soldaten, einen Moment zu warten; sie wolle die Füße ihrer Kinder in Lappen wickeln, um sie gegen die eisige Kälte zu schützen. Natürlich verstanden die Soldaten nicht ihre Worte, aber offenbar begriffen sie, was sie wollte, als sie Stoffstreifen von ihrem Kleid abzureißen und die Füße der Kleinen zu umwickeln begann. Während »Buffalo Woman« die Soldaten aufhielt, gelang es den Indianern, zwischen sie und den Rest des Kommandos zu gelangen. Die Krieger erkannten die Frau, töteten die Soldaten und brachten »Buffalo Woman« und ihre Kinder in Sicherheit.

Diese Geschichte ähnelt der einiger früher Natchez-Frauen, die in der Nähe der heutigen Stadt Natchez, Mississippi, lebten und ihren Männern wesentlich beim Überwinden der französischen Eindringlinge halfen. Diese Indianer im Süden wollten von Anfang an die Franzosen in ihrem Gebiet nicht haben, aber sie warteten mit Aktionen, bis sie einen Plan entwickelt hatten. Inzwischen wurden die Franzosen, die sich mit den Natchez-Frauen vergnügten, aufgrund des scheinbaren Wohlwollens der Männer der Stadt nachlässig und unaufmerksam. Die weißen Männer besuchten abends arglos die Indianerstadt und ließen die Indianerfrauen ungehindert in ihrer eigenen Garnison ein und aus gehen.

Die Natchez-Krieger arbeiteten gemeinsam mit ihren Frauen einen Plan aus und sagten denjenigen, die französische Liebhaber hatten, sie sollten sich mit ihnen für den Abend innerhalb der Festung verabreden. Die Frauen willigten ein und trafen die üblichen Verabredungen. Als der Abend kam, gingen indessen nicht die Frauen ins Fort, sondern verkleidete Natchez-Krieger. Endlich fanden die Männer Gelegenheit, ihren aufgestauten Aggressionen freien Lauf zu lassen, und sie töteten alle Franzosen – bis auf einen. Seine Natchez-Frau liebte ihn wirklich, und sie betrog ihr eigenes Volk, indem sie ihren Liebhaber vor dem bevorstehenden Angriff warnte. Dieser Soldat entkam heimlich über den Mississippi und benachrichtigte andere Franzosen von dem Desaster.

Die Natchez waren alle ins Fort gezogen und lebten in Saus und Braus, als sie von einem Kontingent Franzosen überrascht wurden. Sie wurden in Gewahrsam genommen, aus ihrem Heimatgebiet verschleppt und in einer anderen Gegend angesiedelt. Man kann nur mutmaßen, wie die verliebte junge Natchez-Frau reagiert hat, als ihr die weitreichenden Konsequenzen ihres Verrats klarwurden.

Siegesfeierlichkeiten

Die hier wiedergegebenen Geschichten über weibliche Indianerkrieger beschreiben in der Tat außergewöhnliche Frauen. Nur wenige eingeborene amerikanische Frauen besaßen den Wagemut und Kampfgeist, aus eigenen Stücken hinauszuziehen und zu töten, zu skalpieren und zu plündern. Die typische Ehefrau und Mutter wartete daheim, während die Krieger unterwegs waren; sie betete für das Leben der Kämpfenden, sorgte sich um Kinder und Garten und erhielt in der Abwesenheit ihres Mannes die normale Routine des Lagerlebens aufrecht. Doch während sie still ihre täglichen Pflichten erledigte, wußte sie, wenn die Krieger siegreich und mit vielen Feindesskalpen heimkehrten, würde sie Gelegenheit bekommen, den Feind zu verspotten und erniedrigen, denn es war ihr Privileg, bei den Siegesfeiern mit den Skalpen zu tanzen.

Der Skalptanz der Frauen diente in den amerikanischen Eingeborenengesellschaften offenbar einem tief verwurzelten Zweck, denn er war bemerkenswert weit verbreitet und unterschied sich von Stamm zu Stamm nur in den Details der Feierlichkeiten. Die blutrünstigen Kriegstrophäen wurden gewöhnlich an Stöcken oder Pfählen aufgehängt, und die Frauen schwenkten die Skalpe wie Fahnen, während sie sich durch Tanz und Gesang bis zur Raserei steigerten und Zorn, Feindseligkeit und Wut freien Lauf ließen. Auf den ersten Blick erscheint es befremdlich, wenn Frauen, deren Lebensinhalt das Ernähren war, ein solch orgiastisches Verhalten in den Siegestänzen an den Tag legen und sich an dem Unglück anderer armer Kreaturen, die ihnen weitgehend ähnlich sind, weiden. Aber es wäre wirklichkeitsfremd, wollte man annehmen, Frauen hätten kein Bedürfnis, ihre aufgestauten Aggressionen abzubauen. Diese Frauen waren genau wie die Männer seit ihrer Kindheit auf die Kriegspsychologie konditioniert worden. Sie nahmen an den kriegsvorbereitenden Ritualen teil und steigerten sich intensiv in Zorn und Rachedurst hinein. Sie waren es, die den wirtschaftlichen Verlust zu spüren bekamen, wenn ihr Bruder oder Ehemann getötet wurde, und sie waren zu jahrelanger Witwenschaft verurteilt, wenn ihr Mann fiel. Es nimmt nicht wunder, wenn sie auf den Feind wütend waren. Nichtsdestoweniger waren den meisten Frauen die Erregung und die Entspannung versagt, die die Männer im Kampf fanden. Die Frauen mußten warten, bis die Männer mit Skalpen oder Gefangenen aus der Schlacht heimkehrten, denn erst die Siegesfeiern waren der Zeitpunkt und der Ort, an dem die durchschnittliche Indianerfrau ihrer Erleichterung Luft machen durfte.

Und sie machte ihnen Luft. Cree- und Assiniboine-Frauen schwärzten ihre Gesichter, wenn sie mit den Skalpen tanzten; Natchez- und Osage-Tänzerinnen kleideten sich wie Krieger und bemalten sich von der Hüfte aufwärts; und Menominee-Frauen »kauften« Skalpe von ihren Brüdern und bezahlten sie mit Geschenken, um »das Blut von ihren Händen zu waschen«. Die Siegesfeierlichkeiten der Apachen waren eine Zeit seltener sexueller Zügellosigkeit für reife, verwitwete oder geschiedene Frauen, die nackt und schön bemalt tanzten. Die Krieger genossen es, die Frauen tanzen zu sehen, und diese Tänze galten als gute Gelegenheit für die Frauen, den Kriegern dafür zu danken, daß sie den Tod eines ihrer Verwandten gerächt hatten. War eine Apachen-Kriegergruppe hinausgezogen, um den Tod eines bestimmten Kriegers zu rächen, wurden die männlichen Gefangenen an die nächste weibliche Verwandte des toten Mannes übergeben. Zuerst folterte die Frau die Gefangenen, wobei ihr einige andere Frauen aus ihrem Lager halfen, dann tötete sie sie.

Kehrte der Ehemann einer Papago-Frau von einem Kriegszug gegen die Apachen mit einem Skalp heim, so durften weder sie noch er am Siegestanz teilnehmen. Statt dessen suchten sie beide getrennt die Abgeschiedenheit und lebten in kleinen Schutzhütten aus Zweigen. Dem siegreichen Krieger leistete sein Pate Beistand und Gesellschaft, und die Frau des Paten kümmerte sich um die Frau des Kriegers. Es wäre sehr gefährlich gewesen, wenn jemand, der getötet hatte, vor Ablauf seiner rituellen Reinigung zu seiner Familie zurückgekehrt wäre. Die Papago glaubten, der Tod eines Feindes setze Macht frei, und diese Macht müsse erst gezähmt werden, ehe man sie dienstbar machen konnte. Daher blieben der Krieger und seine Frau sechzehn Tage lang im Exil, während die übrigen Leute im Dorf allnächtlich feierten. Junge Mädchen tanzten mit den Bögen, Pfeilen, Keulen und Schildern der Krieger, und alte Frauen jenseits der Menopause tanzten mit den Apachen-Skalpen.

Siegeslied
(Papago)

Hier stehe ich und singe für meinen Gefangenen,
Kommt und seht, o Frauen!
Ich träumte, ich sähe Licht
An den Spitzen der Federn der Krieger.[7]

Manche Papago-Frauen wollten sich den langen Reinigungsriten nicht unterziehen und baten daher ihre Männer, während Kriegszügen nicht zu töten. Andere wandten Tricks an: Da ein Mann nicht in den Kampf ziehen konnte, wenn seine Frau menstruierte – er hatte dann weniger Kraft und Macht –, begaben sich manche Frauen einfach in das Kleine Haus, weil sie entweder die längere Abgeschiedenheit nach dem Krieg umgehen wollten oder weil sie um das Leben ihrer Männer fürchteten. In der *Autobiography of a Papago Woman* berichtet Chona von einer Frau, die ihrem Ehemann erzählte, sie menstruiere, weil sie nicht wollte, daß er in den Krieg zog. Anscheinend wurde die Frau für ihre Lüge bestraft, denn sie soll danach nie wieder menstruiert haben.

Fänger und Gefangene

Ob ein Indianermädchen oder eine Frau sich als grausame, rachsüchtige Quälerin betätigen konnte oder ob sie sich in der Lage einer zitternden, angstvollen Gefangenen wiederfand, hing weitgehend von der Stärke und dem Erfolg der Krieger ab, die sie schützten; ihr Schicksal als Gefangene wiederum hing von den Sitten und Bräuchen der Sieger ab.

In vielen Stämmen – insbesondere in denen des Ostens und Südostens – übergaben siegreiche Kriegergruppen ihre Gefangenen sofort bei der Heimkehr den Frauen, die darüber entschieden, ob die armen Unglücklichen auf der Stelle getötet, gefoltert oder als Sklaven behalten werden sollten.

Die Gros Ventre in Montana hatten ein Sprichwort: »Frauen und Kinder ergeben keine gute Holzkohle«, was besagt, daß Frauen und Kinder zwar nach Kämpfen mit Feinden gefangengenommen werden, aber weder getötet noch skalpiert werden sollten. Gefangene Kinder wurden von Familien adoptiert, die ihren eigenen Nachwuchs durch Krieg oder Krankheit verloren hatten.

Die Sioux adoptierten ebenfalls häufig ihre Gefangenen, wobei Kinder von der Familie ihres Fängers aufgenommen und wie die übrigen Kinder behandelt wurden. Gefangene Frauen wurden häufig vor die Wahl gestellt, ob sie den Mann, der sie gefangengenommen hatte, heiraten oder ob sie an ihr Volk zurückgegeben werden wollten. Sioux-Krieger machten weibliche Gefangene nur mit dem Hintergedanken, eine attraktive neue Frau zu bekommen – unter anderen Gesichtspunkten lohnte es sich nicht, die Gefahren und Schwierigkeiten auf sich zu nehmen.

Die Yuma, die im Südosten Arizonas an der Mündung des Colorado River lebten, nahmen häufig Feindesfrauen gefangen und zwangen sie, bei den Festlichkeiten zu tanzen, die der Heimkehr der Krieger folgten. Während der Tänze wurden die Gefangenen mißhandelt, aber wenn das Leben wieder in seinen normalen Bahnen verlief, wurden sie von den Siegern als Preis beim Glücksspiel eingesetzt oder eingetauscht und landeten oft als Ehefrau bei einem alten Mann, dessen Frau gestorben oder zu schwach war, um die Haushaltsarbeit zu bewältigen. Von diesem Zeitpunkt an wurden sie einigermaßen gut behandelt; sie erledigten die gleichen Aufgaben wie die Yuma-Hausfrauen, und nichts deutet darauf hin, daß sie sich übermäßig abrackern mußten oder ausgebeutet wurden. Die Mehrzahl dieser Frauen lebte sich in den Yuma-Dörfern ein und unternahm keine Fluchtversuche.

Yuma-Kinder, die bei den Cocopah in Gefangenschaft gerieten, wurden von kinderlosen Ehepaaren adoptiert, die die Kleinen so gut behandelten, daß sie kaum einmal zu fliehen versuchten. Jeden Morgen brachten die Adoptiveltern ihre Kinder ans Flußufer und badeten sie in einem großen Tongefäß. Diese Waschung hatte eine zeremonielle Funktion und brauchte bei im Stamm geborenen Cocopah-Kindern nicht durchgeführt zu werden. Kindern, die von den Kaska im nördlichen Britisch-Kolumbien gefangengenommen wurden, erging es nicht so gut. In diesem Stamm wurden in früheren Tagen viele junge Gefangene getötet, indem man sie auf angespitzte Pfähle spießte, die um ein Feuer aufgestellt wurden.

Die Creek waren zu Frauen und Kindern, die sie gefangengenommen hatten, einigermaßen fair und nahmen sie gewöhnlich in ihren Stamm auf. Zwar konnte ein ehemaliger Gefangener nie ein mit allen Rechten ausgestatteter Creek werden, aber die Nachkommen der Gefangenen wurden als vollwertige Gesellschaftsmitglieder betrachtet. Männlichen Gefangenen erging es nicht so gut; ihnen stand die qualvollste Marterung durch die Ehefrauen der Sieger bevor. Jede Frau machte sich ein langes Bündel aus trockenem Rohr oder Pechkiefermark, und wenn die Opfer zum Marterpfahl geführt wurden, schlugen die Frauen und Kinder mit diesen brennenden Fackeln auf sie ein. Machte ein Gefangener den Eindruck, als würde er sterben, bevor die Frauen mit ihm fertig waren, wurde er mit einem Guß kalten Wassers wieder zum Leben erweckt. Angewidert von dem, was sie zu sehen bekamen, schrieben weiße Forscher, die Frauen hätten mit »religiöser Freude gesungen«, während sie diese Riten durchführten.

Die Bräuche der Natchez waren ähnlich. Sah allerdings eine Natchez-Witwe, die ihren Mann im Krieg verloren hatte, einen Mann, der ihr gefiel, wenn die männlichen Gefangenen völlig nackt vor dem versammelten Dorf aufmarschieren mußten, konnte sie diesen Gefangenen als Ehemann für sich beanspruchen. Augenscheinlich konnte die Grausamkeit auch den Folterern selbst zuviel werden; dann griff bisweilen eine Frau ein und machte den Qualen eines Gefangenen ein rasches Ende. Der französische Forscher Le Page Du Pratz schrieb im Jahre 1758: ». . . wenn er zu lange leidet, zündet eine mitfühlende Frau eine Rohrfackel an, und wenn diese lodernd brennt, läßt sie ihn binnen eines Augenblickes sterben, indem sie die Fackel an seine empfindlichste Stelle hält, und die tragische Szene nimmt auf diese Weise ein Ende.«[8]

Indianerfrauen im Südosten verhielten sich nicht humaner, wenn sie sich mit weiblichen Gefangenen befaßten. Die Wut, der Zorn und die Gewalttätigkeit, mit der Caddo-Frauen auf die unglückseligen weiblichen Gefangenen losgingen, die ihre Krieger-Ehemänner heimbrachten, nahmen kein Ende. Mit Stöcken und geschärften Fleischspießen bewaffnet, gingen die Caddo-Frauen sofort auf die zitternde Gefangene los; eine riß ihr eine Handvoll Haare aus, eine andere stach ihr ein Auge aus, und die dritte hackte ihr einen oder mehrere Finger ab. Schließlich schlug eine der Quälerinnen der Gefangenen mit einem Knüppel auf den Kopf, während die anderen wieder und wieder ihre Spieße in ihren Körper stachen. War endlich jedes Leben aus der armen Frau gewichen, zerschnitten die Frauen die Leiche in viele Stücke, die sie unter sich aufteilten. Dann wurden Sklaven, die die Caddo bei voraufgegangenen Gelegenheiten erbeutet hatten, gezwungen, das Fleisch ihrer früheren Stammesgenossen zu essen, was eine extreme Erniedrigung bedeutete.

Die Irokesen, die miteinander so gut auskamen, entluden weitgehend ihre Aggressionen, wenn sie sich mit Kriegsgefangenen aus anderen Stämmen beschäftigten. Kehrten siegreiche Irokesen-Krieger mit Gefangenen heim, wurde jeder Gefangene einer Familie zugewiesen und vor die Haustür geführt. Dann trat die Obermatrone heraus und besah sich den Gefangenen. Sie konnte entscheiden, ob der Mann oder die Frau in die Familie aufgenommen werden sollte, um an die Stelle eines gestorbenen oder getöteten Familienmitglieds zu treten, oder ob der oder die Gefangene ein Sklave wurde, um den Frauen bei ihren Arbeiten zu helfen. Akzeptierte die Matrone den Gefangenen nicht – »Werft ihn (oder sie) ins Feuer!« hieß es dann –, hatte er keine Chance mehr und wurde bald darauf verbrannt.

Männliche Gefangene, die für eine mögliche Adoption ausgesucht worden waren, mußten dann aber immer noch den mächtigen Irokesen-Frauen ihren Mut beweisen. Zu einem festgesetzten Zeitpunkt – normalerweise drei oder vier Tage nach der Rückkehr der Kriegergruppe – bewaffneten sich die Frauen und Kinder des Dorfes mit Peitschen und stellten sich in zwei parallelen Reihen auf. Jeder Gefangene wurde gezwungen, durch diese lange Gasse Spießruten zu laufen. Diejenigen, die vor Erschöpfung zusammenbrachen, wurden auf der Stelle als der Rettung unwürdig erachtet und zur Folterung abgeführt. Diejenigen, die diese Prüfung überstanden, wurden mit offenen Armen empfangen und traten sofort in alle Rechte und Pflichten der Person ein, deren Stelle sie einnehmen sollten.

Die Irokesen behandelten ihre Gefangenen oft sehr hart, aber es lag eine gewisse Gerechtigkeit in dem Umstand, daß es ihnen selbst nicht besser erging, wenn sie in Gefangenschaft gerieten. Wenn Huronen mit einem Überfall auf Irokesen Erfolg hatten, folterten sie sofort alle Irokesen-Frauen und Kinder, die ihnen in die Hände fielen. Männliche Irokesen wurden in die Huronendörfer geschleppt und dort zunächst einer angesehenen Familie übergeben, um einen von deren Toten zu ersetzen, und später wurden sie in einem gräßlichen Ritus, der bis zu sieben Tage dauern konnte, zu Tode gemartert.

Nachdem der Gefolterte gestorben war, schnitt man ihm den Bauch auf und gab allen Kindern ein auf einen Stock aufgespießtes Stück Eingeweide, damit sie mit diesen Trophäen durch das Dorf laufen konnten. Dann wurde die Leiche zerstückelt, gebraten und von den Feiernden verzehrt.

Die Yavapai in Mittelarizona verspeisten ebenfalls bisweilen ihre Gefangenen. Sie taten dies nicht, weil ihnen Menschenfleisch besonders gut schmeckte, sondern um Groll auf den Feind abzulassen. Einer der letzten Fälle, in denen dieser Brauch praktiziert wurde, ereignete sich zwischen 1830 und 1850, als eine kleine Gruppe Halchidhoma-Indianer von Yavapai eingekreist wurde. Alle Halchidhoma außer einer Frau und ihrer kleinen Tochter wurden getötet. Die Yavapai gruben eine lange Grube und machten in dem Graben Feuer, in das sie viele dicke Scheite warfen. Als sie ein tiefes Holzkohlebett fertig hatten, warfen sie ein Reh in die Grube, um es zu braten, und dann ergriffen sie das kleine Mädchen und drückten es so lange auf die glühende Kohle, bis es starb. Jeder Yavapai aß daraufhin ein Stück Wild und ein Stück Menschenfleisch. Die Mutter konnte später entkommen und sich zu ihrem Volk durchschlagen; sie berichtete vom schrecklichen Tod ihrer Tochter und der anderen Stammesgenossen.

Keineswegs immer vergingen sich die eingeborenen amerikanischen Krieger an ihren weiblichen Gefangenen. Die Irokesen zögerten zwar nicht, jeden Gefangenen zu töten, der mit der rasch wandernden Kriegergruppe nicht Schritt halten konnte, aber sie vergewaltigten die Frauen nie. Da es den Creek-Kriegern aus rituellen Gründen verboten war, die ersten drei Tage nach einem Raubzug Geschlechtsverkehr zu haben, vergewaltigten sie ihre weiblichen Gefangenen gewöhnlich nicht. Die Cocopah hielten es für zeremoniell unrein, weibliche Gefangene zu mißbrauchen, weil sie meinten, sie würden dann geisteskrank. Ihre Gefangenen gaben sie bisweilen alten Männern als Ehefrauen, aber das dürfte wohl kaum Vergewaltigung bedeutet haben. Man meinte, ältere Männer hätten ohnehin den Großteil ihrer Potenz bereits verloren und seien daher durch die bösen Kräfte einer Frau aus einem anderen Stamm weniger verwundbar. Die einzige zu verzeichnende Ausnahme von dieser Regel war der Stamm der Flathead, bei denen die Vergewaltigung feindlicher Frauen institutionalisierter Bestandteil der Kriegsbräuche war.

Die Pawnee, die Ackerbauern und Jäger auf den mittleren Great Plains waren, hatten eine besondere Verwendung für junge weibliche Gefangene. Alljährlich organisierten die Pawnee-Krieger eine Expedition, um aus einem Feindesstamm ein Mädchen zu fangen, das die Hauptrolle bei einer ihrer wichtigsten Zeremonien zu spielen hatte. Dem Schöpfungsmythos der Pawnee zufolge waren Fruchtbarkeit und Licht dadurch auf die Welt gekommen, daß sich der Morgenstern und sein Reich des Lichts mit dem Abendstern und seinem Reich der Dunkelheit vereinigten. Aus dieser Vereinigung ging der erste Mensch, ein Mädchen, hervor, und nun forderte der Morgenstern regelmäßig ein Mädchen als Gegengabe.

Nachdem das junge Mädchen, das immer etwa dreizehn Jahre alt war, ins Pawnee-Lager gebracht worden war, wurde es außerordentlich gut behandelt und über das Schicksal, das ihm bevorstand, völlig im unklaren gelassen. Am Tag vor der Zeremonie wurde das Mädchen in besondere Kleider gesteckt und sein Körper auf der rechten Seite rot bemalt, um den Tag, die Zeit des Morgensterns, zu symbolisieren; die linke Körperhälfte malte man schwarz an, um die Nacht, die Zeit des Abendsterns, zu versinnbildlichen.

Ein Gerüst wurde errichtet, aber dabei alles unternommen, um die junge Gefangene hinsichtlich des Bevorstehenden arglos zu halten. An dem vorgesehenen Tag vor Morgengrauen wurden ihre Hände mit besonders geflochtenen Seilen aus Elkhaut gefesselt, und sie wurde zu dem Gerüst geführt. Zu jenem Zeitpunkt blickte das Mädchen bereits verwundert um sich und fragte sich, was da eigentlich vor sich ging. Man hielt es für einen Glücksfall, wenn das Mädchen in seiner Arglosigkeit die Stufen des Gerüsts hochstieg, ohne Widerstand zu leisten. War sie dann an das Gerüst gefesselt, hatte das arme Mädchen wahrscheinlich begriffen, daß sein Lebensende bevorstand. Sobald der Morgenstern aufging, schoß ein Priester dem Mädchen durchs Herz, während ein anderer ihm mit einer Keule über den Kopf schlug. Dann schoß jeder männliche Stammesangehörige einen Pfeil in ihren Körper, wobei ältere Verwandte den Akt für kleine Jungen durchführten, die noch zu schwach waren, um einen Bogen spannen zu können.

Wenn die Pirester die Leiche des Mädchens begruben, weihten sie ihren Tod der Fruchtbarkeit des Bodens und dem Gelingen der Ernte, wobei sie sangen: »Sie möge sich in die ganze Erde verwandeln. Die ganze Erde möge ihr Blut empfangen.« Im Dorf herrschte dann allgemeine Freude und eine Zeit sexueller Freiheit, die zeremonieller Ausdruck der Verherrlichung der Fruchtbarkeit war.

Im Jahre 1816 nahmen die Pawnee ein junges Komantschen-Mädchen gefangen und bereiteten sich darauf vor, sie im Rahmen der Frühlingsriten zu opfern. Ein junger Krieger des Stammes – er hieß Man Chief – hatte einige Jahre zuvor den Häuptling, der sein Vater oder Onkel war, zu einer Unterredung mit William Clark nach St. Louis begleitet. Während des Aufenthalts bei Clark versuchte der ehemalige Forscher, die beiden Indianer zu überreden, die Morgensternzeremonie aufzugeben. Die beiden willigten ein, konnten aber ihre Stammesgenossen nicht dazu bringen, von dem Brauch abzulassen. Als für Man Chief offensichtlich wurde, daß sein Volk das junge Komantschen-Mädchen tatsächlich zu opfern beabsichtigte, griff er just in dem Augenblick ein, als das Mädchen an das Gerüst gefesselt wurde. Er ritt vor die versammelte Menge, erklärte, er sei das Mädchen holen gekommen, schnitt sie los, warf sie auf sein Pferd und galoppierte mit ihr davon; später schickte er sie heim nach Süden zu ihrem Volk. Zum letzten mal wurde am 22. April 1838 ein Mädchen aus dem Stamm der Oglala-Sioux von den Pawnee getötet.

Sklaven

Nicht alle Gefangenen wurden vom feindlichen Stamm adoptiert oder grausam zu Tode gefoltert. Manche wurden bereits in der Absicht gefangengenommen, sie später zu Sklaven zu machen. Viele der Stämme an der Nordwestküste hielten Sklaven, und in der Nähe von Dallas in Oregon gab es einen regelrechten Sklavenmarkt, auf dem zwischen den Stämmen Gefangene gehandelt wurden. Fast alle Leute, die in die wenig beneidenswerte Lage gerieten, auf diesem Markt als Ware gehandelt zu werden, waren ehemalige Kriegsgefangene, aber manche von ihnen waren auch Kinder oder Enkel von Personen, die in die Sklaverei gezwungen worden waren.

Die Flathead-Indianer in Montana waren der Meinung, es mache beinahe mehr Ärger, einen männlichen Sklaven zu halten, als seine Arbeit wert war; mit weiblichen Sklaven sei es jedoch etwas anderes, da man sie zu Haushaltsarbeiten im Lager benutzen konnte, bei denen man sie ständig unter Kontrolle hatte. Für einen Flathead galt es beinahe als ebenso ehrenvoll, eine Frau aus einem Feindesstamm gefangenzunehmen wie ein Pferd zu erbeuten. Weibliche Gefangene wurden normalerweise erniedrigt, indem man ihnen das Haar abschnitt, ihnen das Gesicht mit Holzkohle schwärzte und die Kleider mit roter Farbe beschmierte.

Wie eine Sklavin bei den Flathead behandelt wurde, hing weitgehend davon ab, in welchem Haushalt sie lebte. Normalerweise diente sie der Dame des Hauses als Arbeitstier und ihrem Herrn als geschätzte Sexualpartnerin. War die Ehefrau eifersüchtig, schwebte die Sklavin ständig in Gefahr, umgebracht zu werden; gelang es ihr andererseits nicht, den Herrn des Hauses zufriedenzustellen, hatte sie ebenfalls kaum Überlebenschancen. Doch zweifellos gab es auch gelegentlich Flathead-Ehefrauen, die sich mit dem Vorhandensein von Sklavinnen abfanden und froh waren, daß ihnen die eigene Arbeitslast erleichtert wurde, und stolz, eine Gefangene zu besitzen, die den Wohlstand ihres Ehemannes auswies.

Eine Flathead-Frau erinnerte sich, als sie ein Kind war, sei im Lager die Nachricht eingetroffen, ihr Vater komme mit zwei schönen Schoschonen-Frauen zurück, die er gefangengenommen habe, als er in der Wildnis auf ihre Hütte stieß. Ihre Mutter geriet in Rage und beschloß, in ihrem Haushalt keine schönen, jungen Schoschonen-Mädchen zu dulden; sie nahm eine Axt und wartete am Weg auf die Gruppe. Als ihr Ehemann ankam, führte er ein Feindespferd, hatte aber keine hübschen jungen Mädchen bei sich. Zum Glück für die Schoschonen-Mädchen hatte der Flathead-Krieger unterwegs einen weißen Händler getroffen, der die Mädchen für ein paar Decken und etwas Mehl gekauft hatte.

Die Lower Chinook an der Küste von Washington hielten pro Kopf der Bevölkerung mehr Sklaven als alle benachbarten Stämme; Familien der Oberschicht besaßen im Durchschnitt zwei bis drei Sklaven. Solange eine Sklavin nützlich war, wurde sie einigermaßen gut behandelt, wohnte in den gleichen Unterkünften wie die Besitzer und bekam das gleiche Essen. Wurde sie hingegen krank oder alt und gebrechlich, dann kümmerte sich niemand um sie, und sie verhungerte; die Leiche warf man ohne jede Feierlichkeit in einen hohlen Baum. War eine Sklavin als Gefährtin für ein Kind gekauft worden, so wurde sie fast immer getötet, wenn das Kind starb.

Die Tlingit in Südalaska hielten ebenfalls zahlreiche Sklaven, die zumeist bei Überfällen auf benachbarte Siedlungen anderer Stämme oder bei Überfällen auf Tlingit-Dörfer, mit denen die Angreifer keine Verwandtschaftsbeziehungen hatten, erbeutet worden waren. War eine Frau bei einem Überfall gefangengenommen worden, so wurde sie vorerst nicht als Sklavin eingestuft; zunächst einmal bekam ihre Sippe die Chance, sie freizukaufen, wobei der Preis von der sozialen Stellung der Gefangenen abhing. War aber eine Frau einmal freigekauft worden, haftete ihrem Ruf ein Makel an, der ihr von anderen Frauen immer wieder vorgehalten werden konnte. Beleidigungen dieser Art wurden normalerweise nicht offen ausgesprochen, sondern etwa in folgender Art: »Ich frage mich, ob sie wohl über sich selbst Bescheid weiß?«

Hatte eine Frau aus diesem oder jenem Grunde das Pech, nicht freigekauft zu werden, stand ihr bei den Tlingit ein mühseliges und normalerweise kurzes Leben als Sklavin bevor. Die Sklaven hatten die schwereren Arbeiten zu leisten, und sie waren einschließlich ihres Lebens Eigentum ihres Herrn. Beschloß ein Häuptling, ein Haus zu bauen, so erwürgte er einen Sklaven, um das Gebäude mit Blut zu sättigen. Und wollte ein Häuptling seine Vorrangstellung gegenüber einem anderen Häuptling betonen, dann tötete er gleich eine ganze Anzahl Sklaven. Im Gegenzug tötete der andere Häuptling ebenso viele oder noch mehr seiner eigenen Sklaven, und so ging es weiter, bis alle verfügbaren Gefangenen zur Verherrlichung ihrer Herren geopfert waren.

Eine andere Geschichte über Sklaven und was mit ihnen geschah, wenn sie zu fliehen versuchten, ist uns durch die Weiße Olive Oatman überliefert; sie geriet als Mädchen mit ihrer Schwester in die Gefangenschaft der Apachen, als die Familie Oatman auf einer Reise nach Kalifornien die Wüste von Arizona durchquerte. Nach ihrer Freilassung hat Olive Oatman – ihre Schwester starb in der Gefangenschaft – ihre Erlebnisse aufgezeichnet.

Olive Oatman und ihre Schwester wurden nach ihrer Gefangennahme verschleppt und mußten innerhalb von drei Tagen über vierhundert Kilometer zurücklegen. In dem Apachen-Dorf hatten sie ein überaus schweres Leben, da die Frauen, die ihre Arbeit überwachten, ihnen kaum etwas zu essen gaben, aber viel Arbeit aufbürdeten. Die beiden weißen Mädchen bekamen nur Reste und auch das nur, wenn sie den Hunden zuvorkamen. Olive führt ihr Überleben darauf zurück, daß sie viel beteten und daß es ihnen gelang, ab und zu ein paar eßbare Wurzeln zu finden. Als die Mädchen eine Zeitlang in diesen elenden Verhältnissen gelebt hatten, besuchte eine Gruppe Mohave das Apachen-Lager. Ein Mitglied der Gruppe, die Tochter des Häuptlings, war eine schöne, freundliche und mitfühlende Frau. Sie unterhielt sich mit den weißen Mädchen in der Apachen-Sprache, die sie inzwischen gelernt hatten, und sagte ihnen, die Mohave würden sie kaufen. Der Handel wurde perfekt, und die Mohave brachen mit ihren Pfleglingen zu einem Marsch auf, der sich über zehn Tage und etwa sechshundert Kilometer erstreckte. Kaum waren sie in dem Mohave-Lager angekommen, stellten die Mädchen fest, daß ihr Los nun noch schlimmer sein würde – sofern dies überhaupt möglich war. Wiederum befanden sie sich in der Rolle von Sklaven, doch diesmal nicht nur der Erwachsenen, sondern auch der Kinder. Obgleich die Mädchen darum baten, nicht tätowiert zu werden, wurden sie mit den üblichen Zeichen versehen, und zwar nicht mit denen für Mohave-Frauen, sondern denen für Gefangene, damit man sie erkennen konnte, wenn sie zu einem anderen Stamm flohen.

In einer Zeit, in der sie sehr wenig zu essen bekamen, wurde die jüngere Schwester, Mary Ann, krank und starb an Unterernährung. Olive dachte dauernd an Flucht, gab aber diese Gedanken auf, als sie erlebte, was mit einer jungen Cocopah-Frau passierte, die wie sie als Gefangene bei den Mohave lebte.

Die gefangene Cocopah war eine große, stattliche, junge Frau von etwa fünfundzwanzig Jahren. Olive Oatman schreibt: »Ich bemerkte an ihrer Haltung und in ihren Augen einen schrecklichen Kummer. Die übrigen Gefangenen wirkten zufrieden und sich selbst gegenüber gleichgültig. Diese Frau nannte sich Nowereha. Die anderen Gefangenen waren Mädchen zwischen zwölf und sechzehn Jahren, und während sie eine sorglose Haltung an den Tag legten, war diese Nowereha völlig gramgebeugt. Ich beobachtete, daß sie kaum etwas aß. Ständig jammerte und klagte sie, außer wenn ihre Herren sie mit Drohungen zum Schweigen brachten.«[9]

Olive Oatman erfuhr, daß die Stadt, in der die Cocopah-Frau gelebt hatte, bei Nacht von Mohave-Kriegern überfallen worden war. Die Cocopah versuchten wegzulaufen, ihre Feinde dicht auf den Fersen. Nowereha hatte ein kleines Kind, und nachdem sie mit dem Kind ein kleines Stück gelaufen war, kam ihr Mann, ergriff das Kind und lief weiter. Ihr Mann entkam mit dem Kind, Nowereha geriet in Gefangenschaft.

Nachdem sie eine Woche lang im Dorf umhergewandert war, verschwand Nowereha, »dies Bild vollendeter Verzweiflung und Hoffnungslosigkeit«. Das Dorf und die nähere Umgebung wurden abgesucht, und als die gramgebeugte Mutter unauffindbar blieb, kam man zu dem Schluß, sie habe sich umgebracht. Einige Tage darauf kam ein Yuma-Indianer in das Lager, der die arme, zerzauste Nowereha vor sich her trieb. Sie war zweihundert Kilometer weit gekommen, indem sie den Fluß hinauf gegangen, nur bei Nacht gewandert, geschwommen oder von Stein zu Stein gesprungen war.

Am nächsten Morgen gruben die Mohave einen dicken Pfahl fest in den Boden ein und befestigten daran einen Querbalken. Die unglückliche Nowereha wurde mit Holznägeln, die man ihr durch die Hände und die Fußgelenke trieb, an dieses Kreuz genagelt. Olive und die gefangenen Cocopah-Mädchen wurden vor das Kreuz geführt und mußten die leidende Frau anschauen, bis sie starb; dies sollte ihnen ein Beispiel dafür sein, was mit ihnen geschehen würde, wenn sie zu fliehen versuchten.

Dann begannen die Mohave, um die gekreuzigte Gefangene herum das zu veranstalten, was die Weißen sich unter einem Kriegstanz vorstellen: Sie schrien, stampften mit den Füßen und verhöhnten ihre Gefangene.

»Nach einer Weile statteten sich einige von ihnen mit Pfeil und Bogen aus und schossen ihr bei jeder Umkreisung eines dieser vergifteten Mordinstrumente in das zitternde Fleisch. Gelegentlich schrie sie laut und in der erbarmungswürdigsten Weise auf. Dies entlockte jener spottenden, herzlosen Menge die ohrenbetäubendsten Schreie. Sie hing über zwei Stunden in dieser schrecklichen Lage, ehe ich sicher war, daß sie tot war, wobei sie blutete und stöhnte und ihr Körper sich in der erbärmlichsten Weise wand. Wenn sie laut aufschrie, stopften sie ihr Stoffetzen in den Mund und brachten sie so zum Schweigen. Als sie einigermaßen sicher waren, daß sie tot war und sie ihr keinen weiteren

Schmerz mehr zufügen konnten, trugen sie ihren Körper zu einem Scheiterhaufen und verbrannten ihn.«[10]

Frauen als Friedenswahrer

Trotz der Spannung, die Kriegszüge mit sich brachten, und der Möglichkeit, Sklaven gefangenzunehmen, die ihnen bei der Arbeit halfen, waren manche Indianerfrauen gegen den Krieg eingestellt und baten ihre Männer, zu Hause zu bleiben. Olive Oatman, die von den Apachen gefangengenommen und später an die Mohave verkauft worden war, hat die Haltung der Frauen beschrieben, als die Mohave Pläne schmiedeten, gegen einen anderen Stamm Krieg zu führen. Sie schreibt: »Auch die Squaws trafen umfangreiche Vorbereitungen, allerdings widerstrebend, da sie gegen den Kriegszug waren, wie sie auch schon gegen voraufgegangene gewesen waren. Diejenigen unter ihnen, deren Ehemänner und Brüder sich zur Teilnahme gemeldet hatten, versuchten, die Teilnehmer, auf die sie Einfluß hatten, von dem Vorhaben abzubringen. Sie warfen ihnen Narrheit und bloße Kriegslüsternheit vor und drangen auf sie ein, nicht ihr eigenes Leben und das der von ihnen Abhängigen aufs Spiel zu setzen.«[11]

Die Shawnee, die im heutigen Kentucky lebten, bauten in ihre Gesellschaftsverfassung ein Vorbehaltsrecht gegen den Krieg ein. Die Mutter oder eine andere nahe Verwandte des obersten Shawnee-Häuptlings wurde immer als Friedensfrau eingesetzt. Ihre Aufgabe bestand darin, durch dringendes Bitten und Ermahnen unnötiges Blutvergießen zu verhindern. Wenn der Kriegshäuptling auf einem Kriegszug bestand, der bei der übrigen Bevölkerung keine Unterstützung fand, appellierten die Ratsmitglieder an die Friedensfrau. Sie wandte sich dann an den Kriegshäuptling und erklärte ihm, welche Qual es für die Mütter des Stammes bedeutete, ihre Söhne in den Tod ziehen zu sehen. Sie plädierte auch für die unschuldigen Frauen und Kinder des feindlichen Stammes und erinnerte den Häuptling daran, daß sie das Elend nicht verdienten, das über sie kommen würde, wenn ihr Stamm in einen umfassenden Krieg hineingezogen würde. Es heißt, die Friedensfrau sei mit ihren Argumenten selten abgewiesen worden.

Bei den Irokesen fiel den mächtigen Frauen des Stammes hinsichtlich unpopulärer Kriegspläne eine ähnliche Rolle zu. Sie lamentierten sehr beredt über das Leid trauernder Mütter und verwitweter Frauen und stellten mit großem Engagement die Verluste dar, die beide Seiten erleiden würden. Den Kriegern, die fürchteten, für feige gehalten zu werden, wenn sie nicht bis zum letzten Mann kämpften, war das vernünftige Eingreifen der Frauen zweifellos willkommen. Ihre Männerehre schrieb ihnen vor, bis zum Tod zu kämpfen, und sie wußten sehr wohl, welches Leid dadurch verursacht wurde. Es gab keinen unter ihnen, der im bewaffneten Konflikt nicht den Vater, einen Bruder, Sohn oder guten Freund verloren hatte.

Als der Tod den Sieg davontrug

Keine eingeborenen amerikanischen Frauen hätten friedliebender sein können als jene ruhigen und sanften Seelen, die in den Pueblos des Südwestens beheimatet waren, und doch kam in der Geschichte des Acoma-Pueblos der Moment, in dem die Frauen beschlossen, lieber sich selbst und ihre Kinder zu töten als sich einer Tyrannei zu unterwerfen. Als die ersten Spanier auf ihren sonderbaren, großen Tieren ins Land der Acoma kamen, waren die Leute des Pueblos neugierig, aber sie nahmen die Besucher höflich auf, denn sie kamen in kleinen Gruppen und blieben nicht lange. Als dann im Jahre 1598 Don Juan de Onate, der von der spanischen Krone zum Gouverneur der Region ernannt worden war, seine Rundreisen durch die Pueblos zu machen begann und die Unterwerfung der Einwohner forderte, waren die eingeborenen Amerikaner nicht mehr so friedfertig. Die Acoma fühlten sich sehr stark auf ihrem 130 Meter hohen Felsen und mit ihren Vorräten an Wasser und Mais stark genug, um es zu wagen, über eine Gruppe von Spaniern herzufallen, die am Rande des Felsens umherstolzierten; einige von ihnen erschreckten sie so sehr, daß sie vom Felsen sprangen, andere verprügelten sie mit Knüppeln.

Die Spanier nahmen diese Attacke ernst; sie planten und führten einen Racheakt durch, der auf beiden Seiten Ströme von Blut fließen ließ. Obgleich die Europäer die Schlacht gewannen, ließen ihnen die Indianer, die verzweifelt ihre Heimstätten zu retten versuchten, keine Ruhepause und keine Chance, zu essen, zu schlafen oder sich auch nur hinzusetzen. Als die Spanier ihre Widersacher aufforderten, sich zu ergeben, und ihnen Gerechtigkeit zusicherten, erwiderten die Acoma, sie würden sich lieber umbringen, als sich zu ergeben. Was dann geschah, geht aus den Versen eines spanischen Soldaten namens Villegra hervor:

Und nicht allein die Krieger, Frauen auch. Manche töteten sich selbst wie Dido, und das Feuer verzehrte ihre Körper, während ihre spartanischen Kinder gleich ihren Müttern einen grausigen Tod suchten, während andre sich in die wütenden Flammen warfen. Manche Mütter sprangen, ihre Kinder umschlungen, vom hohen Felsen. Viele fanden den Tod in vieler Weise.[12]

8. KAPITEL

VERGNÜGEN UND FREIZEIT

Eine junge Pima-Frau mit einem der außergewöhnlichen Körbe auf dem Kopf, die für den Stamm bezeichnend sind; dieser hier ist mit einem Familienmuster verziert. (Mit freundlicher Genehmigung der *Arizona Historical Society*)

Kunsthandwerk und Erholung

Bisher haben wir die eingeborene amerikanische Frau weitgehend unter dem Aspekt ihrer Arbeit behandelt; doch obwohl sie ständig Haushaltsarbeiten zu verrichten hatte, die vielfach auch sehr anstrengend waren, blieb ihr Zeit zu Entspannung und Vergnügen.

Indianerfrauen suchten auf höchst unterschiedliche Weise Entspannung; manche fanden sie in intensivem Glücksspiel und verspielten sozusagen ihr letztes Hemd; andere bevorzugten körperliche Betätigung und Sport; und wieder andere fanden Abwechslung vom täglichen Allerlei, indem sie sich kunsthandwerklich betätigten.

Kunsthandwerk als Selbstausdruck

Das Leben im Indianerdorf bot den Frauen nur in geringem Umfang die Möglichkeit zur Selbstverwirklichung. Von ihnen wurde erwartet, daß sie ihr Heim genauso bauten und einrichteten, wie alle Frauen es taten; sie kochten, was gerade da war; und ihre Kleider glichen denen aller anderen Frauen im Dorf. So blieb die Herstellung von kunsthandwerklichen Gegenständen einer der wenigen Bereiche, in denen die amerikanischen Eingeborenenfrauen ihre künstlerischen Begabungen und schöpferischen Talente ausleben konnten.

Offenkundig genoß es die indianische Frau, schöne Gegenstände für den häuslichen Gebrauch zu besitzen. Vielfach erstellten sie ihre Produkte und handwerklichen und ästhetischen Normen, die weit über den bloßen Nützlichkeitserfordernissen lagen. Ein Vergleich der hübsch verzierten Töpferwaren und feingeflochtenen Körbe einer »primitiven« Indianerfrau mit dem phantasielosen Plastikgeschirr der heutigen Hausfrau läßt die modernen Utensilien ziemlich geschmacklos erscheinen. Doch nicht nur das Bedürfnis nach hübschen Töpfen und Körben zum Gebrauch beim Nahrungssammeln und Auftragen der Mahlzeiten war für die Indianerfrau der Anstoß zur Herstellung solcher Gegenstände; sie bezog auch viel Freude daraus, neue Muster zu erfinden und diese Einfälle auszuführen. Die befriedigendsten Aspekte an der Handarbeit waren vielfach mehr seelischer als materieller Art. Da diese frühen Völker keine Zeit für »Kunst um der Kunst willen« hatten, mußte die Frau ihre Begabungen auf die Anfertigung oder Ausschmückung nützlicher Gegenstände beschränken.

Die Begabung einer Frau zu feiner Handarbeit wurde normalerweise durch die Achtung entlohnt, die ihr von anderen Frauen, den wahren Kennern des Kunsthandwerks, entgegengebracht wurde. Da die feineren Details handwerklicher Perfektion dem ungeschulten Auge meist verborgen blieben, konnten gewöhnlich nur andere, ebenfalls kunsthandwerklich tätige Frauen Erfindungsgabe und wahre Meisterschaft erkennen und schätzen.

Korbflechterei

Für viele frühe amerikanische Frauen war das Korbflechten die vorherrschende Art künstlerischen Ausdrucks. Es ist eines der ältesten Handwerke; einfache Körbe wurden schon um etwa 7000 vor Christus in Amerika angefertigt. In allen Stämmen galt die Korbherstellung als Frauenarbeit.

Die Herstellung eines feingeflochtenen Korbes ist eine mühsame, zeitaufwendige und erschöpfende Arbeit; schon ein sehr einfacher Korb erfordert viele Stunden überaus gewissenhafter Arbeit. Wenn eine Frau sich an die eigentliche Flechtarbeit begab, hatte sie bereits Stunden und Tage damit verbracht, Materialien zu sammeln, vorzubereiten, zu sortieren und zu lagern. Praktisch alle Korbflechterinnen legten sich eigene Vorräte an, weil sie meinten, die Materialien, die sie für ihre eigene Arbeit auswählten, seien besser als die, die sie von anderen Frauen kaufen konnten. Nur wenn eine Frau kleine Kinder zu versorgen hatte, sie unter körperlichen Gebrechen litt oder sehr alt war, wurde ihr zugestanden, daß sie sich verfügbare Rohstoffe nicht selbst beschaffte.

Schon in sehr jungem Alter begannen die Indianerfrauen, das Flechthandwerk zu erlernen, indem sie ihre Mütter und Großmütter bei der Arbeit beobachteten und die erfahrenen Frauen nachahmten. Praktisch alle kleinen Mädchen spielten Korbflechten, und wenn sie bei dieser Beschäftigung Ausdauer zeigten, wurden die älteren Frauen auf sie aufmerksam und begannen, ihnen die Fertigkeiten beizubringen, die sie benötigten, um brauchbare Körbe zu flechten. Kamen ältere Flechterinnen zusammen, um sich zu unterhalten, dann erzählten sie sich oft Geschichten, wie sie als Kinder heimlich der Mutter oder Tante vorbereitetes

Flechtmaterial entwendet hatten, weil sie darauf vertraut hatten, gutes Material werde notwendigerweise bessere Körbe ergeben und über deren ungelenke Ausführung hinwegtäuschen.

Für die Atsugewi in Nordkalifornien hing die handwerkliche Fähigkeit im Korbflechten von einem persönlichen Schutzgeist ab. Dieser Schutzgeist konnte von einer Frau zur anderen weitergereicht werden, etwa indem eine gute Korbflechterin die Hände ihrer Tochter oder Enkelin rieb und so ihre Macht auf sie übertrug. Das »Wappentier« der Korbflechterei war die Eidechse. Wollte ein Mädchen ihre Kunstfertigkeit vervollkommnen und hatte sie niemanden, von dem sie den Schutzgeist übernehmen konnte, dann bat sie jemanden, eine lebendige Eidechse über ihre Handfläche und ihren Unterarm zu führen. Wenn die Eidechse sich dabei ruhig verhielt, nahm man an, das Mädchen erhalte die Macht, aber wenn das Tier sich wehrte und zappelte, dann mochte die Eidechse das Mädchen offensichtlich nicht, und es bekam nicht die Macht übertragen, die es anstrebte.

Einige der besten Korbflechter lebten wie die Atsugewi in Kalifornien, wo Körbe verschiedener Form und Größe für nahezu alle Haushaltszwecke verwendet wurden. Körbe wurden zur Lagerhaltung und zum Holztransport benutzt, sie dienten als Pfannen und Teller, als Suppenkellen, Kochtöpfe, Siebe, Wasserbehälter, als Zeremonialgegenstände, Kinderwiegen und sogar als Damenhüte. Bisweilen wurden Monate darauf verwandt, jene herrlichen Körbe herzustellen, die als Begräbnisgegenstände vorgesehen waren und mit den Toten verbrannt wurden. Die Frauen der Pomo-Indianer gingen noch weiter als die Korbflechterinnen der meisten anderen Stämme und praktizierten ihre Kunst spielerisch, indem sie Formen entwarfen, die nicht nur keinerlei Nützlichkeitserwägungen entsprachen, sondern die Zweckmäßigkeit der Körbe noch reduzierten. Das hervorstechendste Beispiel hierfür sind die wunderschönen Federmosaikkörbe der Pomo; das Äußere dieser Körbe ist mit einem schillernden Federkleid bedeckt, und jede der kleinen Federn wird von einem der unzähligen, winzigen Geflechtknoten gehalten. Bevorzugte Materialien waren die grün schillernden Federn vom Hals des Wildenterichs, die zitronengelben Federn von der Brust des amerikanischen Wiesenstärlings und die scharlachroten Federn vom Kopf des Spechts.

Körbe, die zur Aufbewahrung von Flüssigkeiten gedacht waren, mußten sehr sorgfältig und dicht geflochten sein; bei einigen der am feinsten gearbeiteten Körbe Kaliforniens kommen auf einen Zentimeter etwa dreißig Flechtknoten. Die Eingeborenenfrauen kochten in den Körben, indem sie Steine mit glühenden Holzkohlen erhitzten und sie dann mit Stöcken in die mit Suppe oder Brei gefüllten Körbe hoben.

Um Körbe herstellen zu können, die wasserdicht waren und einer solch rigorosen Behandlung standhielten, mußten die frühen kalifornischen Frauen hochgradiges handwerkliches Können besitzen; doch ihre wahre Kunstfertigkeit zeigte sich erst, wenn sie Hüte für sich selbst flochten. Ein guter Hut war eine grandiose Leistung und verkörperte die wahre Könnerschaft, die jede Flechterin anstrebte. Wohl jede Frau war imstande, einen Korb zu flechten, aber nur wenige waren in der Lage, einen tragbaren Hut herzustellen. Die Flechterin mußte sich nicht nur die besten Materialien besorgen und sich um feinste Verarbeitung bemühen, sondern sie mußte auch wissen, wie man einen Kopf vermißt, damit der Hut gut paßte. Form und Proportion eines Hutes waren überaus wichtig; die am wenigsten schmeichelhafte Bemerkung, die man über eine solche Kopfbedeckung machen konnte, lautete, sie sehe aus wie ein Suppenkorb. Auch das Design spielte eine wichtige Rolle bei der Hutmacherei. Neue oder besonders hübsche Hüte wurden gewöhnlich bei Dorftänzen vorgestellt. Die Korbflechterinnen der Karok, die in Nordwestkalifornien lebten, gingen oft nur deshalb zu Tänzen, um die Wirkung von ungewöhnlichen Designs oder die von alten auszuprobieren, denen sie eine individuelle Note gegeben hatten.

Augenscheinlich hat die Freude, die das Korbflechten den Frauen machte, dessen Langwierigkeit und Mühseligkeit überwogen. Eine Karok-Frau erzählte der Anthropologin Lila M. O'Neale, sie vergesse über dem Flechten das Essen. Eine andere bekundete, sie werde dieser Arbeit nie müde, und das, nachdem sie über vierzig Jahre lang Körbe für den Verkauf hergestellt habe. Eine andere Frau erzählte Lila O'Neale, der Preis der Körbe entspreche nicht der aufgewendeten Arbeit. Auch falle es schwer, den ganzen Tag zu flechten, und es sei ermüdend, so viel Zeit auf das Sammeln und Vorbereiten der Materialien zu verwenden. Trotzdem brachte diese Frau es kaum fertig, ihre Arbeit an einem Korb einen Augenblick für das Gespräch zu unterbrechen, so sehr drängte es sie, ein Muster zu vollenden.[1]

Auch die Völker des Südwestens waren sehr geschickte Korbflechter. Die Apachen, die Hopi, die Paiute, die Navajo und insbesondere die Pima und die Papago flochten brauchbare und hübsche Körbe.

Die Pima und Papago im Süden von Arizona waren früher für ihre hervorragenden Körbe bekannt. Sie stellen auch heute noch – vorwiegend allerdings für den Verkauf an Weiße – feingeflochtene Körbe her.

Ein Korbtypus, der einst zur Grundausstattung jeder Frau in diesen Wüstengruppen gehörte, war das Tragenetz. Es handelte sich dabei um eine Art Korb, der zu einem Spitzenmuster, das wie Häkelei aussah, locker geflochten war. Das Netz war wie ein stumpfer Kegel geformt. Es wurde von einem leichten Rahmen aus drei oder vier Weidenästen oder Rippen des Kandelaberkaktus getragen und an der Oberseite von einem Holzreifen, der im Durchmesser etwa einen halben Meter maß, offengehalten. Die Stäbe des Rahmens ragten über den Korb hinaus und dienten als Dreifuß, wenn das Gerät auf dem Boden stand.

Die Frauen trugen alles in diesen Netzen auf dem Rücken, sei es nun Wasser, Holz oder Wildfrüchte. Die Tragenetze wurden von einem Gurt, den die Frauen sich über die Stirn legten, gehalten.

Diese Lastkörbe wurden normalerweise von den alten Frauen hergestellt, denn es erforderte lebenslange Übung, sie wirklich gut zu flechten. Junge Frauen achteten darauf, daß ihre Körbe bunt geschmückt waren und an einer der Gerippestangen ein Streifen Rehhaut angebracht war, der ihnen bei jedem Schritt ums Gesicht flatterte. Da Fleiß als große Tugend dieser Frauen galt, hieß es im Volksmund, eine Frau könne gar nicht hübscher aussehen als mit einem roten, geflochtenen Gurt über der Stirn und einem vollen Tragekorb auf dem Rücken.

Lastkorb wird zu einem Berg
(Pima und Papago)

Eines Tages stieg Coyote auf einen Hügel und setzte sich nieder, um zu beobachten, wie die Welt vorüberzog. Da kam ein entzückendes Mädchen des Wegs, und er wußte, dies war das Mädchen, das er heiraten wollte.

Seltsamerweise trug das Mädchen nicht ihren Lastkorb auf dem Rücken, sondern er lief von ganz allein hinter ihr her. Aber ein Korb läuft doch nie von allein herum. Es schien, daß der Vater dieses Mädchens ein mächtiger Medizinmann war, der diesen Korb eigens für seine Tochter angefertigt hatte.

Das liebreizende Mädchen sammelte Feuerholz, welches sie in den Korb packte. Sie sammelte eine große Menge Holz, und als sie damit fertig war, wandte sie sich um und wollte nach Hause gehen, und der Korb folgte ihr.

Coyote überlegte, wie er diesen Korb bekommen konnte, um dann den Leuten zu zeigen, was für ein Tausendsassa er war, und so sagte er: »Hahaha. Lastkorb spaziert also herum!« Der Korb blieb auf der Stelle stehen und wurde zu einem Berg, den die Leute heute Quijo Toa – Lastkorb-Berg – nennen.[2]

Manche der Designs, die die frühen Korbflechterinnen anfertigten, waren überlieferte Muster, die für die Arbeit eines Stammes charakteristisch waren. Diese Entwürfe mußten genau erlernt und sorgsam ausgeführt werden. Doch in anderen Fällen wichen die Korbflechterinnen von den Entwürfen ihrer Mütter ab und ließen sich von der Natur oder den Geschichten und Mythen des Stammes inspirieren. Aus ihren Empfindungen, ihrer Eingebung oder ihrem Gedächtnis ließen die Flechterinnen neue Muster entstehen. Eine Korbflechterin erzählte Ruth Underhill: »Wenn ich Körbe flechte, höre ich eine Stimme, die zu mir spricht: ›Mach dort einen Kaktus hin. Mach dort eine Taube hin. Und dort mach ein Gila-Ungeheuer hin.‹«[3]

Töpferei

Auch die Anfertigung und Ausschmückung von Töpferwaren ist Frauenhandwerk gewesen, und gerade diese Arbeiten bieten ein besonders schönes Beispiel dafür, wie Frauen ein Handwerk ins Ästhetische erhoben. Am höchsten war die Töpferkunst im Mississippital, im Südosten und bei den Pueblo-Gruppen des Südwestens entwickelt – in Gebieten, in denen der Ackerbau zu fester Ansiedlung geführt hatte. Nomadische Stämme, die auf der Suche nach wildwachsenden Nahrungspflanzen und auf der Jagd nach Tieren viel umherzogen, hatten für zerbrechliche Gefäße wenig Verwendung, wohingegen sie dem Bedarf seßhafter Völker sehr entgegenkamen.

Die Herstellung von Töpferwaren gehört nicht zu den frühesten Handwerkskünsten, die von den eingeborenen Amerikanern praktiziert wurden, doch gibt es Belege, daß eine rudimentäre Keramik schon um 300 vor Christus existierte und daß die Hohokam-Indianer schon um 200 vor Christus sehr geschickt gearbeitete Töpfe herstellten. Anhand der Abdrücke an ihrer Basis zeigt sich, daß die frühesten Tongefäße hergestellt wurden, indem man feuchten Ton, der mit zerkleinerter Zedernrinde gemischt war, in flache Körbe preßte.

Die eingeborenen amerikanischen Frauen formten ihre Töpferwaren ausschließlich mit der Hand; sie haben nie eine Töpferscheibe benutzt. Anfangs wurden aus einem Tonklumpen kleine Gegenstände geknetet; später lernten die Frauen, größere Gefäße anzufertigen, indem sie die Wände der Krüge Windung um Windung aus einem Tonstrang aufbauten. Verglichen mit der zeitraubenden und oft anstrengenden Kunst des Korbflechtens war das Töpfern ein kurzes, befriedigendes Handwerk mit ruhigen, gleichmäßigen und unverkrampften Bewegungen. Auch vom Ergebnis her brachte die neue Kunst unmittelbarere Befriedigung; eine geübte Töpferin konnte an einem Tag mehrere Stücke formen, sie zum Trocknen beiseite stellen und am nächsten Tag brennen.

Für große Tonkrüge, Ollas genannt, bestand im Südwesten, wo Wasser für die Familie über größere Entfernungen herbeigeschafft und gelagert werden mußte, ein echter Bedarf. Je dünnwandiger eine Frau ihr Gefäß herzustellen in der Lage war, desto weniger hatte sie zu schleppen. Indianerfrauen lernten Krüge mit zwanzig und mehr Litern Fassungsvermögen anfertigen, deren Wände dünn wie Eierschalen und so glatt und zerbrechlich waren, daß schon eine unbedachte Berührung mit dem Finger sie zerstört hätte. Als das handwerkliche Geschick der Frauen beim Töpfern wuchs, begannen sie, ihre Schöpfungen zu verzieren, bis die Ausschmückung des Wasserkrugs, der Essenschüssel oder des Kochtopfs zu einem wichtigen Bestandteil der Herstellung geworden war. Die Töpferinnen des Südwestens haben diesen speziellen Typus des Kunsthandwerks über Jahrhunderte hinweg verfeinert, und heute stehen ihre kunsthandwerklichen Leistungen weltweit außer Frage.

Generationen lang haben die Hopi-Frauen ihre Töpferkränzchen als wesentlichen Bestandteil ihres gesellschaftlichen Lebens begriffen. Wenn eine Frau sich hinsetzte, um einen Topf zu verzieren, gesellten sich ihr bald Verwandte oder Nachbarinnen hinzu, die ebenfalls Töpfe zu verzieren hatten und ihre Arbeit mitbrachten. Ganz anders hielten es die Zuni-Frauen, die während des gesamten Vorgangs des Töpferns respektvoll schwiegen. Die Frauen gingen immer allein ihren Ton suchen; Männer durften sich den Tongruben nicht nähern. Bei diesen Pilgergängen wurde nicht gelacht, nicht gesungen und nicht gesprochen; die Töpferinnen der Zuni glaubten, das Material würde sich ihnen zeigen und die herkömmlichen Tongruben sich nicht erschöpfen, wenn sie sich dem Ton gegenüber respektvoll verhielten und reinen Herzens blieben. Als die Töpferinnen später dann jeden Tonklumpen zu einer Tasse oder einer Schüssel formten, behielten sie ihr Schweigen bei und verständigten sich nur leise flüsternd oder durch Zeichen, da sie fürchteten, ihre Stimme würde in das Gefäß eingehen und beim Brennen mit lautem Geräusch entweichen und es zerbrechen.

Die Apachen allgemein hatten als Töpfer keinen Namen, aber eine ihrer Untergruppen im Osten, die Jicarilla-Apachen, übernahm das Handwerk von ihren Pueblo-Nachbarn in Neumexiko. Die Frauen der Jicarilla-Apachen stellten aus Ton sowohl Kochtöpfe als auch Tabakpfeifen her. Ehe sie zu einer Tongrube wanderten, die den Status eines heiligen Schreins hatte, beteten die Frauen und rauchten eine Tonpfeife. Das rituelle Rauchen hielten sie für notwendig, weil sie sonst die Tonlagerstätte verfehlen und mit leeren Händen heimkommen konnten. Die Frauen wurden von Männern begleitet, die ihnen auf dem Rückweg beim Tragen der schweren Lasten halfen. Dabei durften die Männer keine Waffen oder Gegenstände aus Feuerstein in die Nähe der heiligen Stellen mitnehmen. Feuerstein, der männliche Aktivitäten symbolisierte, wurde für unvereinbar mit Ton gehalten, der die weibliche Welt darstellte. Wenn dies Tabu gebrochen wurde, zersprangen die Gefäße, die aus diesem Ton waren, beim Brennen.

Wie die Apachen Ton bekamen
(Jicarilla-Apache)

Am Anfang der Welt lebten ein alter Mann und eine alte Frau. Sie hatten nichts zu tun und beteten zu dem, der die Welt erschaffen hatte, er möge ihnen etwas geben, von dem sie leben konnten. Da kam eines Tages ein Geist und stellte sich vor sie hin.

Erst nahm er einen Stein und sagte: »Das ist Gold. Es ist viel wert, aber ich kann es euch nicht geben, denn ihr wißt nicht, wie man es bearbeitet.« Dann zeigte er ihnen einen anderen Stein und sagte: »Dies ist Silber. Es ist ebenfalls wertvoll, aber ihr wißt nichts davon und nichts damit anzufangen; daher kann ich es euch nicht geben. Eines Tages werden Leute von Osten her über das Meer kommen. Sie werden euch ernähren, euch Kleidung und Nahrung geben. Deshalb sende ich sie. Und sie werden dies Silber und Gold schätzen.« Nun führte der Geist den alten Mann und die alte Frau auf die andere Seite des Berges. Dort befand sich ein großes Loch. »Geht dorthin und grabt jenen Ton aus«, sagte der Geist zu den beiden alten Leuten. »Ich will euch zeigen, wie man daraus Töpfe und Schüsseln macht. Mit Hilfe dieser Geräte werdet ihr leben.« Danach rief der Geist die Frau zu sich, berührte ihre beiden Hände mit den seinen und wies sie an: »Nun bearbeite den Ton nach deinem eigenen Wissen und Verständnis.«

So gingen der alte Mann und die alte Frau gemeinsam Ton stechen, und dann machte die Frau eine Tonschüssel, und sie leistete dabei sehr gute Arbeit. Sie machte Schüsseln in allen möglichen Formen. Aber sie wußte nicht, wie sie die verschiedenen Schüsseln nennen sollte oder welcher Verwendung die einzelnen Formen dienten.

An jenem Abend beteten der Mann und die Frau, und der Geist erschien der Frau im Traum und erzählte ihr, wie die Töpfe zu verwenden und wie sie zu benennen waren. Der Geist sagte ihr auch, sie müsse alle Kinder lehren, was sie gelernt hatte.[4]

Wenn eine Apachen-Frau ihren Ton heimgeschafft und gesäubert hatte, band sie, ehe sie daranging, Töpfe zu formen, ihr Haar auf beiden Seiten des Kopfes in zwei Büscheln hoch. Danach ging sie ins Gebüsch, um sich zu erleichtern, denn sie durfte keinem natürlichen Bedürfnis mehr folgen, wenn sie begonnen hatte, ein Gefäß zu formen. In der – zuweilen mehrere Tage langen – Zeitspanne, die eine Töpferin arbeitete, übte sie gewissenhaft sexuelle Enthaltsamkeit, weil sonst alle ihre Töpfe zersprangen und es ihrer Ehe ebenso ergehen würde (»Dann geht alles zu Bruch«).

Obwohl die Apachen die Töpferkunst von den Pueblo-Völkern übernommen hatten, haben sie nie deren ausdrucksstarke Kunst der Tonwarenverzierung erlernt.

Die Ausschmückung ist der Arbeitsgang, in dem die amerikanische Eingeborenenfrau wirklich Gelegenheit hatte, sich selbst auszudrücken und ihre schöpferischen Fähigkeiten Gestalt annehmen zu lassen. Wenn die Pueblo-Töpferin sich daranmachte, ihre Schüsseln mit handgefertigten Pinseln aus Yucca und schwarzer Farbe, die sie durch Kochen des heimischen Krautes *Cleome serrulata* gewonnen hatte, zu verzieren, begann sie nicht etwa, ihre Töpfe freihändig mit Mustern zu überziehen und sich dabei den Pinsel von ihrem Instinkt führen zu lassen. Vielmehr betrachtete sie erst einmal sorgfältig das Gefäß, das sie vor sich hatte.

Besonders künstlerisch veranlagte Frauen hatten sich gewöhnlich bereits ein Muster oder einen Teil eines Musters, das sie auf ihr Werkstück aufmalen wollten, ausgedacht und mußten nun messen und abschätzen, wie sich das Muster dem jeweiligen Gefäß am besten anpassen ließ. In ihrem Buch *The Pueblo Potter* vergleicht Ruth Bunzel diese Frauen mit modernen Künstlern: »Die meisten dieser Frauen weisen die gleichen Eigenarten auf, wie wir sie bei Künstlern in entwickelteren Gesellschaften finden. Sie alle berichten, schlaflose Nächte darüber verbracht zu haben, sich Muster für einen Topf auszudenken, den sie am nächsten Morgen verzieren wollten, oder von neuen Mustern zu träumen, an die sie sich beim Erwachen zu erinnern versuchen, was aber oft mißlinge, und sie sagen, vor allem dann, wenn sie mit anderen Arbeiten beschäftigt seien, ständig Probleme der Ausschmückung im Kopf zu haben.«[5]

Eine Hopi-Frau erzählte Ruth Bunzel: »Ich denke dauernd über Muster nach, auch wenn ich andere Dinge erledige, und immer, wenn ich die Augen schließe, sehe ich Muster vor mir. Ich träume auch oft von Mustern, und immer, wenn ich darangehe zu malen, schließe ich die Augen, und dann fliegen mir die Muster zu.« Eine Laguna-Töpferin berichtete: »Ich beziehe alle meine Vorstellungen aus meinen Gedanken. In meinem Denken sind meine Gedanken eine Person, die mir sagt, was ich tun soll. Ich träume auch von Mustern und Entwürfen. Ehe ich zu Bett gehe, denke ich manchmal darüber nach, wie ich das nächste Stück anmalen soll, und dann träume ich davon. Am Morgen erinnere ich mich genau genug an die Muster, um sie malen zu können. Deshalb sind meine Muster besser als die anderer Frauen. Manche Leute halten nicht viel vom Töpferwerk, aber mir bedeutet es viel.

Es ist etwas Heiliges. Ich versuche, alle meine Gedanken auf meine Töpferwaren zu malen.«[6]

Zwar gibt es einige gängige, herkömmliche Muster, die immer wieder verwandt werden, aber jede Töpferin ist ohne Schwierigkeit in der Lage, ihre eigenen Arbeiten zu erkennen, und vielfach kann sie auch die Arbeiten anderer Töpferinnen voneinander unterscheiden. »Wenn ich meine Schalen wie jede andere anmalte, könnte ich meine Schüssel verlieren, wenn ich den Tänzern auf dem Dorfplatz das Abendessen bringe. Ich bin die einzige, die ein Schachbrettmuster an den Rand malt, und so kann ich immer sagen, welches meine Schüssel ist, wenn ich mir den Rand ansehe. Ich brauche kein Zeichen auf meiner Schüssel anzubringen, weil ich das Muster erkenne.«[7]

Die Pueblo-Frauen meinten, jeder ihrer Töpfe habe sein eigenes Leben. Die Zuni-Töpferinnen legten in jedes Gefäß vor dem Brennen ein Stückchen Oblatenbrot, damit der Geist des Gefäßes mit dem spirituellen Wesen des Brotes genährt würde. Die Zuni glaubten, wenn der Geist, der beim Brennen in das Gefäß eintrat, angemessen bewirtet und begrüßt wurde, werde er später seine Gesundheit und seinen lebenspendenden Einfluß an alle Nahrungsmittel weitergeben, die in dem Gefäß aufbewahrt wurden. Jeder gesprungene oder zerbrochene Topf verlor sofort den Geist, der in ihm wohnte; dies hielt man anhand des Klangs eines Gefäßes, wenn es angestoßen wurde, für erwiesen: ein heiles Gefäß hat einen angenehmen Klang, während ein beschädigtes einen viel dumpferen Ton von sich gab.

In den Hopi-Städten von Nordarizona stellen die Frauen noch heute weitgehend in der gleichen Weise Töpfe her wie ihre Vorfahren vor Jahrhunderten. All die Neuerungen, die sich eingeschlichen haben, haben die Haltung der Töpferinnen gegenüber ihrer Arbeit nicht verändert. Kunst ist immer ein Spiegelbild der Kultur, und so ist auch das Kunsthandwerk der Hopi von dem tief religiösen Geist geprägt, der das gesamte traditionsverhaftete Pueblo-Leben kennzeichnet. Die Hopi-Lehrerin und -Töpferin Polingaysi Qoyawayma erläutert ihr Verhältnis zu ihrer Kunst so: »Ob ich gebetet habe, wenn ich Töpfe geformt habe? Aber gewiß. Der Ton ist nämlich ein lebendes Wesen, wenn man ihn in die Hand nimmt. Schau ihn dir an. Ein Klumpen . . ., der zu mir sagt: ›Mach mich, wie ich bin . . . mach mich schön.‹ So besprechen wir jeden Schritt, der Ton und ich.

Wenn ich die Schönheit in meiner Hand sehen kann ..., wenn sie in meinem Innern die Saiten meines Herzens anschlägt und wenn ich imstande bin, dies in sichtbare, harmonische Schönheit zu formen, dann habe ich mich der Herausforderung gewachsen gezeigt.

Aber ich muß allein sein ... allein mit dem Ton ..., um sklavisch auf seine Befehle zu hören; seinen Rhythmus, seinen Puls, sein Leben zu spüren.

O ja, ich bete. Man muß allein sein mit dem Schöpfer, dem höchsten Wesen, um dies Gefühl des Einsseins einzufangen. Eins mit dem Ton. Eins mit dem Schöpfer. Eins mit allem Lebenden einschließlich der Sandkörner.«[8]

Weberei

Ein weiteres Kunsthandwerk, das den eingeborenen amerikanischen Frauen Gelegenheit zur Selbstverwirklichung bot, war das Weben schöner Decken. Dies Handwerk ist so alt, daß man über seinen Ursprung nichts weiß, aber es war über seine groben Anfänge längst hinausentwickelt, bevor der weiße Mann seinen Fuß auf das amerikanische Festland setzte. Das Weben war praktisch allen Stämmen bekannt, aber bei den Chilkat und Tsimshian der nördlichen Pazifikküste und den Navajo im Südwesten entwickelten die Frauen aus den Grundtechniken eine wirkliche Kunstform.

Die gewobene Decke war der prägnanteste Beitrag der weiblichen Künstler zum Kunsthandwerk der Nordwestküste. Ursprünglich waren es die Frauen des Tsimshian-Stammes, die jenes Kleidungsstück entwickelten, das heute Chilkat-Robe genannt wird – nach der Volksgruppe, die das Handwerk übernahm und perfektionierte. Bei diesen farbenprächtigen Tanzroben für zeremonielle Zwecke handelte es sich um rechteckige Umhängetücher, die an drei Seiten dicht mit Fransen besetzt waren. Die frühesten Roben wurden aus gesponnenem Zedernbast gewebt, doch später fügte man Bergziegenwolle hinzu, um das Material weicher zu machen.

Heute sind die Decken und Teppiche, die von den Navajo-Frauen gewebt werden, wesentlich bekannter. Zwar sind sich die Anthropologen fast sicher, daß die Navajo die Kunst des Webens von ihren Pueblo-Nachbarn übernommen haben, doch behaupten die Weberinnen, sie seien »die Anfänge« von der Spinnenfrau gelehrt worden, und diese Glaubensauffassung wird von der Mythologie untermauert.

Wenn eine Navajo-Frau sich an ihren Webstuhl setzt und einen Teppich zu weben beginnt, so ist dies nicht der Beginn eines Vorhabens, sondern der abschließende Akt eines Jahres harter Arbeit der Schafzucht, des Scherens und des Verspinnens der Wolle.

Spinnenfrau lehrt das Weben
(Navajo)

Spinnenfrau unterwies die Navajo-Frauen, wie man auf einem Webstuhl webt, dessen Herstellung ihnen Spinnenmann beigebracht hatte. Der Rahmen war aus Himmels- und Erdenschnüren angefertigt, die Kette bestand aus Stäben von Sonnenstrahlen, die Helfe aus Felskristall und Flächenblitz. Die Lade war ein Sonnenhof; aus weißer Muschel war der Kamm. Der Stuhl hatte vier Spindeln: eine war ein Stab aus Zickzackblitz mit einem Wirtel aus Kännelkohle; eine ein Stab aus Blitz mit einem Wirtel aus Türkis; eine dritte hatte einen Stab aus Flächenblitz mit einem Wirtel aus Ohrschnecke; ein Regenstreifen bildete den Stab der vierten, und ihr Wirtel bestand aus weißer Muschel.[9]

Vor 1800 fertigten alle Navajo-Frauen ihre Teppiche aus ungefärbtem Garn an; sie webten breite Streifen mittels der natürlichen schwarzen und weißen Wolle und mischten die beiden Wollarten, um graue Töne zu erhalten. Schon 1800 begannen sie, mit natürlichen Farbstoffen zu experimentieren und die bunten Garne der Gewebe, die als Handelswaren zu ihnen gelangten, aufzufasern und neu zu verspinnen. Um 1890 verwendeten sie ausschließlich industriell gefertigte Garne, und als sich seitens kritikloser Käufer im Osten ein großes Interesse an ihren Produkten entwickelte, begann ihre Kunst zu degenerieren. Die Navajo webten schnell und locker. Schließlich wurden die Teppiche handwerklich und im Muster so minderwertig, daß der Markt verfiel und die Weberinnen nach und nach wieder zu den gedeckteren Farben, früheren Mustern und der festeren Webart der schönen und strapazierfähigen Decken und Teppiche, wie ihre Großmütter sie hergestelllt hatten, zurückkehrten. Mit der Rückkehr zur gewohnten hohen Qualität gewannen die Navajo-Weberinnen auch weltweit ihr Ansehen als Meisterinnen ihres Handwerks zurück.

Stachelverzierungen und Perlenstickerei

Die Frauen der Stämme im Osten und der Plains-Stämme artikulierten sich künstlerisch auch dadurch, daß sie Kleidungsstücke und andere Gegenstände mit gefärbten Stachelschweinstacheln und Perlen verzierten.

Die Kunst feiner Stachelverzierung erforderte ausgeprägtes Fingerspitzengefühl. Es gab mindestens neun verschiedene Techniken, deren jede einem bestimmten Zweck diente. Cheyenne-Frauen, die auf diesem Gebiet begabt waren, gehörten einer exklusiven Stachelverzierungsgesellschaft an. Diese Frauen unterwiesen die jüngeren Frauen in der Kunst und den damit verbundenen Ritualen und versammelten sich auch bei gesellschaftlichen Veranstaltungen, bei denen sie mit ihrer Kunstfertigkeit prahlten. Jede Frau beschrieb eingehend, wie sie verschiedene Kleider, Roben, Mokassins und Kinderwiegen verziert hatte. Diese förmliche Aufzählung ihrer Leistungen ähnelte den Prahlreden, mit denen sich die Männer ihrer Tapferkeit im Krieg rühmten.

Die Mitglieder der Stachelverzierungsgesellschaften der Cheyenne strebten als höchstes Ziel an, dreißig Büffeldecken ganz mit Stacheln zu verzieren; hatte sie dies vollbracht, glaubte eine Frau, sie habe sich ein langes Leben voller Glück gesichert. Manche Frauen allerdings fertigten so gern Stachelverzierungen an, daß sie nach dreißig Decken keineswegs aufhörten, sondern fortfuhren, alles, was sich in ihren Tipis fand, mit Stacheln zu schmücken.

Die Perlenstickerei war in fast allen amerikanischen Eingeborenenstämmen verbreitet, doch die Gruppen, die in der Nähe der Großen Seen und auf den Plains lebten, leisteten besonders gute Arbeit. Die besten Perlenstickereien der Welt wurden und werden auch heute noch von den eingeborenen Amerikanern hergestellt; kein anderes Volk produziert Vergleichbares.

Die Indianerfrauen sind schon sehr bald dazu übergegangen, die kleinen Glasperlen zu verarbeiten, die ihnen die weißen Händler mitbrachten. Sie arbeiteten sie in ihre hergebrachten Muster ein. Doch schon ehe sie Kontakt mit dem weißen Mann hatten, fertigten die Indianer aus Muscheln, Steinen, Rehhufen, Tierzähnen, Knochen, Nüssen, Samen und leuchtenden und buntfarbigen Steinen Perlenschnüre und Perlenstickereien an.

Sport und Spiel

Die amerikanischen Eingeborenenfrauen liebten Sport und Spiel. Bei diesen Völkern gab es kaum die Meinung, Körperkraft sei »unweiblich«; die kräftigste Frau war auch die beste Mutter und Hausfrau. Und wenn sie ihre Tagesarbeit vollbracht hatten, vergnügten sich die Indianerfrauen mit Sportarten, die Kraft und Geschicklichkeit erforderten. Bisweilen spielten sie nur zum Vergnügen, doch oft stand bei den Spielen auch der Wettkampf im Vordergrund.

Indianerfrauen, die in der Nähe von Flüssen, Seen oder Meeren lebten, waren zumeist gute Schwimmerinnen; sie lernten schon als Kinder schwimmen und betrieben den Wassersport bis ins Erwachsenenalter. George Catlin, der berühmte Zeichner und Maler, der Mitte des neunzehnten Jahrhunderts viele Indianerstämme besuchte, schreibt über die Mandan-Frauen: »Sie lernen alle schwimmen, und selbst die schlechteste Schwimmerin unter ihnen springt noch furchtlos in die brodelnden und strudelnden Wasser des Missouri und durchschwimmt den Fluß mit vollendeter Leichtigkeit. Sie lernen in jungen Jahren schwimmen, und die Frauen entwickeln sich zu guten, kraftvollen Schwimmerinnen, so daß sie ihre Kinder auf den Rücken nehmen und den Fluß durchschwimmen können.«[10]

Später besuchte Catlin auf seinen Reisen die Gros Ventre und beschloß, in der Nähe ihres Dorfes den Fluß zu überqueren. Eine der Frauen des Häuptlings brachte ein Kanu zu Wasser, das aus einem Rahmen aus Weidenästen bestand, der mit Büffelhaut bespannt war. Nachdem sie Catlin und seine zwei Freunde in das Boot hatte einsteigen lassen, watete sie ins Wasser und zog das Kanu hinter sich her. Als sie in tieferes Wasser kamen, zog sie ihr Ziegenlederkleid aus und warf es ans Ufer. Dann schwamm sie los und zog das Boot mit. In der Flußmitte wurden die Reisenden von einem Dutzend junger Mädchen umringt, die vom anderen Ufer aus herübergeschwommen waren. Sie schwammen »mutig und anmutig«, und ihr langes, schwarzes Haar trieb an der Wasseroberfläche. Die jungen Frauen fingen an, die weißen Männer zu necken, indem sie deren Boot immer wieder im Kreise drehten. Augenscheinlich bereitete Catlin der Ausflug Vergnügen, denn er schenkte jeder der Schwimmerinnen ein paar Halsketten aus Perlenschnüren.

Indianerfrauen betrieben noch andere Sportarten, etwa Reiten, Pferderennen, Wettläufe und Rodeln. Die Frauen der Kutchin-Indianer, die am Yukon lebten, trugen sogar Ringkämpfe aus. Die Wettkämpfe begannen mit den kleinen Mädchen, wobei jeweils die Gewinnerin gegen ein älteres Mädchen antrat; so ging es die Alters- und Geschicklichkeitsleiter hinauf, bis schließlich die stärkste Frau der Gruppe als Gesamtsiegerin übrigblieb.

Die Ojibwa-Frauen veranstalteten oft Wettläufe, und viele von ihnen hatten Träume, von denen sie glaubten, sie würden durch sie zu schnelleren Läuferinnen. Eine erfolgreiche Läuferin durfte sich mit ihren Leistungen in gewissem Maße brüsten, doch hatte ihr Erfolg auch einen Nachteil: Je mehr Beifall sie erhielt, desto mehr wurde sie auch Opfer von Neid und Eifersucht, die bisweilen groteske Züge annahmen.

Die Spiele, die Indianerfrauen spielten, waren relativ unkompliziert und lassen sich zwei generellen Kategorien zuordnen: Glücksspiele und Geschicklichkeitswettbewerbe. Spiele wie Schach etwa, die schwierig sind und ausgeklügeltes, strategisches Denken erfordern, gab es überhaupt nicht.

Die Kwakiutl-Frauen spielten eine Art Federballspiel. Der Federball wurde aus drei Flügelfedern der Wildente angefertigt, die man in ein Stück morsches Holz steckte. Der Schläger wurde aus dünnen Zedernbrettchen gemacht, die man mit Zedernbast zusammenband, so daß sie eine Art Paddel bildeten. Es spielte immer eine Frau allein, und sie versuchte, den Ball so lange wie möglich in der Luft zu halten. Spielte eine Frau mit einem Ball, der schlecht flog, dann drehte sie die Federn, blies den Ball an und pfiff, um ihm »Leben einzuhauchen«.

Bei vielen der Spiele wurde ein Ball benutzt, der gewöhnlich aus Haut angefertigt wurde, die man mit Gras oder Tierhaaren ausstopfte. Die Cheyenne-Frauen spielten eine Art Fußball, bei dem sie ungefähr dreihundert Zählstäbchen und einen Ball von ungefähr zwanzig Zentimetern Durchmesser benutzten. Sie teilten sich in zwei gleich starke Gruppen auf. Die erste Spielerin stellte sich in die Mitte, balancierte den Ball auf dem Rist, schleuderte ihn in die Luft und fing ihn mit dem Fuß wieder auf. Sie zählte, wie oft es ihr gelang, den Ball wieder hochzuschießen, ehe er zu Boden fiel, und nahm sich die entsprechende Anzahl Zählstäbchen. Dann war eine Spielerin der anderen Gruppe an der Reihe. Zum Schluß hatte die Gruppe gewonnen, die die meisten Stäbchen hatte.

Die Creek spielten jeden Herbst, wenn sie viel Wild erjagt hatten und dementsprechend über mehr Mußezeit verfügten, ein besonderes Ballspiel. Eine Frau – meist handelte es sich bei ihr um eine äußerst lebhafte und aktive Person – stellte einen Ball her und gab ihn einem Mann, der dann losziehen und ein Reh, einen Bären oder ein paar Eichhörnchen für sie erlegen mußte. Nachdem die Frau das Fleisch gekocht hatte, lud sie alle Leute zum Spielfeld ein, wo man schmauste, Ball spielte und später am Abend tanzte. Männer und Frauen spielten gegeneinander, wobei die Männer Stöcke als Schläger benutzten und die Frauen ihre Hände. Inmitten eines Kreises wurde ein einzelner Pfahl aufgerichtet, der sieben bis neun Meter hoch war. Etwa auf halber Höhe des Pfahls wurde eine Markierung angebracht, und an seiner Spitze hing man einen Pferdeschädel oder die Holzfigur eines Tiers auf. Das Spiel begann, wenn der Häuptling den Ball neben dem Pfahl in der Mitte in die Luft warf. Alle versuchten, ihn zu fangen. Hatte jemand den Ball gefangen, versuchten ihre oder seine Mannschaft, ihn zu decken, damit er den Ball werfen und einen Punkt erzielen konnte. Ein Punkt wurde erzielt, wenn ein Spieler den Pfahl mit dem Ball oberhalb der Markierung traf, und wenn ein Spieler sogar den Schädel oder die Holzfigur traf, zählte das mehrere Punkte. Das Spiel war sowohl für die Spieler wie für die Zuschauer aktionsgeladen und spannend. Freudenschreie und Seufzer der Enttäuschung hallten über das Spielfeld, wenn die Mannschaftsmitglieder Pässe schlugen oder verhinderten, wenn sie in ihrem Eifer zusammenstießen oder sich der Länge nach auf den Boden warfen, um den Ball zu fassen. Bei dieser rauhen Behandlung hatten die Bälle nur eine kurze Lebensdauer. Doch sobald einer kaputt war, fertigte eine der Frauen einen neuen an, und die nächste Runde des Spielens und Feierns begann.

In fast allen Gruppen spielten die Frauen ein Spiel, das dem Hockey stark ähnelt. Die Teilnehmer, die sich in zwei Mannschaften zu sechs bis zehn Spielern aufteilten, versuchten, mit Stöcken, die an einem Ende abgeflacht und gebogen waren, den

Ball auf Tore zuzutreiben, die auf den gegenüberliegenden Seiten des Spielfelds errichtet waren. Auch dies war ein lebendiges, lärmendes Spiel, und gute Spielerinnen entwickelten eine große Ausdauer im Laufen und Pässeschlagen, wobei sie sich gelegentlich auch gegenseitig trafen, wenn sie nach dem Ball schlugen. Die Entfernung der Tore konnte zwischen zweihundert und 1400 Metern betragen.

Ein anderes weitverbreitetes Spiel namens Doppelball ähnelte dem Shinny. Zwei Bälge aus Hirschhaut, zwei kurze Holzstücke oder anderes Material wurden mit einer langen Lederleine aneinandergebunden. Die Spielerinnen der beiden Mannschaften benutzten gebogene Stöcke, um die Bälge von Spieler zu Spieler zu schlagen und auf das Tor zuzutreiben. Dabei versuchten die Spieler des gegnerischen Teams, ihnen die Bälle abzujagen. Die Frauen der Plains Cree nannten dies Spiel in offenkundiger Anspielung auf die Form der Bälle »Hodenspiel«.

Im Südwesten erfreuten sich diese Spiele bei den Frauen der Pima und Papago großer Beliebtheit, und Mythen berichten von Frauen, die in jedes Dorf reisten, in dem ein Wettkampf ausgetragen werden sollte. Später konfiszierten die Nonnen der spanischen Missionsstationen die Bälle, damit die Frauen sich mehr um ihren Haushalt kümmerten und ihre Kinder nicht so häufig unbeaufsichtigt ließen, während sie Hockeyspiele besuchten.

Die Frau, die gern Rasenhockey spielte
(Pima)

Es war einmal eine junge Frau, die gern Rasenhockey spielte und die auch eine gute Spielerin war. Sie hatte eine kleine Tochter. Eines Tages wurde die Frau eingeladen, an einem Hockeyspiel in einem anderen Dorf teilzunehmen. Sie flocht eine Hängematte und legte ihre Tochter hinein. Ehe sie aufbrach, band sie einige Schöpflöffel aus Kürbis zusammen und hing sie neben ihrer Tochter auf; sie tat auch etwas Essen dazu, das sie für das Kind zubereitet hatte. Sie sagte dem kleinen Mädchen, es solle, wenn es aufwache, von dem Essen und dem Wasser nehmen, und es solle nach ihr Ausschau halten. Sie sagte dem Kind aber nicht, wohin sie ging.

Als die Tochter erwachte, nahm sie die Dinge, die die Mutter ihr dagelassen hatte, und hielt nach ihr Ausschau. Sie ging bis dorthin, wo der Adler lebte, und sagte zu ihm: »Sag mir, wo meine Mutter ist!«

Der Adler sagte: »Gib mir einen von deinen Schöpflöffeln, dann sage ich dir, wo deine Mutter ist.«

Also gab ihm das Mädchen einen der Löffel, und der Adler führte sie zu einer Bergkette und sagte ihr, sie solle auf die Berge klettern, dann werde sie sehen, wo die Mutter sei.

Danach kam das Mädchen zum Falken, und sie fragte ihn, wo sie ihre Mutter fände. Der Falke sagte, er wolle es ihr sagen, wenn sie ihm einen ihrer Schöpflöffel gäbe. Als die Tochter ihm Wasser gab, sagte er: »Sie ist dort drüben, hinter der Bergkette.« Unterwegs fragte das kleine Mädchen auch die Krähe und die Trauertaube nach dem Wege, und beide sagten ihr, sie werde die Mutter gleich hinter der Bergkette finden.

Sie ging weiter und stieg auf die Berge, und von der Höhe konnte sie sehen, daß da Leute Rasenhockey spielten. Dann sah sie einige Kinder und rief sie an, um sie zu fragen, ob ihre Mutter dort sei. Die Kinder sagten ihr, ihre Mutter spiele Hockey, und so bat das kleine Mädchen eines der Kinder, zu ihrer Mutter zu laufen und ihr zu sagen, sie sei gekommen und möchte sie sehen.

Da lief eines der Kinder los, um die Mutter des kleinen Mädchens zu holen, und das kleine Mädchen begann zu spielen. Aber die Mutter spielte weiter Hockey und kam nicht, und so beschloß das kleine Mädchen, sich ein Tarantelhaus zu suchen.

Als sie den Bau einer Tarantel gefunden hatte, stellte sie sich in das Loch und sang und begann, in die Erde hinabzusteigen. Sie war noch nicht ganz hineingestiegen, als ihre Mutter kam. Dann sind sie ganz hineingestiegen. Die Mutter sagte zum Dachs: »Folge meinem Kind hinein und hole es. Sie steigt in die Erde hinab.«

Der Dachs kroch in das Loch und versuchte, das kleine Mädchen zu ergreifen, aber es gelang ihm nur, ihr einen Arm auszureißen. Er trug den Arm hinaus zur Mutter und sagte: »Ich habe versucht, sie zu erreichen, aber sie ist zu schnell hinabgestiegen. Ich habe nur einen Arm erwischt und ihn ausgerissen.« Und er gab der Mutter den Arm. Die Mutter nahm den Arm, ging fort und begrub ihn.[11]

Die amerikanischen Eingeborenenfrauen spielten auch Spiele, die weniger anstrengend waren. Verglichen mit heutigem Zeitvertreib mögen diese Spiele simpel erscheinen, doch dürfen wir nicht vergessen, daß diese Menschen ein weniger denkorientiertes Leben führten als wir; sie suchten Geselligkeit und Ablenkung, nicht geistige Anregung.

Das auch uns vertraute Fadenspiel war auf dem gesamten Kontinent beliebt. Die Navajo glaubten, ursprünglich hätten die Spinnenleute ihre Vorfahren das Spiel gelehrt. Angeblich haben diese mythischen Wesen ihnen Anleitungen gegeben, wie man Sterne, Schlangen, Bären und Spinnen mit den Fäden formt, haben aber auch die Leute gemahnt, das Spiel nur im Winter zu spielen, weil dann die symbolisch dargestellten Tiere schliefen und die Spieler nicht sehen konnten. Spielte man das Fadenspiel zu einer anderen Jahreszeit, so führte man dadurch mit Gewißheit den eigenen Tod durch Blitzschlag, Pferdesturz oder anderes Unglück herbei.

Die Quinault-Frauen vergnügten sich köstlich mit einem Spiel namens »Stöckchen-zwischen-den-Fingern-Verstecken«. Die Frauen bildeten zwei Reihen, die einander gegenübersaßen. Eine Gruppe hielt eine Decke hoch, hinter der die Spielerinnen ihre Hände verbargen und einen kleinen Knochen von Hand zu Hand wandern ließen, bis jemand ihn behielt. Wenn sie damit fertig waren, ließen die Frauen die Decke fallen, und jede hielt die Hände zu Fäusten geschlossen unter ihr Kinn und rieb die Knöchel im Rhythmus eines Liedes aneinander. Nun versuchte eine der Spielerinnen der Gegenseite zu erraten, wer den Knochen hatte. Während sie überlegte, kicherten alle Frauen auf der anderen Seite, um sie zu täuschen. Tippte die entsprechende Frau falsch, so wiederholte die Seite, die den Knochen hatte, das Versteckspiel.

Bei den Frauen der Assiniboine, die im Grenzgebiet zwischen Kanada, Montana und Norddakota heimisch waren, erfreute sich das »Ungerade-Zahl-Spiel«, das in den Hütten gespielt wurde, großer Beliebtheit. Jede Gruppe von zwei Spielerinnen hatte ein Bündel von 41 geschälten Stäbchen, die etwa sechzig Zentimeter lang waren. Eine der beiden hielt das Bündel hinter ihrem Rücken versteckt und teilte es in zwei Bündel auf; dann hielt sie die Bündel der anderen Spielerin hin, die nun ihre Wahl zu treffen hatte. Die Spielerin, die die gerade Anzahl Stäbchen bekam, hatte das Spiel gewonnen. Wenn die Frauen sich zu diesem Spiel zusammenfanden, verbrachten sie gewöhnlich den ganzen Abend damit. Sie unterbrachen die Beschäftigung nur gelegentlich, um Erfrischungen zu sich zu nehmen, die die Gastgeberin reichte. Männer durften noch nicht einmal ihre Nase in die Hütte stecken, wenn die Frauen dieses Spiel spielten.

Würfelspiele wurden von den Indianerfrauen begeistert gespielt, und es scheint diese Spiele in dieser oder jener Form in fast allen nordamerikanischen Stämmen gegeben zu haben. Bei den Crow würfelten nur die Frauen, und als der Anthropologe Robert Lowie versuchte, eine Crow-Frau zu überreden, ihm das Spiel zu erklären, reagierte ihr Ehemann sehr ungehalten. Der alte Mann erzählte Lowie, die Frauen würden das Spiel nur unter sich spielen und sich dabei von den Männern absondern; obwohl er sein ganzes Leben lang mit Crow-Frauen zusammengelebt habe, wisse er nicht, wie das Spiel gespielt werde.

Muscheln, Knochen, Stöckchen oder Pflaumenkerne dienten als Würfel, je nachdem, was man gerade hatte. Bei ihren Würfelspielen benutzten die Frauen der Pima und Papago vier gespaltene Stöckchen, deren gerundete Außenseiten mit Holzkohle geschwärzt waren. Die Spielerinnen setzten sich, jede mit ihrem eigenen Satz Würfel ausgestattet, im Kreis zusammen und ließen der Reihe nach ihre Würfelstäbchen wie beim Mikadospiel auf einen flachen Stein fallen. Lagen die schwarzen Seiten aller vier Stächen nach oben, erzielte die Spielerin zwei Punkte; lagen alle weißen Seiten nach oben, zählte es einen Punkt, und gemischtfarbige Würfe ergaben keinen Punkt.

Wie die Frauen vieler anderer Stämme waren auch die der Pima und Papago leidenschaftliche Glücksspielerinnen. Würfel- und Hockeyspielerinnen setzten ihre Kleider, ihren Schmuck und sogar Haushaltsgegenstände aufs Spiel. Man kannte keine moralischen Vorbehalte, und die Frauen wetteten alle geradezu hemmungslos. Nicht selten hörte man Frauen in der Wüste weinen, weil sie all ihre Habe beim Glücksspiel verloren hatten. Es ist aufschlußreich, daß die Papago, die in der Wüste ein hartes Leben führten und die meiste Zeit einfach und sparsam lebten, gerade im Glücksspiel alle Vorsicht vergaßen. Ruth Underhill, die lange Jahre bei den Papago gelebt hat, meint, daß die zeremonielle Aura, die alle diese Spiele umgibt, eine Güterverschiebung erlaubt erscheinen ließ, die andernfalls unter Menschen mit so wenig Überschuß in bezug auf das Existenznotwendige nicht hätte stattfinden können. In anderen Stämmen, etwa bei den Komantschen, waren großzügige Geschenke die Regel, und Verluste beim Glücksspiel wurden als Besitzwechsel unter Freunden begriffen.

9. KAPITEL

FRÜHE SEXUALMUSTER

Eine Apachen-Frau, der die Nasenspitze abgeschnitten wurde; wahrscheinlich als Bestrafung für Ehebruch. (Mit freundlicher Genehmigung der *Arizona Historical Society*)

Der schillernde Reiz und die Schuldgefühle, die heute in der westlichen Gesellschaft häufig mit der Sexualität assoziiert werden, waren den eingeborenen Amerikanern weitgehend fremd. Sexualität wurde allgemein als natürlich begriffen, die erfüllt werden mußte, wie man seinen Hunger stillte, wenn auch der Grad des Vergnügens und der Verliebtheit, die Frauen mit der Sexualität verbanden, von Stamm zu Stamm unterschiedlich waren.

Jede indianische Gesellschaft hatte ihre Traditionen und Tabus, die die Sexualpraktiken ihrer Mitglieder regelten, und die Normen für akzeptables Sexualverhalten reichten von sehr strengen bis zu freizügigen und repressionsfreien. Die Sexualsitten waren Bestandteil der Gesamtkultur eines Stammes und dienten dazu, unter den Gesellschaftsmitgliedern Gruppenbindungen zu stärken und Zerwürfnisse zu verhindern.

Es waren einige sexuelle Richtlinien notwendig, um die soziale Grundeinheit, die Familie, intakt zu halten, denn sie war zugleich die wirtschaftliche Grundeinheit. Ein verheirateter Mann, der einen Großteil seiner Zeit darauf verwandte, anderen Frauen den Hof zu machen, versäumte es möglicherweise, genügend Fleisch für seine Familie heranzuschaffen. Und eine Frau, die viel mit fremden Männern flirtete, versäumte möglicherweise ihre Haushaltspflichten. Nichtsdestoweniger durften die Sexualregeln nicht zu streng sein, sonst hätten sie sich nicht durchsetzen lassen. Eine Gesellschaft, die Verletzungen der Sexualbräuche seitens ihrer Jugend mit dem Tode bestraft hätte, hätte bald nicht mehr genug junge Krieger zu ihrer Selbstverteidigung und genug junge Frauen zur Fortpflanzung des Stammes besessen.

Sexualtabus

Zwar kannten die Indianer kaum die Prüderie und die Lüsternheit, die man so häufig in der amerikanischen und der westeuropäischen Gesellschaft als Begleiterscheinung der Sexualität vorfindet, doch war in vielen Stämmen die Auffassung tief verwurzelt, der Geschlechtsakt mindere die Manneskräfte. So kristallisierte sich ein Katalog einschränkender Tabus heraus, nach dem Männer und Frauen zu bestimmten Zeiten getrennt zu bleiben hatten, um die Kräfte der Männer zu schonen.

Man glaubte weithin, sexuelle Enthaltsamkeit sei eine Vorbedingung erfolgreicher Jagd. So waren die Frauen in vielen Gesellschaften gehalten, einige Tage, bevor die Männer auf die Jagd gingen, getrennt von ihnen zu schlafen, um nicht die Beutetiere zu vertreiben, die die Männer erlegen wollten.

Die Verknüpfung der Nahrungsmittelversorgung eines Stammes mit geschlechtlicher Enthaltsamkeit kann man auch bei anderen Tätigkeiten beobachten. Bei den Apachen standen sexuelle Tabus mit dem Sammeln und der Zubereitung eines ihrer wichtigsten pflanzlichen Nahrungsmittel, der großen Agavenpflanze, in Zusammenhang. Wenn in den Bergen genügend Vorräte gesammelt worden waren, wurde das saftige Mark der Agave vier Tage lang in tiefen Gruben gebacken, und während dieser Zeit durften Männer und Frauen keinen Geschlechtsverkehr haben. Stellte man beim Öffnen der Erdöfen fest, daß das Agavenmark nicht gar gekocht war, so führte man dies darauf zurück, daß jemand aus der Sammlergruppe nicht enthaltsam gewesen war.

Man glaubte auch, Geschlechtsverkehr sei der Kampfkraft und spirituellen Macht von Kriegergruppen abträglich. Die Krieger der Creek zum Beispiel enthielten sich geschlechtlicher Aktivität nicht nur während der Kriegszüge, sondern auch drei Tage davor und danach.

In den verschiedenen Stämmen der amerikanischen Urbevölkerung herrschten noch zahlreiche andere Ängste vor, die mit der Sexualität zusammenhingen. Bei den White-Knife-Schoschonen galt der Blick auf die Genitalien einer Frau als überaus gefährlich, und man glaubte, der Betrachter werde blind oder krank werden. Die Schoschonen-Frauen mußten beim Sitzen ihre Beine immer geschlossen halten; ihre Röcke bestanden aus Streifen, so daß diese, wenn eine Frau einmal gedankenlos die Beine spreizte, ihre Geschlechtsorgane bedeckten. Der Bruder oder ein anderer männlicher Verwandter einer Schoschonen-Frau hatte traditionell die Pflicht, ihr ein brennendes Holzscheit zwischen die Schenkel zu stoßen, wenn sie in dieser Hinsicht einmal unachtsam war. In diesem Zusammenhang waren einige Navajo-Gruppen fest davon überzeugt, daß ein Mann vom Blitz erschlagen werden würde, wenn er die Geschlechtsteile einer Frau anschaute. Angesichts solcher Auffassungen verwundert es nicht, daß der Geschlechtsverkehr gewöhnlich im Dunkeln und weitgehend bekleidet vorgenommen wurde.

Die Menominee behaupten, es habe vor langer Zeit ein Tabu gegen Hautkontakt zwischen Mann und Frau bei der Liebe gegeben. Da dies Tabu normale Sexualbeziehungen grundsätzlich erschwerte, habe einer der Götter eine Bockshaut mit einem Loch darin angefertigt, um die Frau beim Verkehr damit zu bedecken. Später hätten bestimmte Mitglieder jeder Stammesgruppe diese Decken besessen, die als heilige Gegenstände galten und an Leute, die sie möglicherweise zu benutzen wünschten, ausgeliehen wurden.

Inzest

Eines der verbreitetsten Tabus betraf in den amerikanischen Eingeborenengesellschaften – ebenso wie bei vielen anderen Völkern auf der ganzen Welt – den Inzest, wenn auch das, was als Inzest verstanden wurde, von Gruppe zu Gruppe unterschiedlich definiert wurde und auch die Strafen sich unterschieden. Im Südosten konnte eine Creek-Frau, die mit ihrem Sexualpartner auch nur entfernt verwandt war, damit rechnen, mit der »langen Schramme« bestraft zu werden. Man stach ihr mit einem Hornhechtzahn oder einer Nadel die Nackenhaut ein und brachte ihr einen flachen Schnitt die Wirbelsäule entlang und dann das Bein hinunter bis zur Ferse bei. Die Bestrafung wurde vor den Augen der versammelten Dorfbewohner vorgenommen, wobei die öffentliche Schande noch den intensiven Schmerz übertraf. Waren die Tabuverletzer nahe verwandt, fiel die Strafe schwerer aus; bisweilen wurde der Bruch des Inzesttabus sogar mit dem Tode bestraft.

Die Sonne und der Mond
(Cherokee)

Die Sonne war eine junge Frau und lebte im Osten, während ihr Bruder, der Mond, im Westen wohnte. Die Sonne hatte einen Geliebten, der jeden Monat bei Mondfinsternis kam, um sie zu umwerben. Es kam bei Nacht und ging vor Tagesanbruch wieder fort, und obwohl sie mit ihm sprach, konnte sie sein Gesicht nicht sehen, und er wollte ihr auch nicht seinen Namen sagen. Die Sonne wunderte sich die ganze Zeit, wer ihr Liebhaber sei.

Schließlich hatte sie eine Idee, wie sie die Identität ihres Liebhabers aufdecken konnte. Als er das nächste Mal kam und sie im Dunkeln beisammensaßen, steckte sie heimlich ihre Hand in die Asche und Schlacke der Feuerstelle und rieb ihm mit den Fingern über das Gesicht, wobei sie sagte: »Dein Gesicht ist kalt; der Wind muß dich geplagt haben.« Nach einer Weile brach er auf und ging wieder fort. Als am nächsten Abend der Mond am Himmel aufging, war sein Gesicht mit Flecken bedeckt, und da wußte seine Schwester, daß er derjenige war, der sie aufgesucht hatte.

Er war so beschämt darüber, daß sie wußte, wer er war, daß er, so weit es eben ging, am anderen Ende des Himmels blieb. Seitdem hat er immer versucht, weit hinter der Sonne zu bleiben, und wenn er manchmal im Westen in ihrer Nähe erscheinen muß, macht er sich schmal wie ein Band, so daß man ihn kaum sehen kann.[1]

Die Apachen im Westen meinten, der Inzest stehe mit dem Laster der Hexerei in Zusammenhang; sie hatten daher eine schreckliche Furcht vor ihm und redeten nur mit gesenkter Stimme über ihn. Ihre Tradition verbot jedwede Heirat zwischen Leuten aus dem gleichen Clan oder verwandten Clans, gleichgültig wie entfernt der Verwandtschaftsgrad war. Gelegentlich kam es vor, daß ein Mann und eine Frau heirateten und dann herausfanden, daß sie entfernt verwandt waren. Wenn sie diese Verwandtschaft feststellten, mußten sie die Ehe auflösen und sich trennen. Apachen, die absichtlich inzestuöse Beziehungen eingingen, wurden für den Rest ihres Lebens gezeichnet, wenn nicht gar getötet. Personen, die des Inzests verdächtigt waren, schleppte man vor die Dorföffentlichkeit und klagte sie des Verbrechens an. Leugneten sie jede Missetat – was sie üblicherweise taten –, wurden sie zum weiteren Verhör an den Handgelenken an einen Ast gehängt. Frauen konnten gewöhnlich ihr Leben retten, indem sie gestanden, da man allgemein annahm, ihr Verführer sei eine Hexe und habe übernatürliche Kräfte gegen sie angewandt. Männer wurden immer getötet.

Eine Liebestodgeschichte
(Apache)

Vor langer Zeit lebten bei den Apachen ein Bruder und seine Schwester, die miteinander geschlafen hatten. Die anderen Leute im Dorf hatten dies lange vermutet. Der Bruder war sich über diesen Verdacht im klaren, und er kam schließlich zu der Überzeugung, daß die anderen Leute über ihn und seine Schwester Bescheid wußten. Er wußte, wenn sie beide entdeckt wurden, mußten sie mit einer schrecklichen Strafe rechnen, und er hatte nicht den Mut, sich dem Zorn seiner Verwandten zu stellen.

So schnitt der junge Mann einen Stab von etwa 25 Zentimetern Länge zurecht und spitzte ihn an beiden Enden zu. Als der Bruder und seine Schwester sich das nächste Mal heimlich fortstahlen, nahm der Bruder den Stab mit, und als sie sich zusammen hinlegten, stellte er den Stab auf den Bauch seiner Schwester. Als er zustieß, durchdrang sie der Stab. Da er an beiden Enden angespitzt war, durchdrang er auch ihn selbst, und sie starben beide.

Als die anderen Leute den Bruder und die Schwester vermißten, nahmen sie die Suche nach ihnen auf und fanden sie tot auf. In diesem Falle waren die Eltern gute Menschen – keine Hexen –, und das ist der Grund, weshalb der Junge seine Schwester und sich selbst tötete.[2]

Andere Gruppen trafen umfangreiche Vorkehrungen, um Geschwister getrennt zu halten. Bei den Cree im südlichen Saskatchewan war es jungen Mädchen verboten, mit ihren Brüdern zu sprechen, wenn die Jungen älter als zehn Jahre waren. Die jungen Frauen drückten ihre fortgesetzte Zuneigung zu ihren Brüdern aus, indem sie sich um deren Mokassins und Kleidung kümmerten, aber das war auch schon das Äußerste an erlaubtem Umgang. In extremen Fällen durfte ein Bruder ein oder zwei Worte zu seiner Schwester sprechen, aber sie antwortete nie. Ähnlich durfte eine Komantschen-Frau nie dicht bei ihrem Bruder sitzen oder ihn gar berühren; verletzte sie dieses Tabu, durfte der Bruder sie töten, ohne bestraft oder sozial geächtet zu werden.

Manche Stämme versuchten, den Inzest von vornherein durch die Schaffung sogenannter »Scherz«-Beziehungen zwischen Personen, die möglicherweise geneigt waren, das Verbrechen zu begehen, zu unterbinden. So war zum Beispiel im südlichen Quebec in der Gesellschaft der Central Algonkin die Beziehung zwischen Frauen und ihren Schwägern und zwischen Männern und ihren Schwägerinnen durch intensives, obligatorisches Scherzen und Necken gekennzeichnet. Das Scherzen, das sexuell orientiert und vielfach obszön war, wurde einzig durch ein Verbot körperlicher Berührung eingeschränkt. Wie die Sexualität in einigen Zeremonien, die weiter oben beschrieben wurden, bot diese Tradition ein Ventil für Spannungen, ehe sie zum familiären oder gesellschaftlichen Problem wurden.

In völligem Gegensatz zu den Sexualtabus war der freie sexuelle Zugang zu bestimmten Verwandten integraler Bestandteil einiger Kulturen und wurde keineswegs als Inzest verstanden. Die Pawnee-Frau diente dem Sohn der Schwester ihres Ehemannes von dem Zeitpunkt an, da er die Pubertät erreichte, bis zu seiner Verheiratung als Sexualpartner, und die Hopi-Frau konnte offen geschlechtliche Beziehungen mit dem Sohn ihres Bruders unterhalten. Die Hopi-Frauen begannen ihre Neffen bereits zu reizen, wenn diese noch sehr jung waren; sie nannten sie »Geliebter« und schenkten ihnen unverhohlene Aufmerksamkeit. Bisweilen griffen sie sich die Jungen bei Zeremonien und taten vor versammelter Menge so, als hätten sie gerade Verkehr mit ihnen. Wenn ein Junge die Pubertät erreichte, konnte er mit seiner Tante Geschlechtsverkehr haben, wann immer er wollte. Die Tochter der Tante, also die Cousine des Jungen, stand ihm ebenfalls als Sexualpartner, nicht aber als Ehepartner zur Verfügung.

Sexualität und Zeremonien

Bei vielen religiösen Zeremonien der eingeborenen Amerikaner waren die Teilnehmer gehalten, für die Dauer der Rituale sexuell abstinent zu bleiben; in manchen Fällen durften die männlichen Tänzer ihre Frauen noch nicht einmal berühren, mit ihnen sprechen oder ihnen ins Gesicht sehen. Bei den Zeremonien der Hopi mußten alle Teilnehmer für einige Zeit vor, während und nach den Ritualen enthaltsam leben, weil angeblich der »Geruch« für die Wolken unangenehm war. Wenn die Leute während der Veranstaltungen Verkehr hatten, würde, so fürchtete man, kein Regen fallen. Doch nicht einmal die unheilvollen Folgen der Verletzung dieses Tabus – das mögliche Verhungern des gesamten Stammes – konnten alle Leute im Zaum halten. Von einer Hopi-Frau heißt es, sie habe ein verkrüppeltes Kind geboren, weil sie Verkehr mit einem Mann hatte, der noch sein *kachina*-Tanzkostüm trug.

Zwar hatten bei vielen heiligen Ritualen die Teilnehmer ihr Sexualleben zeitweilig einzuschränken, doch war für den normalen Ablauf des Universums die Bedeutung von Sexualität und Fruchtbarkeit vielfach Bestandteil der rituellen Tänze. Die Hauptzeremonien bestanden aus Gebeten um reiche Erträge – es ging um Wild, Wildpflanzen und Ackerbauprodukte –; und ohne die sexuellen Funktionen der Natur kann es keine reichen Erträge geben.

Bei einer der wichtigen Zeremonien der Hopi wurde von den *kachina*-Tänzern – sie verkörperten übernatürliche Wesen – symbolischer Geschlechtsverkehr als religiöse Geste durchgeführt. Zwei *kachinas* erschienen auf dem Tanzplatz und bedeuteten pantomimisch, daß sexuelles Verlangen sie verzehre. Dann eilten sie auf eine Gruppe weiblicher Zuschauer zu, legten einer nach der anderen die Hände auf die Schultern und hüpften vor ihnen auf und nieder, wodurch sie vorgaben, mit ihnen Verkehr zu haben. Dann eilten die *kachinas* zur nächsten Frauengruppe und wiederholten ihre Pantomime, bis sie schließlich praktisch mit jeder Frau unter den Zuschauern »Verkehr« gehabt hatten. Selbst Frauen, die ansonsten sehr schüchtern waren, ließen sich bereitwillig diese öffentlichen Umarmungen gefallen.

Die eindeutigen Worte, Gesten und Sexualbewegungen, die unter anderen Umständen als beleidigend empfunden worden wären, wurden während solcher Rituale völlig anders begriffen. Und die Rituale boten ein gesundes und periodisches Ventil für Spannungen, indem sie den Zuschauern ermöglichten, stellvertretend an verbotenen Aktivitäten teilzunehmen.

Tatsächlicher Geschlechtsverkehr war Bestandteil eines der wichtigen Rituale der Mandan. In der Hauptsache waren Frauen die Teilnehmer bei den sexuellen Zeremonien der herbstlichen Büffelrufriten des Stammes, einer viertägigen Feier, in der die alten Männer die Büffel verkörperten. Allnächtlich wurden die jungen Frauen nackt, aber in Decken gehüllt von ihren Ehemännern zur Zeremonialhütte geführt. Der Ehemann wählte einen älteren Mann seines Clans aus, und seine Frau näherte sich dem alten Mann, bot ihm Essen an und lud ihn ein, mit ihr nach draußen zu gehen. Der alte Mann konnte die Frau nun in den Wald begleiten und mit ihr Verkehr haben – ein Akt, der als gleichbedeutend damit erachtet wurde, als ob die Frau Verkehr mit einem Büffel hätte. Derart besänftigt und geschmeichelt, würden die Herden zu den Prärien in der Nähe der Dörfer kommen, und die Leute würden im Krieg erfolgreich sein und keinen Hunger leiden. Eine junge Frau konnte sich pro Nacht acht bis zehn Männern nähern, aber manche Leute sagten, nur sehr wenige der alten Männer hätten diese Gunst auch wirklich genossen, da sie fürchteten, zu versagen. Gewöhnlich gingen sie mit der Frau nur vor die Tür und beteten für den Erfolg und das Glück des jungen Paares. Dem Glauben nach festigte dieser rituelle Geschlechtsverkehr die Ehebande, denn eine junge Frau, die »mit dem Büffel ging«, bewies damit ihrem Ehemann, daß sie seinen Erfolg bei Jagd und Krieg zu fördern suchte, was wiederum ein bequemes Heim, Gesundheit und reichlich Nahrung und Kleidung mit sich brachte.

Die frühen nichtindianischen Zuschauer bei den Ritualen der eingeborenen Amerikaner begriffen nicht die Symbolik dessen, was sie sahen, und reagierten infolgedessen schockiert auf manche der Riten. Daher wurden in der Folgezeit viele der Tänze abgewandelt, wenn Nichtindianer anwesend waren. Anthropologen, die versuchten, die Kultur und Legenden in ihrer überkommenen Form zu erfassen, sind ebenfalls auf diese Tendenz der Indianer gestoßen, sexuelle Anspielungen und Bezüge fortzulassen, wenn sie mit Weißen sprachen. Ein männlicher Hopi, der einigen frühen Forschern als Berichterstatter gedient hat, ließ sich schließlich das Bekenntnis entlocken: »Ich wußte, daß die Weißen vielfach in der Sexualität mehr Sünde als Vergnügen erblicken; daher habe ich die alten Hopi-Geschichten in gereinigter Fassung erzählt.«

Typische Liebesbräuche

Das Küssen als Bestandteil der Liebe war in vielen Stämmen üblich. Manche Anthropologen behaupten, das Küssen sei eine rein europäische Erfindung, doch wenn dies stimmt, hat sich die Praktik im Nordamerika der Eingeborenen rasch verbreitet, nachdem sie einmal eingeführt war. Es heißt, die Flathead seien grandiose Küsser gewesen, sofern sie verliebt waren; sie hätten die Lippen gegen die der Geliebten gedrückt und wohl auch die Zunge benutzt, aber keine Schmatzgeräusche von sich gegeben. Das Küssen gehörte und gehört auch heute noch zu den Liebespraktiken der Hopi. Im Gegensatz dazu erachteten die Apachen, die durchaus gelegentlich kleine Kinder küßten, den Kuß als zu persönliche Geste, um ihn in der Öffentlichkeit zu praktizieren. Manche

Ehepaare waren so zurückhaltend, daß sie sich ihr ganzes Eheleben weder küßten noch Händchen hielten.

Da die meisten eingeborenen Amerikaner die Sexualität als natürlichen Bestandteil des Lebens begriffen, kam Impotenz bei Männern und Frigidität bei Frauen anscheinend nur sehr selten vor. Beim Geschlechtsakt scheinen die meisten nordamerikanischen Indianer die sogenannte Missionarsstellung bevorzugt zu haben. Ein Hopi: »Jeder Mann, der auf sich hält, bleibt oben«, und die Kaska behaupteten, es beeinträchtige die Fähigkeiten des Mannes als Jäger, wenn die Frau oben liege. Die Navajo-Frauen glaubten, wenn sich ihnen ein Mann in einer anderen Stellung als »von oben« sexuell nähere, würde das in einer solchen Vereinigung empfangene Kind nach sehr schweren Wehen als Steißgeburt zur Welt kommen. Aus demselben Grunde küßten sich die Navajo auch nicht beim Verkehr. Die weniger verklemmten Pomo haben, so heißt es, die Sexualität in vielen verschiedenen Stellungen genossen, wobei Analverkehr vorherrschte, weil die Frauen ihn angeblich schätzten. Die Mohave praktizierten den Analverkehr in solch einem Ausmaß, daß die Frauen zum Teil Hämorrhoiden bekamen. Die männlichen Mohave wollten nie den Frauen die Obenlage gestatten, und Frauen konnten Männer auf diese Weise verhöhnen, wenn sie betrunken waren.

Orale Sexualpraktiken scheinen nur begrenzt angewandt worden zu sein. Bei den Pomo scheinen Männer und Frauen orale Stimulierung praktiziert zu haben, doch bei den Mohave war infolge der Auffassung, die Geschlechtssekrete der Frau röchen übel oder »nach Fisch«, nur die Fellatio üblich. Die Mohave-Frauen wurden auch nur selten mit dem Finger angeregt, da die Männer nicht wollten, daß ihre Hände schlecht rochen. Kaum eine Kaska-Frau praktizierte die Fellatio, und bei diesem Stamm war auch der Cunnilingus kaum die Regel, da die Männer meinten, die Geschlechtsteile der Frau seien giftig. Die Hopi küßten und streichelten sich am ganzen Körper, doch ein Informant berichtete: »Man soll aber nicht die Schamhaare küssen.«

Es läßt sich kaum präzisieren, wie verbreitet oder häufig der Orgasmus bei Frauen war. Die verfügbare Literatur deutet darauf hin, daß der Orgasmus als schön empfunden wurde, wenn er sich einstellte, daß er aber allgemein nicht als etwas begriffen wurde, um das zu bemühen sich lohnte. Als die Anthropologin Flora Bailey 1949 Navajo-Frauen nach dem weiblichen Orgasmus befragte, bekam sie unter anderem zur Antwort, man wisse nicht, daß Frauen einen Orgasmus haben können; man glaube, Frauen könnten und sollten diese Empfindung haben; und man sei überzeugt, es handele sich dabei um ein Krankheitssymptom, das auf zu häufigen Geschlechtsverkehr zurückzuführen sei. Eine ältere Frau erklärte Dr. Bailey, der Mann könne zwar immer sicher sein, einen Orgasmus zu bekommen, es sei aber Sache der Frau selbst, ob sie einen bekomme: Ihr Mann wisse nichts davon, und sie sage es ihm auch nicht; sie sprächen einfach nicht über diese Dinge.

In einigen Stämmen war die Sexualität eine jahreszeitlich gebundene Aktivität. Im Winter schliefen die Frauen der Hupa und die Kinder im *xonta*, dem Familienheim, während die Männer im Schwitzhaus des Stammes nächtigten. Mit dem Einsetzen des wärmeren Wetters im Frühsommer bauten die Leute Schutzdächer aus Reisig an den Ufern von Flüsssen, und die Ehepaare lebten zusammen, bis die Kühle des Herbstes sie zur Rückkehr in die festeren Behausungen zwang.

Bei den Yurok war es die Liebe zum Wohlstand, die Frauen und Männer während des Winters getrennt hielt. Sein Muschelgeld war dem Yurok-Mann offenkundig wichtiger als Sex. Er glaubte, daß innerhalb der Hütte praktizierter Geschlechtsverkehr – und dort bewahrte er sein Muschelgeld auf – die Muscheln »dazu brächte zu verschwinden«; mit anderen Worten, er wäre ein Verschwender. In Nordkalifornien war es im Winter zu kalt und regnerisch, um draußen zu schlafen, und so mußten die Yurok-Frauen dann bis zum Sommer warten, bis ihre ehelichen Bedürfnisse befriedigt wurden. Bei den Yurok gab es für den weiblichen Orgasmus kein Wort, und er hatte auch nicht den Beigeschmack einer Leistung oder Errungenschaft. Als er von einem Besucher nach der sexuellen Reaktion der Frauen gefragt wurde, antwortete ein männlicher Yurok: »Nun, wir haben unsere Frauen schließlich kaufen müssen.«

Ehebruch

Die Normen für die sexuelle Treue in der Ehe waren bei den verschiedenen Stämmen unterschiedlich. Die Haltung der Hopi gegenüber dem Ehebruch stimmte zum Beispiel mit ihrer allgemeinen liberalen Einstellung in sexuellen Dingen überein. Eine

Hopi-Frau, die einen Liebhaber hatte, wurde seine »heimliche Ehefrau« genannt; ihr Ehemann seinerseits hatte – wahrscheinlich – mehrere heimliche Ehefrauen, die verwitwet, unverheiratet oder mit anderen Männern verheiratet waren. Die Gatten wußten beide, daß ihr Partner sexuelle Beziehungen außerhalb der Ehe pflegte, aber keiner von ihnen war neugierig darauf, die Einzelheiten zu erfahren. Ihre Gesellschaft tolerierte dies Verhalten, wenn auch von den einzelnen erwartet wurde, daß etwas Zurückhaltung geübt wurde.

In manchen Stämmen rechnete man in gewissem Ausmaß mit Intrigen und heimlichen Affären, wenn die Leute mehrerer Lager zusammenkamen. Lange Zeremonien waren ein Anlaß, bei dem das ungewöhnliche Durcheinander großer Menschenansammlungen in Gesellschaften, deren Maßstäbe nicht übermäßig streng waren, Gelegenheit zu außerehelichen Späßen bot.

Nicht viel anders als heutige Gesellschaften betrachteten manche Stämme die Frauen als »Eigentum« ihrer Familien bzw. Ehemänner. In einer Gesellschaft, in der Bräute gekauft werden mußten, hatte die Treue der Frau einen Wert, der sich in Geld ausdrücken ließ, und Ehebruch galt als schweres Verbrechen. Von den Frauen, die derart zu den Besitztümern zählten, erwartete man, daß sie keuscher waren als die Männer der Gruppe. Dementsprechend war die Bestrafung drastischer und die Schande für die Frau tiefgreifender als für ihren Liebhaber.

Einer der ältesten Berichte über die Bestrafung einer indianischen Ehebrecherin stammt von zwei Männern Hernando de Sotos, die die Vorfahren der Mobile-Indianer besuchten. Die Spanier erlebten mit, wie eine Frau, die des Ehebruchs für schuldig befunden worden war, vor das versammelte Dorf geschleppt wurde. Unter den Augen der Dorfbewohner riß ihr Ehemann ihr die Kleider vom Leib und rasierte ihr mit einer Feuersteinklinge die Haare ab; dann ging er mit ihren Kleidern fort und zeigte so, daß er mit der Frau nichts mehr zu tun haben wollte. Die Menge johlte und beleidigte die Frau, um ihre Schande zu verschlimmern, und man bewarf sie mit Erdklumpen und Abfällen. Dann übergab man sie ihren Eltern, die geheißen wurden, sie für immer aus der Gegend zu vertreiben.

Dieselben Forscher haben ein ähnliches Vorgehen bei den Vorfahren der Creek beschrieben. Ein Ehemann, der vom Ehebruch seiner Frau unterrichtet wurde oder sie entsprechend verdächtigte, nahm sie ins Verhör. Wenn er sie für schuldig befand, führte er seine Frau in den Wald, band sie an einen Baum und erschoß sie mit Pfeilen. Es war den Verwandten der Frau nicht erlaubt, ihre Leiche zu beerdigen; sie wurde – als abschreckendes Beispiel für andere – den wilden Tieren zum Fraß überlassen.

Im Verlaufe der Zeit ging bei den Creek die Aufgabe, Ehebrecherinnen zu bestrafen, auf die anderen Frauen des Stammes über, insbesondere dann, wenn der Liebhaber der Frau selbst Frau und Kinder hatte. Die Frauen bewaffneten sich mit armlangen Ruten, und wenn ihnen ihr Opfer in die Hände fiel, rissen sie der Frau alle Kleider vom Leib, peitschten sie durch und ließen sie blutend liegen. War eine solche Frau verheiratet, dann versammelten sich gewöhnlich die Verwandten ihres Mannes in der Nähe und retteten sie, wenn sie sahen, daß die prügelnden Frauen zu weit gingen.

Bei den Assiniboine wurde eine unkeusche Frau grundsätzlich schwer bestraft. Nachdem man ihr den Kopf geschoren und sie dick mit roter Farbe und Bärenfett bestrichen hatte, setzte man sie auf ein Pferd, dessen Schwanz und Mähne geschoren waren und das ebenfalls mit roter Farbe bestrichen war. Ein alter Mann führte sie durch das Lager und erläuterte laut ihre Untreue. Danach überließ er sie ihren Eltern, die sie verprügelten, weil sie sie entwürdigt hatte.

Auch andere Gruppen schnitten untreuen Frauen das Haar kurz, weil viele Stämme langes, glänzendes Haar als Hauptzierde der Frau begriffen. Wenn eine Chickasaw-Frau das erste Mal beim Ehebruch erwischt wurde, verprügelte man sie kräftig und schnitt ihr das Haar kurz. Eine Frau mit kurzgeschorenen Haaren schämte sich, in die Öffentlichkeit zu gehen. Selbst im Sommer blieb sie im dunklen, muffigen Winterhaus und schmierte sich den Kopf mit Bärenfett ein, bis das Haar so weit nachgewachsen war, daß sie es im Nacken zusammenbinden konnte. Wurde eine Chickasaw zum zweitenmal ertappt, mußte sie damit rechnen, ihre Nasenspitze, eine Lippe oder die Ohren einzubüßen. Normalerweise wurden ihr diese Körperteile mit einem Messer abgetrennt, aber es kam auch vor, daß ein erboster Ehemann seiner Untreuen die Nasenspitze abbiß, wohl wissend, daß kein anderer Mann sie mit dieser Entstellung begehren würde.

Auch in anderen Stämmen bestand die übliche Bestrafung für Ehebruch in ähnlichen Verstümmelungen. Sioux- und Apachen-

Frauen büßten meist die Nase ein, wenn sie untreu gewesen waren.

Bei den Gros Ventre im heutigen Montana zwang die öffentliche Meinung den gehörnten Ehemann, gegen seine Frau etwas zu unternehmen. Er konnte sogar so weit gehen, sie zu töten, doch meist entstellte er ihr das Gesicht, schnitt ihr das Haar ab oder trennte sich von ihr. Es wird aber auch von einem Mann berichtet, der seiner Frau die Brüste und die Arme abschnitt und sie sterbend liegenließ. Ein anderer Mann fand seine Frau in den Armen des Häuptlings seiner Gruppe, woraufhin er den Rivalan auf der Stelle erschoß.

Es wird auch die Geschichte von einem Gros Ventre erzählt, der während eines Besuchs bei seinem Bruder von seiner Schwägerin schlecht behandelt wurde. Der Mann rächte sich, indem er die Frau warnte: »Sollte ich eines Tages über dich etwas hören (gemeint war: falls sie einen Liebhaber haben sollte), dann wirst du sehen, daß ich genauso niederträchtig sein kann wie du.« Bald darauf erzählte jemand dem Mann, seine Schwägerin sei gerade mit ihrem Liebhaber zusammen; er holte sofort sein Gewehr und schlich ihr nach. Als der Mann das Paar aufstöberte, sagte er zu der Frau: »Ich muß feststellen, du bist gar nicht so gemein, wie du vorgibst. In manchen Dingen bist du sogar großzügig. Ich bin gekommen, um dich zu töten.« »Gut, dann töte mich«, erwiderte die Frau. Ihr erzürnter Schwager tötete sie auf der Stelle und erzählte dann seinem Bruder, was geschehen war. Der Bruder dankte ihm und sagte, er hätte genau das gleiche getan.

Augenscheinlich kam es oft vor, daß Gros-Ventre-Frauen der Untreue verdächtigt wurden, was darauf zurückgeführt wurde, daß die jungen Mädchen häufig mit alten Männern verheiratet wurden, die sie nicht liebten. Man kann durchaus verstehen, wenn junge Mädchen, die mit Männern im Alter ihrer Väter verheiratet werden, Strafe riskieren, wenn sie sich in stattliche und begehrenswerte junge Krieger verlieben.

Unter zweierlei Umständen konnte eine Gros-Ventre-Frau damit rechnen, daß die Gesellschaft ihre Untreue im großen und ganzen tolerierte; allerdings mußte sie dann immer noch auf der Hut sein, daß ihr Mann keinen Verdacht schöpfte. Im ersten Fall schickte die Frau einen Mann aus, eine spektakuläre Kriegstat zu vollbringen, ehe sie ihm ihre Gunst gewährte. Wenn er zurückkehrte, wurde von ihr erwartet, daß sie ihn als Liebhaber akzeptierte. Im zweiten Fall verkündete ein Mann, der mit einer Frau eine Beziehung eingehen wollte, öffentlich, er habe die Absicht, gegen den Feind auszuziehen, werde aber keinerlei Versuch machen, sich zu verteidigen – also praktisch Selbstmord begehen.

Obwohl es dem Status und Ansehen eines Mannes abträglich war, wenn er weiter mit einer Ehefrau zusammenlebte, über deren Untreue er informiert war, liebten oder schätzten manche Männer ihre Frauen so sehr, daß sie riskierten, ins Gerede zu kommen. Oder eine untreue Frau erhielt nicht sofort ihre Strafe, sondern ihr Mann schickte sie eines Tages ganz beiläufig weg, um ihr zu zeigen, wie gleichgültig sie ihm war. In manchen Fällen ließ auch der Ehemann seine Frau mit ihrem Liebhaber fortziehen, wenn dieser ihm eine Entschädigung zahlte.

Bisweilen gaben sich gehörnte Ehemänner keineswegs damit zufrieden, ihre Frauen den gängigen Strafen auszuliefern; sie rächten sich auf ihre eigene Weise. Ein Mann aus dem Stamm der Eastern Sioux, der seine Frau einer Liebesaffäre verdächtigte, nahm eines Tages sein Gewehr und gab vor, auf die Jagd zu gehen. Doch statt in den Wald zu gehen, wartete er in der Nähe, bis ihr Liebhaber erschien. Als die Frau den Nebenbuhler für kurze Zeit allein ließ, erschoß ihn der Ehemann. Dann schnitt er dem toten Liebhaber einen Fetzen Fleisch aus dem Rücken, den er heim zu seiner Frau trug; ihr sagte er, sie solle das Fleisch kochen. Nachdem das Fleisch gegart war, richtete der Mann das Gewehr auf seine Frau und zwang sie, sein Fleisch zu essen. Anschließend erschoß der Ehemann seine Frau.

Ein früher Reisender, der die Cherokee besuchte, berichtete von einem Fall, in dem eine Frau, die häufig untreu gewesen war, von ihrem Ehemann und dessen Verwandten auf ungewöhnliche Weise bestraft wurde. Sie lauerten der Frau auf, als sie in den Wald ging, und fesselten sie an Pflöcken mit gespreizten Beinen auf den Boden. Mehr als fünfzig Männer vergewaltigten die Frau an jenem Nachmittag; allerdings wird berichtet, sie alle hätten den Anstand besessen, sich in eine Decke einzuhüllen, ehe sie über die Frau herfielen.

Bei den Cheyenne wurden überaus hartnäckige Ehebrecherinnen, die ihren Liebschaften in schamloser Weise nachgingen, der gleichen Behandlung unterzogen wie die obenerwähnte Cherokee-Frau. Der zornige Ehemann lud alle unverheirateten Mitglieder seiner Kriegergesellschaft – die Verwandten seiner Frau allerdings ausgenommen – zu einem Fest auf der Prärie ein, nach dem die Männer die Frau der Reihe nach vergewaltigten. Das Opfer erhielt normalerweise eine Bestrafung, die in keinem Verhältnis zu seinem Vergehen stand, da es als Zielscheibe aller Frustrationen mißbraucht wurde, die sich in den Männern jener überaus restriktiven Gesellschaft angestaut hatten. »Eine Frau auf die Prärie zu bringen« stand in krassem Gegensatz zu den bei den Cheyenne vorherrschenden Wertnormen der Würde und sexuellen Zurückhaltung, weshalb man auch nur sehr selten diese Strafe anwandte. Die Männer, die sich daran beteiligten, waren keineswegs stolz auf sich; wenn sie von den Frauen im Lager wegen ihres Verhaltens getadelt wurden, versuchten sie sich normalerweise gar nicht erst zu rechtfertigen, sondern ließen die Köpfe hängen und gingen davon.

Manchmal wurden sogar die übernatürlichen Wesen angerufen, gegen Frauen Strafen zu verhängen, die sich bei außerehelichen Liebeleien hatten erwischen lassen. In einem Fall verlor eine Komantschen-Frau mit dem zutreffenden Namen Looking-for-Fun beinahe ihr Leben an etwas, das sie für übernatürliche Mächte hielt. Ihr Ehemann hatte sie des Ehebruchs verdächtigt, sie hatte geleugnet. Ihr Mann ließ sie ihre Unschuld vor der Sonne und der Erde beschwören, und obwohl sie schuldig war und dies auch genau wußte, tat sie den Schwur: »Sonne, wenn du mir nicht glaubst, dann lasse mich zugrunde gehen. Mutter Erde, wenn du mir nicht glaubst, dann lasse es Wirklichkeit werden, daß ich nicht mehr auf dir lebe.«

Einige Monate später bekam Looking-for-Fun Schwächeanfälle und kümmerte dahin. Verschreckt wandte sie sich an einen Medizinmann um Hilfe. Er sagte ihr, seiner Ansicht nach seien die Vorwürfe ihres Ehemanns zutreffend, und sie werde von den Mächten bestraft, die sie herausgefordert hatte. Da gab sie ihr Leugnen auf und erzählte dem Arzt, sie habe deshalb nicht gestanden, weil sie gefürchtet habe, ihr Mann werde sie streng bestrafen.

Als der Medizinmann die ganze Geschichte gehört hatte, kam er zu dem Schluß, das Problem übersteige seine Macht, und er verwies Looking-for-Fun an einen Spezialisten.

Die Frau, die nun mehr als nur ein wenig erschrocken war, holte ihre Mutter, und die beiden suchten den anderen Arzt auf. Glücklicherweise war Looking-for-Funs Ehemann draußen auf dem Kriegspfad und konnte daher keinen Verdacht schöpfen. Der zweite Arzt sagte den beiden Frauen, er könne wahrscheinlich helfen, und er nannte ihnen zwei Möglichkeiten: Entweder mußten sie einen anderen Familienangehörigen opfern, oder sie mußten acht Pferde bereitstellen, die dann zu töten wären, denn er könne der Krankheit nicht Einhalt gebieten, sondern sie nur auf etwas anderes verlagern. Ihm sei es allerdings lieber, die Heilkur mit den Pferden durchzuführen, da er nicht gern einem Menschen das Leben nehmen wolle.

So brachen die Frauen auf, und der Medizinmann führte das entsprechende Ritual durch. Kurz danach beschloß die Gruppe weiterzuziehen, und da Looking-for-Funs Ehemann immer noch nicht vom Kriegspfad zurückgekehrt war, holte seine Frau alle seine Pferde zusammen und bereitete sich darauf vor, sie zum neuen Lager zu treiben. Während sie sie vor sich hertrieb, fiel plötzlich eines der Pferde tot um, und kurz darauf brach ein weiteres zusammen. Als die Gruppe ihre neue Lagerstätte errreichte, waren acht Pferde der Frau verendet.

Die junge Frau war sehr glücklich, denn der Tod der Pferde bewies, daß sie geheilt werden würde. Als ihr Ehemann schließlich zurückkehrte, erzählte sie ihm, wie die Gruppe das Lager abgebrochen und sie auf der Wanderung acht Pferde verloren hatte. Sie machte ihn glauben, niemand wisse, was den Pferden gefehlt hatte, und mehr erfuhr er auch nie über die wahren Zusammenhänge.[3]

Bei den Crow hatten untreue Frauen es besser. Zwar wurden keusche Frauen bewundert, aber Frauen, die vom Ideal abwichen – sogar solche, die eindeutig leichtfertig und lüstern waren –, wurden von der Gesellschaft nicht geächtet, sondern verloren nur an Ansehen. Die betroffenen Ehemänner reagierten unterschiedlich. Manche von ihnen sagten gar nichts, wenn sie von der Untreue ihrer Frauen erfuhren, während andere so weit gingen, ihnen das Gesicht mit dem Messer zu entstellen. Aber auch die Crow-Frauen waren nicht eifersüchtig; sie wußten normalerweise ganz genau, daß ihre Männer ein Liebchen in jedem Lager hatten. Manche Frauen waren sogar stolz darauf, einen so gut aussehenden und charmanten Ehemann zu besitzen, daß er auf andere Frauen wirkte, und wenn einmal eine Rivalin zu Besuch kam, bereiteten sie ein Festmahl und überhäuften die andere mit Geschenken. (Die Crow-Männer pflegten zu sagen, die Frauen seien wie Büffel. Ein Mann, der zu lange mit einer Frau lebte, sei wie ein Jäger, der das letzte Tier der Herde erlegt hat und bei dem Kadaver bleibt, weil ihm die Energie fehlt, auf weitere Jagd zu machen.)

Eine interessante und komplexe Form institutionalisierten Ehebruchs wurde von den Crow während der sechziger und siebziger Jahre des letzten Jahrhunderts praktiziert. Die Mehrzahl der Männer war in zwei rivalisierenden Clubs – den Foxes und den Lumpwoods – organisiert, zu deren Hauptbeschäftigungen der wechselweise Raub von Ehefrauen gehörte. Einmal jährlich, im Frühling, versammelten sich die Clubs getrennt und bereiteten sich darauf vor, die Ehefrauen der Mitglieder des anderen Clubs zu entführen. Eine Frau durfte nur von einem Mann entführt werden, der früher ihr Liebhaber gewesen war; bei jedem anderen konnte sie sich weigern, mit ihm zu gehen. Doch manchmal behaupteten Männer solche Liebesverhältnisse und entführten Frauen mit Gewalt. Eine Frau, die nicht entführt werden wollte, konnte ihren Kidnapper bitten, sie in Ruhe zu lassen, oder sie konnte sich, wenn sie sich ernstlich fürchtete, während der Entführungssaison, die normalerweise nur zwei Wochen dauerte, versteckt halten. Wollte sich eine Frau vor ihrem Entführer verstecken, so konnte sie im allgemeinen auf die Hilfe der anderen Frauen, keinesfalls aber auf die Unterstützung ihres Ehemannes rechnen. Der Ehrenkodex der Männer erlaubte ihm nicht den geringsten Widerstand, nicht einmal, wenn seine Frau in seinem Beisein entführt wurde. Zeigte er auch nur das geringste Gefühl, so handelte er sich den mitleidlosen Spott des Entführers ein. Entführte Frauen wurden in das Rivalenlager gebracht und zur Schau gestellt. Gewöhnlich ließ der Entführer seine »Eroberung« frei, wenn sie kurze Zeit mit ihm gelebt hatte, aber die Frau durfte dann auf keinen Fall zu ihrem ehemaligen Ehemann zurückkehren. Dies System kam Frauen sehr zustatten, die ihre Ehemänner verlassen und mit ihren Liebhabern leben wollten, doch läßt sich nicht ermitteln, ob nur solche Frauen entführt wurden, die dies auch wirklich wollten.

In einigen nordamerikanischen Stämmen waren andere, weniger fest institutionalisierte Arten des Frauentauschs üblich. In diesen Gesellschaften sah ein Ehemann seine Frau nur dann als Ehebrecherin an, wenn sie sich ihrerseits zum Verkehr mit einem anderen Mann entschloß; es galt nicht als Ehebruch oder Unzucht, wenn der Mann seine Frau zu sexuellen Zwecken auslieh. In Kalifornien war der Frauentausch zwischen befreundeten Nisenan-Häuptlingen üblich, und ein Mann dieses Ranges erwartete, eine Frau »ausgeliehen« zu bekommen, wenn er ein anderes Dorf besuchte. Nisenan-Ehemänner teilten ihre Frauen auch mit ihren Namensvettern. Die Frauen selbst wurden bei solchen Abmachungen überhaupt nicht gefragt.

Ein sehr alter Bericht, der möglicherweise übertrieben ist, handelt davon, daß Huronen-Männer ihre Ehefrauen, sofern diese willens waren, anderen Männern gegen ein kleines Geschenk anboten; Dorfkuppler hätten nichts anderes zu tun gehabt, als Männern die Frauen herbeizuschaffen, nach denen es sie gelüstete.

Bei den Copper-Eskimo führte der Brauch des Frauentausches (und der des Männertausches) zu einer Erweiterung des Familienbegriffs; die Kinder zweier derart verflochtener Familien wurden als Geschwister angesehen und durften demzufolge nicht heiraten. Wenn eine Familie eine fremde Gruppe besuchte, versuchte der Ehemann sich mit einer der Gastgeberfamilien oft durch eine Vereinbarung in Sachen Frauentausch zu verbünden, damit er nicht mehr als Fremder und potentieller Feind angesehen wurde. Ein solcher Tausch kam so häufig vor, daß er in den Gemeinwesen gar nicht mehr zur Kenntnis genommen wurde. Es bestand kein Grund, etwas zu verschleiern oder zu verheimlichen.

Wenn bei den Chipewyan Männer Frauentausch vereinbarten, erwuchsen daraus mehr wirtschaftliche als sexuelle Folgen und Verpflichtungen. Es heißt, die Frauen der Chipewyan hätten unter eifersüchtiger Bewachung gestanden und sich nicht aus der Sichtweite ihrer Ehemänner begeben dürfen, wenn Gelegenheit zum Ehebruch bestand. Obwohl sie ihre Ehemänner mit bis zu sieben Mitehefrauen teilen mußten, waren diese Frauen gewöhnlich treu. Wenn aber zwei Männer eine Vereinbarung zum Frauentausch eingingen, gelobten sie sich gegenseitige Hilfe und dauerhafte Freundschaft. Starb einer der beiden Männer, übernahm der andere die Verpflichtung, für die hinterbliebene Frau oder die Frauen und Kinder zumindest zeitweise zu sorgen.

Die schwerste Bestrafung war anscheinend für Frauen vorgesehen, die sich mit stammesfremden Liebhabern einließen. Die Pima duldeten »lockere« Frauen bei sich, aber ein Pima-Mädchen, das sich mit einem nicht zum Stamm gehörigen Mann erwischen ließ, wurde zu Tode gesteinigt. Weiße Händler, die viele Jahre bei den Pima lebten, ließ man bereitwillig an allen Vergnügungen des Dorflebens teilnehmen, doch diese Gastfreundschaft erstreckte sich nicht auf sexuellen Zugang zu den Frauen des Stammes, und jede Pima-Frau, die sich mit einem weißen Händler einließ, begab sich in ernste Gefahr.

Die Havasupai erzählen die Geschichte von einer schönen Frau, die sich in einen Apachen verliebte. Die beiden beschlossen, zusammen fortzulaufen. Nachdem der Apache den Ehemann seiner Geliebten getötet hatte, flohen die beiden, verfolgt von den Männern des Stammes, eine steile Felswand hinauf. Als das Pärchen fast den Rand der Schlucht erreicht hatte, ereilte sie die Strafe der Götter, und sie erstarrten zu Stein. Dort seien sie, so heißt, die Zeiten hindurch geblieben, den Havasupai-Frauen als Warnung vor den Gefahren verbotener Liebe. Anscheinend ist diese Mahnung nie allzu ernst genommen worden, denn Männer wie Frauen der Havasupai ließen sich auf kurze Liebschaften mit Navajo, Hopi und Paiute ein, mit denen sie Handelskontakte pflegten. Nichtsdestoweniger wurde noch im Jahre 1900 eine Havasupai-Frau von ihrem Volk zum Tode verurteilt, weil sie gegen das Gesetz mit einem weißen Mann geschlafen hatte.

Selbstverständlich kam es auch gelegentlich vor, daß eine Frau, die unschuldig war, wegen Unzucht oder Ehebruchs angeklagt und bestraft wurde – dann strebten ihre Verwandten Vergeltung an, denn gewöhnlich ging man davon aus, daß eine Beschuldigte schuldig war. In einigen Stämmen konnte eine Frau als Ehebrecherin gelten, ohne eine sexuelle Verfehlung begangen zu haben. Eine erwachsene Wishram-Frau zum Beispiel durfte nie mit einem Mann sprechen, der nicht mit ihr verwandt war, und wenn sie unterwegs auf einen solchen Mann traf, mußte sie oder er zehn Schritte ausweichen, damit sie sich nicht berührten. Eine verheiratete Wishram-Frau durfte von einem unverheirateten Mann nichts annehmen, nicht einmal einen Schluck Wasser.

Die Verletzung dieser Regeln galt bereits als Ehebruch oder Unzucht. Jedes Gespräch zwischen einer Yurok-Frau und einem ihrer früheren Liebhaber war verdächtig, ebenso, wenn sie gemeinsam einen Weg zurücklegten oder sich zusammen in einem Gebäude aufhielten, wie unverdächtig die Umstände auch sein mochten. Diese Vergehen der »zu folgernden Unkeuschheit« wurden normalerweise dadurch geahndet, daß der beleidigte Ehemann in dieser oder jener Form eine Entschädigung von dem anderen Mann akzeptierte.

Der Spielraum, den Indianerfrauen besaßen, um gegen abspenstige Ehemänner vorzugehen, war in den verschiedenen Stämmen unterschiedlich groß. Bei den Caddo und Hidatsa galt es für Männer wie Frauen als unziemlich, öffentlich Eifersuchtsszenen zu initiieren. Korrekterweise sprach die beleidigte Partei mit dem ehebrecherischen Partner und schlug ihm vor, sich doch zu trennen, wenn sie oder er lieber mit der geliebten Person leben wolle.

Wenn in anderen Gruppen zwei Frauen denselben Mann begehrten, trugen sie dies auf handgreifliche Art und Weise aus. Die eifersüchtige Frau griff ihre Rivalin entweder mit dem Messer an, oder zwei Frauen gingen mit Grabstöcken, Knüppeln oder den Fingernägeln aufeinander los. Nicht selten rangen zwei Cocopah-Frauen miteinander und rissen sich – zur Belustigung der übrigen Bevölkerung – gegenseitig die Haare aus. Die Southern Ute empfahlen eine bewaffnete Prügelei zwischen den Rivalinnen, wenn über das Recht einer Frau auf einen Mann zu entscheiden war. Man behauptete, die Frau, die den Mann wirklich haben wollte, werde sich nie geschlagen geben, und die stärkere Frau sei die bessere Ehefrau. Wenn eine Ute-Ehefrau nicht kämpfen wollte und ihr an ihrem Mann nicht besonders lag, konnte sie einfach etwas vom Eigentum der anderen Frau zerstören und ihr sagen, sie solle den Mann behalten. Schoschonen-Frauen rechneten damit, daß ihre Männer fremdgingen, aber sie konnten ihre Rivalin verprügeln und ihr den Rock zerreißen, um ihre Genitalien bloßzulegen und darauf zu spucken.

Die Ehefrau, die ihre Nebenbuhlerin tötete (Tlingit)

Einst lebte am Fuß eines Berges ein Mann mit seiner Frau und seinem kleinen Sohn in einer Hütte. Als er eines Tages auf der anderen Seite des Berges jagte, traf der Mann eine andere Frau und verliebte sich in sie. Fortan lebte er mit dieser Frau und brachte ihr alles Wild, das er erlegte.

Der Mann besuchte seine erste Frau und seinen kleinen Sohn so selten, daß diese bald argen Mangel an Nahrung und Häuten litten. Einmal kam der Mann nach langer Abwesenheit und brachte nur ein kleines Stück Fleisch mit. Die Frau gab das

Fleisch ihrem Sohn und sagte: »Das ist alles, was dein Vater dir gebracht hat.«

Da die Frau wütend war, folgte sie heimlich ihrem Ehemann zu der Hütte auf der anderen Seite des Berges. Sie beobachtete, wie er in die Behausung ging, dann versteckte sie sich in der Nähe und wartete geduldig, daß er wieder herauskam. Als er schließlich die Hütte verließ und in den Wald ging, drang sie in das Haus ein und tötete ihre Rivalin mit einem Messer. Nachdem sie von den reichlichen Nahrungsvorräten so viel an sich genommen hatte, wie sie tragen konnte, setzte sie das Haus in Brand und kehrte mit ihrer Beute heim.

Als ihr Mann zu seiner toten Geliebten zurückkam, fand er dort, wo die Hütte gestanden hatte, nur einen Haufen Asche vor. Der Mann war so traurig, daß er beschloß, zu seiner Frau zurückzukehren. Als er in seinem alten Heim ankam, fragte ihn seine Frau, weshalb er so außer Fassung sei, aber er antwortete ihr nicht.

Die Frau packte von ihrer Habe zusammen, was sie tragen konnte, nahm ihr Kind bei der Hand und kehrte heim zu ihrem Vater. Der Vater, ein Schamane, hatte im Traum seine Tochter in der Prärie umherwandern gesehen und hatte ihre Schritte heimwärts gelenkt. Der Ehemann versuchte, seiner Frau und seinem Sohn zu folgen, aber der Schamane verwandelte ihn in einen Elch.[4]

Etwas anders sahen die Moralvorstellungen der Irokesen aus: Wenn eine Frau herausfand, daß ihr Mann auf Reisen andere Frauen besucht hatte, war sie gehalten, davon kein Aufhebens zu machen. Als guter Ehefrau kam ihr ein Platz im Himmel zu, ihr Mann aber befand sich auf dem Weg zum Haus des (übernatürlichen) Bösewichts. (Diese Darstellung mag im primitiven Brauchtum verwurzelt sein, erweckt aber den Anschein eines starken, europäisch-christlichen Einflusses.)

Die Frauen der Gros Ventre, die, wie wir gesehen haben, im Falle ihrer Untreue mit allerlei Strafen von der Verstümmelung bis zum Tod zu rechnen hatten, wurden gelehrt, den Mund zu halten, wenn ihr Mann spätabends und möglicherweise von einem Schäferstündchen mit einer anderen Frau heimkehrte. »Er wird immer zu dir zurückkehren«, hieß es. »Sage dir, er ist dein Mann, und er wird dich nie auf immer verlassen.« Ihnen wurde auch eingeschärft, sich nicht zu rächen, indem sie sich einen anderen Mann suchten.

Natürlich konnte eine Frau einen untreuen Mann immer verlassen, aber wenn der Mann ein guter Jäger war, überlegte sie es sich zweimal, ehe sie ihren Lebensunterhalt aufgab. Es gab auch Gesellschaften, in denen eine Frau nicht bestraft wurde, wenn sie ihren ehebrecherischen Ehemann umbrachte, aber eine Frau, die derart drastisch reagierte, hatte es verständlicherweise nicht leicht, einen neuen Ehemann zu finden.

Vergewaltigung

Vergewaltigung galt als schweres Sexualdelikt und wurde unter den eingeborenen Amerikanern weithin mit Acht und Bann belegt. Da sie fast überall mißbilligt wurde, kam Vergewaltigung nur selten vor. Innerhalb begrenzter gesellschaftlicher Situationen war Notzucht allerdings ein gängiges Verhalten.

Die Chiricahua-Apachen stuften Vergewaltigung als Diebstahl ein; und Übergriffe auf ledige und alleinstehende Frauen wurden als schwereres Vergehen gewertet als Übergriffe auf verheiratete Frauen. Die Bestrafung oblag meist den Angehörigen der Frau, und sie konnten sogar so weit gehen, den Notzüchtiger zu töten. Bisweilen bot die Familie des Vergewaltigers Entschädigungszahlungen an, um die Angelegenheit gütlich beizulegen.

Es kam vor, daß ein Apachen-Krieger, wenn es gar nicht anders ging, eine Frau vergewaltigte, sofern es ihm nicht gelang, sie auf die übliche Weise für sich zu gewinnen. Bei den Western-Apachen hatte sich einmal ein Mann bis über beide Ohren in ein junges Mädchen verliebt, und er hatte sogar ihren Vater überredet, sie ihm zur Frau zu geben. Die junge Frau weigerte sich aber, in die Ehe einzuwilligen, da sie den jungen Mann nicht mochte.

Als das Mädchen eines Tages mit einigen weiblichen Verwandten draußen im Gelände Bucheckern sammelte, ritt der junge Mann auf seinem Pferd herbei und bot ihr einen Ritt heim in ihr Lager an. Da das Mädchen wußte, daß der Heimweg durch einen infolge Regen gestiegenen Fluß führte, nahm sie das Angebot an. Doch statt das Mädchen nach Hause zu bringen, ritt der junge Mann mit ihr in einen Canyon, hielt sie dort den ganzen Abend lang fest und zwang sie zum Verkehr mit ihm.

Als der junge Mann das Mädchen schließlich zurückbrachte, gab er ihr die Zügel seines Pferdes in die Hand und sagte ihr, sie solle es heimlenken. Er wußte, daß er für seine Übertretung früher oder später bezahlen mußte, und so meinte er, es sei besser, wenn er gleich bezahlte. Als das Mädchen in ihr Lager kam, war sie immer noch wütend darüber, wie sie behandelt worden war, und sagte zu ihrer Mutter: »Mutter, töte dies Pferd. Jener Mann hat mir etwas angetan, da ist es besser, wenn du das Pferd tötest.« Darauf schlachteten sie das Tier und aßen es auf.

Zwei Monate später ging die Mutter des jungen Mädchens ins Lager des Kriegers, um mit seiner Mutter zu sprechen. Sie sagte der Mutter des jungen Mannes, ihre Tochter sei schwanger, und daher sei es das beste, wenn die beiden jungen Leute heirateten. Die Eltern des jungen Mannes stimmten zu. Auch dem jungen Krieger war diese Lösung recht, denn auf nichts anderes hatte er von Anfang an spekuliert.

Obwohl die Sexualbeziehungen bei den Zuni ziemlich frei und unverklemmt waren, galt Vergewaltigung als schweres Vergehen. Sie wurde allerdings mehr als persönliche Übertretung und nicht so sehr als Verbrechen gegen die Gesellschaft eingestuft. Um 1880 brachte eine junge, verheiratete Frau einen typischen Fall von Vergewaltigung vor den Stammesrat der Zuni. Sie war Beeren sammeln gegangen, und während sie sich über einen Strauch beugte, schlich sich ein unverheirateter Mann aus dem Dorf leise an sie heran, zog ihr das Kleid hoch und vergewaltigte sie von hinten, ohne auf ihre Schreie Rücksicht zu nehmen. Hinterher schalt die Frau den Angreifer wegen seiner Tat und sagte ihm, wenn er sie anständig gefragt hätte, hätte sie wahrscheinlich eingewilligt, mit ihm zu schlafen. Der Mann bot ihr eine Halskette und ein Kleid an, wenn sie ihn nicht verriet, aber die Frau war beleidigt und lief weinend heim, um den Vorfall ihrem Ehemann zu berichten.

Am Abend suchte der Ehemann der Frau den Vergewaltiger und seine Familie auf; der gab sein Vergehen zu und bot erneut die Halskette und das Kleid als Entschädigungsleistung an. Man beschloß, den Fall vor den Rat zu bringen. Nachdem der Richter sich die Geschichte angehört hatte, forderte die Frau als Entschädigung eine Perlenschnur, eine Halskette, einen schwarzen Umhang, ein Paar gewebte hohe Gamaschen, ein gegerbtes Rehbocksfell, einen großen Teppich und ein Maisfeld. Dies war eine hohe Entschädigung, aber der Beklagte akzeptierte sie und wurde überdies vom Richter ermahnt, falls er je sein Verbrechen wiederholen sollte, würde die Strafe doppelt so hoch ausfallen.

Ojibwa-Mächen fürchteten, von nicht gesellschaftsfähigen Personen vergewaltigt zu werden, mußten aber besonders vor älteren Männern aus ihrem eigenen Stamm und sogar aus dem eigenen Haushalt auf der Hut sein. Wenn ein Mädchen einen Ojibwa-Schamanen in einer Sache um Rat fragte, kam es vor, daß er ihr sagte, nachts werde ein junger Freier zu ihr kommen und um sie werben, und daß er dann selbst zu ihr ins Tipi schlüpfte. Nicht selten nahm auch ein Mann seine Stieftochter auf die Entenjagd mit, um dann fern vom Dorf zu versuchen, sie zu vergewaltigen. Gewöhnlich gab es dann Streit zwischen Vater und Mutter, wenn das Mädchen heimkehrte und der Mutter erzählte, was vorgefallen war. In manchen Fällen verließen das Mädchen und die Mutter für einige Zeit oder für immer das Heim.

Die Anthropologin Ruth Landes berichtet von einer jungen Ojibwa-Witwe, die noch über den Verlust ihres hübschen jungen Ehemannes trauerte. Ihr Schwiegervater erzählte ihr, ihr verstorbener Mann würde in der Nacht kommen, um ihren »noch nicht empfangenen kleinen Sohn zu küssen«, und ermahnte sie, das Feuer nicht hell lodern zu lassen, wenn der Geist des Verstorbenen erschien. Dann zog sich der alte Lüstling ein Leichenhemd an und ging selbst in das Tipi der Witwe. Offenbar kam der jungen Frau die Situation seltsam vor, und sie schöpfte Verdacht, aber da ihr gesagt worden war, sie solle im Dunkeln bleiben, konnte sie das Gesicht des Mannes nicht klar erkennen. Sie begriff erst, was geschehen war, als sie feststellte, daß sie schwanger war. Daraufhin erzählte sie wütend die Wahrheit im Dorf herum und zog mit ihrer Mutter fort.

Ritualisierte sexuelle Aggression war ein Privileg einer Sondergruppe junger Männer bei den Southern Ute. Diese Horde junger Männer, die zumeist keine Familien hatten, lebte außerhalb des Hauptlagers zusammen. Sie nannten sich die Dogs und verbrachten ihre Zeit damit, sich zu tollkühnen Kriegern heranzubilden. Gelegentlich kamen sie ins Dorf, lärmten, schrien und vollführten alberne Streiche. Jede Frau, die über sie lachte – und selbst vor alten Weibern machten sie dabei nicht halt –, mußte damit rechnen, von den jungen Männern in ihr Lager verschleppt und vergewaltigt zu werden.

Die Flathead-Männer begriffen die Vergewaltigung der Tochter eines persönlichen Feindes im eigenen Lager als gerechte Vergeltung für eine Beleidigung. Allerdings griffen zu dieser Maßnahme nur starke Männer, die den Mut hatten, sich der dann folgenden Rache zu stellen. Die Frauen des Lagers und nicht der Häuptling oder die männlichen Verwandten des Opfers bestraften nämlich solche Gesetzesbrecher. Der arglos gehaltene Vergewaltiger wurde zu einem entlegenen Ort gelockt, wo ihn dann der kollektive Zorn der Frauen des Dorfes mit allen Formen des Mißbrauchs und der Entwürdigung traf.

Manche amerikanischen Eingeborenenfrauen waren stark oder gewitzt genug, um sich selbst gegen Vergewaltigung zu verteidigen. Eine Geschichte von den Komantschen der südlichen Plains handelt von einem Mann namens Blow It Away, der seinen Mangel an Zuwendung seitens der Frauen dadurch wettzumachen versuchte, indem er nachts in fremde Tipis schlich und mit den Frauen, die er dort vorfand, zu schlafen versuchte. Er war ein notorischer Beischlaferschleicher, obwohl er nie viel Erfolg hatte. Eines Nachts geriet er an die falsche Frau, eine gewichtige Matrone mit kräftigen Armen und starkem Willen. Als sie erwachte und feststellte, daß »Blow It Away« sich an ihr zu schaffen machte, rang sie mit ihm und bezwang ihn. Nachdem sie ihm seinen Lendenschurz vom Leib gerissen hatte, packte sie ihn am Penis und begann, ihn aus dem Tipi zu schleifen. Das Getöse weckte den Sohn der Frau, und er bat seine Mutter, den armen Mann nicht in dieser Weise zu erniedrigen; sie aber war entschlossen, dem Nichtsnutz eine Lektion zu erteilen. Seine Genitalien mit festem Griff umklammernd, zerrte sie ihn nach draußen, wo alle Leute ihn sehen konnten. Dies war das erste Mal, daß jemand etwas gegen den Burschen unternommen hatte, und es war das letzte Mal, daß er sich einer Frau aufzudrängen versuchte.

Nicht immer brauchte eine Frau über große Körperkraft zu verfügen, um sich gegen Vergewaltigung zu schützen. Die Methode, die zwei junge Mädchen der Labrador-Eskimo anwandten, um den Übergriff einiger Kanadier abzuwehren, würde auch heute noch optimal funktionieren. Die jungen Frauen lagerten den Sommer über mit ihrem Vater an einem See, über den die Reiseroute von Holzfällern führte, die zwischen dem »Busch« und den nächstgelegenen Siedlungen hin und her pendelten. Das Lager der Indianer lag, weil sie nicht gestört werden wollten, einige hundert Meter vom Seeufer entfernt. Eines Tages war der Vater auf die Jagd gegangen, und die Mädchen erledigten am Sandstrand Hausarbeiten, als ein Kanu mit weißen Männern auftauchte. Diese Männer hatten monatelang keine Frau mehr zu sehen bekommen, und es konnte kein Zweifel bestehen, auf was sie aus waren, als sie ihre Richtung änderten und rasch auf die Mädchen zupaddelten. Die beiden Schwestern waren sich darüber im klaren, daß sie nicht entkommen konnten, und so begannen sie vor den Augen ihrer Verfolger, sich händeweise Sand in die Scheide zu stopfen. Als diese sahen, was die bis dahin begehrenswerten jungen Frauen taten, brüllten die verdutzten Kanadier vor Wut und brachten ihr Kanu wieder auf seinen ursprünglichen Kurs; die jungen Frauen beschimpften sie als »dreckige Wilde«.

Obwohl eingeborene amerikanische Frauen oft von europäischen Händlern, Trappern und Entdeckern vergewaltigt wurden, mißbrauchten die Indianer nur selten weiße Frauen, die in Gefangenschaft gerieten. Offenbar bezogen sich die weitverbreiteten Traditionen, die sexuelle Übergriffe auf »Fremde« untersagten, auch auf weiße Frauen.

Die Frau eines weißen Missionars, die 1676 fast drei Monate in Gefangenschaft der Narraganset zubrachte, schrieb: »Keiner von ihnen hat mir je in Wort oder Tat den geringsten Mißbrauch oder die geringste Unkeuschheit angeboten«, und einige Ordensschwestern, die von den Cheyenne gefangengenommen worden waren, berichteten ebenfalls, sexuell in keiner Weise mißhandelt worden zu sein. Und auch die Oatman-Schwestern, die zwar von den Apachen und Mohave nicht besonders gut behandelt worden sind, wurden nie sexuell behelligt.

Prostitution

Vor dem Kontakt mit Europäern ist bei den nordamerikanischen Indianern Prostitution wahrscheinlich kaum in nennenswertem Umfang verbreitet gewesen. Zwar boten Frauen gelegentlich ihre Gunst gegen Bezahlung an, aber sie taten es nicht gewerbsmäßig.

Es kam vor, daß Creek-Frauen sich an einen Mann vermieteten, der auf der Durchreise ihr Dorf passierte und keine Frau bei sich hatte. Niemand machte ihnen daraus einen Vorwurf, denn man vertrat die Auffassung, die Frau verfüge selbst über ihren Körper. Doch beschränkten die Creek-Mädchen diese Aktivität auf ein Minimum, um in gewissem Maße ihre Sittsamkeit zu bewahren.

In den Gemeinwesen der Southeast Salish in Washington und

dem nördlichen Idaho gab es bestimmte Frauen – unter ihnen auch verheiratete und solche, die keinen Mann bekommen hatten –, die jedermann jederzeit haben konnte. Wie bereits im Kapitel über die Ehe erörtert wurde, waren die Southeast Salish eine polygame Gesellschaft, in der die Frau nicht immer bei ihrem Mann lebte und er auch nicht in jedem Fall für ihren Unterhalt sorgte. Die typische Salish-Frau reagierte neugierig auf gutaussehende Männer, doch heißt es, diesen Frauen sei es gleichgültig gewesen, wie ein Mann aussah. Manchmal geriet eine Frau wegen schlechten Geschmacks im Hinblick auf Männer ins Gerede, aber keiner Frau wurde es zum Vorwurf gemacht, wenn sie sich wählerisch verhielt. Nichtsdestoweniger nahmen selbst Frauen, die offen promiskuitiv waren, es übel, wenn man sie als Prostituierte bezeichnete.

Omaha-Frauen, die sich für ein Leben in sexueller Freiheit entschieden, hatten es etwas schwerer. Im Jahre 1879 gab es in diesem ziemlich sittenstrengen Plains-Stamm ganze zwei oder drei »Damen des öffentlichen Gewerbes«. Wenn die Familie einer solchen Frau ihr Verhalten mißbilligte, hatte ihr älterer Bruder oder ihr Onkel mütterlicherseits die Pflicht, sie zu tadeln, und zuweilen tat er dies, indem er sie mit einem Pfeil erschoß.

Eine Papago-Frau schreibt in ihrer Autobiographie von »wilden Frauen«, die keine Ehemänner hatten, sich aber trotzdem das Privileg verheirateter Frauen anmaßten, zu Pubertätstänzen und Trinkritualen des Dorfes zu gehen. In jenen Tagen trugen die Papago-Frauen oberhalb der Hüfte keine Kleidung, und diese wilden Frauen malten sich Maiskolben, Vögel und Schmetterlinge auf die Brüste, um Männer anzulocken. Derart herausgeputzt, versuchten diese Frauen zeitbedingte Verhältnisse mit Männern einzugehen, die sie bei den gesellschaftlichen Veranstaltungen trafen. Manchmal ging eine der Frauen auch mit einem Mann, den sie auf diese Weise kennengelernt hatte, eine dauerhaftere Beziehung ein und wurde eine seiner Ehefrauen. Gewöhnlich jedoch verließen sie ihre Liebhaber, wenn das Fest vorüber war, um sich auf dem nächsten Fest einen neuen Geliebten zu suchen.

Zwischen ihren Liebschaften ging eine solche Frau zurück ins Heim ihres Vaters. Den Eltern war klar, daß sie auf eine Tochter mit derartigen Neigungen keinen Einfluß nehmen konnten, und so ließen sie sie gewähren. Die Pima, die Nachbarn der Papago, nannten diese fröhlichen Gemüter »leichte« oder »verspielte«

Frauen. Diese Frauen waren keineswegs Ausgestoßene, sondern wurden liebevoll toleriert. Eine Frau erzählte Ruth Underhill: »Die leichte Frau kann nichts dafür, ihr schäumt das Herz über.« Und eine andere erläuterte: »Wenn man mit ihr redet, begreift sie nicht, was man sagt. Sie trägt ihr Herz draußen, es läuft voraus zum nächsten Tanz.«[5]

Wie es dazu kam, daß das Siebengestirn am Himmel erscheint (Papago)

Auf dem Baboquivari, dem heiligen Berg der Papago, gibt es eine Höhle, in der ein allwissender Mann lebte. Er erzählte den Leuten viele gute Dinge und sang ihnen viele schöne Lieder. Damit beabsichtigte er, daß die Leute die Lieder lernten und sie für ein Mädchen sangen, wenn es die Pubertät erreichte.

Zu jener Zeit gab es noch keine Pubertätsfeiern. Als die Leute die Feier zum erstenmal abhielten, fanden sie Gefallen daran. Einigen Frauen aber gefiel das Feiern so gut, daß sie fortan nichts anderes mehr taten. Sie ruinierten dadurch Heim und Familie, und niemand wollte sie haben. Die Leute nannten sie »heimlose Frauen«, weil sie umherwanderten und kein Heim besaßen. Sie zogen überall im Lande herum, und schließlich ließen sie eine mächtige Medizinfrau holen. Sie baten sie, sie möchte etwas für sie tun, damit sie bald Ruhe fänden und von ihrem heimatlosen Leben erlöst würden.

Die Frau sagte: »Nun gut, ich werde etwas für euch tun. Ich werde euch nach draußen stellen, so daß alle Menschen euch klar sehen können. Jeden Abend werden eure Verwandten euch sehen und ihren Töchtern erzählen, weshalb ihr die heimlosen Frauen genannt werdet. So werden die Frauen wissen, was ein gutes Heim bedeutet. Wenn auch eine Pubertätszeremonie eine freudvolle Angelegenheit ist, so sollte doch niemand umherziehen und nichts anderes tun.«

Als sie dies gesagt hatte, besprenkelte sie die Frauen mit Wasser, und sie erstarrten zu Stein. Dann nahm sie sie und warf sie in östlicher Richtung an den Himmel, und sie landeten, wo sie jetzt sind. Sie erscheinen in Form von sieben Sternen und bilden jenes Sternbild, das Siebengestirn genannt wird.[6]

Die Reaktion der eingeborenen Amerikaner auf Homosexualität reichte von Besorgtheit und Respekt bis zu Wut und Ekel. Bei vielen Gruppen waren die homosexuellen Mitglieder zwar nicht sonderlich beliebt, aber man akzeptierte den unweigerlichen Prozentsatz derer, die von der sexuellen Norm abwichen und sogar ihre Rolle institutionalisierten, indem sie bestimmte Pflichten übernahmen, die für Homosexuelle spezifisch waren. Lesbiertum scheint weniger häufig gewesen zu sein als männliche Homosexualität.

Bei den Navajo begriff man eine Lesbierin als Gewinn sowohl für ihre Familie wie für die gesamte Gemeinschaft. In einem der Stammesmythen über den Anfang aller Dinge heißt es, die Homosexuellen seien wohlhabend und verfügten über allen Wohlstand. Infolgedessen überließ man ihnen die Verwaltung des Haushalts.

Einem Aufsatz des Anthropologen W. W. Hill zufolge galten bei den Navajo alle Hermaphroditen, Transvestiten und Homosexuellen ungeachtet ihres biologischen Geschlechts als bevorzugte Personen. Und sie wurden in einer Gesamtgruppe zusammengefaßt, die weder männlich noch weiblich definiert war. Ihre Rolle schloß die Pflichten von Männern wie Frauen ein, und man glaubte, sie seien hervorragende Könner in allen Belangen – vom Kochen und der Schafzucht bis zum Vortrag bestimmter Gesänge und der Durchführung von Heilzeremonien. Krieg und Jagd waren die einzigen männlichen Aktivitäten, die dieser Menschengruppe verschlossen waren, und ihre politische Macht beschränkte sich auf eine simple Beraterrolle. Transvestitische Lesbierinnen hatten Geschlechtsverkehr mit Männern und Frauen und heirateten auch Menschen beiderlei Geschlechts.

Die Mohave, die am Colorado River lebten, glaubten ebenfalls, es sei vom Beginn der Welt an beabsichtigt gewesen, daß es Homosexuelle gibt. Sie meinten, bisweilen träume ein Baby schon im Mutterleib davon, Transvestit zu werden. Zwar nahm die Gesellschaft an Lesbierinnen keinen Anstoß, aber gewöhnlich versuchten die Familien, bei ihren Kindern homosexuelles Verhalten zu unterdrücken, weil man solche Menschen für »verrückt« hielt.

Bei den Mohave wurde die Lesbierin *hwame* genannt; sie nahm einen männlichen Namen an und trug männliche Kleidung, wenn dies zum Reiten und zur Jagd erforderlich war. Die *hwame* konnte alle männlichen Tätigkeiten ausüben, nur Stammesführer oder Kriegshäuptling konnte sie nicht werden.

Im allgemeinen hatte die *hwame* ziemlich kleine Brüste und menstruierte nicht – zumindest gab sie es nicht zu –, und sie hielt die Tabus ein, die Ehemänner einhalten mußten, wenn ihre Frauen menstruierten. Die Ehefrau einer *hwame* wurde nicht als homosexuell, sondern als bisexuell eingestuft. Diese Frauen wurden von ihren lesbischen »Ehemännern« gut behandelt. In einem Fall prostituierte sich eine *hwame* sogar an Weiße, um ihre Ehefrau schön kleiden zu können.

Die sexuelle Betätigung zwischen der *hwame* und ihrer Ehefrau umfaßte klitorale und vaginale Masturbation, »Verkehr«, bei dem die Ehefrau unten und die *hwame* oben lag, sowie eine »Scheidenspagat« genannte Stellung, bei der sich die Partner mit den Beinen scherenartig umfingen und ihre Vulven aneinanderpreßten. Orale Stimulation wurde nicht praktiziert, da sich die Mohave vor dem Vaginalgeruch ekelten. Wie die geilen Männer des Stammes saß auch die *hwame* in ihrer Freizeit gern müßig herum und beschrieb den versammelten Männern die Genitalien ihrer Ehefrau.

Bei solchen Paaren kam es häufig zur Scheidung; sie wurde dadurch vollzogen, daß die Ehefrau ihre *hwame* einfach verließ, oft um die Ehefrau eines normalen Mannes zu werden. Aus heutiger Sicht hat die Mohave-Gesellschaft eine kluge Anpassungsfähigkeit bewiesen, indem sie sexuelle Ambiguität akzeptierte und Bisexuellen gestattete, in homosexuellen Rollen zu experimentieren, und sie, wenn sie wollten, zur Heterosexualität zurückkehren ließ.[7]

Die Kaska in Kanada tolerierten und akzeptierten weibliche Homosexualität nicht nur, sondern leiteten sie bisweilen ein und förderten sie. Wenn eine Familie zu viele Töchter hatte, wurde eines der Mädchen ausgewählt, als Sohn zu fungieren, und dies Mädchen wurde dann wie ein Junge erzogen. Im Alter von fünf Jahren bekam das Kind von den Eltern die getrockneten Eierstöcke einer Bärin an den inneren Gürtel gebunden. Sie trug diese Ovarien den Rest ihres Lebens lang als Amulett, das eine Empfängnis verhüten sollte. Diese Frauen trugen Männerkleidung, spielten eine Männerrolle und wurden hervorragende Jäger. Wenn ein Mann einer solchen Mann-Frau Avancen machte, riskierte er, daß das Objekt seiner Zuneigung ihm seinen Bogen und seine Pfeile zerbrach, denn man glaubte, geschlechtlicher Kontakt mit einem Mann zerstöre das Jagdglück der Lesbierin.

Die Durchsicht weiterer bekannter Fälle ergibt, daß weibliche Transvestiten bei den Yuma ihren Charakter erkannten, indem sie von Waffen träumten, wenn sie in die Pubertät kamen. Die sekundären Geschlechtsmerkmale waren bei diesen Frauen normalerweise unterentwickelt, und ihr Status unterschied sich von dem, den Personen innehatten, die sich gelegentlich homosexuell betätigten. Lesbierinnen bei den Cocopah, den Nachbarn der Yuma und der Mohave, legten ihre sexuellen Präferenzen früh an den Tag, indem sie vorzugsweise mit Jungen spielten, Pfeile und Bogen anfertigten und auf die Jagd gingen. Wenn sie heranreiften, schnitten sie sich das Haar kurz und durchstachen sich die Nase nach der Art der Männer. Sie durften im Kreig mitkämpfen, heiraten und einen Haushalt gründen. Bei den Quinault besaßen Lesbierinnen ebenfalls kein soziales Stigma; das Wort für »lesbisch« bedeutete schlichtweg: »Benimmt sich wie ein Mann.« Sie kleideten sich, benahmen sich und arbeiteten wie Männer und beschäftigten sich sexuell nur mit ihren weiblichen Partnerinnen.

Manche amerikanischen Eingeborenengesellschaften tolerierten Homosexualität nicht. Die Southern Ute gingen gegen Homosexuelle vor, weil sie deren Verhalten für zutiefst schändlich hielten. Auf keinen Fall durften Frauen Männerkleidung tragen, und den Kindern war es verboten, in ihren Spielen die Geschlechterrollen zu vertauschen.

Bei den Chiricahua-Apachen war Homosexualität grundsätzlich verboten. Wer Anzeichen solcher Neigungen zeigte, wurde als Hexe getötet. Allerdings wurde oft *ein* Fall von lesbischer Liebe erzählt; er handelt von zwei verheirateten Frauen, die ihren Männern davonliefen und sich zusammen ein Lager bauten. Leute, die am Lager der Frauen vorbeikamen, hörten die beiden miteinander reden. Eine Frau lag auf der anderen und fragte ihre Gefährtin, ob sie etwas Klebriges fühle. Die Antwort lautete: ja! Der Umstand, daß diese Geschichte von den Apachen wiederholt erzählt wurde, scheint auf eine natürliche Neugier gegenüber allem hinzudeuten, was so entsetzlich und schrecklich war, daß es von ihrer Gesellschaft scharf verurteilt wurde.

Bei den Apachen gab es einen kleinen Prozentsatz von Frauen, die sich mehr für Männeraufgaben als für die interessierten, die üblicherweise den Frauen zugewiesen waren; aber diese Frauen galten nicht als sonderlich pervers. Da alle Mädchen gehalten waren, ihre körperlichen Kräfte zu entwickeln, ging man einfach davon aus, daß diese Frauen etwas weiter als nötig gegangen waren. Ähnlich wurden Ojibwa-Frauen, die Männerbeschäftigungen nachgingen, für etwas unkonventionell gehalten, aber weder als Homosexuelle eingestuft noch sexueller Abweichungen verdächtigt.

Von einer Eskimo-Gesellschaft heißt es, sie habe eine Frau, die in die Männerrolle geschlüpft war, einfach nicht akzeptieren können. Eine hübsche, junge Eskimo-Frau, die gut gewachsen und sehr intelligent war, ging dieser Geschichte zufolge nie eine Beziehung mit einem jungen Mann ein. Sie sagte, sie sei so stark wie jeder von ihnen und sie könne schießen und Großwild jagen wie die Männer, und außerdem könne sie Schlingen und Netze auslegen. Sie besaß ein eigenes Gewehr, das sie sich von den Erträgen ihrer Fallenstellerei gekauft hatte. Diese vielseitig befähigte junge Frau war an den üblichen Frauenaufgaben überhaupt nicht interessiert, sondern sie bevorzugte Männerarbeit. Nachdem sie ein zierliches junges Mädchen für sich gewonnen hatte, baute sie, als der Winter nahte, ein Haus, in dem die beiden nach eigenem Gusto lebten, ohne auf die öffentliche Meinung irgendwelche Rücksicht zu nehmen. Als die beiden eines Tages auf der Jagd waren, legte ein Haufen Dorfbewohner ihr Winterquartier in Schutt und Asche. Im darauffolgenden Jahr gaben sie ihre unkonventionelle Lebensweise auf und paßten sich dem Lebensstil ihrer Gesellschaft an.[8]

10. KAPITEL

RELIGION UND SPIRITUALITÄT

Ojibwa-Frauen beteiligen sich an einem Geistertanz. *(American Museum of Natural History)*

Eine ständige Realität

Religion war für die eingeborenen Amerikaner keine Sonntagsangelegenheit. In der Tat ist stark zu bezweifeln, daß die Indianerfrau Spiritualität als etwas von ihrem übrigen Leben Getrenntes begriff; für sie war Religion ein unablässiges Zwiegespräch mit dem Schöpfer aller Dinge. Sie lebte in einer Welt voller Rätsel und Symbole, in der alles, was auf Erden und am Himmel war, ein spirituelles Leben besaß. Wohin sie auch blickte, die eingeborene amerikanische Frau sah die Kräfte der Schöpfung am Werk, und dies Gefühl und Verständnis für die sie umgebende Welt gaben ihrem Leben Tiefe und Würde.

Natürlich führte man Zeremonien und Rituale durch, in denen jedermann seine Aufmerksamkeit auf religiöse Dinge lenkte und versuchte, die allmächtigen Kräfte zu Hilfe und Anleitung zu bewegen. Diese Zeremonien dienten dazu, die gesamte Bevölkerung im Rahmen eines Bekenntnisses zu der Lebensweise, die die Indianer als Volk gewählt hatten, wiederzuvereinigen. Durch dies Teilen von Kraft wurde jedes Individuum in den Stamm und ins Universum eingebettet.

Das Streben nach Visionen

Angesichts der großen Zahl von Geistern und Mächten, mit denen der eingeborene Amerikaner in Interaktion zu treten hatte, hielten viele der frühen Gesellschaften es für angebracht, daß sich jeder einzelne einen persönlichen Schutzgeist als Fürsprecher und Vermittler suchte. Ein Blick auf die nordamerikanischen Stämme zeigt, daß die meisten Kulturen es nicht für so wichtig erachteten, daß die Mädchen einen solchen Schutzgeist fanden, daß dies andererseits aber für die Jungen sehr wichtig war. Trotzdem gab es viele indianische Gesellschaften, in denen von den jungen Mädchen erwartet wurde, daß sie sich übernatürliche Helfer suchten.

Bei den Nez Percé im Norden des heutigen Idaho wurde jedes zehnjährige Kind in die Berge geschickt, um sich einen Schutzgeist zu suchen. Diese heiligen Vigilien wurden als das bedeutendste Ereignis im Leben eines Menschen begriffen. Das Kind wurde angewiesen, auf einen der höchsten Gipfel zu klettern, dort einen Steinhaufen zu errichten, sich daneben zu setzen und sich voll auf den Zweck der Vigilien zu konzentrieren. Das Kind durfte dabei weder essen noch trinken, und es mußte versuchen, so lange wie möglich wach zu bleiben. Nach drei oder vier Tagen fiel das visionssuchende Kind normalerweise in einen unruhigen Schlaf, in dem ihm ein Tier erschien, das ihm einen Namen gab und es ein heiliges Lied lehrte. Von da an – so glaubte man – schützte der Schutzgeist das Kind vor Gefahr und stattete es mit allen Fähigkeiten und körperlichen Eigenschaften aus, die diesem besonderen übernatürlichen Wesen entsprachen. Wenn das Kind aus irgendeinem Grunde – sei es infolge mangelnder Konzentration oder auf Grund von Heimweh – keinen Traum hatte, in dem ihm ein Schutzgeist erschien, war es ein Sakrileg, wenn das Kind vorgab, einen solchen Traum gehabt zu haben. Wenn das Kind log, es habe Besuch von einem übernatürlichen Wesen bekommen, mußte es überdies damit rechnen, sich statt des Schutzes die Feindschaft des erlogenen Schutzgeistes zuzuziehen.

Das Traumfasten war die zentrale Lebenskrise bei den Menominee, den Potowatomi und anderen Algonkin-Gruppen, die in der Gegend der nördlichen Großen Seen lebten. Wenn ein junger Bursche oder ein junges Mädchen fünfzehn Jahre alt wurden, gingen sie allein hinaus zu einer abgeschiedenen Stelle, errichteten einen winzigen Wigwam, der gerade groß genug für eine Person war, und fasteten je nach persönlicher Kraft und Ausdauer acht bis zehn Tage lang. Täglich wurden die Fastenden von ihren Eltern besucht. Wenn die jungen Leute am achten Tag noch keine Vision gehabt hatten, konnten sie wählen, ob sie aufgeben oder weitermachen wollten. Ihre Eltern gaben ihnen zwei Schüsseln zur Wahl, eine mit Essen und eine voll Holzkohle. Es wurde bereitwilligst akzeptiert, wenn sie die Schüssel mit dem Essen wählten; sie konnten dann nach Hause gehen und es ein anderes Mal neu versuchen. Sie bewiesen aber wirklich edlen Charakter, wenn sie die Holzkohle wählten und sich damit das Gesicht einrieben; dann wurden sie – so vermutet man – für ihre Ausdauer durch das Erscheinen eines Schutzgeistes belohnt. Tatsächlich ist es sehr wahrscheinlich, daß jemand, der zehn Tage ohne Wasser und Nahrung zugebracht hat, anfängt, Visionen oder Halluzinationen zu bekommen. Diejenigen, die diese Prüfung erfolgreich überstanden und Visionen bekommen hatten, konnten erwarten, aufgrund des Schutzes und der Anleitung ihres Schutzgeistes mit einem langen Leben, mit Glück und vielleicht sogar mit gesellschaftlichem Aufstieg belohnt zu werden.

Bei den Southeast Salish wurden die jungen Mädchen hinausgeschickt, um sich einen Schutzgeist zu suchen, wenn die Eltern es für erstrebenswert hielten, daß das Mädchen eine solche Hilfe erfuhr. Zwar suchten neunzig Prozent der Jungen Schutzgeister und wurden mit Visionen belohnt, aber nur zwanzig bis dreißig Prozent der jungen Frauen gewannen solchen übernatürlichen Beistand. Die Durchschnittsfrau, die nie einen Schutzgeist bekam, führte ein zufriedenes Leben, aber diejenigen Frauen, die das Glück hatten, Visionen zu erfahren, wurden als den Männern gleichrangig eingestuft.

Religion und die reife Frau

In manchen Stämmen war nur jungen Frauen, die noch Jungfrauen waren, gestattet, sich übernatürliche Helfer zu suchen, doch in anderen Gruppen konnte eine Frau zu jedem Zeitpunkt ihres Lebens von übernatürlichen Wesen besucht werden und Unterstützung versprochen bekommen.

An der Nordwestküste führten Lummi-Frauen, die besondere Schutzgeister besaßen, bei Festlichkeiten und Potlachfesten Geistertänze auf. Manche Frauen hatten ihre übernatürlichen Helfer in Zeiten großen Leids und tiefer Trauer gewonnen, und dementsprechend waren ihre religiösen Erlebnisse immer sehr intensiv. Frauen (und auch Männer), die ihre Geistertänze auf irgendeinem bestimmten Anlaß vortragen wollten, begaben sich frühzeitig zum Ort der Feier und probten ihre Lieder, bis die übrigen Gäste sich einfanden. Jede Tänzerin erhielt Gelegenheit, ihr Lied mit den Trommlern zu üben, und manchmal summte sie es mehrmals, damit die Trommler sich den Rhythmus einprägen konnten.

Wenn eine Tänzerin an der Reihe war, ihr Lied vorzutragen, begann sie zu stöhnen und zu ächzen, als bekomme sie keine Luft. Dann scharten sich erfahrene Sänger und Trommler um sie und ermutigten sie, bis sie in der Lage war, sich zu erheben und im Raum umherzutanzen, wobei sie gewöhnlich die Bewegungen des Geistes nachahmte, der sie animierte. Typische Geister waren der Kranich, der den Frauen Geschick beim Sammeln von Muscheln und beim Ausgraben von Wurzeln verlieh, und Old Woman, die denjenigen, denen sie erschien, half gute Hauswirtschafterinnen zu werden.

Einmal wurde eine Frau, die seit langem unheilbar krank war, zu einer solchen Versammlung in einem großen Dorf gebracht, und die geschickten Trommler übten ihr Geisterlied, indem sie sorgfältig auf ihre Bemühungen, sich auszudrücken, achteten und reagierten. Wundersamerweise war sie dann in der Lage, sich von ihrem Krankenlager zu erheben und mit scheinbar übermenschlicher Kraft ihren Geistertanz vorzuführen. Als später jemand nachfragte, ob bei diesem Erlebnis auch alles mit rechten Dingen zugegangen sei, sang sie ein Lied über ein schneebedecktes Kanu. Am nächsten Morgen waren die Dorfbewohner beim Erwachen äußerst überrascht, ihr Dorf tief verschneit vorzufinden. Nun baten die Ungläubigen sie, den Schnee verschwinden zu lassen. Die Frau bemalte ihr Gesicht, watete tapfer durch den eiskalten »Ozean«, kam schweigend wieder zurück und ging heim in ihre Hütte. Fast unmittelbar darauf begann ein warmer Regen niederzugehen, der den Schnee vor Tagesanbruch vollständig wegschmolz.

Frauen spielten in dieser großen Vielfalt von Zeremonien eine klar umrissene und wichtige Rolle, und zwar insbesondere im Rahmen der Rituale, in denen um ausreichende Nahrung, Gesundheit und andere Belange des Lebens gebetet wurde, die mit den weiblichen Tätigkeitsbereichen eng verknüpft waren.

Interessanterweise wurden im Zeremonienzyklus der Irokesen ausschließlich weibliche Tätigkeiten gefeiert. Als die Weißen nach Amerika kamen, gab es keine Festlichkeiten, bei denen die Jagd oder der Krieg gefeiert wurde, obwohl es solche Feiern früher vielleicht gegeben hatte. Die meisten Tänze und Zeremonien waren Dankesgesten im Hinblick auf die Fruchtbarkeit der Erde, insbesondere die Feldfrüchte, die der hauptsächliche Tätigkeitsbereich der Frauen waren. Doch im Gegensatz zu unseren heutigen feierlichen Kirchenritualen verliefen diese religiösen Feiern überaus vergnüglich. Der Tanz wurde nicht nur als geistlicher Ritus, sondern auch als göttliche Kunst begriffen, die der Große Geist zum Vergnügen wie zum Gottesdienst erfunden hatte. Und als ob dies nicht genug wäre, dienten diese geheiligten Gesellschaftsfeiern überdies dazu, patriotische Begeisterung zu wecken und den Stammeszusammenhalt zu bewahren. Jeder der Tänze war so etwas wie unser Erntedankfest, Nationalfeiertag und Feuerwehrball in einem.

Für die Flathead-Indianer in Montana war die Nahrungsbeschaffung ebenfalls unlöslich mit der Religion verknüpft. Jeder

Jahreszeit waren ein größeres und mehrere kleinere Rituale zugeordnet. Der Frühlingsanfangsritus war das Erste-Wurzeln-Zeremoniell; erst wenn es abgehalten worden war, durften die Frauen die lagerbaren Wurzeln sammeln und einbringen. Bei dieser Zeremonie führten zwei angesehene Matronen eine kleine Gruppe von Frauen zu einem Feld, das als fruchtbar bekannt war. Dort angekommen, hob die ältere der beiden Matronen die Arme zur Sonne und betete um Erfolg, Sicherheit, gute Gesundheit und Glück für alle; dann wandte sie sich an die Erde und bat sie um dieselben Segnungen. Danach gruben die Frauen eine kleine Menge Wurzeln aus und trugen sie heim ins Lager, wo die Ehefrauen des Häuptlings die Früchte kochten. Wenn das Mahl angerichtet war, wurde das Essen noch einmal symbolisch für alle Nahrung, die man in dieser Jahreszeit sammeln würde, mit Gebeten an die Sonne und die Erde gesegnet.

Unmittelbar nördlich der Flathead lebten die Kutenai, die dem Anthropologen H. H. Turney-High von einem religiösen Ritus der Frauen berichteten, durch den die Teilnehmerinnen besondere übernatürliche Kräfte erlangten. Vor langer Zeit, so heißt es, hätten die Geister den Kutenai-Frauen gesagt, sie sollten die Crazy-Owl-Gesellschaft gründen, um Epidemien abzuwehren, die nach Meinung der Kutenai auf Ungehorsam gegenüber den Geistern zurückzuführen waren. Zu jeder beliebigen Zeit konnte ein übernatürliches Wesen zu einem der Mitglieder der Crazy-Owl-Gesellschaft kommen und sie auffordern, eines der besonderen Lieder zu singen. Wenn die anderen Mitglieder sie hörten, gingen sie zu ihrer Hütte und tanzten und sangen mit ihr. Wenn die Anführerin der Gesellschaft den Zeitpunkt für gekommen hielt, begann sie eine Prozession, bei der die Frauen zuerst alle Hütten im Dorf besuchten und dann in den Wald gingen; dort fällte die Anführerin einen Baum und schritt, gefolgt von den übrigen Mitgliedern, geradewegs über ihn hinweg. Nachdem man über die erforderliche Anzahl von Bäumen hinweggestiegen war, begann die Anführerin, in Richtung Westen zu laufen, wiederum gefolgt von ihrer Gruppe. Bald hoben sie alle vom Boden ab und liefen ein Stück weit durch die Luft. Augenblicklich erlebten alle eine Erleuchtung und hielten einen Rat ab. Wenn die Crazy-Owl-Mitglieder ihre Sitzung schlossen, waren sie voller Hoffnung, daß ihre Zeremonie ihre Familien und die ihnen nahestehenden Personen eine Zeitlang vor Krankheit schützte.

Eine ganz andere Zeremonie mußten die Taensa-Frauen abhalten, wenn es erforderlich war, die Geister, die dieses Volk beherrschten, zu besänftigen. Die Taensa waren ein kleiner Stamm, der unmittelbar nördlich der heutigen Heimat der Natchez lebte; im Jahre 1699 weilten einige Franzosen bei ihnen zu Besuch, als ein Blitz in ihren großen Tempel einschlug und das Gebäude zerstörte. Der Oberpriester kam zu dem Schluß, die Tragödie sei passiert, weil die Geister erzürnt waren. Wie es bei diesem Volk Brauch war, mußten die Frauen der Stadt ihre Babys holen, und die Kinder wurden geopfert, um die erzürnten Götter zu besänftigen. Dies war eines der höchsten religiösen Opfer.

Die französischen Gäste konnten die Bedeutung des Opfers, das ihnen wie ein heidnisches Gemetzel vorkam, nicht entsprechend einschätzen; einem Bericht zufolge unterbrachten sie den Vorgang, nachdem fünf Säuglinge in ihren Windeln in die rauchenden Ruinen des Tempels geworfen worden waren. Im Bericht eines anderen Franzosen heißt es, die Säuglinge seien zuerst erwürgt worden, es seien siebzehn Kinder in die Flammen geworfen worden, und zweihundert weitere wären ihnen gefolgt, wenn die Europäer nicht eingegriffen hätten.

Die Frauen der Timucua-Indianer in Florida mußten sich einem ähnlichen Ritual unterziehen; bei diesem Stamm war es Brauch, den erstgeborenen Sohn dem Häuptling des Dorfes zu opfern. An einem festgesetzten Tag brachte die Mutter das Kind zu einem besonderen Ort, der für den Zweck hergerichtet war. Der Häuptling nahm auf der Ehrenbank Platz, und nachdem die Mutter das Baby einer ihrer weiblichen Verwandten übergeben hatte, hockte sie sich vor einen fünfzig Zentimeter hohen Baumstumpf, bedeckte ihr Gesicht mit den Händen und beklagte den Verlust ihres Kindes. Andere Frauen bildeten einen Kreis und tanzten unter Bekundung der Freude umher. Schließlich nahm der sogenannte Opferbeamte das Kind und tötete es vor den Augen der Versammelten.

Bei den Pueblo-Völkern im Südwesten, die viele ihrer uralten Zeremonien noch heute veranstalten, haben die Frauen ihre eigenen religiösen Gesellschaften, und ihre Teilnahme an Zeremonien erfolgt größtenteils im Rahmen dieser Gruppen. Die am meisten geheiligten Tänze werden gewöhnlich von den Männern allein aufgeführt, aber die Frauen leisteten dabei unverzichtbare Hilfe, etwa indem sie ihren Männern rituell die Haare waschen und den

Tänzern in der mittäglichen Ruhepause Essen bringen. Bei vielen religiösen Feierlichkeiten müssen die Frauen besondere Gerichte zubereiten, die in vorgeschriebenen Gefäßen zu bestimmten Zeiten in die Zeremonienkammern gebracht werden müssen. Auch die Frauen haben ihren Anteil an der freudigen Erregung eines Tanztages, indem sie für Freunde und Verwandte das Haus offenhalten und sich selbst und den Kindern Festtagskleidung anlegen.

In den Städten der Hopi wurden Jungen wie Mädchen auf ihren religiösen und zeremoniellen Lebensweg geführt, indem man sie in den *kachina* -Kult einführte, noch ehe sie zehn Jahre alt waren. Bei diesen Riten erfuhren sie, daß die schön gekleideten Gottwesen, die auf die Plaza kamen und dort tanzten, keineswegs übernatürliche Wesen waren, sondern ihre Väter und Onkel, die sich verkleidet hatten, um diese Wesen darzustellen. Ein paar Jahre darauf mußten alle jungen Leute den nächsten Schritt im Rahmen ihres religiösen Werdegangs tun, indem sie in eine oder mehrere Geheimgesellschaften eintraten. Es gab drei Gesellschaften ausschließlich für Frauen, und jedes Mädchen konnte in eine von ihnen, allerdings auch in alle drei eintreten.

Im Spätsommer und Herbst, wenn die Männer mit der Ernte beschäftigt waren, führten die Frauen in diesen Gesellschaften Unterhaltungsveranstaltungen durch, die nicht nur sehr vergnüglich waren, sondern auch um Regen und reiche Ernte verlangten.

Der Korbtanz der Hopi, den man auch in einigen Pueblos am Rio Grande vorfindet, führt seinen Namen auf die Nahrungskörbe zurück, die bei der Zeremonie als Symbol für die Nahrung verwendet wurden, die den Stamm am Leben erhielt. In Körben bewahrte man die Saat auf, die in den Boden gepflanzt wurde; später enthielten sie die Frucht der Getreide, die die Erde als Antwort auf die Bemühungen der Menschen hergab. Wenn das Korn zu Mehl gemahlen war, wurde dies Mehl in Körben gelagert, und wenn das Mehl zu knusprigen Rollen Oblatenbrot gebacken war, wurde dies Brot wiederum in Körben serviert. Doch richteten sich die Beschwörungen der Fruchtbarkeit bei den Korbtänzen nicht nur auf die Nahrung; in gewisser Weise war Nahrung nur ein Symbol für die gesamte Menschheit, die gezwungen war, die Gabe des Lebens von Generation zu Generation weiterzugeben und zu vervielfachen.

Bei verschiedenen Gelegenheiten war es den Pueblo-Frauen gestattet, sich den religiösen Bruderschaften der Männer anzuschließen und bei den Feierlichkeiten dieser Gruppen zu tanzen.

Die Zuni besaßen über ein Dutzend Geheimorden oder Bruderschaften, und vielen von ihnen konnten auch Frauen beitreten. In eine dieser Gesellschaften, die Kotikili oder den mythologischen Orden, sind nur sehr wenige Frauen aufgenommen worden; allerdings benötigte gerade diese Gesellschaft eine Priesterin, und wenn eine Frau dieses Ordens alt wurde, suchte sie ein junges Mädchen, das bei ihrem Tod die Ordensgelübde übernahm. Eine der Funktionen dieser Frauen bestand darin, bei den Maskentänzen aufzutreten und die Göttinnen zu personifizieren. Da eine solche Priesterin nie heiraten durfte, lud man junge Mädchen erst ein, in den Orden einzutreten, wenn sie alt genug waren, um die Verantwortung und Anforderungen der angebotenen Position voll begreifen zu können. Der Beitritt war nie eine Pflicht, sondern ein Privileg, das allerdings auch nur selten angenommen wurde.

Obgleich die jungen Frauen, die diese Verantwortung auf sich nahmen, vorher über den Inhalt ihrer Aufgabe unterrichtet wurden, neigen Menschen zur Änderung ihrer Auffassungen; dies ist auch gelegentlich bei Kotikili-Priesterinnen geschehen. Tilly E. Cox Stevenson, die Ende des neunzehnten Jahrhunderts bei den Zuni gelebt hat, schreibt: »Selbst bei den Zuni, wo die Menschen derart von den Priestern beherrscht werden und eine solch abergläubische Furcht davor haben, den Anweisungen der Götter zuwiderzuhandeln, haben Frauen sich schuldig gemacht, ihr geheiligtes Amt zu entweihen und zu heiraten. Eine der Ordensfrauen heiratete einen Navajo. Sie war fortan auf immer von der Teilnahme an den Zeremonien ausgeschlossen, durfte aber weiter bei ihrem Volk leben und erhielt keine andere Strafe als dessen Entrüstung.«[1]

Zwei Mädchen und die Tänzer
(Zuni)

Als vor vielen Jahren die übernatürlichen Wesen als *kachinas* auf die Erde kamen, tanzten sie auf einem Fest, während sich die Dorfbewohner um sie scharten, um sie zu beobachten. Die *kachinas* waren die Regentänzer, und es befanden sich in der Gruppe zwei hübsche junge Männer, die ohne Masken tanzten. Als alle *kachinas* ihre Tänze beendet hatten, begannen sie, von der Plaza abzutreten. Zwei junge Mädchen hatten den Tänzen zugeschaut und sich in die Tänzer, die ohne den Schutz der Masken aufgetreten waren, verliebt.

Als die *kachinas* die Plaza zu verlassen und in ihr eigenes Land aufzubrechen begannen, liefen die beiden Mädchen hinter ihnen her. Schließlich bemerkten die *kachinas* die Mädchen und fragten sie, ob sie mitkommen wollten. Natürlich wollten die Mädchen mit ihnen gehen, und so willigten die *kachinas* ein, sie in ihr Heimatland mitzunehmen.

Die Mädchen blieben einige Zeit bei den *kachinas* und wurden von ihnen umsorgt. Doch eines Tages traten die *kachinas* an sie heran und sagten zu ihnen: »Unsere Kinder, wir meinen, es ist besser, wenn ihr in euer Land heimkehrt. Wir glauben nicht, daß es das Beste für euch ist, wenn ihr bei uns bleibt. Ihr habt noch eine lange Lebensspanne vor euch.«

Die *kachinas* sagten den Mädchen, sie wollten sämtliche Tänze für sie aufführen, damit die Mädchen sie gut beobachten und sich die Tänze merken konnten und damit sie dies Wissen mit heim zu ihrem Volk nehmen konnten. Die *kachinas* taten dies, weil sie zu dem Entschluß gekommen waren, nicht mehr in die Dörfer zu ziehen, denn schließlich konnten noch mehr Menschen den Wunsch haben, mit ihnen zu gehen.

Am nächsten Tag brachten die *kachinas* die Mädchen bis zum Dorf. Die Mädchen wurden von ihren Verwandten begrüßt und gefragt, wo sie gewesen seien. Die Mädchen antworteten: »Wir sind zurückgeschickt worden, weil es noch lange dauert, bis wir uns unseren Vorfahren anschließen können. Aber man hat uns alle Tänze gezeigt, und wir haben jede Einzelheit im Gedächtnis. Ihr werdet Ebenbilder der Tänzer anfertigen, die wir gesehen haben, und von nun an wollen wir sie bewahren. Die übernatürlichen Wesen werden als Atem im Wind kommen und sich uns anschließen. Wenn das Tanzen endet, werden die Geister allein in das Land unserer Vorfahren zurückkehren, und auf diese Weise wird das Leben unserer Menschen in diesem Land bleiben, bis ihre Zeit gekommen ist.«

So geschah es zu jener Zeit, daß die *kachinas* von heute nach den genauen Beschreibungen der beiden Mädchen geschaffen wurden. Von da an baten die Menschen mit Gebet und Ritualen, die nach dem *kachina*-Kult durchgeführt wurden, um Segen.[2]

Die Beteiligung einiger Frauen an ansonsten durch und durch männlich bestimmten Zeremonien war in manchen Fällen von großer Bedeutung für den rituellen Inhalt der Tänze. In seinem Buch *Masked Gods* hat Frank Waters, der lange Zeit die Indianer des Südwestens erforscht und als ihr Nachbar gelebt hat, den symbolischen Hintergrund und Gehalt der Rolle der »Deer Mothers« im Hirschtanz (Deer Dance) der Taos untersucht. Die folgende Passage ist ein dynamischer Versuch, das innere Drama nachvollziehbar zu machen, das unter der Oberfläche nüchterner ethnologischer Dokumentation liegt:

»Dann kommen die beiden Hirschmütter, den Raum zwischen ihnen herab, auf und nieder, von beiden Seiten. Gesetzte, ernste Frauen mittleren Alters mit langer Erfahrung, die besten Tänzerinnen im Pueblo. Selbstsicher und langsam, wie Frauen tanzen, kommen sie dahergetanzt . . . Hochgewachsen, undurchdringlich, schweigend kommen sie tanzend daher. Ihre weißen Stiefel heben sich nie über den haftenden Schnee, ihre kräftigen Körper bewegen sich rhythmisch in den lockeren, fließenden Hirschledergewändern. Am Wendepunkt halten sie inne, schwenken sie ihre Kürbisrasseln, heben sie ihre Fichtenzweige und Adlerfedern hoch in die Luft. Jede zeigt hinten die schimmernde Schicht der Schillerfarbe auf ihrem Rücken. Und vorn ein leidenschaftsloses Gesicht, das durch die gefleckten Wangen und den schwarzen Streifen am Kiefer streng wirkt.

Sie alle machen ihr Platz, vor und zurück. Die wilden Hirsche und die anmutigen Antilopen, die massigen Büffel, die wilden Kojoten, die fauchenden Wildkatzen, die kleinen Berglöwen und all die scheuen Kitze und Jungen. Sie alle weichen zurück und kauern sich zitternd nieder, unter seltsamen, leisen Schreien, vor der geheiligten, unverletzlichen Hirschmutter.

Dann wenden sich die Hirschmütter um, die Blicke gesenkt, als seien sie sich der Anwesenheit der anderen gar nicht bewußt. Und geführt von den Hirschhäuptlingen, folgen ihnen alle Reihen der Tänzer in großen Kreisen, Spiralen und Diagonalen. Folgen ihnen, tanzen im weichen, pulvrigen Schnee, stoßen ihre seltsamen, leisen Unmutsschreie, ihr trotziges Knurren aus; aber sie können nicht widerstehen und werden wieder zurück in das lange Oval geführt.

Dort schlägt unablässig die Trommel. Es ist der Pulsschlag der

Ewigkeit, der den Takt hält zum wechselnden Fluß der zweipoligen Spannungen des Lebens . . .

So geht es weiter auf der verschneiten, festgetrampelten Lichtung zwischen den Adobe-Felsen, hoch oben auf dem Rückgrat eines Kontinents: dies uralte Blutdrama der uranfänglichen Kräfte, die in all seinen Kindern freigesetzt werden. Die hüpfende, greifende Black Eyes. Das rasche Entschlüpfen, das von den wachsamen Hirschwächtern vereitelt wird. Und unentwegt werfen die Hirschhäuptlinge neben dem Trommler ihre gegabelten Geweihe hoch, während, auf und nieder, die heiligen Hirschmütter sanft vor den in Gefangenschaft gehaltenen Tieren tanzen.

Sie weichen vor ihr zurück, wie immer das Männliche gegenüber dem weiblichen Imperativ nachgibt. Sie versuchen, aus dem magischen Zirkel auszubrechen, nur um zurückgerissen zu werden, wie das Bewußtsein in seinem wilden Verlangen nach Befreiung vom Intellekt immer vom ewigen Unbewußten zurückgezerrt wird. Und die ganze Zeit stoßen sie ihre befremdlichen leisen Schreie aus, den tiefen, allumgreifenden männlichen Schrecken über ihre Unterwerfung. Aus ihnen heraus quillt es in schaudernden Seufzern des Widerwillens und der Verzweiflung, während sie doch auf den Ruf antworten. Auf allen vieren, als die ungezähmten, archaischen, wilden Kräfte, die sie darstellen, gezwungen, ihr zu folgen im Gehorsam gegenüber jener kosmischen Dualität, die es geben muß, um selbst noch ihren spirituellen Unwillen zu bewahren und fortzusetzen . . .

Ja. Man spürt jetzt etwas zugleich von der Kraft, die uns zurückhält, und der Kraft, die uns vorantreibt auf dem Weg zur Selbstverwirklichung. Die uns in ihrer zweipoligen Spannung im Gleichgewicht halten, eingebettet in den warmen Fluß des menschlichen Lebens. Denn der Mensch in all seinem mächtigen Streben nach Freiheit ist nach wie vor an den entgegengesetzten Pol seines erdgebundenen Daseins gefesselt, bis auf einer höheren Stufe des Bewußtseins diese Gegensätze wiedervereinigt werden wie am Anfang.«[3]

Weibliche Gottheiten

Nicht alle Götter, die die eingeborenen Amerikaner beherrschten und schützten, waren patriarchalische männliche Wesen oder geschlechtslose, ätherische Geister. Im Gegenteil, bei vielen amerikanischen Indianerstämmen war das Mutter-Erde-Konzept ein wesentlicher Aspekt der Religion. Auch zahlreiche geringere Geister trugen weibliche Namen, hatten Frauengestalt oder weibliches Verhalten.

Die Shawnee, die im Gebiet des heutigen Kentucky lebten, glaubten, daß eine Gottheit, die sie »Unsere Großmutter« nannten, die Schöpferin des Universums und alles, was darin enthalten ist, sei. Ihre Schöpfungen als oberste Göttin waren für die Shawnee unmittelbar und für die Menschheit im allgemeinen immer wohltuend. Unsere Großmutter, die aussah wie eine alte Frau mit grauen Haaren, wurde in jedem religiösen Ritus erwähnt, und die großen jährlichen Zeremonien wurden durchgeführt, um insbesondere ihr zu huldigen und auf diese Weise die Menschheit und die Welt zu erhalten.

Unsere Großmutter hielt ihre schützende Hand insbesondere über die Shawnee-Frauen. Sie sagte den Winden, sie sollten die Indianerfrauen behandeln, als seien sie ihre leibhaftigen Schwestern, und sie befahl ihnen, die Frauen nicht anzustarren, wenn sie nackt waren. Sie ermahnte auch die Frauen, die Winde zu achten. Doch wurden die Anweisungen der Göttin von den Frauen nicht immer befolgt, denn manchmal schürzten sie die Röcke bis zu den Hüften hoch, wenn das Wetter bewölkt war, um so die windgeborenen Wolken beleidigt zurückschrecken zu lassen, damit das Wetter wieder warm und sonnig wurde.

Die Rückkehr der Mais-Person
(Shawnee)

Vor langer Zeit lebten zwei alte Frauen mit einem Mann zusammen. Eines Tages gingen die beiden Frauen aus und ließen den Mann allein zu Hause. Nachdem er den ganzen Tag gewartet hatte, wurde er hungrig, und er ging hinaus, um sich ein paar Maiskolben zu suchen, die er rösten konnte. Als er zu dem Feld kam, begann er, Maiskolben vom Stengel zu nehmen, und dabei fand er einen Maiskolben, der in einem seiner Teile genau wie die Vagina einer Frau aussah. Er erinnerte sich, darüber schon einmal etwas gehört zu haben, und er sagte zu sich selbst: »Ich habe gehört, daß die Mais-Person, unsere Mutter, eine Frau ist. Wenn dies zutrifft, wird sie jetzt beleidigt sein, wenn ich Verkehr mit ihr habe.« Darauf zog er seinen Penis hervor und steckte ihn in das Loch in dem Maiskolben. Dann ging er heim in sein Haus.

Am nächsten Tag standen die alten Frauen früh auf und gingen hinaus, um nach dem Mais zu sehen. Als sie zu dem Feld kamen, fanden sie es leer vor; aller Mais war verschwunden. Die Mais-Person war zu Unserer Großmutter geflohen, die sie geschaffen hatte.

Jemand ging ihr nach, und er mußte vier Ozeane überqueren, bis er sie fand. Die Mais-Person ließ sich erst zur Rückkehr auf die Erde überreden, als der Retter ihr vorhielt, es sei die Absicht Unserer Großmutter, daß sie den Shawnee auf der Erde nütze.[4]

Viele der Gesellschaften, die in der üppigen Region der Great Plains lebten, schrieben ihr günstiges Schicksal weiblichen Geistern zu. Einige der Legenden, die mit diesen wohltätigen Wesen in Zusammenhang stehen, haben wir in anderen Kapiteln wiedergegeben.

Die Cheyenne führen ihre normalerweise reichlichen Nahrungsressourcen auf eine Göttin zurück, die die Gestalt einer sehr alten Frau besaß. Sie sagen, vor langer Zeit wollten zwei junge Krieger ihrem Volk, das arg hungerte, helfen. Sie seien zu einer nahe gelegenen Spitzkuppe gegangen, wo ein Wasserfall einen Felsen hinablief. Hinter dem Wasserfall hätten die jungen Krieger eine alte Frau gefunden, die sie willkommen hieß, sie ihre Enkel genannt und den einen von ihnen rechts, den anderen links von ihr Platz zu nehmen geheißen habe.

Nachdem sie sie mild getadelt hatte, weil sie nicht eher gekommen waren, versprach sie, etwas für ihr Volk zu tun. Zuerst nahm sie zwei Schüsseln, füllte eine davon mit Büffelfleisch und die andere mit gekochtem Mais, und dann forderte sie ihre Besucher auf, den Inhalt zu essen. Als die jungen Männer gegessen hatten, soviel sie konnten, waren die Schüsseln immer noch voll; sie waren nicht in der Lage, die Schüsseln zu leeren.

Als nächstes bemalte die alte Frau die beiden Männer mit roter Farbe und fügte mit gelber Farbe Symbole für die Sonne und den Mond hinzu. Als sie damit fertig war, wies sie mit dem Finger zu ihrer Linken, und als die beiden jungen Männer ihrem Blick folgten, sahen sie die Erde mit Büffeln bedeckt. Dann zeigte sie hinter sich, und als die Männer dorthin schauten, sahen sie große Felder, auf denen Mais wuchs. Als sie zu ihrer Rechten wies, sahen sie Prärien voller Pferde. Und als die alte Frau nach vorn zeigte, sahen sie Indianer im Kampf, und als sie genauer hinschauten, sahen sie sich selbst, bemalt wie sie waren, unter den Kämpfenden. Dies, so sagte ihnen die alte Frau, sei ein Omen dafür, daß sie in ihren Schlachten siegreich sein und viele Gefangene machen würden.

Dann gab die alte Frau den jungen Männern etwas Mais und etwas Fleisch und sagte ihnen, sie sollten diese Dinge zu ihrem Volk heimtragen. Danach hatten die Cheyenne reichlich Büffel und begannen, Mais anzubauen.

Nicht alle weiblichen Geister waren so wohlwollend wie diese alte Frau. In der Nähe der Quinault, die an der Nordwestküste lebten, gab es angeblich Waldteufel, die auf den hohen Hügeln und den Bergen zu Hause waren. Normalerweise erschienen diese Geister als Frauen, doch manchmal nahmen sie auch Männergestalt an. Nachts gaben sie einen traurigen Schrei von sich, der wie *a-ta-ta-tat* klang, wobei jede Silbe in einer höheren Tonlage vorgebracht wurde als die voraufgegangene. Es habe einmal, so sagen die Leute, eine Frau als Waldteufel gegeben, die in der Nähe eines bestimmten Dorfes beheimatet war. Nicht weit davon entfernt baute sich ein weißer Mann eine Hütte. Als er eines Nachts heimkam, sah er sie und fragte sich, wer sie sei. Als er dann ins Bett ging, legte sie sich zu ihm. Er hatte Verkehr mit ihr, doch im Augenblick des Orgasmus brach er tot zusammen. Auch der Geist starb, und die Dorfbewohner fanden beide am nächsten Tag.

Südlich davon, entlang der Westküste in der Nähe von Capistrano in Kalifornien, hielten die Gabrielino-Indianer alljährlich ein Fest zur Erinnerung an ein junges Mädchen ab, das in die Berge gegangen war und in das Weißköpfiger-Seeadler-Mädchen verwandelt worden war. Die Teilnehmer der Zeremonie fingen jedes Jahr einen Adler oder einen Kondor, der das Adlermädchen symbolisierte. Während des Tanzes wurde der Vogel von Hand zu Hand gereicht, wobei jeder Teilnehmer das Tier so fest drückte, daß es nach und nach zerquetscht wurde. Schließlich wurde der Vogel von einem Priester endgültig zu Tode gebracht, der wußte, wie man sein Herz drücken mußte, damit es stillstand. Dann wurde der Vogelkörper mit großer Ehrfurcht gehäutet und seine Federn dem Vorrat der Zeremonienkostüme der Gabrielino zugegeben. Anscheinend glaubten die Gabrielino, es figuriere Jahr für Jahr derselbe Vogel in ihrer Zeremonie, und das Tier erlebe nach jedem seiner jährlichen Tode eine Reinkarnation. Dies ist eine der wenigen weiblichen Figuren im überwiegend männlichen Pantheon der Stammesgruppe, der die Gabrielino angehören.

Eine der wohl am höchsten entwickelten Mythologien im Zusammenhang mit einer weiblichen Gottheit findet man im Südwesten bei den Navajo. Die Navajo haben mit einigen ihrer Pueblo-Nachbarn das Konzept der Erdmutter gemeinsam, einer Göttin der Schöpfung, durch deren aufeinanderfolgende Mutterleibswelten hindurch die Menschen aus der Unterwelt an die Erdoberfläche aufgetaucht sind. Diese Göttin erneuert sich unablässig selbst, ist eine unsterbliche Frau. Wie die Erde ist sie im Frühling jung. Sie reift heran, indem sie von Sonne und Regen genährt wird, trägt im Sommer Früchte, beginnt im Herbst die unausweichlichen Folgen des Alterns zu spüren und stirbt dann im Winter, um in jedem neuen Frühling neu geboren zu werden. Die Navajos nennen sie »Die sich wandelnde Frau« oder in wörtlicher Übersetzung: »Frau, die immer wieder wird.« Es ist dieser zeitlose Zyklus von Tod und Neugeburt, der bei den Navajo in ihrer Pubertätszeremonie für die Mädchen und bei den Apachen in ihren Pubertätsriten gefeiert wird.

Diese lange, viele Phasen umfassende Zeremonie und ihre Gesänge, die Geburt, Reifung, Mutterschaft und Wirken der »Sich wandelnden Frau« wiedergeben, nennen die Navajo »Segensweg«; damit umfassen sie die gesamte Geschichte ihrer Ahnen.

11. KAPITEL

DIE VOLLENDUNG DES ZYKLUS

Dominga Chewiwi, eine Matriarchin des Isleta-Pueblo, ruht sich neben ihrem Backofen aus Adobe aus. (Mit freundlicher Genehmigung des *New Mexico Department of Development)*

Das Alter wurde in den meisten amerikanischen Eingeborenengesellschaften mit Weisheit und Gelehrtheit gleichgesetzt, und man begegnete alten Menschen mit Ehrerbietung und Achtung. In manchen Stämmen gewannen die Frauen mit zunehmendem Alter an Macht und Einfluß. Hatten sie erst einmal die Menopause erreicht, waren sie von den Tabus befreit, die mit der Menstruation in Zusammenhang standen. Daher konnten sie einige der stärker geheiligten Zeremonialpflichten übernehmen, von denen sie bis dahin ausgeschlossen waren. Nach den Winnebago war eine alte Frau »genau wie ein Mann«. Ihre Meinung hatte in Diskussionen über Probleme des Stammes Gewicht, und man suchte hinsichtlich pflanzlicher Heilmittel, in religiösen Belangen und in Fragen der Stammesgeschichte ihren Rat.

Allgemein mußte die Matrone mittleren Alters sich in ihrem Redegebaren besonnen und maßvoll verhalten, wenn sie als achtbare Person angesehen werden und ihrem Ehemann und ihrer Familie Ehre machen wollte. Aber in vielen Stämmen brauchte eine Frau, wenn sie erst einmal ein gewisses Alter erreicht hatte, sich nicht mehr in jedem Falle und immer anständig und schicklich zu verhalten. Ausschließlich aufgrund ihrer Jahre durften manche alten Frauen sich laut, rauhbeinig und sogar unzüchtig benehmen.

Obgleich Frauen, wenn ihre Kräfte nachließen, es ihren Töchtern gestatteten, die mühsameren Aufgaben zu übernehmen, erledigten sie weiter alle Arbeiten, die sie noch bewältigen konnten. Untätigkeit kam gar nicht in Frage für eine Frau, die ihr Leben lang gearbeitet hatte. und ihr Selbstwertgefühl verlangte von ihr, ein produktives Mitglied der Gesellschaft zu bleiben, solange dies möglich war.

Ältere Frauen versorgten normalerweise die Babys und befreiten so die jungen Mütter von den Mutterpflichten, so daß sie auf den Feldern arbeiten oder ihre Ehemänner bei der Jagd oder in den Krieg begleiten konnten. In nichtpolygamen Familien, in denen es keine Mitehefrauen gab, mit denen die Ehefrau ihre familiären Verpflichtungen und Aufgaben teilen konnte, paßten die Großmütter auf die Kinder auf, wenn die Mütter sich in die Menstruationshütten zurückziehen mußten. Die Großmütter sorgten nicht nur für das leibliche Wohl der Kleinen, sondern vermittelten ihnen auch die Wertnormen und das Wissen der Gesellschaft.

Bei den Gros Ventre in Montana oblag den Großmüttern die Erziehung und Ausbildung ihrer Enkeltöchter vom achten Lebensjahr an bis zur Verheiratung. Die Mädchen wiederum erleichterten den älteren Frauen das Leben, indem sie für sie Holz und Wasser holten und ihnen bei einigen der körperlich anstrengenderen Arbeiten halfen.

Die Papago meinten, junge Frauen hätten einfach nicht die zum Denken und Planen notwendige Erfahrung; daher waren bei ihnen die Führungspositionen den Alten vorbehalten. Eine reife Frau teilte ihren Schwiegertöchtern alle Arbeiten zu, traf die Entscheidungen für den Haushalt, versorgte die Kinder, wenn die Mütter anderweitig beschäftigt waren, und flocht in ihrer Freizeit Körbe.

Bei den Hopi und anderen Ackerbau treibenden Stämmen verbrachten die alten Leute während der Vegetationszeit einen Gutteil ihrer Zeit damit, die Felder zu bewachen und einfallende Vogelschwärme zu verscheuchen. In dichten Abständen um die Felder der Hopi verteilt, befanden sich Schutzdächer aus Gestrüpp, unter denen diejenigen alten Leute, die zu schwach waren, um bei der harten Arbeit zu helfen, die Sommernachmittage verbrachten und Vögel verscheuchen sollten. Doch schlummerten die Alten so oft ein, daß man die Kinder einsetzte, um die Felder zu bewachen, während ihre Älteren ungestört die langen, heißen Sommernachmittage verschliefen. Zur Erntezeit luden die Hopi-Familien alte Frauen, die keine Söhne hatten, ein, für sie zu arbeiten und beim Pfirsichetrocknen und Kornschälen zu helfen; als Entgelt für die Arbeit zahlten sie ihnen einen Teil des Ertrags.

Die Omaha, Ponca, Mandan und Pawnee ebenso wie andere Ackerbau treibende Gruppen, die auf den Great Plains lebten, ließen ihre alten Leute gewöhnlich daheim in den Dörfern, damit sie die Felder bewachten, während die übrigen Mitglieder des Stammes die sommerliche Büffeljagd betrieben. Die alten Leute bekamen ein kühles Dach zwischen den Bäumen, Nahrung, Wasser und Brennstoff für ihr Feuer gestellt. Sie bewachten die Maisfelder, und wenn ihre Vorräte zu Ende gingen, konnten sie junge Maiskolben ernten und auf getrockneten Kürbis und luftgetrocknetes Fleisch zurückgreifen, die in unterirdischen Lagergruben aufbewahrt waren. Gewöhnlich ließ man sie nicht länger als einige Monate allein. Gelegentlich blieben auch einige Familien daheim, um sich um alle diejenigen zu kümmern, die allzu gebrechlich waren. Die Mandan glaubten, daß Personen, die sich nicht um Benachteiligte Kümmerten, nicht lange lebten, da die heiligen Wesen oft notleidende Menschen einzig zu dem Zweck zu dem Stamm sandten, welche Familien allzu selbstsüchtig waren.

Junge Menschen, die zuerst an sich selbst denken und die Alten vergessen, werden nie wirklich erfolgreich sein; nichts wird ihnen gelingen.

Omaha

Wenn du einen hilflosen, alten Menschen siehst, hilf ihm, wenn du etwas hast. Wenn du ein Heim besitzt, nimm ihn dort auf und ernähre ihn.

Winnebago

Wenn du erwachsen bist und schließlich dein eigenes Heim besitzt, habe Mitleid mit den alten Männern und Mitleid mit den alten Frauen und Mitleid mit den Armen. Wenn du eine alte Frau in zerlumptem Kleid siehst, gib ihr eine Decke. Fertige Mokassins für diese alten Frauen an. Wenn du dies tust, wird der Eine dort oben, der, der beobachtet und auf dich schaut, wie du diese Dinge tust, dich belohnen.

Gros Ventre

Die heutigen Amerikaner haben ihr Augenmerk stark auf das Faktum gelenkt, daß alte eingeborene Amerikaner, die so bejahrt und gebrechlich waren, daß sie ihre Nützlichkeit für die Gesellschaft überlebt hatten, von den Jüngeren zum Sterben ausgesetzt worden sind. Zwar ist dies gelegentlich vorgekommen, doch war es dann der letzte Ausweg, zu dem arme Familien in Nomadengruppen greifen konnten.

Die alten Menschen wußten, daß mit den Gebrechlichkeiten des Alters der Tod näher rückte, und so kam der Wunsch, zurückgelassen zu werden, gewöhnlich von ihnen selbst. Zwar mag es so scheinen, als verlange es übermenschliche Objektivität, den eigenen Tod zu arrangieren, doch hatte jede alte Person erlebt, wie zahllose andere alte Menschen diese Entscheidung getroffen hatten, und sie akzeptierten den Tod als nächsten Schritt im Lebenszyklus.

Iron Shell rettet eine Großmutter
(Sioux)

Iron Shell, ein Häuptling der Sioux, war einmal unter den letzten, die bei einem Umzug in ein Sommerlager das Dorf verließen. Als er und seine Familie von der alten Lagerstätte aufbrachen, stießen sie auf eine hilflose, uralte Frau, die allein mit einem kleinen Vorrat an Wasser und Nahrung am Wege saß. »Weshalb sitzt du hier, Großmutter?« fragte Iron Shell sie.

»Ich bin alt und wertlos«, erwiderte sie. »Mein Sohn kann nicht länger für mich sorgen, und so sitze ich hier, um zu sterben.«

Iron Shell hielt dies nicht für richtig, und so ließ er sie mit ihrem kargen Bündel auf einem Travois Platz nehmen und machte sie zu einem Mitglied seines Umzugs.

Als Iron Shells Gruppe die neue Lagerstätte erreicht hatte, führte er die alte Frau auf dem Travois zu der Hütte ihres Sohnes. Es war eine arme Familie, und sie besaß nur ein Pferd. Iron Shell rief den Sohn heraus und sagte: »Hier ist deine Mutter.« Und indem er auf das Pferd wies, das sie auf dem Travois transportierte, sagte er: »Hier ist ein Pferd für sie. Unterstehe dich, sie jemals wieder so zurückzulassen.«

Der Sohn war froh, seine Mutter wiederzusehen, und solange sie lebte, schleppte er sie mit seiner Familie von Lager zu Lager mit.[1]

Im allgemeinen waren die eingeborenen Amerikaner gesund bis ins hohe Alter, und sie lebten nicht mehr lange, wenn sie erst einmal angefangen hatten, gebrechlich zu werden. Von einer Frau der Labrador-Eskimo namens Marie Louise, von der die Weißen annahmen, sie sei hoch in den Neunzig, ist folgende Geschichte überliefert. Seit dreißig Jahren verwitwet, hatte sie eigenhändig ihre Jagd- und Fallengründe weiter bearbeitet. Ihre Verwandten, die in einer Siedlung lebten, hatten die alte Frau ständig gedrängt, ihr Einzelgängerleben aufzugeben und zu ihnen zu ziehen. Doch sie war beharrlich dabei geblieben, daß ihr Leben im Busch begonnen habe, daß ihre Verwandten und Kinder dort gestorben seien und daß sie selbst bis zu ihrem Tod weiter in der Wildnis leben wollte.

Jahr um Jahr fuhr sie fort, ihre Fallen zu stellen und ihre Beute einzusammeln, und sie liebte die harte Arbeit und das viele Wandern. Eines Frühlingstages, den Handschlitten mit der Winterbeute beladen, brach sie bei der Rückkehr zur Siedlung durchs Eis; man fand sie tot auf, an der Stelle, an der der Unfall passiert war.

Trauersitten

Die Trauerarbeit wurde in den nordamerikanischen Eingeborenenstämmen hauptsächlich von den Frauen geleistet. Wenn man auch den Tod als etwas Unausweichliches begriff, so wurde doch der Tod eines jeden Verwandten – es sei denn, es handelte sich um einen neugeborenen Säugling oder bei manchen Stämmen um einen sehr alten Menschen – intensiv und unter Einhaltung der Rituale betrauert. Lautes und anhaltendes Klagen war eine Manifestation der Trauer in den meisten frühen amerikanischen Gesellschaften – so traurig es war, die mitleiderregenden und qualvollen Seufzer der Angehörigen zu hören, so galt doch das Klagen als nicht ganz so schmerzlich wie die stille Trauer.

Victor Tixier, ein früher Besucher der Osage auf den Plains, berichtete, daß es viel Übung und Praxis erforderte, bis eine Frau ein gutes Klageweib war. Laut Tixier fanden sich oft kleine Mädchen zusammen, um ihr Klagen zu verbessern, und wenn sie sich entsprechend gesteigert hatten, erreichten sie »eine fiebrige Exaltation, die wie die Ekstase religiöser Fanatiker wirkte«.[2]

Tixier schreibt auch, er habe einen Lagerumzug bei den Osage mitgemacht. Bei diesem Umzug habe eine alte Frau vom Rücken ihres Pferdes aus in der Ferne einen Grabhügel wiederentdeckt, den die anderen Mitglieder der Gruppe nicht einmal zu sehen vermochten. Sie ließ die anderen weiterziehen, stieg vom Pferd und ging zu Fuß zu dem Grab, in dem sie ihre Tochter während der letzten Jagdexpedition begraben hatte. Als die arme Mutter sich am nächsten Tag wieder der Gruppe anschloß, erklärte sie, sie habe die Nacht weinend am Grab der Tochter zugebracht. Dabei habe sie gehört, wie sich die Knochen unter der Erde bewegten, als wollten sie ihr danken.

Die Mandan-Frauen vollzogen ihre Trauer in zwei Stufen. Wenn in einem Mandan-Dorf jemand starb, wurde die Leiche in mehrere Lagen von Häuten eingebunden und in der Nähe der Stadt in einer Gegend, die »Totendorf« genannt wurde, auf ein Totengerüst gelegt. Dort bildeten viele Gerüste, die ein wenig höher waren, als man mit der Hand reichen konnte, die Ruhestätte der Verstorbenen. Die Mütter, Ehefrauen, Kinder und Väter der Toten gingen oft zu diesen Gerüsten, wo sie sich mit dem Gesicht auf den Boden legten und unablässig ihre Klagen heulten.

Wenn das leichtgebaute Gerüst verrottet und zusammengebrochen war, vergruben die nächsten Angehörigen alle Knochen außer den Schädeln. Die Schädel, die dann frei von Fleisch und weiß gebleicht waren, wurden in Kreisen von hundert oder mehr Metern Durchmesser auf die Prärie gelegt, wobei die Gesichter alle auf die Kreismitte gerichtet waren. Jeder Schädel wurde auf eine dicke Lage frischen Salbeis gebettet, den man erneuerte, wenn er verwelkt war. Die Hinterbliebenen besuchten häufig diesen Schädelkreis und führten lange Gespräche mit den Toten. Bei diesen Besuchen wurde nicht geklagt und geweint, da der Kummer inzwischen im Laufe der Jahre geheilt war; vielmehr boten sie Gelegenheit, sich an schöne Zeiten zu erinnern und Zuneigung auszudrücken. Manchmal nahm eine Mutter ihre Handarbeit mit und verbrachte den Großteil des Tages neben dem Schädel ihres Kindes, plauderte mit ihm oder hielt innerhalb des Kreises, den Schädel im Arm wiegend, ein Nickerchen.

Die Trauerzeremonien zu Ehren all der Toten waren in manchen Stämmen ein integraler Bestandteil des alljährlichen religiösen Zyklus, und immer spielten die Frauen eine tragende Rolle in den Riten. Bei den Cree in Mittelkanada leitete eine alte Frau, die in Verbindung mit den Zeremoniengeistern stand, die Feier ein. Man errichtete ein langes, schmales Zelt, und jede Familie, die kam, brachte einen Kessel mit Essen und das heilige Bündel der Familie mit. Die Zeremonie begann mit der Verteilung von Nahrung, die schweigend eingenommen wurde; einzig ein gelegentliches Schmatzen und das Klappern des Geschirrs war zu hören. Jeder Krümel Nahrung mußte aufgegessen werden. Wenn alles aufgegessen war, stimmte die Anführerin ein melancholisches Lied an; die Teilnehmer fielen in das Klagen ein und begannen, sehr langsam zu tanzen, wobei sie die Köpfe senkten und zwischen die Schultern einzogen. War ein Tanz beendet, stimmte jemand anderer den nächsten Klagegesang an, und das Tanzen dauerte fort bis zum Morgen. Diese Veranstaltungen boten allen Teilnehmern Gelegenheit, ihren angestauten Kummer und ihre Trauer auszuleben. Nach dieser jährlichen Katharsis kehrten die Leute erfrischt und erleichtert ins Alltagsleben zurück.

Die Yuma und die Cahuilla, die in enger Nachbarschaft in der Wüste im Südwesten lebten, hielten ebenfalls jährliche Trauerversammlungen für den gesamten Stamm ab. Die Cahuilla luden dazu Nachbarn aus Dörfern in der Nähe ein und veranstalteten ein großes Fest im Zeremonienhaus. Die Familien der während des vorausgegangenen Jahres Verstorbenen stellten aus Stoff Abbilder der Toten her, die mit Gras ausgestopft waren und auf dem Kopf mit Büscheln von Menschenhaar versehen wurden. Am letzten Tag der eine Woche dauernden Zeremonie trugen die weiblichen Verwandten der Toten diese Abbilder nach draußen und führten mit ihnen eine Prozession an. Später wurden die Figuren verbrannt.

Die Teilnehmer dieser Riten steigerten sich manchmal in eine regelrechte Hysterie. Einmal brach in der letzten Nacht einer Yuma-Trauerzeremonie eine Frau bewußtlos zusammen und erlangte erst nach mehreren Stunden das Bewußtsein wieder. Als sie später beschrieb, was mit ihr geschehen war, sprach sie von einem lauten, dröhnenden Lärm, als ob eine Herde Pferde in panischer Flucht davongejagt wäre. Dann habe sie sich selbst auf einem Pferd reiten sehen – hinter einem männlichen Verwandten her, der seit mehreren Jahren tot war. Sie seien von anderen Reitern umringt gewesen, die alle in südlicher Richtung geritten seien. Die Leute dort hätten ausgesehen wie Yuma, und sie habe unter ihnen viele ehemalige Einwohner ihrer Stadt erkannt, die seit vielen Jahren tot waren. Diese Leute seien herausgekommen, um sie zu begrüßen, und sie seien sehr froh gewesen, daß sie zu ihnen gekommen war.

Bald darauf sei im Westen eine große Rauchwolke erschienen, und alle Leute seien weggelaufen. Sie habe versucht, mit ihnen zu laufen, habe aber feststellen müssen, daß sie nicht sehr schnell laufen konnte, und als sie fortzukommen versucht habe, sei sie über einen Holzblock gestolpert und gefallen. In diesem Augenblick habe sie begonnen, ihr Bewußtsein wiederzuerlangen, und festgestellt, daß ein Medizinmann sie behandelte. Der Medizinmann rauchte im Rahmen seiner Behandlung eine Pfeife, und später wurde den Leuten klar, daß es der Tabakrauch gewesen war, der in der Geisterwelt erschienen war und die Seele der Frau ins Diesseits zurückgebracht hatte.

Zeremonieller Trauergesang
(Diegueno)

»... am einen Tag geht vielleicht alles gut für dich, und dann geschieht etwas, und du wirst vernichtet. So ist das Leben. Denk daran, es kann auch dir passieren!«[3]

Das Begräbnis, die letzte Zeremonie einer Frau

Die frühen amerikanischen Eingeborenenfrauen führten ein Leben, das reich an Zeremonien und Ritualen war, und so war es nur angemessen, daß ihr Tod mit der gleichen ehrerbietigen Spiritualität ins Gedächtnis gerufen wurde, die ihr Leben durchdrungen hatte. Gelegentlich kam es vor, daß Frauen sogar in vollem Bewußtsein an den Eingangsstufen ihres eigenen Begräbnisses teilnahmen. In vielen Stämmen wurden kranke oder ältere Menschen, wenn ihr Tod offenkundig nahe bevorstand, für die Beerdigung eingekleidet, bemalt und manchmal sogar schon teilweise eingewickelt. Es war zweifellos ein Trost für die sterbende Frau, von Trauernden umringt, aus dem Erdenleben zu gleiten und zu wissen, daß sie vermißt werden würde, und angesichts des unbekannten Weges, der ihr bevorstand, Mut zugesprochen zu bekommen.

Die Omaha wandten sich mit Worten der Ermutigung und des Zuspruchs an die sterbende Frau: »Du stehst im Begriff, zu den Büffeln zu gehen. Du wirst zu unseren Vorfahren heimkehren. Du wirst zu den vier Winden gehen. Sei stark!«, oder: »Wende dich nicht wieder diesem Weg zu. Wenn du gehst, dann geh weiter geradeaus.« Nachdem die Frau gestorben war, wurde sie rasch auf einer Hügelkuppe in einem flachen Grab beerdigt, und man ließ vier Nächte lang ein Feuer auf ihrem Grab brennen, damit sein Licht sie auf ihrer Reise ins Land der Toten erfreute.

In einigen Plains-Stämmen tötete man das Lieblingspferd einer Frau und hängte seinen Schwanz neben ihrem Totengerüst oder Grab an einen Pfahl. Bei der Schlachtung des Pferdes wurde gewöhnlich ein Gebet gesprochen, etwa folgender Art: »Enkelkind, deine Besitzerin hat viel von dir gehalten, und nun ist sie gestorben. Sie möchte dich voller Freude mit sich nehmen.« Die Komantschen meinten, ihre übernatürlichen Wesen forderten dieses Opfer bei jeder Beerdigung von ihnen. Als einmal ein alter Mann starb, der arm war und keine Verwandten mehr hatte, stiftete ihm jemand eine alte Mähre, die über seinem Grab getötet wurde. Doch der Alte wurde mit dem klapprigen Gaul, den man ihm gegeben hatte, nicht ins Paradies eingelassen, und so kehrte er zurück, um die Komantschen als Geist heimzusuchen. Danach durfte kein Komantsche mehr ins Jenseits aufbrechen, der nicht ein Roß hatte, das seinem Reiter und dessen Freunden zur Ehre gereichte.

Es war typisch für die Plains-Gruppen wie für die meisten nordamerikanischen Stämme, daß man alle Habe eines Verstorbenen, die man nicht mit ihm begrub, verschenkte oder vernichtete. Einmal hielt eine wohlhabende Familie der Eastern Sioux diese wichtige Tradition nicht ein, als sie ihre geliebte Tochter verlor. Das Mädchen hinterließ bei seinem Tod eine Kiste schöner Kleider, und die Familie entledigte sich dieser Kleider nicht in der vorgeschriebenen Weise.

Wenn die Familie sich zur Ruhe gelegt hatte, kam das Mädchen, rückte an ihrem Bett und öffnete und schloß die verschlossene Truhe. Dieser Spuk wurde so lästig, daß die Familie schließlich für eine Weile ihre Behausung verließ und an einen anderen Ort zog. Während ihrer Abwesenheit fiel einer Gruppe Jugendlicher, die nachts im Lager umherzogen, auf, daß das Haus allabendlich erleuchtet war. Doch wenn sie sich heranschlichen, um hineinzuspähen, ging das Licht auf rätselhafte Weise aus. Unfähig, den Spuk länger zu ertragen, baten die Eltern des Mädchens schließlich einige weise alte Männer, sie möchten herauszufinden versuchen, wie es zu dieser Störung komme. Die alten Männer blieben über Nacht in dem Spukhaus und sahen, wie der Geist der Tochter erschien und ihre Besitztümer liebkoste. Am nächsten Tag berichteten sie der Mutter ihre Entdeckung und rieten ihr, ein Fest zu veranstalten, die Freundinnen der toten Tochter einzuladen und all ihre Hinterlassenschaft unter sie zu verteilen. Nachdem dieser traditionellen Pflicht angemessen entsprochen worden war, hörte der Spuk auf. Die alten Männer erklärten, der Geist habe damit einen irdischen Fixpunkt verloren.

In manchen Stämmen verbrannten Familien ihr Heim, wenn jemand darin gestorben war. Da es mit einigem Aufwand verbunden war, ein neues Haus zu errichten – insbesondere wenn man dazu erst mit primitivem Werkzeug Balken zuschneiden mußte –, wurden Sterbende bisweilen unmittelbar vor ihrem Tod aus dem Haus geschafft, damit man das bestehende Heim nicht zerstören mußte. So verfuhr man auch bei den Papago im Süden Arizonas. Man kannte in jener Gesellschaft keine Scheu vor den Sterbenden; sobald klar war, daß der Tod eines Menschen nahe bevorstand, versammelten sich alle Verwandten um ihn und begannen ein rituelles Klagen, das andauerte, bis die Leiche bestattet worden war. Man legte den Toten in eine Felsnische oder in eine zwei Meter tiefe Grube. Die Leichen von Frauen richtete man so her, daß sie genauso aussahen, wie sie im Leben ausgesehen hatten; man begrub sie sitzend, die Knie seitlich gewinkelt, und um sie herum stellte man ihre Töpfe und Körbe auf. Das Grab wurde nicht mit Erde gefüllt, sondern überdacht wie ein Haus. Nach der Beerdigung hielt einer der älteren Leute eine Ansprache, die sich an die Verstorbene richtete und etwa folgendermaßen lautete: »Kind meiner Tochter, du warst mir lieb und teuer. Nun bist du dahingegangen. Ich werde dich nicht wiedersehen. Gehe nun, Kind meiner Tochter, und komme nicht zurück, um deine Verwandten zu erschrecken.«[4]

Die Papago glaubten, daß die Seelen der Toten genau wie die Menschen auf Erden in Städten lebten. Die jüngst Verstorbenen trafen in diesen Dörfern ihre Vorfahren und lernten von ihnen, wie man in der neuen Heimat lebte. Die Tagesereignisse ähnelten denen auf der Erde, wenn man einmal davon absah, daß es häufig regnete, denn dies Land lag im Osten, von wo der Regen kam. Es verwunderte nicht, daß Menschen, die in einem trockenen Land eine unsichere Existenzgrundlage hatten, ein Paradies ersannen, in dem es keine Dürre gab.

Die Papago glaubten, daß die Seelen ihrer Toten ihr Land nach Belieben verlassen und in Gestalt von Eulen zur Erde zurückfliegen konnten. Sie taten dies, wann immer sie das Bedürfnis verspürten, einen ihrer lebenden Verwandten als Gefährten im neuen Heim bei sich zu haben. Aus diesem Grunde sprachen die Trauernden gewöhnlich am Grab die Bitte an die Verstorbenen aus, sie möchten nicht auf die Erde zurückkehren.

Im Gegensatz zu den Gruppen, in denen sich die Gemeinschaft versammelte, um die Sterbenden zu trösten, fürchteten die Navajo sich sehr vor allem, was mit dem Tod zusammenhing. Immer wenn jemand dem Tod sehr nahe war, verließen alle außer den unmittelbaren Angehörigen des Sterbenden die Gegend, sofern dies möglich war. Solange die Navajo Sklaven hielten, richteten sie es immer so ein, daß diese das Begräbnis durchführten; als sie keine Sklaven mehr hielten, waren sie immer dankbar, wenn sie einen Außenstehenden fanden, der ihnen die unangenehme Aufgabe abnahm. War niemand sonst verfügbar, wuschen vier der Trauernden die Leiche und legten ihr Kleidung samt allem Schmuck an, den die Verstorbene zu Lebzeiten getragen hatte. Die Leiche wurde heimlich in einer Höhle oder Felsspalte versteckt und mit Steinen, Erde und Holzstücken zugedeckt. Sobald die Grabhelfer zum Rest der Familie zurückgekehrt waren, trauerten alle gemeinsam vier Tage lang, wobei sie schweigend dasaßen, wenig aßen, nicht arbeiteten und sich nur bewegten, wenn es absolut unumgänglich war. Dann reinigten sie sich alle bei einem rituellen Bad und wandten sich wieder dem Alltagsleben zu. War der oder die Tote innerhalb der Behausung gestorben, wurde die Hütte verbrannt und die Familie zog an eine andere Stelle. Einige Zeit wurde der Name des Verstorbenen nicht erwähnt, denn die Lebenden wollten die Seele nicht irritieren oder in irgendeiner Weise zwingen, in der Familie herumzulungern.

Bei den Navajo war das Begräbnis ein Ereignis, das nur diejenigen unmittelbaren Angehörigen betraf, die beim Eintritt des Todes anwesend waren, aber alle Mitglieder der weiteren Familie des Toten beklagten den Todesfall. Die Navajo lebten in kleinen, isolierten Familiengruppen, doch immer wenn sich zwei Verwandte oder gute Freunde zum erstenmal nach einem Todesfall in der Familie wiedersahen, weinten sie gemeinsam, hielten sich in den Armen und schluchzten zwanzig Minuten. Dabei war es unerheblich, ob der Todesfall schon ein halbes Jahr oder länger zurücklag; hatte eine Frau noch keine Gelegenheit gefunden, der Schwester oder Mutter eines oder einer Verstorbenen ihr Beileid auszusprechen, ging sie sofort auf sie zu, wenn sie sie traf.

Die Hopi glaubten ebenfalls, daß die Seelen der Toten weiterlebten, meinten aber, es handele sich bei ihnen um wohlmeinende Geister, die den Lebenden Regen brachten. Wenn eine Hopi-Frau starb, wurde ihr Haar mit flockigem Yucca-Sud gewaschen, und man legte ihr ein dünnes, weißes Tuch über das Gesicht, das Wolken symbolisierte. Dann wurde sie in sitzender Stellung in ihre Heiratsdecke aus weißer Baumwolle eingenäht, die man mit einem breiten Gürtel zuschnürte. Man glaubte, später werde der Geist der Frau als Wolke über den Himmel ziehen, wobei dann die kleinen Regentropfen durch die locker gewebte Decke fielen, während die dicken Regentropfen von den Fransen des Gürtels herabfielen.

Der Vater, Onkel oder ein anderer Verwandter der verstorbenen Frau trug sie dann auf dem Rücken ihre letzte Reise den steilen Pfad am Rande der Mesa hinunter. Man begrub sie in einem Grab, das in den Hang des Hügels gegraben wurde, und legte ihr Nahrung, Gebetsstäbchen aus Federn und vielleicht einen Gegenstand, der ihr besonders lieb gewesen war, auf das Grab. Die Toten aßen nur die Seele oder Essenz der Nahrung, die man ihnen daließ, und das war auch der Grund, weshalb die Wolken, in die die Toten verwandelt wurden, so leicht waren und über den Himmel schweben konnten.

Den Blick auf ein typisches Begräbnis im Nordosten des Kontinents ermöglicht uns der Bericht des Reverend John Heckewelder, der im Jahre 1762 bei den Delaware an der Beerdigung einer Häuptlingsfrau teilnahm. Der Tod der Frau war den Dorfbewohnern sofort durch einige Frauen bekanntgegeben worden, die durch die Straßen liefen und riefen: »Sie ist nicht mehr! Sie ist nicht mehr!« Die Dörfler verbrachten den Rest des Tages in Trauer, während die Angehörigen der Toten veranlaßten, daß ein Sarg gezimmert wurde. In diesen Sarg wurde die Leiche gelegt, die man in neue Gewänder gehüllt hatte, die schwer mit Silberfäden ornamentiert waren; an den Armen trug sie von der Schulter bis zum Handgelenk Armreifen, und um den Hals hatte man Wampumschnüre geschlungen. Am nächsten Tag wurden Heckewelder und ein weißer Händler darum gebeten, den Sarg zur Grabstätte zu tragen, was eine Ehre war; dabei halfen ihnen zwei Indianerfrauen und zwei Männer. Als sie an der Grabstelle ankamen, wurde der Deckel vom Sarg genommen, und die Trauergemeinde saß etwa zwei Stunden lang schweigend da. Nur gelegentliche Seufzer und Schluchzer durchbrachen die Stille.

Schließlich traten einige Männer vor, um den Deckel auf den Sarg zu legen und ihn in das Grab hinabzulassen, als plötzlich drei der trauernden Frauen aufsprangen und sich zwischen diese Männer drängten und die Leiche an Armen und Beinen ergriffen; zuerst verhielten sie sich, als liebkosten sie die Tote, doch dann zogen sie stärker an ihr, wobei sie unablässig schrien: »Erhebe dich, komm mit uns. Laß uns nicht allein.«

Zu guter Letzt gingen die Frauen in rasender Verzweiflung zurück zu ihren Sitzen, rissen sich die Haare aus, zerrten an ihren

Kleidern, schluchzten und gebärdeten sich, als wären sie außer sich.

Dann wurde der Sarg in die Erde gesenkt und zugeschaufelt. Es gab einen Imbiß, und alle Anwesenden erhielten Geschenke. Diejenigen, die die wertvollsten Dienste geleistet hatten, bekamen die schönsten Geschenke. Auch die drei Klageweiber wurden entsprechend entlohnt, denn sie hatten sehr anstrengende Arbeit geleistet.

Die Choctaw im Süden praktizierten ungewöhnliche Beerdigungsbräuche. Die Leiche wurde mit Häuten und Rinde bedeckt und in der Nähe des Heims ihrer Angehörigen auf ein Totengerüst gelegt. Die Verwandten gingen zu dieser Plattform, um zu trauern und zu klagen, obwohl bei heißem Wetter der Gestank der verwesenden Leiche so unerträglich werden konnte, daß Frauen in Ohnmacht fielen. Nachdem der Körper ein fortgeschrittenes Stadium der Verwesung erreicht hatte, riefen die Angehörigen die Knochensammler, die geachtete Leute im Stamm waren. Vor der versammelten Verwandtschaft kletterten die Knochensammler zu den Überresten der Leiche hinauf und reinigten die Knochen mit den Fingernägeln, die sie eigens für diese Aufgabe hatten lang wachsen lassen, von dem verfaulten Fleisch und reichten sie den Trauernden hinunter. Danach wurden das Fleisch und das Gerüst verbrannt, während man die Knochen in einen Sarg legte, der neben anderen seiner Art in einem Knochenhaus beerdigt wurde.

Die gewiß großartigsten und zugleich schrecklichsten Beerdigungsbräuche praktizierten die Natchez für tote Herrscher. Einige französische Entdecker waren Zeugen beim Begräbnis einer »Weiblichen Sonne«. Sie haben uns einen umfassenden Bericht hinterlassen.

Sobald die Stammesfürstin gestorben war, wurde ihr Ehemann, ein Gemeiner, vom erstgeborenen Sohn des Paares erwürgt, damit er seine Gattin ins Dorf der Toten begleiten konnte. Dann wurden auf der Plaza vierzehn Totengerüste errichtet, die für die Männer bestimmt waren, die entweder freiwillig oder auf Befehl starben, um ihrer Herrscherin im Jenseits zu dienen. Diese Männer genossen große Achtung aufgrund des Opfers, das zu erbringen sie im Begriff standen, und jeder von ihnen hatte fünf Diener, die ihn während der vier Tage des Tanzens und Trauerns umhegten.

Am Ende dieser Periode wurden zwölf tote Kinder von ihren Eltern herbeigebracht; laut Aussage des Franzosen war keines von ihnen älter als drei Jahre. Dann begann eine Parade, die von den Vätern angeführt wurde, die ihre toten Kinder trugen; auf sie folgten auf Tragen die tote Frau und ihr erwürgter Gatte. Gleichzeitig ließen die Väter ihre Kinderleichen zu Boden fallen, und die Männer, die die tote Frau trugen, gingen über die kleinen Körper hinweg und dreimal um sie herum. Dann nahmen die Väter die Leichen wieder auf, gingen zehn Schritte weiter und ließen die Kinder erneut fallen. Diese Zeremonie wurde wiederholt, bis der Trauerzug den Tempel erreichte, so daß die Kinderleichen völlig zerstampft waren, als die Parade dort ankam. Nachdem die »Tote Sonne« im Tempel beerdigt worden war, wurden die erwachsenen Opfer erwürgt und ebenso wie die Babys verbrannt.

Wenn eine »Männliche Sonne« starb, wurde seine Ehefrau ebenfalls getötet, damit sie ihn begleiten konnte. Dies wurde von den Frauen augenscheinlich akzeptiert, denn die Gattin einer verstorbenen »Sonne« erklärte einem europäischen Besucher: »Er ist im Land der Geister, und in zwei Tagen werde ich ihm folgen ... Trauert nicht. Wir werden im Land der Geister weit länger Freunde sein als in diesem, denn dort stirbt man nicht mehr. Das Wetter ist immer schön, nie hat man Hunger, denn nichts will besser leben als dieses Land.«[5]

Für die typische frühe amerikanische Eingeborenenfrau hielt das Leben kaum Überraschungen bereit. Bei der Geburt von Frauen umgeben, setzte sie ihr Leben in Gegenwart und Gesellschaft von Frauen fort, teilte sie mit den Schwestern ihres Stammes ihre Lernerfahrungen, ihre Arbeit, ihre eigenen Wehen beim Gebären und ihren Tod.

Neuerungen setzten sich nur langsam durch. Die Stammesbräuche hinsichtlich Kinderaufzucht, Werbung, Eheschließung, Haushaltsgründung und Religion blieben die gleichen, Jahrzehnt um Jahrzehnt. Das Leben der gewöhnlichen Indianerfrau bot keinen Stoff für spannende Geschichten, aber es bot ihr Behagen und Geborgenheit. Sie arbeitete hart, und in ihrer Arbeit und ihrer Stammeszugehörigkeit erwarb sie ein tiefes und befriedigendes Selbstwertgefühl. Ihre Tage waren oft voll monotoner Wiederholung, aber zumindest blieb ihr die qualvolle Suche der heutigen Frau nach einer Identität erspart.

Mit der Ankunft der Europäer begann sich das Leben der eingeborenen Amerikaner zu wandeln. Zuerst waren die östlichen Stämme betroffen, als die weißen Siedler ihr Land nahmen. Doch immer häufiger rückten Siedler von den nordamerikanischen Küsten nach, und sie waren landgierig. Jahr um Jahr drangen sie weiter nach Westen vor, bekräftigten sie ihre Vorherrschaft mit Gewehren, Kugeln und neuen Gesetzen.

Bald war für die Indianer kaum noch Land übrig. Als ein Stamm nach dem anderen in Reservaten zusammengepfercht wurde, begannen die Eingeborenenkulturen zu zerfallen. Die Männer, die ehedem Jäger und Krieger gewesen waren, hatten nichts mehr zu jagen, und es gab keine Kriege mehr. Zutiefst entmutigt, wandten viele von ihnen dem Leben den Rücken zu. Manche flüchteten in den Alkoholismus.

Für die Frauen wandelte sich das Leben nicht so drastisch. Selbst im Reservat gab es noch Kinder aufzuziehen, Mahlzeiten zuzubereiten und Hausarbeit zu erledigen. Einige Frauen fanden heraus, daß sie zu Geld kommen konnten, indem sie eingeborenes Kunsthandwerk herstellten und verkauften. Kraft ihrer Stärke und Entschlossenheit hielten viele eingeborene amerikanische Frauen ihre Familie zusammen und brachten sie durch sehr schwere Zeiten.

Auch heute noch sind die eingeborenen amerikanischen Frauen eine starke Kraft in ihren Gesellschaften – weiterhin. Sehr viele von ihnen arbeiten in der Stammesverwaltung mit, und sehr viele mehr arbeiten für ihr Volk in heutigen, herkömmlichen Rollen – als Krankenschwestern, Zahntechnikerinnen, Lehrerinnen, Schulrektorinnen, Sozialarbeiterinnen, Rechtsanwältinnen, Tänzerinnen, Künstlerinnen. Sie können freier wählen als ihre Großmütter, wie sie ihr Leben gestalten möchten, doch selbst die neue Berufslaufbahn und die gestiegenen Chancen aufgrund von Ausbildung und Erziehung können nicht das große Geschenk überschatten, das ihnen von ihren weiblichen Vorfahren hinterlassen worden ist – ein Erbe der Würde und Sinnhaftigkeit.

ANHANG

Zitatangaben

(Die vollständigen bibliographischen Angaben sind in der Bibliographie zu finden)

Einführung

1. Rosaldo und Lamphere (1974), S. 3; siehe auch Bamberger (1974).
2. Rosaldo und Lamphere (1974), S. 17.
3. Ortner (1974), S. 67.
4. Lurie (1972), S. 32.

1. Kapitel: Der Ausbruch des Lebens

1. Opler (1941), S. 149.
2. Opler (1941), S. 148.
3. Heckewelder (1876), S. 159.
4. Goddard (1903a), S. 275–277.
5. Stevenson (1904), S. 295.
6. Linderman (1932), S. 145–147.
7. Underhill (1936), S. 42.
8. Fletcher und La Flesche (1910), S. 115f.
9. Shipek (1970), S. 44.
10. Mason (1895), S. 176.
11. Landes (1938), S. 102.
12. Flannery (1953), S. 129.

2. Kapitel: Das indianische Kind

1. Linderman (1932), S. 29.
2. Linderman (1932), S. 65–70.
3. Fletcher und La Flesche (1910), S. 333.
4. Underhill (1939), S. 159–161.
5. Olson (1967), S. 18.
6. Parsons (1929), S. 271.
7. Opler (1938), S. 369f.

3. Kapitel: Von der Menarche zur Menopause

1. Smithson (1959), S. 63f.
2. Michelson (1925), S. 303.
3. Lurie (1961), S. 22.
4. Landes (1938), S. 6.

5. Shipek (1970), S. 42f.
6. Underhill (1936), S. 33.
7. Underhill (1968), S. 139.
8. Smithson (1959), S. 61f.
9. Basso (1966), S. 151.
10. Opler (1941), S. 119.
11. Bailey (1950), S. 10.
12. Mead (1932), S. 189–191.
13. Oswald (1966), S. 37.

4. Kapitel: Die Lebensgemeinschaft

1. Opler (1941), S. 121.
2. Opler (1941), S. 125.
3. Fletcher und La Flesche (1910), S. 324f.
4. Beaglehole (1935), S. 41.
5. Swanton (1911), S. 94.
6. Henry (1897), S. 384.
7. Swanton (1911), S. 323.
8. Fletcher und La Flesche (1910), S. 86.
9. Landes (1968), S. 135f.
10. Lowie (1909), S. 162f.
11. Smithson (1959), S. 86.
12. Hammond und Jablow (1973), S. 24.
13. Krause und Gunther (1956), S. 184f.
14. Olson (1936), S. 110.
15. Underhill (1936), S. 38.
16. Goodwin (1942), S. 328.
17. Kennedy (1961), S. 75–77.
18. Erikson (1943), S. 287f.
19. Shea (1881), S. 222.
20. Tixier (1940), S. 165.

5. Kapitel: Haushaltsgründung und -führung

1. Hammond und Jablow (1973), S. 6–8 passim.
2. Honigmann (1954), S. 131f.
3. Flannery (1953), S. 82–85.
4. Radin (1920), S. 132.
5. Hornaday (1889), S. 436.
6. Wallace und Hoebel (1952), S. 200f.
7. Kennedy (1961), S. 87.
8. Weltfish (1965), S. 8.
9. Qoyawayma (1964), S. 5.
10. Qoyawayma (1964), S. 71.
11. Parsons (1929), S. 289–294.

12. Cushing (1920), S. 386f.
13. Cushing (1920), S. 306–309.
14. Qoyawayma (1964), S. 35.
15. Olson (1967), S. 11.
16. Erikson (1943), S. 299.
17. Landes (1938), S. 169.
18. Hearne (1795), S. 264f.
19. Hardacre (1880), S. 657–664 passim.

6. Kapitel: Frauen mit Macht

1. Rowlandson (1828), S. 73.
2. Swanton (1942), S. 173.
3. U. S. Senate (1875), S. 48.
4. Codere (1966), S. 158.
5. Heckewelder (1876), S. 229.
6. Erikson (1943), S. 262.
7. Flannery (1953), S. 161f.
8. Skinner (1913), S. 147–149.
9. Jenness (1923), S. 194.
10. Cline (1938), S. 160.
11. Smith und Roberts (1954), S. 44f.
12. Kluckholn (1944), S. 49.

7. Kapitel: Frauen und Krieg

1. Goodwin (1971), S. 248.
2. Ball (1970), S. 9–189 passim.
3. Parsons (1926), S. 191f.
4. Landes (1938), S. 150f.
5. Wright (1973), S. 57.
6. Weltfish (1965), S. 54.
7. Underhill (1936), S. 15.
8. Swanton (1911), S. 132.
9. Stratton (1935), S. 161f.
10. Stratton (1935), S. 166.
11. Stratton (1935), S. 157.
12. Underhill (1946a), S. 93f.

8. Kapitel: Vergnügen und Freizeit

1. O'Neale (1932), S. 148.
2. Saxton und Saxton (1973), S. 320.
3. Underhill (1939), S. 172.
4. Opler (1938), S. 238–240.
5. Bunzel (1972), S. 51.

6. Bunzel (1972), S. 51.
7. Bunzel (1972), S. 65.
8. Wilson (1974), S. 48.
9. Reichard (1934), Frontispiz.
10. Catlin (1866), S. 96 f.
11. Saxton und Saxton (1973), S. 211–215.

9. Kapitel: Frühe Sexualmuster

1. Mooney (1900), S. 256 f.
2. Opler (1941), S. 250 f.
3. Hoebel (1940), S. 100 f.
4. Krause (1956), S. 191.
5. Underhill (1939), S. 184.
6. Saxton und Saxton (1973), S. 24 f.
7. Devereux (1937), S. 498–527 passim.
8. Mason (1895), S. 211.

10. Kapitel: Religion und Spiritualität

1. Stevenson (1887), S. 555.
2. Zuni People (1972), S. 137–139.
3. Waters (1950), S. 187–189.
4. Voegelin (1936), S. 7.

11. Kapitel: Die Vollendung des Zyklus

1. Hassrick (1964), S. 103.
2. Tixier (1940), S. 158.
3. Shipek (1970), S. 15.
4. Underhill (1939), S. 189.
5. Swanton (1911), S. 145.

Kommentierte Bibliographie

(Für Leser, die das vorstehende Material über eingeborene amerikanische Frauen im Hinblick auf Thesen und Theorien zum Frauenstatus und zur Frauenrolle überprüfen möchten, sind die nachstehend genannten Bücher und Artikel unter Umständen eine Hilfe.)

Boserup, Ester: *Woman's Role in Economic Development.* St. Martin's Press, New York 1970.
Zwar konzentriert sich Boserup im wesentlichen auf die wirtschaftliche Rolle der Frau in neuerer Zeit, doch sind die ersten beiden Kapitel ihres Buches für Forscher aufschlußreich, die sich mit der Rolle der Frau auf früheren Stufen der Entwicklung befassen. Im Kapitel über »Male and Female Farming Systems« erörtert sie die Entwicklung hin zu einer ausgeprägteren Arbeitsteilung, und in dem Kapitel »The Economics of Polygamy« arbeitet sie heraus, in welcher Beziehung Polygamie zu Stand und Wohlstand steht.

Boulding, Elise: *Nomadism, Mobility and the Status of Women.* Diskussionspapier für den 8. Weltkongreß der Soziologie 1974 in Toronto (hektographiert).
Die Autorin erörtert den Status der Frauen in nomadischen Gesellschaften und argumentiert, unter Nomaden gebe es eine weniger geschlechtsspezifische Rollendifferenzierung als bei seßhaften Völkern. Da die Welt der Nomadenfrau nicht so strukturiert und eingeengt ist wie die der seßhaften Frau, wird ihr eine stärkere Mitsprache an der Entscheidungsfindung zugestanden, und sie ist aufgrund ihrer handwerklichen Fähigkeiten und ihrer Anpassungsfähigkeit hochgeachtet.

Govier, Trudy R.: »Woman's Place«, in: *Philosophy* , 49: 303–309.
Hierbei handelt es sich um eine Replik auf einen Aufsatz von J. R. Lucas, der unter dem Titel »Because You Are a Woman« im Mai 1973 in *Philosophy* erschien. Govier widerlegt mit einem wohlbegründeten Argument Lucas' Behauptung, daß die Leugnung von geschlechtsspezifischen Unterschieden zwischen Männern und Frauen dazu führt, daß Frauen an männlichen Normen gemessen werden und in den meisten Einzelfällen für den Männern unterlegen befunden werden. Goviers Aufsatz ist insofern von Nutzen, als es ihr nicht nur gelingt, Lucas zu widerlegen, sondern sie auch eine Methode entwickelt, das Problem der geschlechtsspezifischen Unterschiede und kulturell bedingter Verhaltensmanifestationen anzugehen.

Hammond, Dorothy, u. Jablow, Alta: *Women: Their Economic Role in Traditional Societies* (Cummings Module in Anthropology 35). Cummings Publishing Co., Menlo Park 1973.

Hammond, Dorothy, u. Jablow, Alta: *Women: Their Familial Roles in Traditional Societies* (Cummings Module in Anthropology 57). Cummings Publishing Co., Menlo Park 1975.
Diese beiden kulturübergreifenden Studien zur Stellung der Frau führen aus, daß das, was in verschiedenen Kulturen als weibliche und als Frauenarbeit begriffen wird, stärker durch Tradition und Brauchtum bestimmt ist als durch irgendwelche angeborenen, biologischen Fähigkeiten oder Unfähigkeiten von Frauen. Die Autorinnen weisen aus, daß Frauen in der ganzen Welt primär als Ehefrauen und Mütter und als den Männern unterlegen begriffen werden, sie sich aber gegen diese Stellung und die männliche Dominanz wehren. Außerdem werden die Begriffe Matrilinearität und Matrilokalität erörtert.

Lederer, Wolfgang: *The Fear of Women.* Grune and Stratton, New York 1966.
Der Autor zeichnet sich zwar nicht durch eine besonders ausgewogene Sichtweise der Frau aus, erforscht aber eingehend das gefährliche Schwanken zwischen Liebe und Furcht, das Männer durch alle Epochen hindurch Frauen gegenüber empfunden haben. Von besonderem Interesse sind die Kapitel über »Das größte Rätsel« (die Menstruation), darüber, wie menstruierende Frauen tabuisiert sind, und darüber, wie sich dieses Tabu auf andere Aspekte des Lebens ausgedehnt hat.

Martin, M. Kay, u. Voorhies, Barbara: *Female of the Species.* Columbia University Press, New York 1975.
Dies ist eine interdisziplinäre und kulturübergreifende Betrachtung der wirtschaftlichen Rollen der Frauen und der biologischen und psychologischen Aspekte der Geschlechtsunterschiede. Die Autorinnen, beide sind Anthropologinnen, analysieren die androzentrische Sichtweise der kulturellen Evolution mit ihrer Grundannahme der wirtschaftlichen Dominanz der Männer und stellen sie in Frage. Sie geben einen hervorragenden Überblick über die komplexe Interaktion zwischen genetischen und Umweltfaktoren, die die Geschlechterrollen und den Status der Frauen über die Zeiten hinweg beeinflussen.

Reiter, Rayna R. (Hrsg.): *Toward an Anthropology of Women.* Monthly Review Press, New York 1975.
Die achtzehn Aufsätze dieses Bandes sind von feministischen Anthropologinnen geschrieben, die versuchen, über die allenthalben vorfindliche männliche Orientierung der Anthropologie hinauszukommen. Drei der Essays nehmen unmittelbar Bezug auf Fragen der männlichen Orientierung in der Interpretation der biologischen und kulturellenE-volutionsgeschichte, drei erörtern Aspekte der sexuellen Gleichheit in Gruppen, die überwiegend nach Verwandtschaftslinien organisiert sind, und zwei von ihnen bieten Theorien zum Ursprung der Geschlechterbeziehungen an. Von besonderem Interesse für Leser des vorliegenden Buches ist Judith Browns ethnohistorische Untersuchung über die Irokesen-Frauen.

Rosaldo, Michelle Zimbalist, u. Lamphere, Louise (Hrsg.): *Women, Culture and Society.* Stanford University Press, Stanford 1974.
Die Autorinnen der siebzehn Aufsätze in diesem wegweisenden Buch vertreten die Auffassung, die Anthropologie habe versäumt, theoretische Perspektiven zu entwickeln, die Frauen als gesellschaftliche Handlungsträger berücksichtigen. Die Autorinnen der drei ersten Aufsätze beobachten, daß die Rolle der Frau als Mutter zu kultureller Subordination geführt hat, und sie argumentieren, dies sei nicht notwendig. Eine Anzahl Aufsätze befaßt sich mit Frauenstrategien, in Gesellschaften Macht zu erlangen und auszuüben, in denen ihnen Macht nominell versagt ist. Peggy Sandays Beitrag behandelt auf statistischer Grundlage den unterschiedlichen Status der Frauen quer durch die Kulturen; sie geht davon aus, daß der Beitrag der Frauen zum Lebensunterhalt eine wesentliche Variable zur Bestimmung ihres Status ist.
Yorburg, Betty: *Sexual Identity.* John Wiley & Sons, New York 1974.
Die ersten vier Kapitel dieses Buches fassen auf hervorragende Weise zusammen, was auf den Gebieten der Biologie, Anthropologie, Psychologie, Soziologie und Geschichte an Arbeiten zur Frage der sexuellen Identität geleistet worden ist. Die Autorin beschäftigt sich mit Fragen wie der klassischen Kontroverse Natur gegen Erziehung und der relativen Bedeutung der unterschiedlichen Anatomie, Hormonstruktur und genetischen Beschaffenheit von Mann und Frau.

Allgemeine Bibliographie

Adams, Winona: An Indian Girl's Story of a Trading Expedition to the Southwest About 1841, in: *The Frontier,* 10:4, Mai 1930.

Allen, T. D.: *Navajos Have Five Fingers.* University of Oklahoma Press, Norman 1963.

Bailey, Flora L.: Some Sex Beliefs and Practices in a Navajo Community, with Comparative Material from Other Navajo Areas, in: *Papers of the Peabody Museum of American Archeology and Ethnology,* 40:2. Harvard University Press, Cambridge 1950.

Ball, Eve: *In the Days of Victorio: Recollections of a Warm Springs Apache,* erzählt v. James Kaywayka. University of Arizona Press, Tucson 1970.

Bamberger, Joan: The Myth of Matriarchy: Why Men Rule in Primitive Societies, in: Rosaldo, Michelle Zimbalist, u. Lamphere, Louise (Hrsg.): *Women, Culture and Society.* Stanford University Press, Stanford 1974.

Bandelier, Adolph F., u. Hewett, Edgar L.: *Indians of the Rio Grande Valley.* University of New Mexico Press, Albuquerque 1937.

Barnett, Homer G.: The Coast Salish of British Columbia, in: *University of Oregon Monographs,* Nr. 4 (September). The University Press, Eugene 1955.

Barnett, Samuel Alfred: *The Washo Indians.* Milwaukee Public Museum, Milwaukee 1917.

Basso, Keith: »The Gift of Changing Woman«, in: *Bureau of American Ethnology Bulletin,* Nr. 196. Smithsonian Institution, Washington, D.C., 1966.

ders.: »Western Apache Witchcraft«, in: *Anthropological Papers of the University of Arizona,* Nr. 15. University of Arizona Press, Tucson 1969.

Beaglehole, Ernest, u. Beaglehole, Pearl: »Hopi of the Second Mesa«, in: *American Anthropological Association Memoir 44,* 1935.

Beals, Ralph L.: »Ethnology of Nisenan«, in: *University of California Publications American Archeology and Ethnology* (29. März), 3:6. University of California Press, Berkeley 1933.

Beauchamp, W. M.: »Iroquois Women«, in: *Journal of American Folklore,* 13:81–91, 1900.

Birket-Smith, Kaj, u. de Laguna, Frederica: *The Eyak Indians of the Copper River Delta, Alaska.* Levin und Munksgaard, Kopenhagen 1938.

Boscana, Fray Geronimo: *Chinigchinich,* übers. v. Alfred Robinson. Fine Arts Press, Santa Ana 1933.

Boserup, Ester: *Woman's Role in Economic Development.* St. Martin's Press, New York 1970.

Boulding, Elise: »Nomadism, Mobility and the Status of Women«, Diskussionspapier für den 8. Weltkongreß der Soziologie 1974 in Toronto (hektographiert).
Bourne, Edward Gaylord: *Narratives of the Career of Hernando de Soto,* Bd. 1 und 2. AMS Press, New York 1973.
Bowers, Alfred W.: *Mandan Social and Ceremonial Organization.* University of Chicago Press, Chicago 1950.
Bunzel, Ruth: *The Pueblo Potter.* Dover Publications, New York 1972.

Callender, Charles: »Social Organization of the Central Algonkian Indians«, in: *Milwaukee Public Museum Publications in Anthropology,* Nr. 7. Milwaukee Public Museum, Milwaukee 1962.
Catlin, George: *Illustrations of the Manners, Customs and Conditions of the North American Indians,* Bd. 1. Henry G. Bohn, London 1866.
Cline, Walter B.; Commons, Rachel S.; Mandelbaum, May; Post, Richard H.; u. Walters, L. V. W.: *The Sinkaietk or Southern Okanagon of Washington.* George Banta, Menasha 1938.
Codere, Helen: *Franz Boas.* University of Chicago Press, Chicago 1966.
Culin, Stewart: »Games of the North American Indians«, in: *Twenty-Fourth Annual Report of the Bureau of American Ethnology, 1902–1903.* Smithsonian Institution, Washington, D.C., 1907.
Cushing, Frank Hamilton: *Zuni Breadstuff* (Indian Notes and Monographs, Bd. 8). Heye Foundation, New York 1920.

Dane, Christopher: *The American Indian and the Occult.* Popular Library, New York 1973.
Debo, Angie: *The Rise and Fall of the Choctaw Republic.* University of Oklahoma Press, Norman 1934.
Devereux, George: »Institutionalized Homosexuality of the Mohave Indians«, in: *Human Biology,* 9:498–527, 1937.
Dorsey, James Owen: »Omaha Sociology«, in: *United States Bureau of Ethnology Annual Report,* 3:205–370, 1881.

Erikson, Erik Homburger: »Observations on the Yurok: Childhood and World Image«, in: *University of California Publications in American Archeology and Ethnology,* 35:10. University of California Press, Berkeley 1943.

Flannery, Regina: *The Gros Ventres of Montana: Part 1, Social Life* (The Catholic University of America Anthropological Series, Nr. 15). Catholic University of America Press, Washington, D.C., 1953.
dies.: »Position of Women among the Mescalero Apache«, in: *Primitive Man,* 5:26–32, 1932.
dies.: »Position of Women among the Eastern Cree«, in: *Primitive Man,* 8:81–86, 1935.
Fletcher, Alice C., u. La Flesche, Francis: »The Omaha Tribe«, in:

Twenty-Seventh Annual Report of the Bureau of American Ethnology, 1905–1906. Smithsonian Institution, Washington, D.C., 1910.
Forde, C. Daryll: »Ethnography of the Yuma Indians«, in: *University of California Publications in American Archeology and Ethnology,* 28:4. University of California Press, Berkeley 1931.
Foreman, Carolyn Thomas: *Indian Women Chiefs.* Hoffman Printing Co., Muskogee 1954.
Fortune, Reo F.: *Omaha Secret Societies.* Columbia University Press, New York 1932.
Franciscan Fathers: *An Ethnologic Dictionary of the Navajo Language.* Saint Michaels 1910.

Garth, Thomas R.: »Atsugewi Ethnography«, in: *Anthropological Records,* 14:2. University of California Press, Berkeley 1953.
Gearing, Fred: »Priests and Warriors«, in: *American Anthropological Memoir 93,* 1962.
Gifford, E. W.: »The Cocopah«, in: *University of California Publications in American Archeology and Ethnology,* 31:5. University of California Press, Berkeley 1933.
ders.: »The Northfork Mono«, in: *University of California Publications in American Archeology and Ethnology,* 31:15–65. University of California Press, Berkeley 1932a.
ders.: »The Southern Yavapai«, in: *University of California Publications in American Archeology and Ethnology,* 29:177–252. University of California Press, Berkeley 1932b.
Gilbert, William Harlen: »The Eastern Cherokees«, in: *Bureau of American Ethnology Bulletin,* Nr. 133. Smithsonian Institution, Washington, D.C., 1943.
Goddard, Pliny Earle: »Hupa Texts«, in: *University of California Publications in American Archeology and Ethnology,* 1:2. University of California Press, Berkeley 1903a.
ders.: »Life and Culture of Hupa«, in: *University of California Publications in American Archeology and Ethnology,* 1:1. University of California Press, Berkeley 1903b.
Goodwin, Grenville: *The Social Organization of the Western Apache.* University of Chicago Press, Chicago 1942.
ders.: *Western Apache Raiding and Warfare,* hrsg. v. Keith H. Basso. University of Arizona Press, Tucson 1971.
Govier, Trudy R.: »Woman's Place«, in: *Philosophy,* 49:303–309.
Graves, William M.: *The First Protestant Osage Missions 1820–1837.* Carpenter Press, Oswego 1949.
Grinnell, George Bird: *The Cheyenne Indians,* Bd. 1 und 2. University of Nebraska Press, Lincoln 1972.
ders.: *The Fighting Cheyennes.* University of Oklahoma Press, Norman 1956.

Hammond, Dorothy, u. Jablow, Alta: *Women: Their Economic Role in*

Traditional Societies (Cummings Module in Anthropology 35). Cummings Publishing Co., Menlo Park 1973.
dies.: *Women: Their Familial Roles in Traditional Societies* (Cummings Module in Anthropology 57). Cummings Publishing Co., Menlo Park 1975.
Hardacre, Emma: »The Lost Woman of San Nicolas«, in: *Scribner's Monthly* (September), 20:651–664, 1880.
Hassrick, Royal B.: *The Sioux, Life and Customs of a Warrior Society.* University of Oklahoma Press, Norman 1964.
Hearne, Samuel: *A Journey from Prince of Wales Fort in Hudson's Bay to the Northern Ocean.* Cadell and Davies, London 1795.
Hebard, Grace Raymond: *Sacajawea, Guide of the Lewis and Clark Expedition.* The Arthur H. Clark Company, Glendale 1933.
Heckewelder, John: *History, Manners and Customs of the Indian Nations Who Once Inhabited Pennsylvania and the Neighboring States.* Historical Society of Pennsylvania, Philadelphia 1876.
Henry, Alexander: *New Light on the Early History of the Greater Northwest,* hrsg. v. Elliott Coues. F. P. Harper, New York 1897.
Hill, W. W.: »Note on the Pima Berdache«, in: *American Anthropologist,* 40:338–340, 1938.
ders.: »The Status of Hermaphrodite and Transvestite in Navajo Culture«, in: *American Anthropologist,* 37:373–379, 1935.
Hodge, Frederick Webb (Hrsg.): *Handbook of American Indians North of Mexico, Bureau of American Ethnology Bulletin,* Nr. 30. Smithsonian Institution, Washington, D.C., 1911.
Hoebel, E. Adamson: *The Cheyennes, Indians of the Great Plains.* Holt, Rinehart and Winston, New York 1960.
ders.: »The Political Organization and Law-Ways of the Comanche Indians«, in: *American Anthropological Association Memoir 54,* 1940.
Honigmann, John J.: »The Kaska Indians: An Ethnographic Reconstruction«, in: *Yale University Publications in Anthropology,* Nr. 51. Yale University Press, New Haven 1954.
Hooper, Lucile: »The Cahuilla Indians«, in: *University of California Publications in American Archeology and Ethnology,* 16:6. University of California Press, Berkeley 1920.
Hornaday, William T.: The Extermination of the American Bison, in: *Report of the U. S. National Museum, Smithsonian Institution for 1887.* Washington Government Printing Office, Washington D.C. 1889.

Jefferson, Robert: »Fifty Years on the Saskatchewan«, in: *Canadian North-West Historical Society Publications,* 1:5. Canadian North-West Historical Society, Battleford 1929.
Jenness, D.: *The Copper Eskimos* (*Report of the Canadian Arctic Expedition 1913–1918,* Bd. 12). F. A. Acland, Ottawa 1923.
Johnston, Bernice Eastman: *California's Gabrielino Indians.* The Southwest Museum, Los Angeles 1962.

Joseph, Alice; Spicer, Rosamund B.; u. Chesky, Jane: *The Desert People.* University of Chicago Press (Midway Reprints), Chicago 1974.

Kelly, Isabel T.: »Ethnography of the Surprise Valley Paiute«, in: *University of California Publications in American Archeology and Ethnology,* 31:67–210. University of California Press, Berkeley 1932.

Kennedy, Michael Stephen (Hrsg.): *The Assiniboines.* University of Oklahoma Press, Norman 1961.

Kluckholn, Clyde: »Navajo Witchcraft«, in: *Papers of the Peabody Museum of American Archeology and Ethnology,* 22:2. Harvard University Press, Cambridge 1944.

Kluckholn, Clyde, u. Leighton, Dorothea: *The Navajo.* Harvard University Press, Cambridge 1946.

Krause, Aurel, u. Gunther, Erna (Übers.): *The Tlingit Indians* (American Ethnological Society). University of Washington Press, Seattle 1956.

La Farge, Oliver: *A Pictorial History of the American Indian.* Crown Publishers, New York 1956.

La Flesche, Francis: »Osage Marriage Customs«, in: *American Anthropologist,* 14:127–130, 1912.

ders.: »The Osage Tribe: Two Versions of the Child Naming Rite«, in: *Forty-Third Annual Report of the Bureau of American Ethnology 1925–1926.* Smithsonian Institution, Washington, D.C., 1928.

ders.: »Researches among the Osage«, in: *Smithsonian Miscellaneous Collection,* 70:110–113. Smithsonian Institution, Washington, D.C., 1919.

Landes, Ruth: *The Mystic Lake Sioux.* University of Wisconsin Press, Madison 1968.

dies.: *The Ojibwa Woman.* Columbia University Press, New York 1938.

Lange, Charles H.: *Cochiti, A New Mexico Pueblo, Past and Present.* University of Texas Press, Austin 1959.

Laski, Vera: »Seeking Life«, in: *Memoirs of the American Folklore Society,* Nr. 50, 1959.

Lederer, Wolfgang: *The Fear of Women.* Grune and Stratton, New York 1966.

Leighton, Dorothea C., u. Adair, John: *People of the Middle Place* (Behavior Science Monographs). Human Relations Area Files Press, New Haven 1966.

Le Moyne, Jaques: *Narrative of Le Moyne, an Artist who Accompanied the French Expedition to Florida under Laudonniere, 1564,* aus dem Lateinischen von Fred B. Pukins. J. R. Osgood, Boston 1875.

Lewis, Oscar: »Manly-Hearted Women among the North Piegan«, in: *American Anthropologist,* 43:173–187, 1941.

Linderman, Frank: *Red Mother.* John Day Company, New York 1932.

Linton, Ralph (Hrsg.): *Acculturation in Seven American Indian Tribes.* Appleton-Century-Crofts, New York 1940.

Loeb, Edwin M.: »Pomo Folkways«, in: *University of California Publica-*

tions in American Archeology and Ethnology, 19:2. University of California Press, Berkeley 1928.

Lowie, Robert: »The Assiniboine«, in: *Anthropological Papers of the American Museum of Natural History,* Nr. 4. American Museum of Natural History, New York 1909.

ders.: *The Crow Indians.* Farrar and Rinehart Inc., New York 1935.

ders.: »Societies of the Hidatsa and Mandan Indians«, in: *Anthropological Papers of the American Museum of Natural History,* 11:3. American Museum of Natural History, New York 1913.

Lurie, Nancy Oestreich (Hrsg.): »Indian Women: A Legacy of Freedom«, in: dies.: *Look to the Mountain Top.* Gousha Publications, San Jose 1972.

dies.: *Mountain Wolf Woman, Sister of Crashing Thunder: The Autobiography of a Winnebago Indian.* University of Michigan Press, Ann Arbor 1961.

Lyford, Carrie A.: *Iroquois Crafts.* Haskell Institute, Lawrence 1945.

Malone, Henry Thompson: *Cherokees of the Old South.* University of Georgia Press, Athens 1956.

Mandelbaum, David C.: »The Plains Cree«, in: *Anthropological Papers of the American Museum of Natural History,* 37:2. American Museum of Natural History, New York 1940.

Marriott, Alice: *The Ten Grandmothers.* University of Oklahoma Press, Norman 1945.

Martin, M. Kay, u. Voorhies, Barbara: *Female of the Species.* Columbia University Press, New York 1975.

Mason, Otis T.: *Woman's Share in Primitive Culture.* Macmillan & Co., London 1895.

Mead, Margaret: *Changing Culture of an Indian Tribe.* Columbia University Press, New York 1932.

Michelson, Truman: »Autobiography of a Fox Indian Woman«, in: *Fortieth Annual Report of the Bureau of American Ethnology, 1918–1919.* Smithsonian Institution, Washington, D.C., 1900.

ders.: »Narrative of an Arapaho Woman«, in: *American Anthropologist,* 35:595–610, 1933.

Mooney, James: »Myths of the Cherokee«, in: *Nineteenth Annual Report of the Bureau of American Ethnology, 1897–1898.* Smithsonian Institution, Washington, D.C., 1900.

Morgan, Lewis H.: *League of the Ho-De-No Sau-Nee or Iroquois* (Behavior Science Reprints). Human Relations Area Files Press, New Haven 1954.

Noon, John A.: *Law and Government of the Grand River Iroquois.* Viking Fund, New York 1949.

O'Kane, Walter Collins: *Sun in the Sky.* University of Oklahoma Press, Norman 1950.

Olson, Ronald L.: »The Quinault Indians«, in: *University of Washington Publications in Anthropology,* 6:1. University of Washington Press, Seattle 1936.
ders.: »Social Structure and Social Life of the Tlingit of Alaska«, in: *Anthropological Records,* Nr. 26. University of California Press, Berkeley 1967.
O'Neale, Lila M.: »Yurok-Karok Basket Weavers«, in: *University of California Publications in American Archeology and Ethnology,* 32:1–84. University of California Press, Berkeley 1932.
Opler, Morris: *An Apache Lifeway: The Economic, Social, and Religious Institutions of the Chiricahua Indians.* University of Chicago Press, Chicago 1941.
ders.: *Childhood and Youth in Jicarilla Apache Society.* The Southwest Museum, Los Angeles 1946.
ders.: »Myths and Tales of the Jicarilla Apache Indians«, in: *Memoirs of the American Folklore Society,* Nr. 31, 1938.
ders.: »Pots, Apache, and the Dismal River Culture Aspect«, in: Basso, Keith, u. Opler, Morris E.: *Apachean Culture, History and Ethnology* (Anthropological Papers of the University of Arizona, Nr. 21). University of Arizona Press, Tucson 1971.
Ortner, Sherry B.: »Is Female to Male as Nature Is to Culture?«, in: Rosaldo, Michelle Zimbalist, u. Lamphere, Louise (Hrsg.): *Women, Culture and Society.* Stanford University Press, Stanford 1974.
Oswalt, Wendell H.: *This Land Was Theirs – A Study of the North American Indian.* Wiley and Sons, New York 1966.

Parsons, Elsie Clews: »Notes on the Caddo«, in: *American Anthropological Association Memoir,* Nr. 57, 1941.
dies.: »The Social Organization of the Tewa of New Mexico«, in: *Memoirs of the American Folklore Society,* Nr. 36, 1929.
dies.: »Tewa Tales«, in: *Memoirs of the American Folklore Society,* Nr. 19, 1926.
Peithmann, Irving M.: *Red Men of Fire: A History of the Cherokee Indians.* Charles C. Thomas, Springfield 1964.
Price, John Andrew: *Washo Economy.* Nevada State Museum, Carson City 1962.

Qoyawayma, Polingaysi: *No Turning Back* (nach der Niederschrift von Vada F. Carlson). University of New Mexico Press, Albuquerque 1964.

Radin, Paul: »The Autobiography of a Winnebago Indian«, in: *University of California Publications in American Archeology and Ethnology,* 16:7. University of California Press, Berkeley 1920.
Randle, Martha Champion: »Iroquois Women, Then and Now«, in: Fenton, William N., *Symposium on the Local Diversity in Iroquois Culture.* Smithsonian Institution, Washington, D.C., 1951.

Ray, Verne F.: »Lower Chinook Ethnographic Notes«, in: *University of Washington Publications in Anthropology,* 7:2. University of Washington Press, Seattle 1938.
ders.: *The Sanpoli and Nespelem: Salishan Peoples of Northeastern Washington.* University of Washington Press, Seattle 1933.
Reichard, Gladys A.: *Dezba, Woman of the Desert.* Rio Grande Press, Glorieta 1971.
dies.: *Social Life of the Navajo Indians.* Columbia University Press, New York 1928.
dies.: *Spider Woman.* Macmillan Co., New York 1934.
Reiter, Rayna R. (Hrsg.): *Toward an Anthropology of Women.* Monthly Review Press, New York 1975.
Rolandson, Mary: *Narrative of Captivity by the Indians at the Destruction of Lancaster in 1676,* 6. Aufl. Carter, Andrews, & Co., Lancaster 1828.
Rosaldo, Michelle Zimbalist, u. Lamphere, Louise (Hrsg.): *Women, Culture and Society.* Stanford University Press, Stanford 1974.
Russell, Frank: »The Pima Indians«, in: *Twenty-Sixth Annual Report of the Bureau of American Ethnology, 1904–1905.* Smithsonian Institution, Washington, D.C., 1908.

Sanday, Peggy R.: »Toward a Theory of the Status of Women«, in: *American Anthropologist,* 75:5, 1973.
Saxton, Dean, u. Saxton, Lucille: *Legends and Lore of the Papago and Pima Indians.* University of Arizona Press, Tucson 1973.
Seton, Julia M.: *American Indian Arts: A Way of Life.* The Ronald Press Co., New York 1962.
Shaw, Anne More: *A Pima Past.* University of Arizona Press, Tucson 1974.
Shea, J. D. G.: *First Establishment of the Faith in New France.* J. D. Shea, New York 1881.
Shipek, Florence: *The Autobiography of Delfina Cuero.* Malki Museum Press, Morongo Indian Reservation 1970.
Simmons, Leo W.: *Sun Chief: The Autobiography of a Hopi Indian.* Yale University Press, New Haven 1942.
Skinner, Alanson: »Kansa Organizations«, in: *Anthropological Papers of the American Museum of Natural History,* Nr. 11. American Museum of Natural History, New York 1915a.
ders.: »Ponca Societies and Dances«, in: *Anthropological Papers of the American Museum of Natural History,* Nr. 11. American Museum of Natural History, New York 1915b.
ders.: »Social Life and Ceremonial Bundles of the Menominee Indians«, in: *Anthropological Papers of the American Museum of Natural History,* Nr. 13, Teil 1. American Museum of Natural History, New York 1913.
Smith, Dana Margaret: *Hopi Girl.* Stanford University Press, Palo Alto 1931.

Smith, Watson, u. Roberts, John M.: »Zuni Law, a Field of Values«, in: *Papers of the Peabody Museum of American Archeology and Ethnology,* 43:1. Harvard University Press, Cambridge 1954.
Smithson, Carma Lee: »The Havasupai Woman«, in: (University of Utah Department of Anthropology) *Anthropological Papers,* Bd. 38. University of Utah Press, Salt Lake City 1959.
Speck, Frank G.: »Ethical Attributes of the Labrador Indians«, in: *American Anthropologist,* 35:559–594, 1933.
Spier, Leslie: »Havasupai Ethnography«, in: *Anthropological Papers of the American Museum of Natural History,* Nr. 29. American Museum of Natural History, New York 1927.
ders.: »Wishram Ethnography«, in: *University of Washington Publications in Anthropology,* 3:3. University of Washington Press, Seattle 1930.
Spinden, Herbert Joseph: *Fine Art and The First Americans. Introduction to American Indian Art,* Teil 2. The Exposition of Indian Tribal Arts, New York 1931.
ders.: *The Nez Percé Indians.* New Era Printing Co., Lancaster 1908.
Stephens, William N.: »A Cross-Cultural Study of Menstrual Taboos«, in: *Genetic Psychology Monographs,* 64:385–416. The Journal Press, Provincetown 1961.
Stern, Bernard J.: *The Lummi Indians of Northwest Washington.* AMS Press, New York 1934.
Stevenson, Matilda Cox: »The Zuni Indians«, in: *Twenty-Third Annual Report of the American Bureau of Ethnology, 1901–1902.* Smithsonian Institution, Washington, D.C., 1904.
Stevenson, Tilly E.: »The Religious Life of the Zuni Child«, in: *Fifth Annual Report of the American Bureau of Ethnology, 1883–1884.* Smithsonian Institution, Washington, D.C., 1887.
Stratton, R. B.: *Life among the Indians or: The Captivity of the Oatman Girls among the Apache and Mohave Indians.* Grabhorn Press, San Francisco 1935.
Swanton, John R.: »Aboriginal Cultures of the Southeast«, in: *Forty-Second Annual Report of the American Bureau of Ethnology, 1924–1925.* Smithsonian Institution, Washington, D.C., 1928a.
ders.: »Early History of the Creek Indians and Their Neighbors«, in: *Bureau of American Ethnology Bulletin,* Nr. 73. Smithsonian Institution, Washington, D.C., 1922.
ders.: »Indian Tribes of the Lower Mississippi Valley and Adjacent Coast of the Gulf of Mexico«, in: *Bureau of American Ethnology Bulletin,* Nr. 43. Smithsonian Institution, Washington, D.C., 1911.
ders.: »Social and Religious Beliefs and Usages of the Chickasaw Indians«, in: *Forty-Fourth Annual Report of the Bureau of American Ethnology, 1926–1927.* Smithsonian Institution, Washington, D.C., 1928b.
ders.: »Social Organization and Social Usages of the Indians of the Creek Confederacy«, in: *Forty-Second Annual Report of the Bureau of American Ethnology, 1924–1925.* Smithsonian Institution, Washington, D.C., 1928c.

ders.: »Source Material on the History and Ethnology of the Caddo Indians«, in: *Bureau of American Ethnology Bulletin,* Nr. 132. Smithsonian Institution, Washington, D.C., 1942.

Teit, James A.: »The Middle Columbia Salish«, in: *University of Washington Publications in Anthropology.* The University of Washington Press, Seattle 1928.
ders.: »The Salishan Tribes of the Western Plateau: The Okanagon«, hrsg. von Franz Boas, in: *Forty-Fifth Annual Report of the Bureau of American Ethnology, 1927–1928.* Smithsonian Institution, Washington, D.C., 1929.
Titiev, Mischa: »Old Oraibi: A Study of the Hopi Indians of Third Mesa«, in: *Papers of the Peabody Museum of American Archeology and Ethnology,* 22:1. Harvard University Press, Cambridge 1944.
Tixier, Victor: *Tixier's Travels on the Osage Prairies,* übers. von Albert J. Salvan, hrsg. von John Francis McDermott. University of Oklahoma Press, Norman 1940.
Tooker, Elisabeth: »An Ethnography of the Huron Indians, 1615–1649«, in: *Bureau of American Ethnology Bulletin,* Nr. 190. Smithsonian Institution, Washington, D.C., 1964.
Trigger, Bruce G.: *The Huron, Farmers of the North.* Holt, Rinehart and Winston, New York 1969.
Turney-High, Harry Holbert: »Ethnography of the Kutenai«, in: *American Anthropological Association Memoir,* Nr. 56, 1941.
ders.: »The Flathead Indians of Montana«, in: *American Anthropological Association Memoir,* Nr. 48, 1937.

Udall, Louise: *Me and Mine, the Life Story of Helen Sekaquaptewa.* University of Arizona Press, Tucson 1969.
Underhill, Ruth: »The Autobiography of a Papago Woman«, in: *American Anthropological Association Memoir,* Nr. 46, 1936.
dies.: *The First Penthouse Dwellers of America,* 2. Aufl. Laboratory of Anthropology, Santa Fe 1946a.
dies.: *The Navajo.* University of Oklahoma Press, Norman 1956.
dies.: *People of the Crimson Evening.* Haskell Institute, Lawrence 1951.
dies.: *Singing for Power – The Song Magic of the Papago Indians of Southern Arizona.* University of California Press, Los Angeles 1968.
dies.: »Social Organization of the Papago Indians«, in: *Columbia University Contributions of Anthropology,* Nr. 30. Columbia University Press, New York 1939.
dies.: *Work a Day Life of the Pueblos.* Phoenix Indian School, United States Indian Service, Phoenix 1946b.
United States Senate, *Senate Executive Document No. 6,* 44th Congress, first session, 1875–1876. Letter from the Secretary of the Interior; Investigation of Osage Affairs. 20. Dezember 1875, Seite 48.

Voegelin, C. F.: »The Shawnee Female Deity«, in: *Yale University Publications in Anthropology*, Nr. 10. Yale University Press, New Haven 1936.

Voegelin, Ermine Wheeler: *Mortuary Customs of Shawnee and Other Eastern Tribes* (Prehistory Research Series, 2), Bd. 2, S. 227–444. Indiana Historical Society, Indianapolis 1944.

Voth, H. R.: »Oraibi Natal Customs«, in: *Field Columbian Museum Anthropological Series*, 6:2. Field Columbian Museum, Chicago 1905.

Wallace, Ernest, u. Hoebel, E. Adamson: *The Comanches, Lords of the Southern Plains.* University of Oklahoma Press, Norman 1952.

Waterman, T. T., u. Kroeber, A. L.: »Yurok Marriages«, in: *University of California Publications in American Archeology and Ethnology*, 35:1. University of California Press, Berkeley 1934.

Waters, Frank: *Masked Gods, Navajo and Pueblo Ceremonialism.* Ballantine Books, New York 1950.

Weltfish, Gene: *The Lost Universe, The Way of Life of the Pawnee.* Ballantine Books, New York 1965.

Wilson, Maggie: »One With The Clay«, in: *Arizona Highways* (März), 50:48, 1974.

Wissler, Clark: »Social Life of the Blackfoot Indians«, in: *Anthropological Papers of the American Museum of Natural History*, 7:1. American Museum of Natural History, New York 1911.

Woodward, Grace Steele: *The Cherokees.* University of Oklahoma Press, Norman 1963.

Wright, Barton: *Kachinas – A Hopi Artist's Documentary.* Northland Press, Flagstaff 1973.

Wyman, Leland C.: *Blessingway*, aufgezeichnet und übersetzt von Father Bernard Haile. University of Arizona Press, Tucson 1970.

Yorburg, Betty: *Sexual Identity.* John Wiley & Sons, New York 1974.

Young, Frank W., u. Bacadayan, Albert A.: »Menstrual Taboos and Social Rigidity«, in: *Ethnology*, 4:2, 1965.

Zeisberger, David: *David Zeisberger's History of the Northern American Indians*, hrsg. von Archer Butler Hulbert u. William Nathaniel Schwarze. Fred J. Heer, Columbus 1910.

Zuni People, *The Zunis – Self Portrayals*, übers. von Alvina Quam. University of New Mexico Press, Albuquerque 1972.

Personen- und Sachregister

A

B

C

D

E

F

G

H

I

J

K

L

M

N

O

P

Q

R

S

T

U